KARL MAY

KLASSISCHE MEISTERWERKE

KARL MAY

AM STILLEN OZEAN

REISEERZÄHLUNGEN

KARL-MAY-VERLAG · BAMBERG
in Zusammenarbeit mit dem
VERLAG CARL UEBERREUTER · WIEN

INHALT

IM ZEICHEN DES DRACHEN

DIE PIRATEN DES INDISCHEN MEERES

Herausgegeben von Dr. E. A. Schmid

Diese Ausgabe erscheint in enger Zusammenarbeit
mit dem Verlag Carl Ueberreuter, Wien.
Der Inhalt dieses Buches entspricht dem Band 11
der grünen Originalausgabe „Karl Mays Gesammelte Werke".
© 1954 Karl-May-Verlag, Bamberg / Alle Urheber-
und Verlagsrechte vorbehalten.

ISBN 3-7802 0511-4
Gesamtherstellung: Ebner Ulm

IM ZEICHEN DES DRACHEN

1. Auf der „Maatepockeninsel"

Ein heiterer, wolkenloser Himmel breitete sich über uns aus, aber das strahlende Licht der Sonne vermochte die finsteren Schatten nicht zu verscheuchen, die auf den Zügen der wackeren Seeleute lagen. Mißmutig saßen sie mit mir rings um das lodernde Feuer, an dem wir unser Mittagmahl bereiteten.

Vor uns dehnte sich der niedrige Strand, von drei scharfen, gefährlichen Korallenringen umgeben, außerhalb deren die See ihre weiten, glänzenden Wogen wälzte. Zwischen ihnen und der Küste ruhte das Wasser so unbewegt, als hätte nie ein Sturm in diesen sonnendurchglühten Breiten getobt. Hinter uns stieg das Land zur Höhe, hier und da von grünen Eukalyptussträucheren, dichten Melaleuzeen[1] und Gruppen von Kallitriskoniferen bestanden, unter und zwischen denen zahlreiche Akazia- und andere feinstielige Leguminosenarten eine dichte Bodenbekleidung bildeten. Auf dem höchsten Punkt der Insel stand Bob, der Zimmermann, denn an ihm war die Reihe, mit dem Fernrohr unausgesetzt den Gesichtskreis abzusuchen nach irgendeiner Art von Segel, das uns Befreiung aus unserer beklemmenden Lage bringen könnte.

Wir hatten mit unserem guten Dreimaster „Poseidon" vor nunmehr sechs Wochen Valparaiso verlassen, um nach Hongkong zu segeln, in kurzer Zeit die viel befahrenen Linien nach Callao, Guayaquil, Panama und Acapulco durchschnitten und waren dann in schneller, glücklicher Fahrt vor einem steifen Südostpassat immer scharf nach Westen gegangen. Ungefähr auf der Höhe von Ducir und Elisabeth schlug der Passat in einen Orkan um, wie ich ihn von solcher Stärke und Unwiderstehlichkeit während meiner vielen Fahrten noch niemals erlebt hatte.

Wir waren gezwungen gewesen, alle Leinwand außer dem Sturmsegel einzuziehen, und dennoch hatte der „Poseidon" einen Spielball der empörten Wogen gebildet, den keine menschliche Einsicht, Kraft und Geschicklichkeit zu lenken vermochte. Jetzt lag unser Dreimaster gestrandet draußen zwischen den verräterischen Korallenklippen. Der Kutter war über Bord gerissen worden; die Schaluppe hatte bei unserer Landung ein unheilbares Leck bekommen, und das Langboot steckte auf einem spitzen, haarscharfen Riff, das sich wie ein malaiischer Dolch in seinen Bug gebohrt hatte.

Die Brandung riß Planke um Planke von dem Schiff, das unrettbar verloren war, und wir hatten zwei Tage lang unter Anstrengung aller Kräfte arbeiten müssen, um wenigstens von der Fracht und den Lebensmitteln so viel zu bergen, wie wir der gefräßigen See zu entreißen vermochten.

Nun war es mit der schweren Arbeit zu Ende, und wir kauerten zwischen großen Warenballen und Fässern um das Feuer und bemühten uns, einander an Düsterkeit der Mienen zu überbieten.

[1] Teebäumen

Seitwärts stand Kapitän Roberts und war beschäftigt, die Länge und Breite zu berechnen. Wir hatten seit früh wieder freien Himmel, und es konnte ihm also jetzt, da die astronomischen und nautischen Meßgeräte geborgen worden waren, nicht schwer fallen, seine Aufgabe genau zu lösen.

„Nun, Käpt'n, seid Ihr fertig?" fragte der Steuermann, während er ein mächtiges Stück Salzfleisch vom Feuer nahm, um es auf seine Bratschärfe zu prüfen.

„Aye, aye, Maat; bin fertig", lautete die Antwort.

„Wo sind wir?"

„Wir sitzen anderthalb Grad nördlich vom Steinbock auf dem zweihundertneununddreißigsten Grad östlich von Ferro."

„Wollte, wir säßen daheim in Hobboken bei Mutter Grys und hätten einen festen Schemel unter uns und ein Glas Steifen vor der Nase. Was meint Ihr wohl zu dieser Insel, Käpt'n? Wird ihr Name ausfindig zu machen sein?"

Der Kapitän neigte bedenklich den Kopf.

„Hier gibt's mehr Inseln als Pockennarben in Euerm Gesicht, und das ist viel gesagt, wie Ihr wohl wißt, Maat. Habt Ihr für jede Narbe gleich den richtigen Namen bei der Hand?"

Der Steuermann bemühte sich, die Schmeichelei, die der Vergleich für ihn enthielt, mit einem sauren Lächeln zu erwidern.

„Habe noch nie daran gedacht, die Teile meiner ehrlichen Fratze zu benamsen, Käpt'n. Aber wenn dieses unglückselige Stück Koralle hier noch keinen Namen hat, so sind wir wahrhaftig gezwungen, ihm einen zu geben. Ich schlage vor, wir heißen das Eiland Maatepockeninsel."

Er schien seinen Witz für überaus geistreich zu halten, denn das saure Lächeln verschwand, und neben dem riesigen Stück Kautabak, das er im Mund hatte, drängte sich ein kräftiges und herzliches Lachen über seine Lippen.

Die Schiffsordnung ist sehr streng, und selbst der „unbefahrenste" Seejunge weiß, daß alle einstimmen müssen, wenn der Kapitän oder der Maat so gnädig ist, zu lachen; nur muß der eine sich leiser und der andere lauter beteiligen, je nach dem Rang, den er auf der Schiffsliste einnimmt. Daher öffneten jetzt alle Mannen vom Hochbootsmann an bis herab zum Kajütenhelp die Lippen, um ihre Lachmuskeln pflichtschuldigst in Bewegung zu setzen. Sogar der Kapitän verzog den Mund zu einem wohlwollenden Schmunzeln und meinte dann: „Ich denke, wir befinden uns so zwischen Holt und Miloradowitsch auf einem weit nach West vorgeschobenen Platz. Was meint Ihr, Master Charley?"

Ich war auf dem Schiff der einzige Fahrgast gewesen, mit dem sich der sonst sehr schweigsame Kapitän unterhalten hatte. Es war mir vorgekommen, als dürfte ich mich seiner Zuneigung rühmen, und er hatte wirklich die Gewohnheit angenommen, mich mehr zu Rat zu ziehen, als es sonst von einem Seemann einem Laien gegenüber zu geschehen pflegt. Daher kam es, daß die Mannschaft eine gewisse Achtung vor mir hegte, die mir in manchen Fällen zustatten kam und oft eine kleine Bevorzugung oder Erleichterung zur Folge hatte.

„Meine Berechnung vorhin stimmt mit der Eurigen, Sir", antwortete ich. „Zwar bin ich in diesen Gegenden noch nie gewesen, aber ich habe mich genau über sie unterrichtet. Sicher ist jedenfalls, daß wir uns auf einer der Pomatu-Inseln[1] befinden, obgleich dieses Eiland eine abweichende Form zeigt."

„Ich war auch noch nicht hier", gestand der Kapitän. „Wollt Ihr mir wohl sagen, wie die Pomatu-Inseln gebaut sind?"

„Sie sind korallischen Ursprungs, meist rundlich geformt und nicht viel höher als die Oberfläche des Meeres. In ihrer Mitte haben sie meist einen kleinen See, und auf dem harten Korallengrund tragen sie gewöhnlich eine fruchtbare Humusdecke. Die Inselwelt wurde zuerst von dem Spanier Quiros im Jahr 1606 entdeckt und zerfällt in mehr als sechzig Gruppen."

„Wie weit rechnet Ihr von hier bis nach den Gesellschaftsinseln?"

„Sie liegen in der Richtung von Südost nach Nordwest zwischen dem zehnten bis achtzehnten Grad südlicher Breite und dem zweiundzwanzigsten Grad zu zweihundert östlicher Länge. Wir haben also, wenn wir erst West nehmen und dann nach Nord umlegen, sechzehn Grade, und wenn wir die Längskreise und Breitenlinien im Durchmesser nach Nordwest schneiden, vierzehn Grade zu durchmessen."

Roberts sah mich bei dieser Auseinandersetzung etwas von der Seite an. Der gute Kapitän war nämlich auf den ihm gewohnten Kursen ein braver Schiffsführer, schien aber in anderen Lagen etwas unsicher zu sein.

„Vierzehn Grade? Das ist ein langer Weg, besonders wenn man festsitzt und kein Schiff unter den Füßen hat", brummte er.

„Hm! Ich gab Euch ja den Rat, so viel Holz wie möglich zu bergen, um ein Fahrzeug zu bauen. Wir haben doch den Zimmermann und konnten alle mit Hand anlegen. Auch aus der Schaluppe, wenn wir sie nicht fahren ließen, und dem Kutter hätte sich vielleicht noch etwas machen lassen. Ihr aber habt die Fracht gerettet, und nun sitzen wir fest, wie Ihr ja selber sagt."

„Well, Sir, das ist Eure Meinung", antwortete er unmutig. „Ihr wißt aber, daß in solchen Dingen nur die Ansicht des Kapitäns gilt. Die Fracht ist mir anvertraut, und ich muß sie zu retten suchen."

Das Schiff und das Leben seiner Leute war ihm ebenso anvertraut, und er hätte die Verpflichtung gehabt, daran zu denken, daß wir, wenn sich kein Schiff zeigte, ohne Fahrzeug hier so gut wie verloren waren. Das Menschenleben ist höher anzuschlagen als Geld und Gut. Doch ich schwieg, denn meine Erinnerung hatte ihn mürrisch gemacht, und es konnte nicht meine Absicht sein, ihn ernstlich zu erzürnen und mir sein Wohlwollen zu verscherzen oder mir gar seine Feindschaft zuzuziehen.

„Zum Essen!" befahl jetzt der Maat, und alles rückte näher, um sich an den dicken Erbsen mit Salzfleisch zu vergnügen. Ich hatte keine Lust zu dieser derben Seemannskost und nahm mein Gewehr, um am Strand hinzuschlendern, an dem ich ganze Scharen Seevögel bemerkt hatte, die hier auf den Pomatu-Inseln zahlreich vorkommen. Ich kehrte wirk-

---

[1] Auf deutschen Karten auch als Paumotu-Inseln verzeichnet. Sie werden auch „Flache Inseln", „Gefährliche Inseln", „Niedrige Inseln" und „Perleninseln" genannt

lich schon nach einer Viertelstunde mit reicher Beute zurück und wurde mit einem fröhlichen Hallo empfangen. Die Vögel waren die Feindschaft des Menschen nicht gewohnt, darum hatten meine Schrote mächtig unter ihnen aufgeräumt. Sie wurden schleunigst gerupft und gebraten und lieferten einen Nachtisch, dessen Schmackhaftigkeit den Kapitän wieder in seine gute Laune versetzte.

„Ihr seid ein famoser Kerl, Charley", meinte er. „Ich könnte so ein Schießgewehr hinhalten, wo ich wollte, ich würde nichts treffen, davon bin ich überzeugt. Ein Ruder führen, ja das bringt man schon noch fertig, aber einen Braten schießen, hm, das ist doch etwas anderes. Sagt einmal, Charley, ob es hier an Back- oder Steuerbord wohl Menschen gibt!"

„Ich denke es." – „Von welcher Sorte?"

„Malaien natürlich. Ihr wißt doch, daß viele der Pomatu-Inseln bewohnt sind."

„Das weiß ich; aber ob in der Nachbarschaft Leute leben, das ist ja für uns die Hauptsache."

„Möglich wäre es. Wenigstens sollte ich meinen, daß Holt und Milorado-witsch, zwischen denen wir uns wahrscheinlich befinden, Bewohner haben."

„Ist's ein gefährliches Volk?"

„Sie sind meist noch Wilde, und man erzählt sich sogar, daß es unter ihnen Menschenfresser geben soll."

„Sehr angenehm, Charley! Wir freilich haben von solchen Leuten nichts zu befürchten, aber – – ich glaube, wir könnten mit ihnen gar nicht einmal verhandeln. Wenigstens kenne ich keinen unter uns, der ihre Sprache versteht."

Der Steuermann schob sich ein gewaltiges Stück Salzfleisch zwischen die Zähne und meinte kaltblütig: „Ich bin es, der sie versteht, Käpt'n."

„Ihr? Wie? Woher wollt Ihr das gelernt haben?"

„Mit Menschenfressern spricht man nur mit diesem da!"

Er hob das Messer in die Höhe, zog die fürchterlichste Miene, die ihm möglich war, und machte eine Bewegung mit dem Arm, als wollte er jemand erstechen.

„Ihr versteht doch nicht etwa Malaiisch, Charley?" fragte der Kapitän.

Ich mußte lächeln. Charley war stets der Mann, von dem der gute Roberts glaubte, daß er alles verstehen müsse.

„Die Wahrheit ist, Käpt'n, daß ich während meines Aufenthalts auf Sumatra und Malakka mir das eigentliche Malaiisch, das durch die ganze australische Inselwelt Verkehrssprache ist, ein wenig angeeignet habe. Das Kawi, die malaiische Priester- und Schriftsprache, verstehe ich nicht; dafür aber glaube ich, daß ich mich den Bewohnern der Tahiti- und Marquesas-Inseln in ihrer Mundart verständlich machen kann."

„Dann seid Ihr ja ein richtiger Polynesier."

„Die Sache ist einfach die, daß man sich leichter in eine fremde Sprache findet, wenn man während seiner Schülerzeit einen guten Grund gelegt hat. Bei der Bekehrung der westmalaiischen Volksstämme zum Islam hat ihre Sprache viel von dem Arabischen aufgenommen und wird noch jetzt mit wesentlich arabischen Buchstaben geschrieben. Da ich nun das Arabische verstehe, so hat mir ein Zurechtfinden im Malaiischen nicht viel Mühe gemacht."

„Dann müßt Ihr uns als Dolmetscher dienen, wenn wir ja mit Polynesiern zusammentreffen sollten."

„Ahoi – iiiih!" erscholl es da von der Anhöhe herab.

Bob mußte etwas Auffälliges bemerkt haben und gab uns das mit dem gewöhnlichen Seemannsruf zu verstehen.

„Ahoi – iiiih!" entgegnete der Kapitän. „Was ist's, Zimmermann?"

„Ein Segel in Sicht!"

„Wo aus?"

„Süd nahe bei Ost!" – „Was für eins?"

„Kein Schiff, sondern ein Fahrzeug."

Der Seemann ist gewohnt, bloß Dreimaster „Schiffe" zu nennen. Bob hielt das Rohr wieder an die Augen und blickte nochmals aufmerksam hindurch. Dann berichtete er, sich wieder zu uns drehend:

„Es ist ein Boot oder so etwas, mit einem Segel, wie ich es in dieser Form noch nicht gesehen habe."

„Es müßte eine malaiische Praue sein", meinte ich. „Laßt uns hinaufgehen, um uns zu überzeugen, Käpt'n!"

Die anderen mußten zurückbleiben, und wir beide eilten empor. Als wir oben anlangten, war das Segel bereits mit dem bloßen Auge zu erkennen. Ich nahm Bob das Fernrohr ab. blickte hindurch und gab es dann dem Kapitän.

„Da, seht einmal, Käpt'n! Es ist ein Boot von der Art, wie man es auf den Gesellschaftsinseln hat. Bemerkt Ihr den Ausleger an der Seite? Er soll das Kentern verhüten, das sonst leicht möglich wäre, da diese langen, scharfen Fahrzeuge bloß für einen Mann breit genug sind und einen runden Boden haben."

„Ich gebe Euch recht, Charley! Aber da schaut: eins, zwei, vier, fünf, sieben, zehn, dreizehn, vierzehn Segel hinter ihm!" zählte Roberts. „Sie liegen draußen am Rand des Gesichtskreises und sind nicht größer als ein Dollar. Hier, nehmt das Rohr!"

Ich überzeugte mich, daß er richtig gesehen hatte. Die meisten Punkte wurden größer; wir hatten es mit fünfzehn Fahrzeugen zu tun, die, wie sich nach ihrem Bau vermuten ließ, je mit einem Mann besetzt waren.

„Tretet hinter dieses Riff!" meinte ich. „Wir wissen nicht, in welcher Absicht sie kommen, und haben also keine Ursache, uns vorzeitig blicken zu lassen."

„Wird uns der Mann da vorn nicht bereits wahrgenommen haben?" fragte der Zimmermann.

„Nein", antwortete Roberts. „Wir stehen zu seinem Auge zwar hoch gegen den Himmel, aber bevor wir nicht seinen Bord genau erkennen, kann er auch uns nicht bemerken. Übrigens muß er ein sehr gewandter und kräftiger Bursche sein. Schaut, Charley, wie geschickt er den Wind und mit den Rudern jede Woge benutzt! Er kommt wahrhaftig wie mit Dampfkraft näher und arbeitet, meiner Treu, als ob er verfolgt würde."

„Das scheint auch wirklich der Fall zu sein, Käpt'n. Ich kann ihn mit dem Rohr deutlich erkennen und sehe, daß er sich zuweilen erhebt, um zurückzublicken."

„Was tun wir, Charley?"

„Wir müssen die Sache untersuchen, ehe die anderen in Augenweite kommen. Sie mögen ihn verfolgen oder nicht, sie mögen uns freundlich oder feindlich gesinnt sein: wir müssen uns so vorbereiten, als hätten wir einen Angriff zu erwarten."

„Hm, ja, Ihr habt recht. Aber – – hm! Werde ich an Bord angegriffen, so weiß ich, was ich zu tun habe. Hier zu Land jedoch – – hm! Ist es nicht am besten, wenn wir unsere Leute alle hier oben aufstellen? Wir wären dann gedeckt und könnten das ganze untere Gelände bestreichen."

„Sehr richtig! Aber ist es nicht besser, die Gegner zwischen zwei Feuer zu nehmen?"

„Wieso?"

„Wir teilen uns. Während wir bei unseren Sachen für alle Fälle eine Wache zurücklassen, nimmt die eine Hälfte hier oben Stellung, die andere aber geht längs des Strandes vor, um auf jener Klippenreihe da links den Korallenring zu gewinnen. Dort legen sie sich, um nicht bemerkt zu werden, platt zur Erde. Falls es zum Kampf kommen sollte, eilen sie auf ein Zeichen längs des Rings bis zu der Stelle da gerade vor uns, wo die Korallen die Bucht umschließen, in die die Malaien allem Anschein nach eindringen werden. Auf diese Weise sind die Feinde eingeschlossen und müssen sich ergeben, wenn sie nicht sterben wollen."

„Richtig, ja, das ist das beste, Charley! Aber wie erfahren wir, was diese Leute herbeiführt und welche Gesinnung sie gegen uns hegen?"

„Ich werde den Mann im ersten Boot empfangen und mit ihm sprechen."

„Wirklich, das wollt Ihr? Wenn er Euch nun tötet?"

„Das wird er nicht tun, Käpt'n; darauf könnt Ihr Euch verlassen. Diese Leute sind entweder nach alter Weise mit Schleudern, Keulen, Pfeilen und Bogen, Lanzen und Wurfspießen bewaffnet, also einer guten Büchse gegenüber ungefährlich. Oder sie besitzen Schießgewehre, und dann sind das sicherlich nur alte Musketen und Steinschloßflinten von Anno Tobak her, die gegen unsere Bewaffnung nicht aufkommen. Wenn Ihr wollt, könnt Ihr mit Bob gleich hierbleiben; ich werde das Nötige anordnen."

„Tut es, Charley! Ich weiß, daß Ihr das Richtige treffen werdet."

Ich eilte hinab.

„Was habt Ihr gesehen, Sir?" fragte mich der Steuermann, als ich unten anlangte.

„Fünfzehn Wilde, die in ebensoviel Booten nach der Südbucht kommen."

„Well, das ist gut, denn dann können wir ja gleich erfahren, welchen Namen diese verwünschte Insel hat. Ihr kommt doch, um uns zu sagen, daß wir uns bewaffnen sollen?"

„Allerdings. Huck und Classen mögen hier bei den Sachen bleiben. Ihr, Maat, geht mit der Hälfte der Leute da hinaus auf den Ring und bewegt Euch vorsichtig vorwärts, bis Ihr die Bucht erblickt. Da legt Ihr Euch platt nieder, damit Ihr nicht von den Feinden bemerkt werdet! Kommt es zum Kampf, so erhebt Ihr Euch beim ersten Schuß oder auf ein Zeichen von mir und lauft vorwärts, um die Bucht zu umschließen. Habt Ihr mich verstanden?"

„Aye, aye, Sir!" – „Dann vorwärts! Es ist keine Zeit zu verlieren."

Der Steuermann verteilte schnell Waffen und Schießbedarf unter seine Leute und eilte mit ihnen davon.

„Ihr anderen geht hinauf zum Kapitän! Nehmt seinen Schiffssäbel und seine Flinte mit, auch für den Zimmermann ein Gewehr!"

Sie hatten sich bereits bewaffnet und schritten der Anhöhe zu. Ich selber steckte das Messer und den Revolver ein, griff zum Stutzen und eilte längs des Hangs hin, um dem Inhaber des ersten Boots entgegenzugehen. Die Insel war nicht groß: ich bekam ihn bereits nach zehn Minuten zu Gesicht. Er näherte sich schon dem Korallenring, der nur eine so schmale Durchfahrt frei ließ, daß man sie mit einem guten Anlauf überspringen konnte. Sein Segel war jetzt gerefft, und er bediente sich bloß des Ruder, um die schwierige Stelle zu überwinden.

Es gelang ihm. Die Brandung trieb ihn durch den engen Kanal in das ruhige Wasser der Bucht. Hier erhob er sich hart hinter den Korallen. Er hatte die Ruder weggelegt und zu Pfeil und Bogen gegriffen. Nach der Insel gewandt, legte er den Pfeil auf den Bogen und schoß. Der Pfeil erreichte das Land an einer Stelle, die etwa zwanzig Schritte von der Küste einwärts lag.

Jetzt war ich gewiß, daß er von den anderen verfolgt wurde. Jedenfalls beabsichtigte er, vom Land aus die Durchfahrt zu verteidigen, und hatte erproben wollen, ob ihm das mit dem Pfeil möglich sei. Nun griff er wieder zum Ruder und kam herbei.

Diese Seite der Insel zeigte einen dichteren Pflanzenwuchs als die nördliche, auf der wir unser Lager aufgeschlagen hatten. Es gab hier hohen, breitwedligen Farn, der ein unbemerktes Anschleichen begünstigte. Ich pirschte mich so schnell wie möglich näher.

Er stieß sein Kanu ans Ufer. Es war eins der auf den Gesellschaftsinseln gebräuchlichen, einfach aus einem Stamm gehauenen Fahrzeuge mit einem runden Boden. Durch diese Bauart vermag ein solcher Kahn rascher zu segeln, würde aber auch sehr leicht umschlagen, wenn er nicht durch einen sogenannten Outrigger[1] davor bewahrt würde.

Diese Ausleger bestehen aus zwei quer über das Kanu befestigten Stangen oder Hölzern, die nach rechts hinaus einen leichten, kufenartig geschnittenen Balken halten, der gleichlaufend mit dem Kahn unter die Hölzer gebunden ist. Der Balken schwimmt also, etwa vier Fuß vom Steuerbord des Kahns entfernt, auf dem Wasser und ist mit Baststricken fest an die Querhölzer geschnürt. Ein Umschlagen des Fahrzeugs, ja selbst ein Schaukeln wird dadurch zur Unmöglichkeit gemacht. Denn das Boot kann nicht nach links hinüberkippen, weil es dann den ganzen, nahezu eineinhalb Meter abstehenden Balken aus dem Wasser heben müßte; und nach rechts ebensowenig, da sich der aus leichtem Holz bestehende Balken mit den Querstangen und auf diese Entfernung hin nicht unter Wasser drücken läßt. Diese Kanus fahren daher selbst bei

[1] Ausleger

unruhiger See sicher und zuverlässig. Freilich würde man sich ohne die Ausleger nur äußerst vorsichtig darin bewegen dürfen, da der runde Boden der geringsten Neigung des Körpers folgt; bei der kleinsten Schwankung liefe man nicht nur Gefahr, zu kentern und ein unfreiwilliges Bad zu nehmen, sondern man könnte diesen an und für sich kleinen Unfall leicht mit dem Leben bezahlen, da die Buchten und sonstigen Wasser dieser Inseln von gefräßigen Haien wimmeln.

Der Verfolgte zog sein Boot halb aus dem Wasser, hing sich den Köcher über, nahm den Bogen zur Hand und griff dann auch nach einer Flinte, deren Riemen er über die Schulter legte. Er schritt nach der Stelle, wo sein Pfeil lag, hob ihn auf und marschierte dann in gleich großen Schritten und gerader Linie landeinwärts. Jedenfalls wollte er die Entfernung messen für den Fall, daß seine Verfolger in die Bucht drangen und zu landen versuchten. Sein Benehmen war das eines kühnen und dabei doch vorsichtigen Mannes, der keinen Umstand, der ihm nützlich sein kann, unberücksichtigt läßt. Er näherte sich mir dabei so, daß ich ihn deutlich seine Schritte zählen hörte.

„Satu, dua, tiga, ampat, lima, anam, tudschuh, dalapan, sambilan, sapuluh", murmelte er von eins bis zehn und fuhr dann fort: „Sapuluh-satu, sapuluh-dua, sapuluh-tiga – –"

„Rorri – halt!" gebot ich da, mich aus dem Farn erhebend und ihm die Hand auf die Schulter legend. „Was tust du hier?"

Er erschrak über mein plötzliches Erscheinen, hatte sich aber im nächsten Augenblick gefaßt und zog das Messer aus dem Gürtel. Jetzt erkannte er, daß ich kein Eingeborener sei, und ließ den zum Stoß erhobenen Arm wieder sinken.

„Inglo?" – „Nein, ich bin kein Engländer."

„Franko?"

„Ja", antwortete ich, denn ich nahm an, daß er mit dem Wort nicht einen Franzosen bezeichnen wollte, sondern es in dem weiteren Sinn gebrauchte, mit dem alle Abendländer gemeint sind.

„Oh, das ist gut! Bist du allein, Sahib?"

War er in Indien gewesen, daß er mir diesen Titel gab? Ich zog es vor, ihn noch nicht aufzuklären, und fragte: „Was suchst du hier?"

„Rettung." Er wandte sich zurück und deutete mit der Hand auf die Boote, die jetzt so nahe waren, daß man ihre Borde deutlich erkennen konnte. „Sie verfolgen mich und wollen mich töten."

„Weshalb?" – „Ich bin reich und ein Christ."

„Und sie sind Heiden?"

Er nickte bejahend.

„Einige sind noch Heiden, und einige haben sich von dem Inglo-Mitonare taufen lassen."

Mitonare heißt Missionar, und mit diesem Wort bezeichnet das in seinem Sprachschatz arme Iauch alelvolsnk les, was mit der Religion der Christen in Verbindung steht, wie z. B. Kirche, Prediger, Altar, Kreuz, Predigt, Bibel, selig, heilig, fromm usw. Alles das wird nur „mitonare" genannt. Hier war jedenfalls ein Missionar der anglikanischen Kirche gemeint.

„So sind diese von dem Inglo-Mitonare Getauften also doch Christen?"

„Eita – nein. Sie glauben noch immer an Atua, den guten Gott, und an Oro, den Gott alles Bösen, aber sie haben sich taufen lassen, weil sie dann mit den Ingli handeln dürfen und schöne Sachen bekommen."

„Wie heißt du?" – „Potomba."

„Von welcher Insel bist du?"

„Ich wohne in Papetee, der Hauptstadt von Tahiti. Ich bin ein Ehri, ein Fürst des Landes, und werde alle meine Feinde töten!"

Er blickte zurück. Soeben versuchte das erste Boot seiner Verfolger die Einfahrt durch den engen Kanal. Er sprang zurück bis an den Ort, wo sein Pfeil niedergefallen war, spannte den Bogen und zielte. Der Pfeil schwirrte von der Sehne. Er hätte den Mann sicher getroffen, aber eine jäh hereindrängende Woge hob den Kahn empor, und das spitze Geschoß bohrte sich ins Holz. Unwillkürlich hatte sich der Insasse des Bootes aus Furcht vor dem Pfeil niedergebückt und dabei die Ruder außer Tätigkeit gesetzt; dieselbe Woge, die ihn hereingetrieben hatte, erfaßte im Zurück-fluten sein Fahrzeug und riß es wieder aus der Einfahrt heraus.

„Hallo o – – oh!" rief es da von dem Korallenring aus, und als ich mich seitwärts wandte, sah ich – den Steuermann mit den Seinen herbeispringen.

Der Maat hatte den Pfeilschuß fälschlicherweise für das Zeichen ge-halten und machte jetzt meinen ganzen Plan zunichte. Die Verfolger hatten mich zwar bereits gesehen, ohne deshalb von ihrem Vorhaben abzulassen; als sie aber erkannten, daß die Insel von einer ganzen Truppe europäisch gekleideter Männer besetzt war, beschlossen sie den Rückzug, zogen schleunigst die Segel wieder auf und ruderten von dannen.

Ich schritt jetzt nach dem Strand, wo Potomba auf die Knie gesunken war.

„Bapa kami iang ada de surga, kuduslah kiranja namamu[1]" hörte ich ihn beten nach dem Wortlaut, den die von der Mission Bekehrten anzu-wenden pflegen. Dann sprang er freudig auf und rief: „Ich bin gerettet! Sie fliehen, und ich brauche keinen zu verletzen. Fast hätte mein Pfeil Anoui, den falschen Priester, getötet, der doch der Vater meines Weibes ist."

Nur die Not hatte ihn also zur Gegenwehr gedrängt, und ich erkannte in seinem jetzigen Ausruf und dem vorangehenden Dankgebet eine wahr-haft christliche Gesinnung, die unter den Bekehrten in dieser Herzens-aufrichtigkeit nicht häufig angetroffen wird und dem jungen Mann mein Wohlwollen erwarb. Jedenfalls war er aus wirklicher Überzeugung Christ geworden.

„Wer ist Anoui?" fragte ich ihn.

„Der Priester von Tamai."

Ich besann mich.

„Liegt Tamai nicht auf Eimeo, der Nachbarinsel von Tahiti?"

„Ja, Sahib. Tamai befindet sich nicht weit von der Bai von Opoauho. Pareyma, mein Weib, ist die Tochter des Priesters, denn ein Ehri nimmt sich nur die Tochter eines Fürsten oder Priesters zur Frau."

„Und warum ist Anoui jetzt dein Feind?"

„Weil ich Christ geworden bin. Er hat mir Pareyma, die Perle meines

---

[1] Wörtlich: „Vater unser, welcher ist im Himmel, heilig möge sein Name sein."

Lebens, abverlangt, aber ich gab sie ihm nicht. Da verklagte er mich bei den Ingli, die nicht an die mitonare (heilige) Jungfrau Marrya glauben, und sie halfen ihm. Ich aber ging zu den Franki, die viele mitonare Männer und Frauen im Himmel des guten Bapa haben, und sie unterstützten mich; ich durfte Pareyma in meinem Haus behalten, obgleich sie mir nicht der Mitonare, sondern unser Priester gegeben hat, als ich noch ein Heide war. Dann mußte ich fort nach den Tubuai-Inseln, um Kleider, Waffen und Perlen umzutauschen, denn seit die Europäer zu uns gekommen sind, ist alles anders und böser geworden, und selbst wer früher ein Fürst war, muß durch Arbeit oder Handel Geld verdienen. Anoui wußte, wohin ich ging, und folgte mir mit seinen Leuten nach. Als ich die Inseln von Tubuai verließ, lauerte er mir auf, um mich zu töten und mir den Reichtum zu nehmen, den ich bei mir führte."

„Getötet hat er dich nicht; aber deine Habe – hast du sie hier im Boot?"

„Nein. Er bekam beides nicht, mein Leben und mein Eigentum, denn meine Hand ist stärker als die seine, und sein Verstand ist dunkler als der eines Ehri. Als ich ihn mit seinen Booten auftauchen sah, fuhr ich ihm entgegen und sandte meine Diener mit den Kähnen, auf denen sich meine Habe befand, auf einem Umweg nach Papetee. Ihn aber lockte ich bis hierher, wo ich ihn hätte töten müssen, wenn er nicht geflohen wäre."

Sein Auge leuchtete, und seine dunkle Wange brannte vor Erregung; er war noch jung und wirklich schön, als er so drohend vor mir stand; auf den langen, schwarzen Flechten den federgeschmückten Turban, zwei wertvolle Perlen an jedem Ohr, und die gelbseidene Marra als Gürtel um die rot und weiß gestreifte Tebuta geschlungen, die in reichen Falten von seiner Schulter bis zum Knie reichte und das Ebenmaß seiner schlanken, kräftigen Gestalt vorteilhaft hervorhob.

„Was wirst du jetzt beginnen?" fragte ich ihn.

„Sage zuvor, was ihr mit mir beginnen werdet, Sahib!" antwortete er, nach der Höhe deutend, von der sich der Kapitän mit den Seinen näherte.

„Ich bin dein Freund, und du hast von uns nichts zu befürchten. Du kannst tun, was dir beliebt. Doch bitte ich dich, daß du auch unser Freund wirst."

„Ich bin es, Sahib! Sage mir deinen Befehl, und ich werde ihn vollbringen, denn ich sehe es an deinem Auge, daß du nichts Böses von mir fordern wirst."

„Wir bitten dich um Hilfe."

Er blickte mich so erstaunt an, daß ich mich eines leisen Lächelns nicht erwehren konnte. Ich war einen vollen Kopf höher als er; der Turban mit Schleier, den ich trug, der dichte Vollbart, der mir Wangen und Kinn umrahmte, meine Waffen, die abenteuerliche Kleidung, die sich nach unten in einem Paar riesiger Seemannstiefel verlief: das alles mochte wohl den Eindruck machen, als sei ich gewohnt, nur auf meine eigene Kraft zu vertrauen und fremder Unterstützung nicht leicht bedürftig.

„Wer bist du, und was tust du hier?" fragte er.

„Ich bin vom Volk der Germani, und die anderen gehören zum Volk der Yanki."

„Die Germani sind gut; ich habe ihre Schiffe gesehen auf den Inseln von Samoa; was sie verkaufen, ist ehrliche Ware, und was sie sagen, das gilt als ein Schwur. Aber die Yanki sind anders; ihre Zunge ist glatt und untreu. Ihre Waren glänzen und haben den Betrug in sich. Wie kommst du zu ihnen und auf diese Insel, die noch nicht einmal einen Namen hat?"

„Ich fuhr mit ihnen, weil ich in das Land der Chinesen wollte, aber das Wetter trieb uns an dies Eiland, so daß unser Schiff zerbrach und unsere Boote zerschellten. Nun können wir nicht fort und müssen warten, bis ein anderes Schiff kommt, das uns mitnimmt. Du kehrst nach Papetee zurück?"

„Ja. Mich verlangt, zu Pareyma, meinem Weib, und zu meiner Mutter zu kommen, die mir lieber sind als alle meine Habe und mein Leben. Die Stimme meines Herzens sagt mir, daß ihnen Gefahr droht von Anoui, meinem Feind."

„Auf Tahiti findet man immer Schiffe der Ingli, Franki, Yanki und der Hollandi; vielleicht ist auch eines der Hispani oder gar der Germani da. Willst du sie aufsuchen, wenn du nach Papetee kommst, und eines von ihnen senden, daß es uns von hier abholt?"

„Das will ich, Sahib. Aber sie möchten mir nicht glauben, und daher ist es besser, wenn ihr mir einen eurer Männer mitgebt, der selber für euch reden und bitten kann."

„Faßt dein Boot zwei Männer?"

„Wenn ein anderer rudert, nein; aber wenn ihr einen mutigen Mann wählt, der das Wasser nicht fürchtet, so werde ich ihn glücklich nach Tahiti bringen, denn keiner nimmt es im Fahren mit Potomba, dem Ehri, auf."

In diesem Augenblick hatte uns der Kapitän erreicht.

„Nun? Wer ist dieser Mann, Charley?" – „Ein Ehri von Tahiti."

„Ein Ehri? Was ist das?" – „Ein Fürst, Käpt'n."

„Pshaw! Diese Art von Fürsten kennt man. Der Bursche wird uns sein Boot überlassen müssen, damit wir uns von einer der benachbarten Inseln Hilfe holen."

„Das wird er nicht tun."

„Warum nicht, wenn ich fragen darf, he?"

„Weil ich ihm bereits das Gegenteil geraten habe, Käpt'n."

„Ihr? Ah so, das ist etwas anderes! Ihr habt doch jedenfalls eine gute Meinung dabei gehabt, die auf unseren Vorteil bedacht ist?"

„Das versteht sich! Keiner von uns ist imstand, ein solches Boot zu lenken, und –"

„Ah, Charley, ist das nicht etwas zu viel behauptet? Sollte ich, Kapitän Roberts aus Neuyork, es nicht fertigbringen, ein solches Ding zu führen, da jedermann weiß, daß ich ganz der Kerl bin, selbst das stärkste Orlogschiff zu befehligen?"

„Könnt Ihr einen Ochsen erschießen, Käpt'n?"

„Welche Frage! Natürlich erschieße ich ihn trotz allem, was ich vorhin sagte, als Ihr mit Eurem Wildbret kamt; vorausgesetzt nämlich, daß die Verhältnisse so sind, daß mir das Viehzeug nicht zu Leib kann und ich so lange schießen darf, bis es tot ist."

„Schön! Aber könnt Ihr auch eine Schwalbe schießen?"

„Bei allen Winden, nein; das ist ja rein menschenunmöglich, Charley.

Ihr seid ein feiner Schütze, wie Ihr schon oft bewiesen habt, aber eine Schwalbe, nein, die holt auch Ihr nicht aus der Luft herab."

„Ich habe es aber doch getan, und zwar nicht nur einmal; ich habe sogar da drüben in der nordamerikanischen Prärie fünfzehnjährige Indianerbuben gekannt, die das fertigbrachten."

„Ahoi, Charley, ist das nicht eine wilde Ente oder gar eine Seeschlange?"

„Nein, es ist die Wahrheit! Doch dieser Vergleich hatte nur den Zweck, Euch zu beweisen, daß das Große oft leichter ist als das scheinbar Kleine. Ihr versteht es ganz wacker, einen Dreimaster zu befehligen; aber wagt Euch einmal nur mit Eurem Langboot, das Euch doch geläufig ist, hinaus auf die offene See, so werdet Ihr finden, daß zwischen beiden Leistungen ein gewaltiger Unterschied ist. Ich habe mit dem gebrechlichen indianischen Rindenkanu den Missouri und Red River, mit dem Hautkanu der Brasilianer den Orinoco und Marannon und mit dem fürchterlichen Katamorin der Ostinder den Indus und Ganges befahren; aber ich sage Euch offen, Käpt'n, daß ich es mir nicht getraue, mit diesem Boot hier eine Entdeckungsreise im Gebiet der Pomatu-Inseln zu wagen. Es darf das geringste am Ausleger geschehen, so kentert das Boot, und dann ist man in neunundneunzig von hundert Fällen verloren, da die See hier von Haien wimmelt."

„Alle Wetter, das ist wahr! Der Hai ist der elendste Kerl, den ich kenne, und wer zwischen seine Zähne kommt, dessen Zeit ist ohne Gnade und Barmherzigkeit abgelaufen. Aber ein Schiff müssen wir suchen, das werdet Ihr doch zugeben, Charley?"

„Natürlich! Aber nicht hier zwischen den Pomatu-Inseln, die wir nicht kennen und wohin sich selten ein größeres Fahrzeug verlaufen wird. Der Ehri hier wird nach Tahiti segeln. Gebt ihm einen zuverlässigen Mann mit, der uns ein Schiff holt, so ist uns geholfen."

„Hm, das klingt gut. Wie lange wird der Bursche zubringen, bis er Tahiti erreicht?"

Ich wandte mich an Potomba: „Wie lange fährst du nach Papeete?"

„Wenn ihr mir einen Mann mitgebt, der ein guter Ruderer ist, so brauche ich zwei Tage", antwortete er.

Ich verdolmetschte diese Worte dem Kapitän.

„Hört, Charley, wie heißt der Bursche?" – „Potomba."

„Das glaube ich nicht; er wird wohl Münchhausen heißen. In zwei Tagen von hier nach Papeete? Der Mensch lügt ja wie gedruckt! Ich rechne fünf volle Tage, und dann müßte man schon ein scharf auf den Kiel gebautes Schiff mit Schonertakelage haben. Zwei Tage, das ist Humbug."

„Seht Euch dieses Boot und diesen Mann an, Kapitän! Ich bin geneigt, zu glauben, daß man mit einem so langen, schmalen Wogenschneider unter dem Südostpassat fünfzehn bis sechzehn englische Meilen in der Stunde zurückzulegen vermag."

„Denkt Ihr wirklich? Ein Kunststück wäre es aber doch! Hm, ja; seht die vierzehn Segel da draußen! Es sind noch keine zehn Minuten, seit sie hier wendeten, und ich möchte wetten, daß sie bereits über zwei Meilen zurückgelegt haben. Ihr könnt recht haben, Charley, und nun ist es mir auch einleuchtend, was ich bisher nicht geglaubt habe, nämlich, daß sich sogar ein gut ausgerüstetes Kriegsschiff mit tüchtiger Mannschaft vor einer Flottille malaiischer Prauen in acht nehmen muß. Doch da kommt der Maat! Er macht ein vergnügtes Gesicht, weil es ihm gelungen ist, die Kerls dort in die Flucht zu schlagen."

Wirklich nahte der Steuermann mit einer so siegesbewußten Miene, als hätte er eine große Seeschlacht gewonnen.

„Nun, Sir, wie habe ich meine Sache gemacht?" fragte er mich.

„Schlecht, sehr schlecht, Maat!"

„Wa—wa—wa—waas? Sie haben uns kein Haar gekrümmt und sind, als sie mich und diese Leute da erblickten, davongesegelt, als sei ihnen der Klabautermann[1] auf den Fersen."

„Aber sie sollten doch in der Bucht eingeschlossen werden! Ihr kamt viel zu früh. Sie hatten die Einfahrt noch gar nicht bewerkstelligt, und es war weder von unserer Seite ein Schuß gefallen, noch hattet Ihr von mir oder dem Käpt'n das verabredete Zeichen erhalten. Ich will Euch nicht tadeln, Maat, denn Ihr habt nur den Fehler begangen, daß Ihr ein wenig zu tapfer wart, und vielleicht ist es besser, daß sie heil davongekommen sind. Aber, wollen wir nicht zum Lager gehen? Wir können ja einen Posten hier lassen für den Fall, daß es den Entkommenen einfallen sollte, zurückzukehren."

„Ihr habt wieder recht, Charley!" nickte der Kapitän. „Wir haben ein rühmliches Treffen gewonnen, und so will ich meine Anerkennung dadurch aussprechen, daß ich die Erlaubnis gebe, einen Grog zu brauen, der so steif ist wie das Bugspriet einer niederländischen Kohlenbarke."

Dieser Ausspruch wurde mit allgemeinem Jubel aufgenommen. Die Leute nahmen einander beim Arm, und im Gleichschritt ging es paarweise nach dem Lagerplatz zurück.

Während der Grog gebraut wurde, unterhielt ich mich mit Potomba. Es zeigte sich wirklich, daß er in Indien gewesen war. Auch die meisten Inselgruppen des australischen Archipels hatte er befahren. Er war in seinen Aussprüchen so klar und bescheiden, daß ich ihn bereits in kurzer Zeit liebgewann.

„Jetzt, Charley, mag der Mann gewählt werden, der mit Eurem Fürsten nach Tahiti fahren soll", meinte der Kapitän. „Ich muß natürlich hierbleiben, aber der Maat könnte die Sache übernehmen. Was meint Ihr?"

„Ich habe in solchen Dingen nichts zu sagen, denn Ihr seid der Kapitän, aber ich billige Eure Wahl; der Steuermann ist ein Offizier und wird mehr Gehör finden als ein Matrose, wenn Ihr einen solchen schicken wolltet."

„Ich?" fragte der Maat. „Wo denkt Ihr hin, Käpt'n? Ein braver Steuermann darf sein Schiff und, wenn es wrackgegangen ist, seine Leute nicht verlassen."

„Wenn der Kapitän fehlt und er also an dessen Stelle getreten ist", entgegnete Roberts. „Jetzt aber bin ich noch da, und Ihr könnt getrost nach Tahiti gehen, ohne Euch etwas zuschulden kommen zu lassen. Übrigens

[1] Ein gespenstiges Wesen, von dem sich die meist sehr abergläubischen Seeleute viel Abenteuerliches erzählen

wißt Ihr ja, daß mein Befehl Geltung hat. Wen ich sende, der muß gehorchen."

„Wollt Ihr mir wirklich zumuten, Käpt'n, mich einem Schwimmholz anzuvertrauen, wie das Boot dieses Mannes ist? Übrigens kann ich ja nicht ein einziges Wort mit ihm sprechen, und wie leicht ist es, daß ich mit Leuten zusammenkomme, deren Sprache ich nicht verstehe!"

„Hm, das ist wahr! Charley, wie ist es? Ihr seid der einzige, der Malaiisch und sogar die Mundart der Gesellschaftsinseln versteht. Möchtet Ihr mit dem Mann fahren?"

„Wenn Ihr es wollt, so tue ich's, Käpt'n!"

„Schön; so bitte ich Euch darum. Doch, alle Wetter, was ist denn das?" fragte er plötzlich, mit der Hand nach dem Binnenwasser deutend, das sich beinahe bis an unsere Füße zog.

„Ein Hai, wahrhaftig ein Hai, der zwischen den Klippen Eingang gefunden hat!" rief der Maat. „Schnell zu den Harpunen, alle Mann!"

Auf der Oberfläche des Wassers zeigte sich die Rückenflosse des Fisches, den unsere Anwesenheit herbeigelockt haben mußte. Der Anblick eines Hais bringt jeden Seemann in Aufregung; er kennt keinen größeren Feind als dieses gefräßige Ungeheuer und sucht es zu töten, selbst wenn er sich vor ihm sicher weiß.

Die Leute waren alle aufgesprungen und griffen nach allen möglichen Waffen. Auch ich langte nach meiner Büchse, um zu versuchen, ob eine Kugel hinreichend sei, das Tier zu erlegen. Da legte Potomba die Hand auf meinen Arm und bat:

„Schießt nicht, Sahib; Potomba ist ein Herr aller Haie und wird auch diesem befehlen zu sterben."

Er warf die Tebuta und die Marra ab, so daß er nur den Lendenschurz trug, faßte sein Messer und schnellte sich weit vom Ufer hinaus ins Wasser, das zischend über ihm zusammenschlug.

Ein allgemeiner Schrei des Entsetzens ließ sich hören.

„Was tut der Mensch?" rief der Kapitän. „Er ist verloren."

„Seht die Flosse!" schrie der Bootsmann, der mit einer Harpune hart am Wasser stand. „Der Hai hat ihn bemerkt und hält auf ihn zu. In zwei Sekunden hat er ihn gepackt."

Auch ich war erschrocken, blieb aber ruhig.

„Was wird es nun mit Eurer Fahrt nach Tahiti, Charley?" fragte der Kapitän. „Der Bursche da kommt nicht wieder aus dem Wasser."

„Wollen es abwarten, Käpt'n! Ich habe in Westindien Taucher gekannt, die sich nicht fürchteten, bloß mit einem Messer bewaffnet, den Haifisch im Wasser anzugreifen. Der Fisch muß sich, um zuzuschnappen, auf den Rücken legen; das gibt dem kühnen Schwimmer Zeit, ihm das Messer in den Leib zu stoßen und, sich mit einem kräftigen Stoß fortschnellend, den Bauch des Tieres aufzuschlitzen. Da schaut, Käpt'n, der Kampf beginnt!"

Das Wasser schlug an der Stelle, wo sich der Fisch befand, einen schäumenden Strudel; dann tauchte in einiger Entfernung davon erst der Kopf und dann der Oberleib Potombas empor. Er schwang das Messer hoch in der Luft und stieß einen lauten Siegesruf aus.

„Bei allen Kreuz- und Braamsegeln, er hat das Viehzeug wahrhaftig getötet!" rief der Kapitän. „Dort schwimmt das Ungeheuer auf dem Wasser. Der Leib ist ihm aufgeschlitzt vom Kopf bis zum Schwanz."

Die Umstehenden erhoben ein Freudengeschrei. Nichts konnte geeigneter sein, dem Sieger ihre Anerkennung zu beweisen. Er stieg an Land und trat, ohne das Lob der Leute, die ihn umringen wollten, zu beachten, auf mich zu.

„Der Hai ist tot, Sahib!" meldete er einfach.

„Ich wußte es schon, als du ins Wasser sprangst", erwiderte ich, ihm meine Hand entgegenstreckend.

Er erfaßte sie, und ich sah es ihm an, daß diese Anerkennung ihn mehr freute als das laute Lob der anderen.

„So hast du schon vorher geglaubt, daß Potomba einen starken Arm und ein mutiges Herz besitzt?"

„Ich sah es gleich, als du landetest. Du hast dich vor vierzehn Feinden nicht gefürchtet; ich habe dich lieb, Potomba."

„Und ich bin dein Freund, Sahib! Sag diesen Yanki hier, daß ich keinen von ihnen in mein Boot nehmen werde, um ihn nach Papetee zu bringen. Du allein sollst mit Potomba fahren!"

„Ich habe es ihnen bereits gesagt. Wann segeln wir ab?"

„Wann du es befiehlst."

„So halte dich bald fertig; ich bin schon jetzt bereit. Wir müssen einen Umweg machen, um die Boote deiner Feinde zu vermeiden, nicht?"

„Ja, Sahib. Hier hätte ich sie nicht gefürchtet, denn sie wären gefallen, bevor sie das Land betraten; auf der offenen See aber würden sie uns umringen, und wir wären verloren. Wollt ihr den Fisch haben, Sahib?"

„Ja." – „So gib mir eine Schnur!"

Sie wurde gebracht. Er band sie an das Gefieder seines Pfeils, legte sie sorgfältig entrollt zur Erde und schoß ab. Der Pfeil bohrte sich tief in den Leib des Hais, der nun herbeigezogen wurde. Inzwischen legte der Ehri die abgeworfenen Kleidungsstücke wieder an.

„Bist du fertig, Sahib? Potomba ist bereit, dich nach Tahiti zu bringen, und lieber wird er sterben, als daß er dir ein Leid geschehen läßt."

2. Die Rache des Ehri

Zwischen den bereits von mir angegebenen Längen- und Breitengraden liegt jene Inselgruppe, die im Jahre 1606 von Quiros entdeckt und von dem berühmten Cook, der sie 1769 zuerst gründlich erforschte, zu Ehren der königlichen Gesellschaft der Wissenschaft zu London „Gesellschaftsinseln" genannt wurde.

Sie zerfallen in zwei Abteilungen: die Windwards- und die Leewardsgruppe[1], die durch eine breite Straße getrennt werden. Zu der ersteren gehören Tahiti oder Otaheiti, das die bedeutendste Insel des Archipels

[1] Inseln über und unter dem Winde

ist, Maitea, auch Mehetia genannt, und Eimeo oder Morea. Die Leeward-inseln sind Huahine, Raiatea, Taha, Borabora und Maurua oder Maupiti.

Diese ganze Inselgruppe ist vulkanischen Ursprungs; doch arbeiten die kleinen, fast mikroskopisch winzigen „Baumeister des Meeres", die Pflanzentiere der Korallen, unausgesetzt an deren Vergrößerung, umgeben jede einzelne Insel mit scharfen, spitzen Korallenringen und machen dadurch die Schiffahrt auf den Wasserstraßen, die die Eilande trennen, sehr gefährlich.

Der Gesamtflächenraum der Gesellschaftsinseln beträgt ungefähr vierunddreißig Quadratmeilen. Das Land hat viele schöne Häfen, die aber wegen der Korallenbänke und der dadurch entstehenden Brandung nur schwer zugänglich sind. Der Boden der Inseln ist durchgehend reich und fruchtbar. Die Gebirge sind mit dichten Waldungen bedeckt und die Küstenebenen durch Bäche wohl bewässert, so daß der üppige Pflanzenwuchs eine Fülle von Zucker- und Bambusrohr, Brotfruchtbäumen, Palmen, Bananen, Pisang, Platanen, Bataten, Getreide, Yams- und Arumswurzeln und anderen südländischen Gewächsen umfaßt.

Die Bewohner sind malaiisch-polynesischen Ursprungs, dunkelkupferfarbig (die Frauen meist etwas heller), gut und kräftig gebaut, gesellig, gastfrei und gutmütig. Sie leben in Einehe, halten ihre Weiber in häuslicher Zurückgezogenheit und lieben Musik, Tanz, Fechten und Wettfahrten auf ihren schnellen Booten.

Ursprünglich hingen sie einer polytheistischen Religionsform an, bei deren Ausübung selbst Menschenopfer nichts Ungewöhnliches waren. Ihre Priester, zugleich ihre Ärzte und Wahrsager, übten einen ungemeinen Einfluß auf sie aus, dem allerdings schon zu Ende des achtzehnten Jahrhunderts die von den Engländern hier gegründeten Missionen entgegenarbeiteten. Später sandte das katholische Frankreich seine Sendboten herüber, die unter Mühen und Beschwerden mit den Vorurteilen rangen, die der Götzendienst dem sonst hochbegabten Menschenschlag eingeimpft hatte.

Die äußere Mission wird allerdings oft angeklagt, und ihre Sendboten haben tatsächlich nicht immer ihren Auftrag richtig verstanden. Die Gesittung hat ihre Barbarei, das Licht seinen Schatten, die Liebe ihre Selbstsucht, und von dem Ort der ewigen Seligkeit aus kann man, wie das Gleichnis von dem reichen Mann und dem armen Lazarus lehrt, hinunter in die Hölle blicken, um die Qualen der Verdammten zu beobachten. Christi Lehre der Liebe, Milde und Erbarmung ist, vom unduldsamen Eifertum auf den Schild gehoben und von einer schlau berechnenden Eroberungslust in Dienst genommen, über den größten Teil des weiten Erdenkreises gegangen. Ganze Rassen und Völker sind verschwunden oder liegen noch jetzt in den letzten, wilden Todeszuckungen. Die Geschichte hat dadurch für ihre zukünftige Entwicklung eine Reihe wichtiger kulturgeschichtlicher Kräfte und Werte verloren, und der Seelenhirt, der in die wilde Fremde geht, um die sogenannten Heiden zu bekehren, beachtet nicht, daß die „Wilden" ihren Bedürfnissen angemessen glücklicher sind als wir und daß unter den entarteten Schichten der heimatlichen Bevölkerung sein Wirken notwendiger wäre als unter den Andersgläubigen, die oft in paradiesischen Verhältnissen leben.

Es ist in diesem Zusammenhang viel über die Gesellschaftsinseln geschrieben worden. Als diese Gruppe entdeckt wurde, fand man in ihren Bewohnern ein kindlich-harmloses und beinahe wunschloses Volk, dem eine reiche Natur alle zu einem zufriedenen und sorgenfreien Leben notwendigen Erfordernisse in verschwenderischer Weise schenkte. Die Fremdlinge wurden mit freudiger Gastlichkeit aufgenommen, fast als Götter verehrt und erhielten alles, was ihr Herz begehrte. Sie brachten die Kunde davon in die Heimat, wo unter den Abenteurern der Wunsch nach dem Paradies der Südsee und seinen mühelos erreichbaren Genüssen rege wurde. Es wurden Schiffe ausgerüstet, die Handelspolitik begann ihre Pläne zu spinnen – – die Tahiter erhielten für ihre Gastfreundlichkeit die Laster und Krankheiten des Abendlandes zugeschickt und haben mehr die schlechten als die guten Eigenschaften derer angenommen, die nun zu ihnen kamen und sich Christen nannten, ohne es ihrer Herzensgesinnung nach zu sein. Dieser Umstand ist sehr beklagenswert. Allerdings muß die betrübende Tatsache zugestanden werden, daß die Tugenden der Tahiter seit ihrer Bekanntschaft mit den Europäern schwer gelitten haben; aber das Christentum der Schuld daran zu zeihen heißt eine der ärgsten Ungerechtigkeiten begehen. Es ist nicht richtig, die Kirche mit denen gleichzustellen, die sich Christen nennen; die Christenheit zählt ihre größten Feinde in ihrer eigenen Mitte, und es ist tief zu beklagen, daß die Mission neben ihrer eigentlichen Aufgabe noch die traurige Arbeit übernehmen muß, dem unlauteren Einfluß entgegenzuwirken, der sich im Auftreten der bloßen Namenchristen äußert.

Tahiti, die „Perle der Südsee", lag unter einem herrlichen, tiefblauen Himmel. Die Sonne glühte auf die blitzenden Wogen des Meeres und die bewaldeten Spitzen des Orohenaberges nieder oder funkelte in den Bächen und schmalen Wasserfällen, die von den malerisch aufstrebenden Klippen herabsprangen. Aber ihre Glut erreichte nicht die freundlichen Ansiedlungen, die im Schatten der Palmen und zahllosen Fruchtbäume lagen und von der frischen Seebrise angenehme Kühlung zugefächelt erhielten.

In dem linden, milden Luftzug rauschten die langgefiederten Wedel der Kokospalmen und raschelten die breiten, vom Wind ausgerissenen Blätter der Bananen zur Erde nieder. Die verwelkten Blüten der Orangen, deren Zweige schon mit goldgelben Früchten bedeckt waren, tropften, wonnige Düfte verbreitend, von dem sich wiegenden Geäst herab. Es war einer jener zauberisch schönen, wunderbaren Tage, wie sie in so reicher Pracht und Herrlichkeit nur in den heißen Ländern zu finden sind.

Und während das Land in all seiner paradiesischen Schönheit so jung und frisch, als sei es eben erst aus der Hand des Schöpfers hervorgegangen, dalag, donnerte draußen an den Korallenriffen die Brandung ihr tiefes, nicht endendes und nicht wechselndes Lied. Die Zeiten sind anders geworden und mit ihnen die Menschen; die unendliche See ist noch dieselbe und schleudert noch heute, wie vor Jahrtausenden, ihre

bald kristallenen, bald dunkel drohenden und mit weißem Gischt ge-
krönten Wogenmassen gegen die scharfen Dämme. Die von blitzenden
Lichtern durchschossenen Fluten hoben und senkten sich, als blickten
Tausende von Wasserjungfrauen hinüber, dahin, wo über dem Schaum
der Wellen immergrüne, wehende Wipfel sich erheben, unter denen ein
dem Untergang geweihtes Völkchen die letzten Pulsschläge seines eigenen
persönlichen Lebens zu zählen vermag, ohne dabei die Widerstandskraft
zu äußern, die etwa die Todeszuckungen der amerikanischen Rasse dem
weißen Mann so furchtbar macht.

Dort am Strand lag Papetee, die Hauptstadt Tahitis, und eine bunt
bewegte Schar von Menschen wogte in weißen, roten, blauen, gestreiften,
gewürfelten oder geblümten langen Gewändern hin und her. Wie prachtvoll hatten sich die jungen, bildhübschen Mädchen das schwarze, lockige
und s idenweiche Haar mit Blumen und dem künstlich geflochtenen,
schneeweiß wehenden Bast des Arrowroot geschmückt; wie gewandt und
stolz waren die Bewegungen der eingeborenen Stutzer, die den bunten
Parau oder die faltige Marra geckenhaft um die Lenden geschlungen und
die Tebuta, das Schultertuch, malerisch über die Achsel geworfen hatten
und so zwischen den Schönen umherstolzierten! Sie hatten die langen,
fettglänzenden Locken mit Streifen ineinandergeflochtener weißer
Tapa und roten Flanells umwunden, was ihnen zu ihrer bronzefarbenen
Gesichtern gar nicht so übel stand.

Da auf einmal drängte sich alles zum Ufer hin. Der Insel näherte sich
ein Kanu, in dessen weißes Segel sich die Brise voll gelegt hatte, so daß
die beiden Darinsitzenden des Ruders nur bedurften, um das Fahrz eug
im richtigen Kurs zu halten.

Die beiden Männer im Boot waren Potomba und ich.

Der Ehri hatte wirklich Wort gehalten, denn wir langten nach zwei
Tagen in Tahiti an, obgleich wir zu einem unbedeutenden Umweg gezwungen gewesen waren. Der stetig wehende starke Passat hatte uns
trefflichen Vorschub geleistet; Potomba verstand es, jede einzelne Woge
zu benutzen, und da wir nicht ermüdeten, weil wir uns im Rudern ablösen
konnten, so war unsere Fahrt ungewöhnlich rasch vonstatten gegangen.

Jetzt nun lag die herrliche Insel vor uns, über die ich so viel Wahres
und so viel Unverständiges gelesen hatte; Papetee hob sich immer mehr
hervor, und endlich erkannten wir deutlich jeden einzelnen unter der
Menge des Volkes, das sich an den Strand drängte, um unser Fahrzeug
zu beobachten.

Es fiel mir auf, daß sich eine solche Aufmerksamkeit auf unseren
kleinen, unbedeutenden Kahn richtete, während es in dem Hafen doch
noch ganz andere Gegenstände für die Neugier gab. Ich ließ das Segel
fliegen, um von der Brise nicht an die Korallen getrieben zu werden,
denen wir uns näherten, und fragte: „Siehst du die Leute, Potomba?"

„Ja, Sahib", nickte er.

„Wie kommt es, daß man gerade uns so beobachtet, während es doch
viele Boote gibt, die die Aufmerksamkeit auf sich ziehen könnten?"

„Die Männer und Frauen kennen mein Boot, und Potomba ist ein

Ehri, berühmt unter den Leuten seines Volkes. Sitz still und halte dich fest, Sahib, denn wir stoßen jetzt in die Brandung!"

Wir näherten uns einer Seitenlücke des Korallenrings, durch die nur so schmale Fahrzeuge wie das unsrige Eingang finden konnten. Ein Ruderschlag brachte uns in die Brandung; ihr kochender Wall riß uns empor, hielt uns einen Augenblick lang fest, so daß es schien, als schwebten wir in freier Luft, und schnellte uns dann in das ruhige Binnenwasser hinab.

Rechts von uns lag eine Reihe von Seeschiffen, die durch die breitere Einfahrt Zugang gefunden hatten. Der Bau des einen kam mir bekannt vor, obgleich der Rumpf allein zu sehen und alles Segelwerk beschlagen war. Droben in den Wanten hing ein Mann, der diesen hohen Punkt gewählt zu haben schien, um besser nach der Stadt lugen zu können. Er trug einen mexikanischen Sombrero auf dem Kopf, und dieser Rohrfaserhut hatte eine Krempe von so außerordentlicher Breite, als ob eine ganze Familie wimmelnder Peccaris darunter Schutz suchen sollte. Eine so ungeheure Krempe wurde sicherlich nur auf besondere Bestellung hergestellt, und zu einer solchen Bestellung war nur ein einziger fähig, nämlich der sehr wackere und ehrenwerte Kapitän Frick Turnerstick, mit dessen Barke ich vor einiger Zeit von Galveston nach Buenos Aires gefahren war.

„Halte hinüber nach diesem Schiff, Potomba!" – „Warum, Sahib?"

„Sein Kapitän muß ein Bekannter von mir sein."

„So willst du mich schon jetzt verlassen und zu ihm gehen?"

„Ja, wenn ich den Mann dort nicht etwa verkenne."

„Sahib, das Schiff gehört den Yanki, die ich nicht liebe. Suche dir lieber ein Schiff der Franki oder der Germani aus."

„Der Mann ist mein Freund."

„Aber ich werde dich dennoch nicht zu ihm bringen." – „Warum?"

„Du hast zu Potomba gesagt: ,Ich habe dich lieb.' Hast du die Wahrheit gesprochen?"

„Ich sage dir keine Lüge."

„So bitte ich dich, mit nach Papetee in mein Haus zu gehen, um bis morgen auszuruhen. Du müßtest eigentlich lange bei mir bleiben, viele Tage, viele Wochen, aber du hast den Deinen versprochen, schnell zurückzukehren, und darum darf ich dich nur bis morgen früh aufhalten."

„Ich würde bei dir bleiben, solange es mir meine Zeit erlaubt, Potomba; aber wenn sich der Kapitän dort bereit finden läßt, die Meinen zu holen, und gleich absegeln kann, so muß ich mit ihm fahren."

„Er kann nicht eher fort als morgen. Die Flut hat jetzt begonnen; er muß die Ebbe abwarten, die erst am Abend kommt; dann aber ist es so dunkel, daß er sich nicht durch die Klippen wagen darf."

„Das ist wahr; er müßte also die zweite Ebbe erwarten, könnte sich aber auch während der Flut von einem Dampfer hinausbringen lassen."

„Du vergißt, daß ein so großes Schiff vieler Zeit und Arbeit bedarf, um für die See fertig zu werden."

„Und du weißt nicht, wie flink die Yanki sind, diese Arbeit zu vollbringen."

„Und doch wird Zeit übrig sein, daß du wenigstens nur eine Stunde mit mir kommen kannst."

„Das ist allerdings wahrscheinlich."

„So versprich mir, mich nicht allein nach Papetee zu lassen!"

„Ich verspreche es!"

„Ich danke dir, Sahib! Potai, mein Bruder, wird sich freuen, daß ich einen Freund gefunden habe, der ein Germani ist."

Wir hielten seitwärts nach dem Stern der Barke zu, und als wir näherkamen, bemerkte ich, daß ich mich nicht geirrt hatte. Ich erkannte die dort in großen, deutlichen Buchstaben angebrachte Inschrift „The wind". Der Mann in den Wanten kehrte uns den Rücken zu und bemerkte also unser Nahen nicht. Als wir das Steuerbord des Schiffes beinahe erreicht hatten, legte ich die Hände an den Mund: „Schiff ahoi – ih!"

Er drehte sich herum und betrachtete uns.

„Ahoi – ih – –! Was – wo – – Huzza! Wer ist denn das? Legt an, legt an das Tau!"

Er kletterte zum Deck mit einer Geschwindigkeit nieder, die mich überzeugte, daß er mich erkannt hatte. Wir befestigten das Boot an dem Tau, das an der Seite des Schiffes niederhing. Ich ergriff es und schwang mich empor. Kaum war ich über die Reling[1], so warf der Kapitän seine beiden Arme um mich und drückte mich mit einer Gewalt an seine teerduftende Jacke, daß mir der Atem schwinden wollte.

„Charley, old friend, Ihr zwischen diesen Inselklexen? Wie kommt Ihr nach Australien? Wie kommt Ihr nach Tahiti und Papetee? Ich denke, Ihr seid noch immer drüben in Amerika."

„Zu Schiff, zu Schiff komme ich her", lachte ich: „anders ist es ja nicht gut möglich, mein lieber Master Turnerstick. Aber bitte, nehmt doch einmal Eure Pranken von meinem Leib, wenn Ihr es nicht geradezu darauf abgesehen habt, mir die Seele aus der Haut zu drücken!"

„Well, ganz wie Ihr wollt, Charley! Der Passat würde sie mit fortnehmen und nach China oder Japan treiben, wo man gar nicht wüßte, was man mit ihr machen sollte. Behaltet sie also lieber und sagt mir nun endlich, was Ihr eigentlich in diesen Breiten wollt!"

„Land und Leute kennenlernen, wie gewöhnlich."

„Wie gewöhnlich? Hm, mir scheint das doch mehr ungewöhnlich. Da dampft, fährt, reitet, läuft, hetzt und springt dieser Mensch in der Welt herum, weil er Land und Leute kennenlernen will! Land und Leute! Eine freie, offene See ist mir lieber als alles Land, was Ihr zu sehen bekommt, und die Leute, na, meine paar Jungens hier sind mehr wert als alle die Schlingels, die Ihr ‚Leute' zu nennen beliebt. Bleibt bei mir an Bord und fahrt mit meinem guten ‚Wind' hinüber nach Hongkong und Kanton!"

„Nach Hongkong geht Ihr? Das ist prächtig! Ich fahre mit."

„Wirklich? Hier meine Hand; schlagt ein!"

„Topp! Doch mache ich eine Bedingung!"

„Oho! Bei mir an Bord gibt es keine Bedingungen; das wißt Ihr wohl."

[1] Schiffsgeländer

„So steige ich wieder in mein Boot, Käpt'n."

„Das wäre der albernste Streich, den Ihr in Eurem Leben begangen hättet, und vor dem ich Euch bewahren muß. Sagt also Eure Bedingung! Ich hoffe, daß ich sie erfüllen kann."

„Ihr müßt meine Kameraden mitnehmen." – „Welche Kameraden?"

„Den Kapitän Roberts vom ‚Poseidon' mit seinen Leuten."

„Roberts? Poseidon? Ist das Schiff und der Mann nicht von Neuyork?"

„Ja. Wir wollten von Valparaiso nach Hongkong, litten aber auf einer der ‚gefährlichen Inseln' Schiffbruch. Roberts hat mich nach Tahiti geschickt, um einen Kapitän zu suchen, der bereit ist, uns an Bord zu nehmen."

„Das wird jeder brave Kapitän tun, Charley, und ich freue mich, daß Ihr zuerst zu mir gekommen seid. Ich kenne diesen Roberts; er ist kein unrechter Mann, doch scheint er mir in diesen schwierigen Gewässern nicht sehr befahren zu sein. Ein Sturm hier hat schon etwas mehr zu bedeuten als anderswo, aber wenn er das Steuer mit einem guten Troß[1] fest angesorrt hätte, so wäre es ihm möglich gewesen, etwas weiter nach Nord über die Nukahiwa-Inseln zu halten, und von einem Schiffbruch wäre keine Rede gewesen. Wo seid Ihr denn gestrandet?"

„Die Insel ist uns unbekannt. Sie liegt auf dem zweihundertneunundreißigsten Grad im Osten von Ferro und auf dem zweiundzwanzigsten Grad südlicher Breite."

„Schön; wird wohl zu finden sein! Ist das Schiff sehr wrack?"

„Es ist nicht von den Klippen zu bringen. Wenn Ihr hinkommt, hat die Brandung es vielleicht bereits verschlungen."

„Hattet Ihr viele Seegasten[2]?" – „Ich war der einzige."

„Wie viele Marsgasten[3] sind gerettet?"

„Alle."

„Hm, dann wird es notwendig sein, mehr Lebensmittel einzunehmen. Wurde etwas von der Ladung geborgen?"

„Der größte Teil. Es sind meist wollene und baumwollene Zeuge und ein reichliches Lager von Stahl- und Eisenwaren."

„Dann ist es ein Glück, daß ich hier löschte, ohne bis jetzt etwas Neues einzunehmen. Kapitän Roberts wird es natürlich sehr eilig haben, aber vor der Morgenebbe können wir unmöglich fort. Wer ist der Bursche hier?"

Er deutete auf Potomba, der mir bis an Deck gefolgt war und aus der Entfernung unsere Unterredung beobachtete.

„Ein Ehri von Tahiti. Er wohnt in Papetee und heißt Potomba."

„Alle Wetter, ein Fürst! Wie kommt Ihr zu dem Mann?"

„Er geriet, verfolgt von einer ganzen feindlichen Flotte, nach unserer Insel und gab mir einen Platz in seinem Boot."

„Also ein regelrechtes Abenteuer! Wer waren seine Feinde?"

„Ihr Anführer ist ein heidnischer Priester auf Eimeo. Potomba heiratete dessen Tochter und ließ sich von einem katholischen Missionar taufen."

„Ah! Ihr habt doch den Schlingeln tüchtig heimgeleuchtet? Das versteht Ihr ja aus dem Grund, Charley!"

„Sie sind uns alle entkommen. Mein Feldzugsplan scheiterte an dem

[1] Ein dickes Tau [2] Fahrgäste [3] Matrosen

Ungeschick des Steuermanns. Also Ihr seid bereit, uns Euern ‚Wind‘ zur Verfügung zu stellen?"

„Natürlich! Morgen früh mit der Ebbe stechen wir in See. Jetzt aber kommt zur Kajüte; wir müssen doch einmal sehen, wie sich meine Flaschen unter der Linie gehalten haben!"

„Einen Trunk zum Willkommen darf ich Euch nicht abschlagen, aber festtauen kann ich mich noch nicht. Ich habe Potomba versprochen, mit ihm an Land zu gehen, und er wird ungeduldig sein, sein Weib und seinen Bruder zu begrüßen."

„Dann trinkt er mit, und Ihr erlaubt mir, Euch zu begleiten. Ich habe am Land Geschäfte."

Potomba mußte mit zur Kajüte, wo uns der gute Master Frick Turnerstick mit seiner besten Sorte bewirtete. Dann stiegen wir zu dritt in ein Boot der Barke, das das Kanu des Ehri ins Schlepptau nahm, und ruderten an Land.

Je näher wir ihm kamen, desto aufmerksamer wurden die Züge Potombas. Er schien etwas zu bemerken, was seine Achtsamkeit im höchsten Grad in Anspruch nahm. Er sah meinen fragenden Blick und streckte den Arm aus.

„Siehst du die Kähne dort, Sahib?"

Gerade vor uns lag eine große Anzahl geschmückter Boote, eins neben dem anderen am Ufer. Das Boot in der Mitte zeichnete sich durch buntes Wimpelwerk und allerlei Blumen und Blätterzierde vor den übrigen aus.

„Ja", antwortete ich. „Was ist mit ihnen?"

„Siehst du auch das Boot mit den Fahnen und Laubgewinden?"

„Allerdings. Warum fragst du?"

„Zu beiden Seiten seiner scharfen Brust sind die Worte ‚Mata ori‘[1] eingeschrieben. So nannte ich Pareyma, als ich sie lieben lernte, und so nannte ich auch das Boot, das ich ihr zu Tamai auf Eimeo bauen ließ, damit mich Anoui mit ihm abholen könne an dem Tag, an dem ich sie zum Weib nahm, um sie in mein Palmenhaus zu führen. Ich kenne das Boot genau; sein Ausleger ist nicht mit Bast, sondern mit eisernen Stocknägeln befestigt, und heute ist es geschmückt gerade wie damals, als ich es als Bräutigam betrat. Es muß auf Eimeo eine Hochzeit sein, und Anoui hat es dem Vater des Mädchens geliehen, um den Bräutigam darin abzuholen."

Es spiegelte sich in seinen offenen Zügen eine Unruhe, für die ich kein Verständnis hatte. Die Erinnerung hätte ihn beglücken, nicht aber beunruhigen sollen.

„Und siehst du den Mann im Boot?" fuhr er fort. „Es ist Ombi."

„Wer ist Ombi?"

„Der Diener des Priesters; doch liebt er mich mehr als ihn. Er hat Pareyma auf den Armen getragen, als sie noch ein Kind war, und sie behütet, seit ihre Mutter gestorben ist."

Der Diener, der uns beobachtete, schien Potomba zu erkennen, denn er erhob sich mit freudiger Miene, setzte sich aber sofort wieder nieder und legte die Hände vors Gesicht.

[1] Zu deutsch: „Auge des Tags" (die Sonne)

Der Sand des Ufers knirschte unter dem Kiel unseres Bootes, und wir sprangen an Land. Potomba trat zu der „Mata ori".

„Ombi!" redete er den Diener an.

Der Diener regte sich nicht.

„Ombi!"

Als auch jetzt noch keine Antwort erfolgte, sprang er ins Boot und ergriff den greisen Polynesier bei der Schulter.

„Ombi, warum antwortest du nicht?"

Der Diener nahm die Hände vom Gesicht und blickte ihn an. In seinen Augen glänzten zwei Tränen.

„Hat der Schmerz Worte, Potomba?" fragte er.

„Welcher Schmerz?"

„Daß du abgefallen bist von Atua, dem Gott alles Guten, und hingegangen zu dem Mitonare."

„Das schmerzt dich jetzt? Hast du mir nicht oft gestanden, wenn ich dir heimlich von dem Messia erzählte, der das Lamm Gottes ist, daß dir der höchste Sahib Jesu lieber sei als Atua, der Gott von Tahiti, der niemals gekommen ist, um Kranke zu heilen, Tote zu erwecken und für unsere Sünden zu sterben?"

„Das habe ich gesagt, Potomba, und das sage ich auch jetzt noch. Aber ich bin der Diener eines Priesters, dem ich gehorchen muß, und darf nicht sagen, was ich denke."

„Du darfst sagen, was du denkst und glaubst. Verlaß den Priester des falschen Gottes und komm zu mir! Du liebst Jesu, den Nazari; du liebst auch mich und Pareyma. Warum willst du nicht bei uns sein? Warum weinst du, wenn du mich erblickst? Das hast du doch bisher noch nie getan."

„Ich weine, weil ich gern bei dir sein möchte und es doch nicht kann."

„Warum kannst du es nicht?"

„Weil ich Pareyma nicht verlassen mag, die meiner bedarf."

„Pareyma? Wenn du zu mir kommst, bist du ja bei ihr." – „Nein."

Ich sah den Schreck, der die dunklen Züge Potombas jäh erbleichte. Er stockte und ließ seinen angstvollen Blick über die Umgebung gleiten. Die am Strand Spazierenden waren herbeigekommen und beobachteten ihn mit teilnahmsvollen Augen aus der Ferne. Er mußte das bemerken und noch mehr als ich ahnen, daß ihn während seiner Abwesenheit etwas Schweres betroffen habe. Unwillkürlich fuhr seine Hand nach dem scharfen Kris[1], der in seiner Schärpe steckte, und zwischen den zusammengepreßten Zähnen hervor fragte er zischend: „Wo ist Pareyma?"

„Geh heim und frage! Ich darf es dir nicht sagen."

Potomba trat einen Schritt zurück. Seine Augen funkelten, und seine Lippen zuckten.

„Ombi, wo ist Pareyma? Hörst du, ich frage dich!"

Der Diener senkte traurig das Haupt und wiederholte:

„Geh nach Haus und frage!"

„Ombi, du schweigst noch immer? Gut, ich werde gehen, aber wer Pareyma ein Leid getan hat, der ist verloren."

[1] Dolch

Er schritt davon. Wir beide folgten ihm. Die versammelte Menge machte ihm ehrerbietig und teilnahmsvoll Platz. Er sprach kein Wort und blickte nur ein einziges Mal zurück, um zu sehen, ob wir noch bei ihm wären. Der Weg führte eine Strecke um Papetee herum, bis wir ein Gebäude erreichten, das sich durch seine Größe und den Umfang der zu ihm gehörigen Brotfruchtbaumpflanzungen auszeichnete.

„Kommt!" sagte er kurz und trat ein.

In dem vorderen Raum des Hauses saß auf einer Matte ein junger Mann, den wir infolge seiner Ähnlichkeit mit Potomba sofort als dessen Bruder erkannten.

„Potai!" – „Potomba!"

Der Sitzende sprang auf und streckte die Arme aus, als wollte er den Kommenden umfangen, trat aber wieder zurück und ließ die Arme sinken.

„Was ist mit dir, Potai? Bin ich nicht dein Bruder?"

Der Gefragte deutete nieder, wo neben der Matte in der Erde ein Dolch stak.

„Ich habe den Kris in die Erde versenkt, bis du kommst, Potomba. Ich habe geschworen, dich nicht zu berühren, bis der Tod der Mutter gerächt ist."

„Der Tod der Mutter? Sprich, Potai, sprich schnell, schnell! Wo ist Pareyma?"

„Fort." – „Fort! Wohin?"

„Nach Eimeo zu ihrem Vater, dem Priester der Heiden."

„Freiwillig?"

„Freiwillig! Ich fuhr hinüber nach Maitea, und als ich zurückkehrte, war sie fort. Die Mutter hat sie halten wollen und mit ihr gekämpft. Potomba, dein Weib ist zu den Götzen zurückgekehrt und hat deine Mutter getötet."

„Womit?"

„Mit ihrem Kris. Ich zog ihn aus dem Herzen der Mutter; er war noch blutig; hier steckt er in der Erde."

Der Ehri bückte sich nieder und zog den Dolch heraus.

„Das ist nicht Pareymas Messer; das ist der Dolch des Priesters Anoui!" stieß er hervor.

„So hat er sie geholt, und er ist der Mörder."

„Und wirklich freiwillig ist sie mit ihm gegangen?"

„Ich habe keine Spur eines Kampfes zwischen ihr und ihrem Vater bemerkt. Sahst du die Kähne und dein Mata ori?"

„Ja. Was hat die Flotte zu bedeuten?"

„Und kennst du auch Matemba, deinen Todfeind?"

„Du fragst, als wäre ich ein kleiner Knabe."

„Du kehrst zur rechten Zeit zurück. Anoui, der Priester und Vater deines untreuen Weibes, ist gekommen, um Matemba abzuholen. Es ist Hochzeit in Tamai, und Matemba wird heute der Mann deiner Frau."

Potomba trat an die Öffnung, die als Fenster diente. Er mußte Luft haben, wenn er nicht ersticken sollte. Die beiden Brüder hatten sich bisher nicht um uns gekümmert. Der Kapitän flüsterte mir zu:

„Ihr scheint die Sprache dieser Leute zu verstehen. Was geht hier vor?"

„Es ist fürchterlich!" antwortete ich. „Man hat die Mutter des Ehri getötet, und sein Weib wird heute mit einem Heiden getraut."

„Zum Henker! Das gibt Mord und Totschlag!"

„Diese beiden Männer sind Christen."

„Pshaw! Auch unter den christlichen Polynesiern erbt sich die Blutrache fort. Ihr werdet es erfahren."

Jetzt wandte sich Potomba wieder zurück. Seine Züge waren wie versteint, und in seinen Augen glühte ein düsteres Feuer.

„Potai, was hast du bisher getan?" – „Ich habe alles verkauft."

Der Ehri nickte zustimmend; er schien den Plan seines Bruders sofort zu erraten.

„Auch die Boote, die ich dir von den Tubuai-Inseln sandte, als mich Anoui verfolgte?"

„Ja. Wir gehen nach den Ländern Samoa."

„Du hast recht getan. Bist du bereit?"

„Ich wartete nur auf dich."

Potomba wandte sich zu mir:

„Das Schiff dieses Sahib holt deine Freunde?" – „Ja."

„Wohin fährt es dann?" – „Nach dem Land der Chinesi."

„So geht euer Weg an den Ländern Samoa vorüber, die ihr die Schifferinseln nennt. Dorthin wollen wir. Dürfen wir mit euch fahren?"

Ich verdolmetschte diese Frage dem Kapitän.

„Ich bin bereit, sie mitzunehmen. Also verkauft haben sie alles?" fragte er. „Es scheint doch, daß Ihr recht habt, Charley; das Christentum hat aus den Tigern Lämmer gemacht, die die Flucht ergreifen, statt sich zu rächen."

„Oh, Käpt'n blickt diese Leute an! Sehen sie aus wie Lämmer?" – Ich gab Potomba die erwünschte Auskunft: „Ihr könnt mitfahren."

„Wann geht das Schiff aus dem Hafen?"

„Bei Beginn der Ebbe, nächste Nacht."

„Darf mein Bruder hingehen, um unsere Habe hinzubringen?"

Auch hierzu gab der Kapitän seine Erlaubnis.

„Potai, du bist der jüngere; du wirst mir gehorchen?" fragte der Ehri. Der Gefragte nickte.

„Du wirst alles, was unser ist, auf das Schiff bringen, das ich dir zeige?"

„Drei Matten voll besitzen wir."

„Du bleibst gleich dort, bis ich zurückkehre!"

„Nein, Potomba. Habe ich nicht auch einen Kris?"

„Erst kommt mein Kris, und erst dann, wenn ich sterben sollte, der deinige. Du kannst mich dann rächen, anstatt mitzusterben."

„Ich gehorche dir."

„So komm, Sahib! Ich wollte euch Gastfreundschaft erweisen, aber ich bin jetzt ohne Heim."

Wir kehrten an den Strand zurück. Potomba zeigte seinem Bruder die Barke, und dieser entfernte sich, ohne ein Wort zu sprechen.

„Was willst du tun, Potomba?" fragte ich.

„Glaubst du, daß Pareyma mir untreu ist?"

„Ich weiß es nicht, denn ich habe sie nicht gekannt."

„Aber ich kenne sie. Sie hat ihren Dolch; sie ist mutig und tapfer; sie wird sterben, aber nicht mit Matemba gehen. Ich werde sie von ihm und vom Tod erretten."

„Du willst Anoui töten?" – „Ja."

„Er ist der Vater deines Weibes!"

„Er ist der Mörder meiner Mutter!"

„Weißt du, was der höchste Sahib Christus befiehlt? Vergebet, auf daß auch euch vergeben werde!"

„Ich gehorche ihm, denn ich werde Anoui vergeben, nachdem ich ihn getötet habe."

„Das ist nicht der rechte Gehorsam, Potomba. Ich meine, daß – – –"

Er unterbrach mich mit einer ungestümen Handbewegung.

„Du bist Christ, seit du lebst, Sahib, ich aber bin es erst seit kurzer Zeit. Später werde ich auch sein wie du. Wolltest du nicht meine Verfolger töten, wenn sie nicht entflohen wären, sondern mich angegriffen hätten?"

„Ich hätte sie getötet, weil du keine andere Hilfe hattest."

„Nun wohl! Sie haben den Tod verdient, und ich habe auch hier in Papetee keine Hilfe. Oder soll ein Ehri um Gerechtigkeit bei den Ingli und Franki bitten? Gehe mit deinem Freund; ich komme auf das Schiff, wenn es den Hafen verläßt. Und wenn ich dann noch nicht zurück bin, so mag mein Bruder an Land zurückkehren und mich rächen."

„Willst du nicht das Grab deiner Mutter besuchen, ehe du gehst?" fragte ich, um Zeit zu gewinnen, vielleicht auch aus Teilnahme für sein Geschick.

„Weißt du nicht, daß das Grab eines Menschen tabu[1] ist? Darf ich ihr Grab sehen, ohne ihrem Geist sagen zu können, daß ihr Mörder zu seinem Oro, den wir Christen Teufel nennen, gegangen ist? Pareyma ist mein Weib; sie wollte sich nicht noch einmal von dem Mitonare mit mir trauen lassen, um ihren Vater nicht zu erzürnen; sie ist seinetwegen eine Heidin geblieben, obgleich sie im Herzen an den guten Bapa im Himmel glaubt. Darum hat Anoui noch Macht über sie. Er ist zu ihr gekommen, und sie hat ihm folgen müssen; ich aber werde sie mir wieder holen. Joranna[2], Sahib, Joranna!"

„Ich sage nicht Joranna, sondern ich gehe mit dir."

„Du willst mich hindern?" – „Nein, ich will deine Gefahr teilen."

„So hast du mich wirklich lieb, Sahib! Komm!"

Ich gab dem Kapitän die nötige Aufklärung. Der in allen Abenteuern zu Land vorsichtige Master Frick Turnerstick riet mir ernstlich ab, mir aber war es unmöglich, Potomba zu verlassen; meine Nähe konnte ihm doch vielleicht von Nutzen sein. Der Seemann ging zur Stadt, und ich schritt mit dem Ehri am Strand hin. Sein Auge suchte unter den hier befindlichen Booten, bis er eins gefunden hatte, das größer war als das seinige. Es vermochte wohl vier Personen zu fassen.

Draußen am westlichen Himmel erglänzten die weißen Segel der Hochzeitsflotte, die seinen Todfeind nach Eimeo trug. Als sie verschwun-

---

[1] Heilig, gefeit, unberührbar   [2] Lebewohl

den waren, stieg er ein, nachdem er im Sand ein Zeichen gemacht hatte, das wohl dem Besitzer des Bootes gelten sollte. Ich sprang ihm nach, legte die Gewehre weg und griff zum Ruder. Er hißte das Segel; die Brise legte sich sofort kräftig ein, und wir flogen über das ruhige Wasser des Hafens hin, verfolgt von den Blicken derer, die am Ufer standen.

Wir folgten der Flotte nicht unmittelbar, sondern fuhren, als wir über die Korallen hinaus waren, erst an der Küste von Tahiti hin und nahmen dann Kurs auf Eimeo. Ich mußte Potomba die Leitung des Bootes überlassen. Er landete an einer einsamen Stelle, wo sich ein wildes Pisanggestrüpp bis hart ans Wasser erstreckte. Hier legten wir die Segelstange um und zogen das Boot mit nicht geringer Anstrengung unter ein Blätterversteck. Dann drang Potomba durch das Gestrüpp vorwärts, und ich folgte ihm.

Wir erreichten eine Brotfruchtpflanzung, die uns gute Deckung gewährte, und bald gelangten wir zu einer Anhöhe, von der aus wir das nahe gelegene Tamai überblicken konnten. Wir bemerkten sogleich, daß sich der Ort in außergewöhnlicher Bewegung befand. Am Strand des Meeres lagen die Boote der vor uns angekommenen Flotte. Vor einem durch seine Größe auffallenden Haus, bis an dessen Rückwand sich ein Bambusfeld zog, bewegte sich eine große Menge Menschen, und nicht weit von uns, gerade unter der Berglehne, an der wir lagen, stand ein mit Palmenblättern und Blumen geschmückter Altar, dessen Hintergrund zwei Götzenbilder einnahmen, jedenfalls den Atua und den Oro bedeutend, und an dem vermutlich die Trauungsfeierlichkeit vor sich gehen sollte.

„Was wirst du tun, Potomba?" fragte ich den Ehri.

„Ich werde warten, bis sie am Altar stehen, und mir dann Pareyma holen."

„Das wird dir nicht gelingen."

„So hole ich sie vom Boot, wenn Matemba mit ihr nach Haus fährt."

„Wann wird das geschehen?"

„Heute gerade um Mitternacht; so gebietet es die Lehre der Götzendiener."

„Wem gehört das große Haus da drüben?"

„Es ist das Eigentum des Priesters."

„Welche Gemächer bewohnen die Frauen?"

„Pareyma hauste stets hinten nach der See zu."

„Hat sie noch eine Mutter oder Schwestern?"

„Nein. Ihre Mutter ist längst tot; sie ist das einzige Kind des Priesters."

„Man wird sie zur Hochzeit schmücken?"

„Ja, und dann läßt man die Braut allein, damit sie mit den Göttern sprechen soll."

„Der Priester weiß, daß du heute zurückgekehrt bist?"

„Wer sagte es dir?"

„Niemand. Siehst du nicht den Mann, der zwischen dem Haus und dem Bambus auf und ab geht? Er hat eine Keule in der Hand und soll dein Weib bewachen. Das ist ein Zeichen, daß sie nur gezwungen nach Eimeo ging."

„Ich wußte es. Der Ehri von Tahiti fürchtet die Leute von Eimeo nicht; er wird sein Weib öffentlich zurückverlangen."

Ich kannte die hiesigen Verhältnisse nicht und hielt es also für das beste, ihn seinen eigenen Entschlüssen folgen zu lassen, doch nahm ich mir vor, ein wenig Umschau zu halten. Der Präriejäger regte sich in mir; ich legte meine Gewehre neben Potomba hin, benachrichtigte ihn von meinem Vorhaben und schlich mich an der Seite des Berges hinab bis an das Bambusfeld. Hunde oder andere Vierfüßler hatten schmale Bahnen hindurchgetreten. An der Erde fortkriechend, bewegte ich mich auf einem solchen Pfad vorwärts und gelangte so unbemerkt in die nächste Nähe des Hauses. Da ertönte eine halblaute, liebliche Frauenstimme:

„Te uwa to te malema,
te uwa to hinarro – –"[1]

Es war jene rührende Liebesklage, die ich früher von den Frauen und Mädchen der Pelew-Inseln hatte singen hören, und es ahnte mir, daß die Sängerin keine andere sei als Pareyma. Sofort regte sich das Verlangen in mir, mit ihr zu sprechen. Dieses Wagnis konnte zwar unangenehm für mich ausfallen, aber ich hatte mein Messer und die Revolver bei mir, und für den braven Ehri konnte man sich schon einer Gefahr aussetzen.

Ich schob mich also vollends bis an den Rand des Feldes. Der Posten kam herbei und ging, obgleich es heller Tag war, ohne mich zu bemerken, an mir vorüber. Im Nu stand ich hinter ihm und schlug ihm die Faust so auf den unbedeckten Schädel, daß er besinnungslos zur Erde sank. Jetzt trat ich an die Bambuswand des Hauses, hinter der die Stimme erscholl. Ich mußte einige Minuten lang suchen, ehe ich eine kleine schadhafte Stelle bemerkte, durch die ich in das Gemach schauen konnte.

Wenn das junge Weib, das ich da erblickte, wirklich Pareyma war, so konnte ich die Liebe begreifen, die Potomba für sie hegte. Sie stand jetzt nach beendetem Gesang mitten in dem Raum, und ein unaufhaltsamer Tränenstrom floß ihr über die Wangen. Sie war eine schlanke, edle Gestalt, noch voll Jugendfrische, wie man trotz dem Herzeleid sah, das ihren Körper erbeben machte. Ihre schönen, dunklen Augen waren umflort, ihre scharf geschnittenen Brauen fest zusammengezogen und ihre feinen Lippen geschlossen. Keine einzige Blume war in ihren Haaren zu bemerken, ja sie schien sogar die Kleidung und die Stoffe verschmäht zu haben, die man nach Sitte der Europäer anlegt, um die äußere Erscheinung vermeintlich zu verschönern. Ein Parau von weicher, gelbbrauner Tapa, der ihr nur wenig über die Knie herabreichte, umschloß ihre Hüften, und ein Tehei von demselben Stoff verhüllte als Überwurf ihre Schultern samt dem Oberkörper. Ihr rabenschwarzes Haar hing ihr voll, lang und lockig am Nacken hernieder, mit keiner Blüte besteckt und von keiner wehenden Faser Arrowroot gehalten. Sie war ja selber eine Blume, die man hinweggerissen hatte von dem Ort, an dem sie am schönsten blühte.

Ich bemerkte, daß sie den Eingang durch einen Baststreifen fest ver-

---

[1] „Das Wölkchen in dem Monde,
das Wölkchen liebe ich – –"

schlossen hatte, trat zwei Schritte von der Wand zurück und rief halblaut: „Pareyma!"

Das Schluchzen verstummte; sie hatte mich gehört.

„Mata ori, erschrick nicht; Potomba ist in der Nähe!"

Ein halb unterdrückter Jubellaut ertönte von innen.

„Wer bist du?" hörte ich dann fragen.

„Ein Freund des Ehri. Willst du Matembas Weib werden?"

„Nein. Ich habe meinen Dolch und werde mich töten, wenn ich keine
Rettung finde."

„So bist du Potomba treu geblieben?"

„Ja. Der Vater kam und zwang mich, mit ihm zu gehen."

„Wer hat die Mutter des Ehri erstochen?"

„Der Vater; sie wehrte sich gegen ihn."

„Liebst du ihn?" – „Jetzt liebe ich ihn nicht mehr."

„Du wirst gerettet werden. Tue alles, was dein Vater von dir verlangt.
Wenn es uns nicht eher gelingt, so retten wir dich auf der Heimfahrt nach
Tahiti."

Da erscholl auf der anderen Seite des Hauses ein Tamtam; ich trat
zu dem Bewußtlosen und legte einen Stein neben seinen Kopf. Steine
von ähnlicher Größe waren auf dem Dach, um es gegen Wind zu sichern;
es konnte einer herabgerollt sein und den Wächter getroffen haben. Dann
kehrte ich auf dem angegebenen Weg wieder zu Potomba zurück.

Er hatte von der Anhöhe aus jede meiner Bewegungen beobachten
können und erwartete mich mit sichtlichem Verlangen. Ich erstattete
ihm ausführlichen Bericht und wurde beinahe selber hingerissen von dem
Entzücken, das meine Mitteilung in ihm hervorrief.

Jetzt mischten sich in den Klang der Trommel die Töne zahlreicher
Flöten. Jedenfalls sollte die Trauung beginnen. Pareyma wurde aus dem
Haus gebracht, und hinter ihr setzte sich ein langer Zug in Bewegung.

„Siehst du Matemba an ihrer Seite, Sahib?" fragte Potomba.

„Ich sehe ihn."

„Er war mit unter meinen Verfolgern. Ori wird ihn heute nacht verschlingen. Ich werde hier niemandem ein Leid tun. Während du mit meinem Weib sprachst, habe ich hier überlegt, wie ich Pareyma wieder gewinne. Ich bin ein Christ, du hast recht, und dieser Kris soll von keinem
anderen Blut gerötet sein als von dem meiner Mutter. Dennoch sollen
die Schänder meiner Ehre, die Räuber meines Glücks sterben, aber nicht
von meiner Hand!"

Der Zug kam bei dem Altar an, den Anoui, der Priester, bestieg,
um seine Rede zu beginnen; da verließ mich Potomba und verschwand
seitwärts in den Sträuchern. Ich schob mich nun durch das Gezweig
so weit wie möglich vor, um den unter mir liegenden Hang bequem
überblicken zu können. Vor dem Priester standen Matemba und Pareyma; die Tamtams und Pfeifen machten einen ohrenzerreißenden
Lärm, der auf ein Zeichen des Priesters schwieg. Seine Rede bestand
in Schmähungen gegen das Christentum, für die ich ihn am liebsten
gezüchtigt hätte; dann kamen Verwünschungen des abtrünnig ge-

wordenen Ehri, und endlich griff er hinter sich und nahm von dem Altar einige Schädelknochen, die er Matemba entgegenhielt.

„Leg deine Hand auf diese Schädel, die den Köpfen deiner Voreltern angehörten, und schwöre: Eita anei oeafaarue i ta oe vatrina?"[1]

Noch hatte Matemba nicht sein „Eita!" gesprochen, als sich Potomba durch die Menge der Zuhörer drängte und vor dem Alter erschien.

„Sei gegrüßt, Anoui, du Vater meines Weibes!" begann er. „Sie ist, als ich nicht daheim war, zu dir gekommen, und ich folge ihr nach, um sie wieder zu holen."

Es entstand eine lautlose Stille. Der Priester streckte abwehrend beide Arme aus.

„Diese Stätte ist heilig. Weiche von ihr und uns, Verräter!"

Potomba blieb ruhig. Er legte die Hand auf die Schulter Pareymas.

„Ja, diese Stätte ist heilig, weil ich, ein Christ, auf ihr erscheine. Ich werde gehen, doch gib mir vorerst mein Weib!"

„Entweiche, sonst faßt dich der Tod!"

„Der Tod?" erwiderte Potomba lächelnd. „Hat er mich gefaßt, als du mich verfolgtest, um mir mein Eigentum zu rauben? Ihr Hunderte von Heiden seid nicht stark genug, mir, einem einzigen Christen, den Tod zu geben. Ihr könnt nur Frauen töten. Hier an diesem Dolch klebt das Blut meiner Mutter. Du hast sie getötet, Anoui, und ich fordere noch heute ihr Leben oder das deinige von dir."

„So stirbst du selber!" trotzte Anoui und griff nach ihm.

Potomba wich einen Schritt zurück und rief so laut, daß man es weithin hörte: „Ich sterben, ich, der Ehri von Papetee? Ich stehe unter dem Schutz meines Gottes; ihr aber werdet untergehen, wie ich jetzt eure Götter vernichte."

Mit einem raschen Sprung stand er auf dem Altar. Er erfaßte erst das eine und dann das andere der beiden aus Ton gebrannten Götzenbilder und schleuderte sie zur Erde herab, daß sie in Stücke zerbarsten. Dann schwang er den Kris hoch in der Luft.

„Und noch heute werde ich mein Weib von euch holen!"

Ein einziger, fürchterlicher Schrei der Wut erscholl aus allen Kehlen. Alle stürzten zum Altar, um den Mutigen zu fassen; er aber war schon nach hinten herabgesprungen und klimmte so schnell wie möglich zu mir empor. Es war ein Glück, daß kein einziger der Anwesenden eine Waffe zu der friedlichen Handlung mitgebracht hatte, sonst wäre er verloren gewesen. Kein einziger? Stand nicht hart am Altar einer, der soeben seinen Bogen spannte, und da drüben unter der Banane ein zweiter? Sie wollten auf Potomba schießen, und es war vorauszusehen, daß sie ihn treffen würden. Das mußte ich verhüten. Ich legte schnell meinen Stutzen an, zielte und drückte zweimal nacheinander ab; die beiden stürzten zu Boden.

Jetzt hatte mich Potomba erreicht. Seine Verfolger kamen schreiend

---

[1] „Willst du niemals dein Weib verlassen?" Das ist die heidnische Formel, auf die der Bräutigam mit „Eita!" (Nein!) zu antworten hat. Ist das geschehen, so gilt die Ehe für geschlossen

teils den Hang heran, teils suchten sie in eiligem Lauf die Höhe an beiden Seiten zu umgehen.

„Ich danke dir, Sahib, daß du mir halfst; die Pfeile hätten mich getroffen. Nun schnell nach dem Boot! Kannst du gut laufen?" sagte er eilig.

Ich antwortete nicht, denn dazu war keine Zeit. Eigentlich paßte, es mir nicht, vor diesen Menschen davonzulaufen, aber ich wußte, daß unsere Rettung nur von unserer Schnelligkeit abhing. Trotz meinen schweren Stiefeln hielt ich gleichen Schritt mit dem Ehri, der eine gute Lunge und prachtvolle Sehnen haben mußte, denn unsere Feinde blieben weit hinter uns zurück. Als wir das Boot erreichten, blieb uns gerade genug Zeit, es ins Wasser zu reißen, hineinzuspringen und einen leidlichen Vorsprung zu gewinnen, so daß uns kein Pfeil erreichen konnte.

Jetzt erst durchbrachen die Polynesier das Dickicht des Strandes, reckten. als sie uns in Sicherheit sahen, die Arme in die Luft und schnitten uns boshafte Gesichter.

Wir griffen zu den Doppelrudern und arbeiteten uns gegen den Passat nach Tahiti hinüber. Wir ließen uns dann, ohne dort zu landen, von der Strömung und dem Wind wieder nach Eimeo zurücktreiben und landeten in Alfareaita, einem kleinen Ort, der Papatee gerade gegenüber liegt.

Hier blieben wir bis zu der bald hereinbrechenden Dunkelheit. Potomba teilte mir nichts mit über das, was er vorhatte, und da diese Schweigsamkeit ihre guten Gründe haben mußte, so unterbrach ich sie mit keiner Frage.

Es war wohl gegen elf Uhr nachts, als wir wieder aufbrachen. Der Ehri hatte sich vorher eine beträchtliche Menge großer und kleiner Fische gekauft und sie mit ins Boot gebracht. Was er mit ihnen bezweckte, konnte ich nicht ersehen. Wir ruderten uns bis zur Mitte der Straße, die die beiden Inseln trennte, und blieben hier.

Es wurde dunkler über dem Wasser, aber vom Himmel leuchteten Tausende von Sternen, und die Wogen lagen um das Kanu wie durchsichtiger Kristall. Da griff der Ehri nach einem der Fische, band ihn an einen Streifen Bast und hängte ihn ins Wasser. Schon nach kurzer Zeit erfolgte ein scharfer Ruck. Ein Haifisch hatte sich die Lockspeise geholt. Nach einiger Zeit warf Potomba einen zweiten, dann einen dritten Fisch aus, und fuhr so fort, bis sich mehr als ein halbes Dutzend Haie um unser Boot tummelte.

Ich hatte eine leise Ahnung von dem, was er bezweckte. Jedenfalls versammelte er die Hyänen des Meeres um sein Boot, um sich ihrer gegen seine Feinde zu bedienen, aber in welcher Weise das geschehen sollte, war mir noch unklar. Auf alle Fälle jedoch war mir die Nachbarschaft dieser liebenswürdigen Geschöpfe ziemlich unangenehm. Er hatte sich zwar auf unserer Insel den „Herrn des Hais" genannt, ich jedoch fühlte keineswegs eine besondere Zuneigung für seine menschenhungrigen Untertanen, und ich will offen gestehen, daß ich mich auf dem „Wind" meines guten Master Frick Turnerstick behaglicher gefühlt hätte als in dem schmalen Boot, von dessen niederem Bord aus man die Haie mit der Hand zu berühren vermochte.

Ein Schauspiel, aber ein grausiges, hatte ich allerdings dabei. Das Wasser schien trotz der nächtlichen Dunkelheit weißflüssiges Gold zu sein und stieg in immer tieferen, dunkleren Tinten in den Grund hinab. Jede Bewegung darin war zu erkennen, und wenn der Ehri einen neuen Fisch auswarf, so nahten sich sechs bis acht fürchterliche Rachen dem Stern des Bootes, und es begann ein Kampf, bei dem sich einem die Haare sträuben konnten, denn es war nur eine dünne Schicht Holz zwischen den gierigen Ungeheuern und uns Menschen.

Der Ehri schien sich um mein Gefühlsleben nicht zu kümmern. Er warf von Zeit zu Zeit einen Fisch aus und forschte dann immer wieder nach der Richtung, aus der die Hochzeitsflotte mit dem Brautpaar kommen mußte. Mir war es nicht ganz wahrscheinlich, daß die Trauung nach dem durch uns verursachten Auftritt noch vollzogen worden sei. Er jedoch schien seiner Sache sicher zu sein und stand, als sich am Himmel ein nebliger Lichtschein bemerken ließ, im Boot auf, um besser Ausguck halten zu können.

Der Schein wurde mit jeder Sekunde heller. Bald erkannte ich, daß er wirklich von der Flotte herrührte, da jeder Kahn an seinem Bug mit einer Fackel ausgerüstet war.

„Sie kommen", bemerkte Potomba kaltblütig, „und jetzt wird Pareyma wieder mein."

Er warf die rot und weiß gestreifte Tebuta von den Schultern und griff mit der Rechten nach dem Kris, während er mit der Linken wieder einen Fisch auswarf.

„Diene mir nur zwei Minuten, Sahib, so will ich dir gehorchen, solange du willst!"

Ich griff zum Ruder.

Er tat dasselbe, und auf seine Anweisung hin beschrieben wir einen Bogen den Kommenden entgegen, lenkten dann auf sie zu und schossen zuletzt, nun mit ihnen in gleicher Höhe, auf das erste Boot der Flotte zu. Darin saßen drei Personen die ich deutlich erkennen konnte: Matemba, Anoui und Pareyma. Mit gewaltigem Ruderdruck an der rechten Seite des Zugs hinstreichend, erreichten wir das Boot, so daß unser linker Bord hart mit seinem Ausleger zusammentraf. Die Haie waren uns bis hierher gefolgt. Ich saß an den Rudern, und Potomba stand jetzt wieder aufrecht im Boot, den Kris in der Faust.

„Pareyma, herüber!" rief er.

Die Gerufene erhob sich und schnellte über den Ausleger zu uns ins Boot. Der Ehri empfing sie mit dem linken Arm und ließ sie niedergleiten, dann bog er sich über Bord und zerschnitt mit zwei raschen Zügen die Baststricke, die den Ausleger des Hochzeitsboots mit den Querstangen verbanden.

Ein fürchterlicher Doppelschrei erscholl. Das Boot kenterte, Matemba und der Priester stürzten ins Wasser und wurden augenblicklich von den Haien verschlungen.

Pareyma schlug die Hände vors Gesicht, Potomba aber ergriff das andere Ruderpaar und legte sich ein. Wir flogen wie vom Bogen geschnellt davon, während die Flotte einen wirren Knäuel bildete, aus dem sich nur ein einziges Boot löste, um uns zu folgen. Ich griff zur Büchse und sagte:

„Ich werde dem Mann eine Kugel geben."

„Halt, Sahib! Es ist kein Feind, der uns folgt, sondern ein Freund. So rudert nur Ombi, der Diener meines Weibes. Ihm und Potomba, dem Ehri, kommt keiner gleich. Laß ihn herbei; er wird mit uns gehen!"

Hinter uns heulten jetzt die wütenden Insassen der Prauen und versuchten, uns einzuholen. Es gelang ihnen nicht. In fünf Minuten hatten wir den „Wind" erreicht, der sein Fallreep niederließ.

Jetzt nahm Pareyma die Hände vom Angesicht.

„Potomba, du hast den Vater getötet!" stöhnte sie.

Ombi, der alte Graukopf, sprang aus seinem Boot in das unsrige herüber.

„Sag deinem Herzen, daß es ruhig sei, Pareyma", bat er. „Dein Leid sei mein Leid, und dein Glück auch mein Glück! Die Götzen sind heute gefallen, und nun wird bei uns sein der gute Bapa des Himmels mit seinem Sohn, der auf die Erde kam, um alles Unglück in Freude zu verkehren."

Wir stiegen hinauf.

„Schnell, Charley!" rief der Kapitän. „Dort kommen die Kerls mit ihren Fackelbooten, um euch zu suchen. Herauf, herauf! Löscht die Lichter aus, Jungens!" gebot er seinen Leuten, „und holt rasch die beiden Boote an Deck, daß die Schlingels dort nichts merken! Sie müssen denken, daß auf unserem guten ‚Wind' alles im Schlaf liegt. So, so, die Taue nieder! Zieht, Jungens, zieht! Stopp! Herein mit den Nußschalen! Prächtig, so ist's gut! Nun nehmt die Handspeichen, und wenn es jemand wagen sollte, die Nase heraufzustecken, dem gebt einen tüchtigen Klaps!"

Eine solche Maßregel war nicht notwendig. Die Verfolger schienen anzunehmen, daß wir auf das Land zugehalten hätten, und ruderten der Küste entgegen, wo noch lange Zeit der Schein ihrer Fackeln zu bemerken war.

Potai empfing seinen Bruder und die Schwägerin mit Jubel. Dem Kapitän mußte, als wir in der Kajüte versammelt waren, alles ausführlich erzählt werden. Als ich damit zu Ende war, reichte mir Pareyma ihr zartes, braunes Händchen entgegen.

„Ich danke dir, Sahib! Du hast mich vom Tod errettet, denn ich wäre an meinem Messer gestorben, bevor ich mit Matemba das Boot verlassen hätte." – –

Am Morgen stachen wir in See. Fünf Tage später befand sich Kapitän Roberts mit seinen Marsgasten und allem geretteten Gut bei uns an Bord, dann segelte der „Wind" nach Nord bei West, um die Samoa-Inseln zu erreichen.

Dort, auf der Insel Upolu, und zwar in Saluafata, wohnt noch heute ein reicher, polynesischer Handelsmann, der sich Potomba nennt.

Zuweilen, wenn die Sonne ihr glühendes Gewand in die Fluten senkt, um zur Ruhe zu gehen, rudert der Greis Ombi ein Ausleger-Kanu hinaus auf die Höhe. Darin sitzt Potomba mit Pareyma, und wenn

Ombi lauschen möchte, so würde er hören, wie der dunkelfarbige Mann seinem Weib zuflüstert: „Mata ori, du Auge des Tages, du Licht meines Lebens!"

Viell icht, daß in solchen einsamen Stunden das schöne Paar auch der Vergangenheit gedenkt, des Glücks und der darauf folgenden Trübsal auf Tahiti, des Hochzeitstags auf Eimeo, der Fahrt nach den Pomatu- und Samoa-Inseln, des alten, braven Master Frick Turnerstick und – vielleicht auch des Germani mit den großen Seemannsstiefeln, dem heute, da er dieses niederschreibt, noch die klagenden Worte im Ohr nachtönen:

> „Te uwa to te malema,
> te uwa to hinarro – –."

3. Im Taifun

China!

Wunderbarstes Land des Ostens, riesiger Erdendrache, der seinen Zackenschwanz im tiefen Weltmeer badet, der einen Flügel in die Eisfelder Sibiriens, und den anderen in die dampfenden Dschungeln Indiens schlägt, und der, vom rasenden Taifun an das Gestade getrieben, über rauschende Flüsse, weite Seen, über Berge und Täler auf nach Westen steigt, um seinen Kopf über die höchsten Riesen der Gebirge zu heben, die schreckliche Wjuga[1] der Gobi zu atmen und aus den Wassern des Manasarowar[2] zu trinken, werde ich es wagen dürfen, dir zu nahen, und werde ich deinen feindseligen Basiliskenblick mit meinem Barbarenauge ertragen können?

Größtes Volk der Erde, das die „Tschung-hoa"[3] sein eigen nennt, darf ich nichtiges Würmchen auf einem Blatt dieser Blume ruhen, um die – Seligkeiten ihres Duftes zu erforschen? Heiliger und allmächtiger „Tien-dse"[4], zu dessen Füßen mehr als vierhundert Millionen Menschen anbetend im Staub liegen, gestattest du mir, meinen schmutzigen Fuß auf die Ecke deines Teppichs zu setzen? Ich bin nicht aus dem Land der Franki und Ingli, die mit Schwert und Pulver zu dir kommen, um deinen Kindern das Gift des Opiums aufzuzwingen, deine Städte zu verheeren und deinen Pings[5] zu sagen, daß sie Memmen sind. Ich stamme vielmehr aus dem Land der Tao-dse[6], die deine Herrlichkeit bewundern, deine Größe preisen und nichts anderes wünschen, als daß der Glanz deiner Weisheit in Frieden strahle auch über ihrem Haupt. – –

Nachdem wir Potomba, den Ehri von Tahiti, seine liebliche Pareyma, seinen Bruder Potai und den Diener Ombi auf der Samoa-Insel Upolu abgesetzt und den Kapitän Roberts vom „Poseidon" mit seinen Marsgasten da gelandet hatten, waren wir einige Tage vor Anker geblieben und dann über die Ellice-, Tarawa-, Radack- und Ralick-Gruppe nach

---

[1] Der Schneesturm der Schamo [2] Ein See in Tibet [3] „Blume der Mitte", wie die Chinesen ihr Reich nennen [4] Deutsch: „Sohn des Himmels"; so nennt sich der Kaiser von China [5] Soldaten. Sie tragen auf Brust und Rücken ein Stück Leinwand, das diese Inschrift zeigt [6] Deutsch: „Söhne der Vernunft", wie wir Deutschen gern von den Chinesen bezeichnet werden

den Marianen gegangen, von wo aus wir nach den Bonin-Inseln[1] segelten.

Kennt der freundliche Leser aus Reisebeschreibungen oder auch nur aus der Karte diese liebliche Inselgruppe, der aus dem Seeverkehr zwischen Kalifornien und China eine bedeutende Zukunft erblühen wird? Die einsame, verborgen im großen Weltmeer gelegene Wasserfee wird berührt werden von einer der großen See- und Handelsstraßen und von ihr Bevölkerung, Reichtum und Berühmtheit erlangen, dafür aber auch leider den köstlichen Zauber ihrer einsamen Ruhe verlieren, der einen Anziehungspunkt für manchen Schiffer bildete, der den Wal im hohen Norden jagte und sich nach dem gesunden Grün eines festen Landes sehnte.

Wer den weiten Ozean durchschifft hat, der seine Fluten zwischen Amerika und Asien wogen läßt, wer die Beschwerlichkeiten, Anstrengungen und Entbehrungen einer solchen Reise aus eigener Erfahrung kennengelernt hat und sich – ringsum nichts als Wasser – Tag für Tag sehnte nach einem Fleckchen Grün, wo das müde Auge sich ausruhen und der an den bekannten Schaukelschritt der Seefahrer gewöhnte Fuß eine feste Stütze finden könnte, der wird die Freude ermessen, die der russische Weltumsegler Lütke mit seinen Mannen empfand, als er am 1. Mai 1828 die Bonin-Inseln erblickte, deren nähere geographische Bestimmung mit zu den Aufgaben der Forschungsreise gehörte.

Er sah vier aus steilen Gebirgsmassen bestehende Gruppen, deren einzelne Inseln so nahe beieinander lagen, daß man sie von weitem schwer zu zählen vermochte. Man steuerte auf die nächste zu, die mit Ausnahme der nackten Felsen des Ufers überall schön bewaldet erschien. Da bemerkte man eine dünne Rauchsäule, die aus den Laubmassen eines nahen Vorgebirges emporstieg, das von den dahinter liegenden Höhen weit überragt wurde.

Lütke wußte, daß diese Inseln bisher unbewohnt gewesen waren; es konnten daher nur Schiffbrüchige sein, von deren Feuer dieser Rauch stammte. Da wurde neben dem Feuer eine kleine englische Flagge aufgehißt, und Lütke sandte ein Boot mit Lebensmitteln ab, um die jedenfalls halb Verschmachteten sofort erquicken zu können.

Den Leuten im Boot zeigte sich ein reizendes Landschaftsgemälde. Steile, wild zerklüftete Felsen, in seltsame Gebilde zerrissen und oft von natürlichen Stollen durchbrochen, sprangen kühn ins Meer hinaus, und weiter hinein bedeckte eine prachtvolle Palmenwaldung die schroff aufsteigenden Höhen.

Das Boot wurde nach der Rauchsäule hingesteuert, und als es dem Ufer so nahe gekommen war, daß die Felswände den Leuten die Aussicht auf den Hintergrund benahmen, zeigte sich der Eingang zu einer schmalen, tiefen Bucht, ganz umschlossen von senkrechten Basaltmauern, reich an Höhlen und Riffen, von Farbe teils gelblichgrau, teils braunschwarz, doch oben und auf allen Vorsprüngen mild und heiter verziert und behangen von grünendem Strauchwerk und schönblumigen

---

[1] Diese Inselgruppe ist infolge des furchtbaren Erdbebens vom Jahr 1925 von der Meeresfläche verschwunden. Der Herausgeber

Rankengewächsen. Bei einer aus riesigen rundlichen Blöcken zusammengesetzten Felswand krümmte sich die Durchfahrt nach Norden hin, und bald darauf zeigte sich eine schmale Bucht mit sandigen Ufern, deren Hintergrund dicht mit Wald bewachsen war.

Hier warteten am Strand bereits zwei Männer in englischen Matrosenkleidern, aber sie waren barfuß. Sie hatten bei der Annäherung des Bootes die Höhe verlassen und bezeichneten durch Winke den Ort, an dem man landen sollte. Wie staunten die Insassen des Fahrzeugs, als sie von dem älteren der beiden Männer in deutscher Sprache angeredet wurden! Ein langer blonder Bart gab ihm ein stattliches und ernstes Aussehen. Er empfing die Landenden nicht mit der Miene eines Notleidenden, sondern mit der eines Mannes, der von keinem Menschen etwas zu erbitten braucht. Er war ein deutscher Landsmann aus Pillau, der schon seit dreißig Jahren als Seemann das Meer unter englischer Flagge befahren hatte. Dieser, wie man wohl sagen darf, weit verschlagene Mann und sein Begleiter, ein junger Norweger, hatten zur Mannschaft des Walfängers „Williams" gehört, der vor zwei Jahren in dieser Bucht während eines fürchterlichen Orkans von seinen Ankern gerissen wurde und an den benachbarten Felswänden im Innern der Bai gescheitert war. Damals rettete sich die Mannschaft an Land, ward aber bald darauf von einem für das nämliche Haus fahrenden Walfänger an Bord genommen, wobei Wittrin und Petersen (so hießen die beiden) sich die Erlaubnis erwirkten, auf dem romantischen Eiland zu bleiben und bis zur Ankunft eines anderen Schiffs eine gemütliche Robinsonade ins Werk zu setzen.

Das ungefähr war der Inhalt des ersten lebhaften Gesprächs der Einsiedler mit den fremden Ankömmlingen, und die Robinsons führten dann die Besucher nach ihrer Wohnung, um sie dort zu bewirten.

Unter prachtvoll aufstrebenden Bäumen, deren Kronen einander erst in beträchtlicher Höhe berührten, während weiter unten der völlige Mangel an größeren Ästen einen ziemlich freien Durchblick ermöglichte, so daß das Ganze einer riesigen, mit herrlichen Laubgewinden gezierten Säulenhalle glich, lag sehr anmutig das kleine, aus den Trümmern des „Williams" gezimmerte Haus, vor dem ein artig angelegter Ziehbrunnen, aus einer eingegrabenen Tonne bestehend, viel zu dem wohnlichen Aussehen der kleinen Ansiedlung beitrug.

Die Schiffer hatten in menschenfreundlicher Absicht Lebensmittel mitgebracht, um vermeintlich Notleidenden beizustehen, doch sie waren selber in das Märchenreich des Überflusses geraten, und statt mit mittelmäßiger Schiffskost Hungrigen beizuspringen, wurden sie nun mit dem ausgesuchtesten Abendessen bewirtet. Von den mehr oder weniger zahmen Schweinen, die die ländliche Szene belebten, ward von den freundlichen Wirten sogleich eines der fettesten geschossen. Man lichtete den wohlversorgten Taubenschlag, und als Zuspeise gab es mehlige Kartoffeln, erfrischende Wassermelonen, Holundersuppe, frische Feigen und Maulbeeren, Pfannkuchen, Schildkröteneier und verschieden hergerichtete Fische. Den Beschluß machte ein würziger Tee, der aus den Blättern des hier wild wachsenden Sassafras (Laurus Sassafras) bereitet worden war. Die beiden Einsiedler hatten sich sehr an ihn gewöhnt, und auch von den Gästen wurde er als köstlich befunden.

Die Sorgfalt der Gastgeber ging so weit, daß sie, weil ihr Tischgerät nicht für alle ausreichte, schnell einige Löffel anfertigten. Das waren Muschelhälften, die man an Stielen von Fächerpalmen befestigte. So schön weiß ein Robinsonleben den Erfindungsgeist zu wecken. Auch die innere Einrichtung der Hütte machte einen wohltuenden Eindruck und zeugte von dem Ordnungssinn und den günstigen Verhältnissen ihrer Bewohner. Das Hausgerät, das hauptsächlich aus Schiffskisten und den beiden Hängematten bestand, nahm sich artig aus; auch bemerkte man einige vom Schiff gerettete Bücher, die namentlich in langen Winterabenden die Abgeschiedenheit versüßt hatten. Für die notwendige Beleuchtung war gesorgt, denn es fehlte nicht an Walrat, womit das verunglückte Schiff hauptsächlich beladen gewesen war.

Den größten Teil der nächsten Nacht brachte die heitere Gesellschaft unter den herrlichen Bäumen vor der Klause zu. Bald gesellte sich zur Lieblichkeit des Ortes und des Klimas bei völlig heiterem Himmel der Vollmondglanz in seiner ganzen stillen Pracht. Solche Stunden sind unvergeßlich und werfen einen Lichtschein durch das ganze Leben.

Man benützte diese zauberhafte Beleuchtung, um nach dem sandigen Ufer zu wandern, wo man eierlegende Schildkröten in Menge fand, denn es war gerade die günstige Jahreszeit, in der diese Tiere von einem wunderbaren Trieb geleitet werden, die sandigen Ufer der abgelegensten Inseln zum Eierlegen aufzusuchen. Sie verweilen dann an diesen Stellen den ganzen Sommer, um das Ausschlüpfen der Jungen abzuwarten und mit ihnen im Herbst das offene Meer zu suchen.

Der Umfang der Löcher, die diese Tiere in den Sand graben, ist staunenswert. Ein solches unterirdisches Nest nimmt eine beträchtliche Menge von Eiern auf, die rasch nacheinander hineingelegt und dann sorgfältig mit Sand bedeckt werden, bis der ebene Boden wieder vollständig hergestellt ist. Hierdurch werden die Eier gegen die Angriffe der lüsternen Raben geschützt, nicht aber gegen die wühlenden Schweine, die nicht minder auf solch ein leckeres Mal erpicht sind. Vor ihren Rüsseln ist kein Nest sicher und obgleich sie erst mit dem „Williams" auf das Eiland gekommen waren, drohte durch ihre Vermehrung der ganzen Schildkrötenansiedlung der Untergang.

Es ist unberechenbar, welche Störungen und Umwälzungen die Einführung eines neuen Tieres in der ursprünglichen Tierwelt eines Ortes hervorbringen kann. So hat z. B. in Neuseeland der flügellose Kiwi der Übersiedlung des europäischen Hundes nicht widerstehen können, und ebenso droht die dort eingeführte Katze dem Kakapo, einem dortigen Kuckuck, der auf niederen Zweigen zu nisten pflegt, mit dem vollständigen Untergang. Nicht allein die wilden Völkerstämme sind es, die bei der Ankunft des weißen Mannes ihr Todesurteil empfangen, auch die Haustiere, die den Fremdling begleiten, bringen den freien tierischen Bewohnern der Wildnis Verderben und Vernichtung.

Merkwürdig ist die Wehrlosigkeit jener großen Schildkröten, deren durchschnittliche Körperlänge wenig unter fünf Fuß beträgt, und die bei der Langsamkeit ihrer Bewegungen am Land ihren Verfolgern leicht zur Beute werden, obgleich sie im Wasser überaus behend sind und schwimmend leicht zu fliehen vermögen. Zwei Menschen müssen gewöhnlich ihre Kräfte vereinigen, um ein so schweres, im Sand fortkriechendes Tier umzuwälzen; einmal auf dem Rücken liegend, kann es sich nicht wieder umwenden, und nichts ist dann leichter, als es durch einen starken Hieb in die Kehle zu töten. Seine ganze Verteidigung besteht nur in einem kraftlosen, unbeholfenen Umherschlagen mit den flossenartigen Ruderfüßen; die scharfen Kinnladen, sein natürliches Gebiß, versteht es nicht zu gebrauchen.

Die beiden Ansiedler hatten den Platz Port Lloyd genannt, und da Lütke hier alles vereinigt fand, was er brauchte, so beschloß er, einige Zeit zur Ausbesserung seines Schiffs hier zu verweilen. Währenddessen hatte er volle Zeit, sich mit der belebten Welt der romantischen Insel bekannt zu machen.

Außer den mannigfaltigen Vögeln, vom Falken des Gebirges bis zum Pelikan des Strandfelsens, beschäftigte ihn besonders die Tierwelt der unterseeischen Gefilde. Reizend waren namentlich die Uferstellen, von denen man auf die seichten Korallenbänke hinabschauen konnte, deren weißgelber Sand durch den flüssigen Kristall des Seewassers emporschimmerte. Zwischen den einzelnen mit lebenden Polypen versehenen Korallenstämmen sah man in buntem Gemisch Seesterne, Holothurien und Seeigel von wunderbarer Größe und Schönheit sich am Boden bewegen, während das beinahe zwanzig Fuß tiefe Küstenwasser, vollkommen durchsichtig wie Glas, in allen seinen Schichten von den prachtvollsten Fischen und Doriden durchkreuzt wurde, deren schönes Scharlachkleid mit einem glänzend weißen Mantelsaum verbrämt war.

Das fortwährende Kommen und Gehen, das ewig wechselnde Bild dieser unterseeischen, in allen Regenbogenfarben glänzenden, metallisch schimmernden Lebensformen, das unermüdliche Auf- und Abfluten dieser sich stets neu gestaltenden Wasserwelt gab ein Schauspiel, wie es nur der Küstenbewohner der Tropen zu sehen bekommt. Die meisten der Fische wurden als höchst schmackhaft befunden und ebenso die Krebse und Krabben der mannigfaltigsten Arten, die nicht allein in den unterseeischen Klüften der Felsenufer sich versteckten oder auf Korallenbänken auf Raub ausgingen, sondern auch alle durch die Waldtäler rieselnden Bäche belebten.

Die Formen der Eidechsen und Schlangen fehlten dagegen gänzlich, und auch die Säugetiere waren nur widerwärtig oder unheimlich durch die Ratte und einen ziemlich großen Flatterer vertreten, der wegen seiner Gestalt der fliegende Bär (Pteropus ursinus) genannt wurde. Das Klima war vortrefflich, und die beiden Einsiedler erzählten, daß sie selbst im Winter nie das Bedürfnis nach einer Fußbekleidung empfunden hätten. Die Hitze des Sommers aber wurde durch die frische Seeluft gemildert.

Die Natur hätte hier also alles vereinigt, um diesen Ort zu einem wünschenswerten Aufenthalt für den Menschen zu machen, wenn sie ihn nicht bisweilen durch Erdbeben und furchtbare Stürme erschreckte. Die Orkane entfalten bekanntlich in den chinesischen und japanischen Meeren eine furchtbare Wut und rasen in ihrer ganzen entsetzlichen Stärke auch über die nahe liegenden Bonin-Inseln. Sogar im Innern der Bai geraten dann die Gewässer in einen so furchtbaren Aufruhr, daß sie den Anblick einer einzigen weißen Schaummasse darbieten. Und findet eins der hier nicht seltenen Erdbeben statt, so wird das Land bis in seine tiefsten Grundfesten erschüttert. Die Sturmflut steigt dabei zu einer solchen Höhe, daß sie alle Flächen und Täler weithin unter Wasser setzt.

Wittrin und Petersen verließen mit dem russischen Schiff ihre Einsiedelei, und Bonin blieb auf kurze Zeit den verwilderten Schweinen und fliegenden Bären überlassen. Dann gründeten zwei unternehmende Männer, Richard Millichamp aus Devonshire in England und Mateo Mozaro aus Ragusa, mit einem Dänen, zwei Amerikanern und einer Anzahl Sandwich-Insulanern (fünf Männern und zehn Frauen) hier eine Ansiedlung, die sich bald durch Matrosen, die von ihren Schiffen ausrissen, weiter vermehrte. Die Leute bauten süße Kartoffeln, Mais, Kürbisse, Tarowurzeln, Bananen, Ananas und eine Menge anderer Früchte so reichlich an, daß sie die hier nun oft anlegenden Schiffe vollauf damit zu versorgen vermochten. Auch der Tabak war von außergewöhnlicher Güte und erreichte oft eine Höhe von über fünf Fuß. Später gab sich die einstweilen selbständig regierte Ansiedlung eine Verfassung. Die Regierung liegt in den Händen eines Chefs und zweier Ratsherren, die auf zwei Jahre gewählt werden. – –

Also diese Inselgruppe wollten wir ansegeln, hatten sie aber noch nicht erreicht, als der Kapitän plötzlich einige Striche mehr nach Südwest abfallen ließ, eine Maßregel, die meine Verwunderung erregte.

„Wollt Ihr an den Bonin-Islands vorbei, Käpt'n?" fragte ich ihn.

Er sog die Luft mit der Bedachtsamkeit eines nach Champignons suchenden Wachtelhundes ein und machte ein sehr bedenkliches Gesicht.

„Vorbeigehen? Hm, fällt mir nicht ein! Aber Ihr gebt doch zu, daß es gut sein wird, uns für jetzt ein wenig seewärts vom Land zu halten."

„Warum?"

„Riecht Euch doch einmal diese Luft an! Merkt Ihr etwas?"

Ich konnte trotz aller Aufmerksamkeit weder einen Veilchen- noch einen anderen Duft, sondern nur den gewöhnlichen Seegeruch wahrnehmen und verneinte darum.

„Ich merke nichts." – „Und seht auch nichts?"

Ich musterte den Gesichtskreis. Im Nordosten war es, als sei der Himmel da, wo er das Meer berührte, mit glänzenden und maschenartig gekreuzten Spätsommerfäden überzogen, an deren oberem Rand sich eine kleine, helle und scheinbar kaum einen Fuß im Durchmesser haltende Öffnung befand. Das alles war so seidenartig, so zart und weich gezeichnet, als hätte der Mundhauch einer Fee den sonst so freundlichen und lichten Meeressaum berührt, und ich konnte mir nicht denken, daß diese kaum bemerkbaren Linien in einem Zusammenhang mit der plötzlichen Veränderung unserer Richtung stehen könnten.

„Ich sehe nur jene unverfänglichen Striche dort zwischen Ost und Mitternacht."

„Unverfänglich? Ja, so kann bloß einer sprechen, der kein Seemann ist, oder vielmehr, ich glaube sogar, daß es auch ein sonst wohlbefahrener Wasserbär meinen könnte, falls er zum erstenmal in diese Meere kommt. Aber traut nur diesem Himmel nicht; er macht ein verführerisches Gesicht, und was darauf folgt, werden wir bald merken." – „Sturm?"

„Sturm? Pah! Wollt Ihr einen Bären mit einer Spitzmaus vergleichen? Beide Tiere gehören, wie ich mir einmal habe sagen lassen, zu derselben Klasse von Raubtieren, aber ich glaube doch nicht, daß Ihr Meister Petz in einer Mausefalle fangen werdet. So ist es auch hier. Der Sturm und das, was wir zu erwarten haben, gehört beides zu derselben Sorte von Lufterscheinungen, aber zwischen einem regelrechten Sturm und dem Taifun ist derselbe Unterschied wie zwischen der Maus und dem Bären."

„Einen Taifun erwartet Ihr?" fragte ich, halb erschrocken und halb befriedigt, daß es mir vergönnt sein sollte, diese fürchterlichste Lufterscheinung kennenzulernen.

„Ja, einen Taifun. In zehn Minuten haben wir ihn. Es wird der elfte oder zwölfte sein, den ich in diesen Gewässern erlebe; ich kenne also die Art von Mailüftchen recht gut. Es gibt verschiedene Anzeichen dafür, keins von ihnen aber ist so gefährlich wie dieses verteufelte Netz da hinten. Ich sage Euch, Charley, in fünf Minuten werden die Fäden den ganzen Himmel umsponnen und sich zu einer pechschwarzen Wolkenmasse ausgebildet haben. Die weiße Öffnung dort wird bleiben, denn der Taifun muß doch eine Tür haben, durch die er herunterblasen kann. Es ist ein Sturmloch. Macht, daß Ihr in Eure Kajüte kommt, und guckt nicht eher wieder heraus, als bis ich Euch entweder rufe oder unser guter ‚Wind' unten auf dem Meeresgrund für immer vor Anker geht!"

„Paßt mir schlecht, Käpt'n! Darf ich nicht an Deck bleiben?"

„Es ist meine Pflicht, jeden Fahrgast bei drohender Gefahr hinabzuschaffen, und doch würde ich bei Euch eine Ausnahme machen, aber ich gebe Euch mein Wort, daß Euch schon die erste oder zweite See über Bord nehmen würde."

„Möchte es nicht glauben. Ich bin nicht zum erstenmal auf See, und wenn Ihr wirklich Sorge habt, so nehmt ein Tau und sorrt mich fest, an den Mast oder sonst irgendwo!"

„Unter dieser Bedingung mag es gehen; aber wenn der Mast über Bord geht, so seid auch Ihr verloren."

„Wahrscheinlich! Aber dann wird ja überhaupt von dem Schiff nicht viel übrigbleiben."

„Well! Wenn Ihr es einmal auf den Mast abgesehen habt so kommt her; ich selber werde Euch mit ihm zusammenspleißen."

Er nahm ein starkes Tau zur Hand und band mich fest.

Unterdessen herrschte eine fieberhafte Geschäftigkeit an Deck. Die Gallantmasten und Rahen wurden heruntergenommen und alles Bewegliche soviel wie möglich befestigt oder durch die Luke in den Raum geschafft. Jedes Stück Leinwand wurde gerefft, und nur oben am Spenker blieb ein Sturmtopsegel, um dem Steuer soviel wie möglich zu Hilfe zu kommen. Auch an den Radspeichen des Steuers wurden Taue befestigt, für den Fall, daß bloße Armeskraft nicht mehr zulangte, das von den Wogen ergriffene Ruder zu beherrschen. Schließlich wurde jede in den Raum führende Luke oder Öffnung so fest wie möglich verschlossen, damit das Wasser keinen Zutritt finden konnte.

Und nun, als das alles mit der angestrengtesten Tätigkeit beendet war, brach, genau nach zehn Minuten, wie der Kapitän vorhergesagt hatte, das Wetter los. Der Himmel hatte sich mit einer schwarzen Decke umzogen, und die Wogen besaßen jetzt eine tiefdunkle, fast möchte ich sagen höllisch drohende Farbe. Sie hatten keine raschere Bewegung als bisher, aber jede einzelne der Wellen glich einem schwarzen Panther oder einem zottigen Bison, der ruhig hält, um seine Kraft zu einem plötzlichen Sprung oder Stoß zu sammeln.

Das Sturmloch hatte sich erweitert. Es besaß das Aussehen eines runden Fensters, durch das ein feiner, rötlichgelber Rauch hineingetrieben wird. Da strich ein leises Säuseln über die Wasser, und aus weiter Ferne her ließ sich ein Ton vernehmen, ähnlich dem einer überblasenen Baßposaune.

„Aufgepaßt, Boys, er kommt!" ließ sich die Stimme des Kapitäns hören. „Steht nicht frei, sondern nehmt das stehende Tau in die Hand!"

Der Posaunenton ertönte stärker und näher, und – da kam es heran, eine schwarze, hohe, beinahe senkrecht aufsteigende Wogenmauer, und hinter ihr der Orkan, der sie emporgerissen hatte und vor sich hertrieb. Im nächsten Augenblick wäre selbst der Schuß eines Kruppschen Belagerungsgeschützes nicht zu hören gewesen; die Mauer hatte uns erreicht, stürzte über uns her und begrub uns unter ihrer bergesschweren Flut.

„Halt aus, mein guter ‚Wind', halt aus!" waren meine Gedanken, und das brave Schiff gehorchte diesem Wunsch. Es erhob den vorn tief niedergestoßenen Bug und stieg aus der schwarzen, brüllenden Tiefe empor. Aber dieser eine Augenblick hatte der See ein vollständig verändertes Aussehen gegeben. Die Wogen wälzten sich scheinbar berghoch und von allen Seiten auf uns zu und schlugen haushoch über das Deck. Noch rollte der Schwanz der einen über mich hinweg, so hatte mich bereits der Rachen der anderen erreicht, und kaum blieb mir Zeit, den nötigen Atem zu schöpfen. Das brüllte und heulte, das rauschte und sprudelte, das gurgelte und schäumte, das gellte und pfiff, das ächzte und stöhnte, das knarrte und prasselte rund um mich her, über mir unter mir und – in mir, denn es war mir ganz so, als hätte der fürchterliche Taifun auch mich selber, meine Knochen und Muskeln, meine Sehnen und Flechsen und jede Faser und Fiber meines Innern gepackt.

Der Kapitän hielt sich an einem der laufenden Taue fest und hatte die Seetrompete ergriffen. Nur ihr scharfer, schneidig-schriller Ton vermochte es, das entsetzliche Chaos des ringsum tobenden Stimmengewirrs zu durchdringen. Seine Befehle wurden verstanden und trotz der übermenschlichen Anstrengung, die dabei erforderlich war, schnell vollzogen. Eine Handvoll braver Topgasten oder Vorkastellmänner warf sich immer auf einen der bedrohten Punkte, und man muß in solchen Augenblicken diese starken, todesmutigen Leute beobachtet haben, um zu begreifen, welchen Wert jeder einzelne von ihnen besitzt. Drei Männer standen am Steuer und vermochten trotz aller ihrer Anstrengung nicht, es zu lenken; sie mußten die Taue zu Hilfe nehmen.

Die Wogen gingen so schwer, daß sie unter ihrer Wucht das Schiff zu zermalmen drohten. Von Minute zu Minute brach eine hohe See über uns her, und der Hauptmast, an dem ich befestigt war, bog sich wie eine Weidengerte. Das Sturmloch hatte sich geschlossen, und wir befanden uns in vollständiger Nacht, durch deren Finsternis nur der sprühende Schaum der Wogenkämme gespenstig leuchtete. So wütete der Orkan zwei, drei, vier Stunden lang. Ich hatte mich bisher keinem noch so fürchterlichen Präriebrand, keinem noch so gefährlichen Tier der Wildnis, keiner noch so drohenden Naturerscheinung gegenüber hilflos gefühlt; jetzt aber durchbebte mich die ganze Erkenntnis menschlicher Schwäche, die uns zu den Füßen des Allmächtigen in den Staub niederwirft. Ich dachte an jenen Sturm auf dem See Genezareth und an den Hilferuf des jäh verzagenden Jüngers: „Herr hilf uns, wir verderben!" Und ist das Schiff noch so fest und sicher gebaut, klopft in der Brust des Kapitäns ein noch so mutiges und erfahrenes Herz, und tun die Mannen noch so brav ihre Schuldigkeit, es bleibt doch jedem Augenblick die Macht vorbehalten, das Fahrzeug mit allem darauf wohnenden Leben zu verderben. Und dann –

> *„Dann sitzet am grauen trüben Morgen*
> *das Wrack am öden, fernen Strand,*
> *und was es trug, ruht tief geborgen*
> *dort unten in des Meeres Sand:*
> *da ruht der Mensch mit seinem Hoffen,*
> *mit all dem Glück, das ihm gelacht,*
> *in seiner besten Kraft getroffen*
> *von einer einz'gen Wetternacht."*

Ich hatte noch niemals einen solchen Aufruhr der Naturkräfte erlebt und erwartete alle Sekunden, von meinem Haltpunkt losgerissen und in die kochende See geschleudert zu werden. Eine Reling um den Bord herum gab es bereits nicht mehr, sie war zerschmettert worden von den Gegenständen, die der wütende Sturm von ihren Plätzen gezerrt und ins Meer geworfen hatte. Da trat mit einemmal eine minutenlange lautlose Stille ein, während der man das angestrengte Klopfen des eigenen Pulses zu hören meinte.

„Achtung, Jungens! Jetzt kommt es doppelt!"

Kaum waren diese Worte des Kapitäns verklungen, so zuckte ein blendender Blitzstrahl nieder, es erfolgte ein Donnerschlag, unter dem die See erkrachte und die Erde zu bersten schien und dann wühlte sich der Taifun ins Wasser, daß es die Spitzen unserere Masten zu überspringen schien. Wir wurden vom Wogenstrudel gepackt und um unsere eigene Achse gedreht – ein allgemeiner Schrei der Todesangst, ein entsetzliches Krachen und Prasseln und Schmettern, dann schwiegen die Lüfte so plötzlich wie die Musikinstrumente auf den Taktschlag eines allmächtigen Kapellmeisters, und nur das Branden der Wogen gegen unsere Planken ließ sich vernehmen.

„Der Fock über Bord!" schrie der Kapitän mit Donnerstimme. „Kappt die Taue, schnell, kappt, kappt um Gottes willen!"

Alle Hände bewaffneten sich mit den Beilen. Das Schiff lag nach Starbord hinüber; eine Reihe von kräftigen, dumpfen Schlägen erfolgte – es rauschte und brauste in den Fluten; das Schiff wankte und bog sich vorn tiefer, während eine Sturzsee nach der anderen über das Deck rollte und uns in ihrem Wasser völlig begrub.

„Rascher, rascher, Jungens, sonst geht's hinab mit uns!" schrie Turnerstick.

„Ahoi, Käpt'n!" rief der Bootsmann. „Spriet auch vom Bug – hängt am Fock!"

„Kappt, kappt auch dieses!" klang die Antwort.

Zu gleicher Zeit griff er sich an mir vorüber nach vorn, um sich selber vom Stand der Dinge zu überzeugen. Wieder ertönten die Schläge, dann spritzte es vor uns hoch auf, und der Bug hob sich in die Höhe.

„Ahoi, Maate, steht's hinten gut?" – „Aye, aye, Sir!"

„Well! Zieht ein Reff auf, Jungens! Wir brauchen es, denn der Taifun ist vorüber."

Er kam zu mir zurück.

„Ah, Charley, lebt Ihr noch?" – „Ein wenig!"

„Also ganz nicht? Glaube es. Werdet ein gutes Teil Salzwasser geschluckt haben, und das ist nicht jedermanns Sache. Wollt Ihr los?"

„Denke es, Sir. Ist diese Luft wirklich vorüber?"

„Natürlich. Der Taifun kommt plötzlich und nimmt ebenso rasch Abschied. Hat uns noch einen tüchtigen Fußtritt gegeben! Die See wird noch einige Stunden hoch gehen; Fock und Spriet samt Klüver sind fort, aber wenn wir unten noch heil sind, so will ich Gott danken, so gut davongekommen zu sein."

Er band mich los, und ich hatte bei dem aufgeregten Wogengang, der nach und nach in eine erst schwere und dann leichte Dünung überwechselte, alle Mühe, mich auf den Füßen zu halten. Die Wolkenhülle öffnete sich an mehreren Stellen; es wurde wieder Tag, und endlich rang sich auch der erste Sonnenstrahl wieder durch.

Auf dem Deck sah es fürchterlich aus, doch ging mich das jetzt nichts an, sondern ich stieg mit dem Kapitän hinab in den Raum, um dort nachzusehen. Im Frachtenraum herrschte eine wahrhaft heillose Verwirrung. Fässer, Ballen, Pakete und Kisten lagen wirr und ordnungslos durcheinander, und wir konnten uns erst nach langer Anstrengung eine Bahn durch diesen Wirrwarr erzwingen. Kaum aber war das geschehen, so schob mich der voransteigende Kapitän beiseite und eilte wieder empor.

„Was gibt's Käpt'n?"

„Wasser im Raum. Wir haben ein großes, ein gefährliches Leck!"

Er stieg an Deck, um die Leute an die Pumpen zu befehlen, und ich gab mir Mühe, so schnell wie möglich das Schlauchwerk in Ordnung zu bringen. Bereits nach zwei Minuten begann die Arbeit, während der Schiffszimmermann das Leck aufzufinden und zu verstopfen suchte. Das war eine harte Arbeit, gelang aber doch wenigstens so weit, daß wir uns für den Augenblick in Sicherheit befanden.

Die anderen waren beschäftigt, das Deck von Splittern und Tauschlissen zu säubern; dann wurde ein Notspriet vorgeschoben und auch einstweilen ein Hilfsmast an dem Fockstumpf aufgerichtet. Auch die Reling wurde soviel wie möglich wieder, hergestellt und dann hieß der Kapitän den Maat, gerade nach Norden abfallen.

„Bis Port Lloyd wird es jetzt gehen", meinte er.

„Wie weit ist es noch bis hin?"

„Habe bereits nachgesehen", antwortete er. „Dieser Taifun hat uns im Kreis herumgetrieben. Ihr müßt nämlich wissen, Charley, daß so ein Kerl nicht etwa ein ehrlicher Sturm ist, der aus einer Richtung bläst, wie manche Seeleute und Gelehrte annehmen, sondern meist beschränkt er sich auf ein kleines, scharf abgegrenztes Gebiet und bläst dann aus allen möglichen Himmelsbacken auf einmal nieder. Es ist leicht möglich, daß wir uns im Taifun befinden, während einige Meilen davon ein anderes Schiff bei kleinem Wind vorübergeht, ohne etwas von dem Orkan zu bemerken, höchstens daß es sich über die an seinem Bug auslaufende Dünung wundert, die es sich nicht erklären kann. Also der Orkan hat uns beinahe im Kreis herumgeführt, und wir können trotz unseres schlechten Segelwerks noch heute vor Nacht in Port Lloyd sein."

„Das ist herrlich, obgleich diese Bonin-Eilande im Taifun eine sehr gefährliche Nähe für uns bildeten."

„Deshalb schlug ich anderen Kurs ein, bin aber froh, daß wir nicht weiter weg sind. Das Leck ist nur einstweilen verstopft, die Masten sind fort, und wie es da unten im Raum ausschaut, ist es leicht möglich, daß wir einige Zeit in Port Lloyd bleiben müssen, um uns wieder seetüchtig zu machen. Bin nur froh, daß ich mein eigener Reeder bin und dergleichen Dinge nur vor mir selber zu verantworten habe! Aber Euch wird die Zeit lang werden, Charley?"

„Meine es nicht, Master Turnerstick."

„O doch! Es gibt dort keine Konzerte und Theater, keine Zeitungen und Büchereien, wie Ihr sie als Büchermacher gern habt. Und als Nimrod haben wir dort auch kein Vergnügen, denn es gibt weder wilde Rinder noch Leoparden und – – –"

„Aber wilde Ziegen und verwilderte Schweine, Schildkröten und Wasservögel gibt es in Menge, Käpt'n."

„Ist's wahr?" – „Natürlich; ich sage es ja."

„Huzza, das ist prächtig! Dann werde ich einige Dutzend Ziegen, einige Mandeln Schweine, einige Schock Schildkröten und einige Hundert Pinguine totschießen."

Ich lachte.

„Wollt Ihr in diesen Breiten wirklich Pinguine schießen?"

„Warum nicht, wenn sie da sind. Die Kerls sind fett und dabei so dumm, daß man sie mit Knüppeln totschlagen muß, ehe sie zur Einsicht kommen, daß es ihnen an den Kragen geht."

Der gute und ehrenwerte Master Frick Turnerstick war nämlich ein gewaltiger Jäger. Er fürchtete sich weder vor irgendeinem Menschen noch vor irgendeinem wilden Tier; aber er litt an der störenden Eigentümlichkeit, daß zwar seine Faustschläge dahin trafen, wohin sie gerichtet waren, seine Kugeln aber stets nach West bei Süd hinüberschwenkten, wenn er auf Ost bei Nord gezielt hatte. Eine Pinguinjagd, bei der man lieber nach dem Knüppel statt nach der Flinte greift, schien ihm die geeignetste Beschäftigung zu sein, und darum bedauerte ich es, daß die Bonin-Inseln nicht das Einsehen gehabt hatten, etwas näher hinunter nach dem Pol zu rücken.

Gegen Abend sahen wir Peel-Island, die südlichste der drei großen Bonin-Inseln, auf der auch der Haupthafen liegt, vor uns auftauchen, und eine halbe Stunde später gingen wir in Port Lloyd vor Anker. Hier war die See ruhig, und man hatte, wie wir später erfuhren, keine Spur von dem furchtbaren Taifun bemerkt. Der Kapitän schien mit seiner Erklärung, daß sich dieser Orkan oft auf einen streng abgeschlossenen Kreis beschränkt, das Richtige getroffen zu haben.

Der anderswo beim Landen üblichen Förmlichkeiten bedurfte es nicht. Wir hielten so weit wie möglich ans Ufer und ließen dann die Anker fallen. Ein anderes Schiff gab es hier nicht, und so zogen wir nur das Sternenbanner[1] auf und gaben einen Schuß ab, um unsere Ankunft und Staatsangehörigkeit zu melden.

Wir hatten während des Sturmes zwei Boote verloren. Der Kapitän ging in einer kleinen Jolle an Land, und es verstand sich von selber, daß ich ihn dabei begleitete. Wir wurden von den Ansiedlern mit Herzlichkeit aufgenommen und hatten das Vergnügen, auf festem Boden ein frisch bereitetes und vorzügliches Nachtmahl einzunehmen. Währenddessen konnte Turnerstick sich nicht enthalten, eine wichtige und notwendige Frage auszusprechen:

„Sagt doch einmal, Gentlemen, wie steht es denn hier mit der Jagd?"

„Sehr gut", lautete die tröstliche Antwort.

„Was gibt es hier für Wild? Pinguine?" – „Nein·"

„Seehunde?" – „Nein."

„Seelöwen?" – „Auch nicht."

Der gute Kapitän schien es wirklich auf eine Knüppeljagd abgesehen zu haben. Leider hatte er seine Rechnung – ohne das Wild gemacht und fragte also weiter: „Was gibt es sonst?"

„Schweine, Ziegen, Schildkröten, Wasservögel und fliegende Bären."

„Alle Wetter! Ist das richtig? Habe all mein Lebtag noch nichts davon gehört, daß die Bären auch in der Luft herumflattern. Oder ist diese Art von Viehzeug ein anderes Geschöpf als das, was man sonst einen Bären zu nennen pflegt? Kenne nur den Eisbären, den grauen, braunen und schwarzen Bären, den Waschbären und die Sorte von Bären, die man

---

[1] Eine kleine blaue Flagge mit den Sternen der Vereinigten Staaten. Wenn das Schiff in Parade in den Hafen läuft, muß auch die große Flagge aufgezogen werden

anbindet oder einem anderen aufhängt. Heraus, Charley! Ihr seid ja der Naturforscher unserer berühmten ‚The wind'-Entdeckungsfahrt!"

„Pteropus ursinus", antwortete ich, mit einer höchst wichtigen Miene.

„Perotus purgilus? Was ist das für eine Rede? Sprecht doch, wie Euch der Schnabel gewachsen ist!"

„Well, so will ich sagen ‚Fledermaus', wenn Ihr das besser versteht."

„Fledermaus? Hm, spaßige Sitte, eine Fledermaus zu einem Bären zu machen! Wie groß ist denn dieses Riesentier?"

„Acht bis neun Zoll lang und mit ausgebreiteten Flughäuten etwa drei Fuß breit. Es lebt vorzugsweise auf den Fächerpalmen und ist einer von den wenigen Flatterern, die bei Nacht schlafen und während der hellen Mittagsstunden ihrer Nahrung nachgehen."

„Ist auch meine Art und Weise, gehöre also auch mit zu den Peroques purgatus, oder wie Ihr die Sippe vorhin genannt habt. Mag ihnen also nichts zuleide tun und werde mich mehr an die anderen halten: Ziegen, Schweine und Schildkröten. Aber eine Ziege zu schießen ist keine Heldentat, nicht wahr, Charley?"

„Hm, eine Heldentat gerade nicht, oft aber sehr gefährlich Denkt einmal an die Gemsen! Und die hiesigen Ziegen sind wild, während die Berge sehr schroff und steil aufsteigen."

„Bin kein Freund vom Klettern und kentere dabei immer nach Starbord herüber oder nach Larbord hinüber. Bin ich dreißig Faden hinaufgesegelt, so rutsche ich sicher fünfzig Faden wieder herunter. Wie steht es mit den Schildkröten? Kann man hier zu einer echten Mock-Turtle-Suppe kommen?"

„Wird schwer sein, Käpt'n", lächelte ich.

„Warum? Sagtet Ihr nicht, daß es hier Schildkröten die schwere Menge gibt?"

„Allerdings, und daher könnt Ibr wohl Turtle-Suppe, aber keine Mock-Turtle-Suppe haben."

„Das verstehe der Kuckuck! Erklärt es einmal deutlicher!"

„Mock-Turtle wird im gewöhnlichen Sprachgebrauch falsch angewandt. Turtle-Suppe heißt Schildkrötensuppe, Mock-Turtle-Suppe aber heißt nachgemachte Schildkrötensuppe."

„Well, Charley, ich gebe Euch das Zeugnis, daß Ihr ein sehr gelehrter Natur- und Suppenforscher seid. Wenn man sich nur gleich noch heute eine echte Turtle fangen könnte!"

Rasch erklärte sich einer der Ansiedler, ein früherer Bewohner der Marquesas-Inseln, bereit, uns an einen Ort zu führen, wo wir eins der Tiere finden könnten. Der Mond schien hell, der Abend war wirklich paradiesisch zu nennen, und so folgten wir ihm auf einem Weg, der durch einen prächtigen Palmenwald nach einer kleinen, einsam gelegenen Bucht führte.

Hier gab es ein Gebüsch von tahitischen Tamanus[1], Catappen und Feigenbäumen, vor dem ein breiter, weißglänzender Sandstreifen langsam nach der Küste abfiel. Gleich als wir unter den Maulbeeren hervor-

---

[1] Maulbeerbäume, die auf Tahiti oft einen Umfang von 4 bis 5 Metern erreichen

traten, bemerkten wir zwei Schildkröten, die langsam vom Wasser herankrochen. Wir hatten uns jeder mit einem Stock versehen und wendeten sie um, so daß sie auf den Rücken zu liegen kamen und sich nun vollständig in unserer Gewalt befanden. Das war allerdings keine leichte Arbeit, denn das größere Tier mochte wohl über dreihundert Pfund und das kleinere nicht viel weniger wiegen.

„Was nun?" fragte Frick Turnerstick.

Der Insulaner, der sich leidlich englisch auszudrücken vermochte, meinte: „Laßt sie liegen bis morgen früh. Sie können nicht fliehen, und ihr werdet sie dann holen lassen."

„Fällt mir nicht ein!" antwortete der Kapitän, der trotz seiner rauhen Außenseite ein sehr weiches Gemüt besaß. „Dann müßten ja diese armen Tiere die ganze Nacht hindurch eine Todesangst ausstehen, die ich selbst so einem Vieh nicht wünschen mag. Schade, daß Ihr Eure Büchsen nicht mithabt, sonst könntet Ihr ihnen eine Kugel geben!"

„Wäre sehr mutig von mir gehandelt", meinte ich. „Gibt es kein Messer hier?"

Der Ansiedler zog das seinige hervor, und mit zwei kräftigen Streichen hatte er den Schildkröten die Köpfe abgetrennt.

„Jetzt tragen wir sie nach Hause!" bestimmte der Kapitän.

Er faßte die größere an und brachte sie auch wirklich hoch; nach zwei Schritten aber warf er sie wieder in den Sand.

„Bei allen Masten und Stengen, das Ding hat ja ein Gewicht wie unser Stoppanker! Wir müssen sie wahrhaftig liegen lassen!"

Der Insulaner schien anderer Meinung zu sein. Er schnitt einige Feigenstangen ab, verband sie mit Schlingranken und bildete auf diese Weise eine Schleife, auf die wir die schweren Tiere wälzten. Wir spannten uns dann zu dritt vor und brachten sie auf diese Weise nach der Ansiedlung.

Hier sollten sie in unsere Jolle geschafft werden. Das Licht einer Fackel fiel dabei auf den Rücken des größeren Tieres.

„Stopp!" befahl der Kapitän. „Was ist denn das? Diese Turtle-Suppe hat ja den Suppenteller bereits auf dem Rücken!"

Ich bog mich nieder und ließ mir leuchten. Wirklich war der harten Schale des Tieres eine eiförmig runde Platte aufgeschlagen, die durch das Wachstum der Schildkröte am Rand emporgerichtet worden war und infolgedessen die Gestalt einer kleinen, eiförmigen Schüssel angenommen hatte.

„Und hier ist eine Inschrift", meinte Turnerstick. „Aber wer soll das Zeug lesen? Das ist weder englisch noch sonst etwas. Charley, beißt Ihr Euch einmal die Zähne aus!"

Die Platte war von jener Bronze gefertigt, die nie vom Wasser angegriffen wird und deren Herstellung nur die Chinesen und Japaner verstehen. Ich versuchte, die Inschrift zu lesen. Sie bestand aus zwei japanischen Namen, die untereinander standen.

„Sen-to und Tsifourisima." – „Was ist das, Charley?"

„Tsifourisima ist eine Insel, die zum eigentlichen Japan gehört. Zuweilen wird auch die ganze, siebenundsiebzig Inseln und Inselchen zählende Oki-Gruppe so genannt."

„Schauderhaft, wer soviel Zeit hat, sich solche Dinge zu merken!"

„Sen-to ist der hundertundzwanzigste Dairi von Japan; er regierte von 1780 bis 1817, wenn ich mich nicht irre."

„Und was hat dieser Kerl mit meiner Mock — — wollte sagen, mit meiner Turtle-Suppe zu tun?"

„Die Schildkröten haben ein sehr langes Leben, dessen Dauer man oft dadurch zu erforschen gesucht hat, daß man einer gefangenen ein gewisses Zeichen gibt und sie dann wieder freiläßt. Sie scheinen merkwürdig regelmäßige Wanderungen vorzunehmen und stets einen und denselben Ort wieder zu besuchen. Diese Turtle hier ist jedenfalls einmal auf Tsifourisima gefangen und, um eine Zeitangabe zu gewinnen, mit dem Namen des damals regierenden Dairi versehen worden. Wie alt sie ist, könnt Ihr Euch also wenigstens annähernd ausrechnen."

„Fällt mir gar nicht ein, denn ich könnte dabei zu der unappetitlichen Erkenntnis kommen, daß ich mir eine siebzigjährige Turtle-Suppe gefangen habe, und Ihr werdet zugeben, Charley, daß das keine sehr erfreuliche Aussicht eröffnet. Werft sie ins Boot! Sie wird geschlachtet und verzehrt, und wenn ich einmal hier oder da mit diesem sogenannten Dairio oder Domino zusammenkomme, so soll er in den Besitz seiner tschifirigimilikischen Schüssel kommen!"

„Wollt Ihr nicht lieber mir die Platte überlassen, Sir? Ich möchte sie gern als Andenken mit nach Hause nehmen."

„Als Andenken? Absonderlicher Kauz! An wen denn? An den Diarius oder an die Kröte?"

„An beide zugleich."

„So nehmt sie immerhin! Ihr könnt meinetwegen die ganze Schildkrötschale mitsamt diesem Diarius bekommen, denn mir ist es nur um die Suppe zu tun."

4. Eine ergebnisreiche Gemsenjagd

Am anderen Morgen gab es sehr viel auf unserem braven „The wind" zu schaffen. Das Leck konnte nur von außen vollständig beseitigt werden, und da auf Peel-Island von einem Dock keine Rede war, so waren Taucherarbeiten erforderlich, denen ich mich großenteils unterzog, weil sich von der Mannschaft keiner lange genug unter Wasser halten konnte. Es ist eine beinahe unglaubliche Tatsache, daß die meisten Seeleute, diejenigen, die eine Seemannsschule besucht haben ausgenommen, schlechte Schwimmer sind. Man trifft Hunderte von Matrosen, die sich auf einem alten, halb wracken Dreimaster vollständig sicher fühlen, von einer flotten Boots- oder Kahnfahrt aber nicht das mindeste wissen wollen.

Am Mittag, als wir uns die Turtle-Suppe schmecken ließen, wurde ich für meine Anstrengung von dem Kapitän belohnt, indem er mir einen sehr annehmbaren Vorschlag machte.

„Was meint Ihr, Charley, werden diese wilden Ziegen gut zu verdauen sein?"

„Jedenfalls."

„So nehmt Eure Büchsen und macht mit! Wir wollen uns eine holen."

„Ich bin dabei, schlage aber vor, nicht hier, sondern drüben auf Stapleton-Island zu jagen." – „Warum?"

„Ich ließ mir gestern abend sagen, daß dort mehr und besseres Wild zu finden ist."

„Well, so rudern wir uns da hinüber!"

„Nehmen wir noch jemanden mit?"

„Ist nicht notwendig. Was verstehen diese Kerle von der Jagd? Sie würden uns nur das Wild vertreiben. Kommt in die Jolle!"

Ich hatte einmal gelesen, daß dieses Stapleton-Island sehr felsig ist, und wußte aus meinen Alpenwanderungen, welche Dienste bei Besteigung steiler Höhen ein Strick und ein Bergstock zu leisten vermögen. Mein Lasso war auf alle Fälle besser als jeder Strick; ich suchte ihn hervor und fand auch eine Bambusstange, die ich mit Hilfe des Schiffsschmieds schnell in einen Bergstock verwandelte – oben wurde ein alter Eisenhaken angenagelt und unten ein Stift eingeschlagen. Master Frick sah mich erstaunt an, als ich mit dieser seltsamen Ausrüstung erschien.

„Was sind denn das für Kinkerlitzen, Charley, he? Will der Kerl mit einem Bambusstock und einem Lederriemen Ziegen schießen!"

„Pshaw! Ich bin Alpenjäger, Sir!" antwortete ich stolz.

„Alpenjä – – macht Euch nicht lächerlich und werft die Geschichte über Bord!" – „Abwarten!"

Ich stieg voran in die Jolle, und er folgte mir. Dann ergriffen wir die Ruder. Wir hatten allerdings eine Strecke von vier Stunden zurückzulegen, doch war die See ruhig und der Wind günstig. Wir fuhren an mehreren malerisch geformten Felsen westlich von Peel- und Buckland-Island vorbei, hielten immer gerade nach Nord und erreichten Stapleton-Island bei einer Bucht, die sich tief in steil emporstrebende Felsen hineinzog. Der Kapitän lachte mit dem ganzen Gesicht, deutete nach oben und meinte: „Schaut, Charley, auf jeden Schuß wenigstens zwei!"

Wirklich sah ich die Spitzen und Vorsprünge der Berge mit wilden Ziegen bedeckt. Das mußte eine reiche Jagd geben. Wir stiegen aus und zogen die Jolle so weit an den Strand herauf, daß sie von der Flut, die übrigens dort nur drei Fuß beträgt, nicht erreicht werden konnte. Dann ging es vorwärts, immer die steilen Höhen hinan.

Es war eine vollständige Alpenlandschaft mit spitzen Zinnen, schroffen Zacken und scharfen Graten. Der Bambus leistete mir treffliche Dienste, während der hinter mir keuchende Kapitän oft auf allen vieren kroch, um die Schwierigkeiten des Anstiegs zu überwinden. Endlich blieb er hustend und pustend stehen.

„Charley, haltet an! Wollt Ihr etwa bis zum Mond hinauf? Seht dieses Tal da drüben, es wimmelt von Ziegen. Wenn wir hinübergehen, so schießen wir mit vier Schüssen wenigstens zwanzig nieder."

„Eben da hinüber will ich ja."

Er sah mich mit offenem Mund und unsäglich erstaunter Miene an.

„Da – hi – – nüber –? Hört, Charley, einer von uns beiden ist verrückt, doch will ich Euch offen gestehen, daß ich meine Sinne im Kurs habe. Will der Mensch da nach Backbord hinab und segelt geradewegs nach Steuerbord hinauf!"

Ich mußte lachen.

„Sagt einmal, Käpt'n, was Ihr da unten im Backbord wollt?"

„Ziegen schießen, was denn anderes?"

„Well! So versucht es einmal! Ich zahle Euch zehn Dollar für jede, die sich von Euch schießen läßt."

„Ihr wollt doch nicht etwa sagen, daß ich nicht zu schießen verstehe!"

„Nein, aber ich will sagen, daß sie Euch gerade im Wind haben."

„Im Wind? Charley, nehmt mir's nicht übel, aber hier hört Eure Natur- und Suppenforscherei vollständig auf! Was soll eine Ziege vom Wind verstehen? Ihr könnt Euch darauf verlassen, daß ich diese Mauer hier nicht mit emporklettere. Macht, was Ihr wollt; ich aber werde nicht mit zerbrochenem Hals an Bord zurückkehren."

Er wandte sich wirklich nach Backbord und stampfte und dampfte hustend und pustend davon. Ich mußte mich sputen, wenn ich mir die Jagd nicht verderben lassen wollte. Übrigens hätte ich ihn gar nicht von mir gelassen, wenn ich nicht gehofft hätte, aus seinem Verhalten Nutzen zu ziehen.

Ich klomm schnell empor und erreichte den Grat, hinter dem die Höhe schroff in ein Seitental abfiel. Den Stock als Stütze gebrauchend, rutschte und fuhr ich mehr, als ich ging, hinab und eilte dann links weiter, bis die Schlucht in das Tal mündete, nach dem sich mein guter Frick Turnerstick gewandt hatte. Hier lehnte ich mich hinter einen Felsen und wartete, den Henrystutzen in der Hand.

Ich brauchte nicht lange zu harren, denn kaum stand ich zwei Minuten hier, so kamen sie angejagt in eiliger Flucht, alle die Ziegen, von denen der tapfere Kapitän auf jeden Schuß zwei hatte treffen wollen. Das Haupttal machte kurz vor mir eine Biegung: die Tiere konnten mich nicht sehen und liefen mir gerade ins Feuer. Zwei, drei, fünf, sechs Schüsse, dann waren sie vorüber, und sechs Tiere lagen am Boden. Eben wollte ich vortreten, als ich etwas heftig ächzen und schnauben hörte. Es kam wie eine Lokomotive angepufft und blieb erstaunt vor den erlegten Ziegen halten. Es war der Kapitän.

„Tausend Geißen! Was ist das? Wer hat diese Gemsen geschossen?" rief er.

Ich trat, herzlich lachend, hervor.

„Ich, wenn Ihr nichts dagegen habt, Sir!"

„Ihr, Charley, Ihr? Wie kommt Ihr hierher?"

Der gute Frick riß vor Erstaunen den Mund auf, als wenn er alle seine „tausend Geißen" auf einmal verschlingen wollte.

„Da oben von der Mauer herunter. Ich versprach Euch für jede Ziege, die sich von Euch schießen lassen würde, zehn Dollar. Wieviel habe ich zu bezahlen?"

Er machte ein verlegenes und verdrießliches Gesicht.

„Ja, Charley, dieses Viehzeug ist mir wahrhaftig durchgebrannt, bevor ich nur dazu kommen konnte, die Piratenflagge aufzuhissen. Da habe ich alle meine Leinwand aufgezogen und bin ihnen nachgesegelt, daß meine Lunge bläst, wie der Taifun gestern. Wie will ich da vor Anker gehen, Atem holen, das Gewehr vom Rücken bringen, zielen, losdrücken und treffen können? Ihr dürft von einem Seemann nicht sechsmal mehr verlangen, als ein anderer zu leisten vermag."

„Habe ich verlangt, daß Ihr sechsunddreißig Ziegen schießen sollt?"

„Sechsunddreißig? Wie kommt Ihr auf diese Nummer?"

„Hier liegen meine sechs; ‚sechsmal mehr' habt Ihr gesagt, und sechsmal sechs ist sechsunddreißig."

„Hm, die Rechnung stimmt", brummte er, erst sein Gewehr und dann meine Ziegen ansehend. „Hört, Charley, sollten diese Biester wirklich etwas vom Wind verstehen?"

„Natürlich. Sie haben einen ausgezeichneten Geruchssinn, und außerdem werden sie Euch wohl gehört und gesehen haben, denn groß und breit genug seid Ihr ja, und Euer Keuchen vernahm ich schon achtzig Schritte weit."

„Hört, Charley, soll ich etwa wegen einer Ziege ersticken? Wer mein Keuchen nicht vertragen kann, der – der – –"

Er war so ärgerlich, daß er einen Nebensatz angefangen hatte, ohne den Hauptsatz finden zu können. Ich lachte herzlich und reichte ihm die Hand hinüber.

„Grämt Euch nicht, Sir! Wir haben hier sechs feiste Tiere und mehr brauchen wir nicht für heute."

„So? Meint Ihr", funkelte er mich an. „Und was werden sie auf dem Schiff dazu sagen? Master Charley hat alles geschossen und der Käpt'n nichts! Ich will auf der Stelle gekielholt sein, wenn ich eher gehe, als bis ich auch meine sechs geschossen habe, hört Ihr's? Sechs, wenigstens sechs! Ich weiß nun, daß diese Tiere den Wind verstehen, und werde mich danach verhalten. Geht Ihr mit, oder bleibt Ihr da?"

„Natürlich gehe ich mit, doch ich werde Euch bitten, vorher noch ein wenig zu warten."

„Warum? Ich habe keine Zeit, sonst läuft das Viehzeug immer weiter fort, und ich komme ihm all mein Lebtag nicht nach."

Ich mußte wieder laut auflachen.

„Glaubt Ihr denn wirklich, daß Ihr diese Ziegen einholen könnt? Helft mir, die sechs unter die Zweige zu bringen und mit einigen Steinen zu beschweren, und dann werden wir einen Ort finden, wo Ihr auf ein anderes Rudel zum Schuß kommen könnt!"

Wir brachten auf diese Weise die Beute einstweilen in Sicherheit und wandten uns dann einer anderen Höhe zu, von der aus wir das unter uns liegende Gelände beobachten konnten. Dieser Weg wurde dem Kapitän wieder sehr schwer. Er stöhnte mich an: „Halt, Charley! Ich segle in die Kreuz und Quer und komme doch nicht weiter. Gebt mir Euern Bambus!"

„Sollte ich ihn nicht über Bord werfen?"

„Habe ich mich etwa, so wie Ihr, auf allen Breiten herumgedrückt, um Land und Leute kennenzulernen, he? Kann ich also wissen, wie alles gemacht werden muß? Wie man einen Dreimaster in einen Hafen bugsiert, das kenne ich genau; auf welche Weise aber ein Kapitän zur See diesen ungeschlachten Felsen in die Zähne zu beißen hat, das habe ich noch nicht erfahren. Also, alle Mann an Deck und weiter mit der Fahrt!"

Jetzt ging es mit Hilfe des Bergstocks leichter und schneller vorwärts. Wir kamen oben an und bemerkten jenseits unten im Tal eine zahlreiche Herde, die ruhig graste. Der Kapitän wollte, wie vorhin, gerade auf die Tiere zu. Ich hielt ihn zurück.

„Halt, Mr. Turnerstick, auf diese Weise vertreibt Ihr sie wieder! Steigt hier rechts hinab; da ist der Weg sehr leicht, und stellt Euch dort unter jenen Kiri-Holzbaum! Ich gehe links hinunter und treibe Euch die Ziegen in den Schuß."

„Well, so lasse ich mir's gefallen. Macht, daß Ihr hinunterkommt; ich muß in fünf Minuten sechs haben!"

„Mit zwei Kugeln?"

„Pshaw! Ich schieße allemal ihrer drei durch und durch."

„Wird schwierig sein! Wollt Ihr nicht lieber meinen Henrystutzen nehmen? Ich habe ihn wieder geladen, und er hat fünfundzwanzig Schüsse, die Ihr abgeben könnt, ohne laden zu müssen."

„Das ist sehr vorteilhaft! Gebt her, und zeigt mir, wie mit dem Ding umzugehen ist!"

Ich erklärte ihm die Handhabung; dann eilte er, nachdem er mir seine Sonntagsbüchse eingehändigt hatte, von dannen. Es war wirklich urdrollig, seine breite Gestalt an dem Bergstock mit weit gespreizten Seemannsschritten hinabwiegen zu sehen.

Ich war viel eher zur Stelle als er. Sobald ich ihn unter dem Kiri wußte, pirschte ich mich auf die Tiere zu und drückte auf etwa achtzig Schritte zweimal los. Beim ersten Schuß stürzte ein Tier im Feuer, der zweite aber hatte, da ich des Gewehrs nicht sicher war, weniger gut getroffen; die Ziege sprang seitwärts ab und floh die Höhe hinan, gerade dem Hang gegenüber, von dem wir herabgekommen waren.

Die übrigen Tiere jagten gerade auf meinen wackeren Frick Turnerstick los. Dieser ließ sie bis auf vierzig Schritte herankommen, trat dann hinter dem Baum hervor und hob das Gewehr. Zu meiner größten Verwunderung bemerkte ich, daß er nicht schoß. Er schnitt mir, der ich hinter den Ziegen herrannte und sie ihm entgegentrieb, allerlei wunderliche Gesichter, strampelte ungeduldig mit den Füßen, hielt das Gewehr zum Abdrücken fertig und schoß doch nicht. Die Ziegen eilten an ihm vorüber; er drehte sich um, zielte und – arbeitete mit der Rechten in heftiger Aufregung an dem Stutzen herum.

Unterdessen entkamen die Tiere, und ich erreichte ihn.

„Warum schießt Ihr denn nicht, Sir?" fragte ich verwundert.

Er wandte sich zu mir herum. Sein sonst so gutmütiges Gesicht glänzte vor Wut wie Zinnober, und seine Stimme donnerte:

„Was soll ich? Schießen soll ich? Wen denn? Wohl Euch? Schämt Euch, Charley, daß Ihr weniger Umsicht habt als so ein Tier! Diese braven Ziegen waren so verständig, mir gerade ins Rohr zu segeln, und Ihr seid so unverständig, hinter ihnen dreinzuspringen. Und dabei mutet mir der Mensch zu, daß ich losdrücken soll. Wenn ich Euch nun erschossen hätte, he!"

„Mich erschossen?" fragte ich, steif vor Erstaunen bei diesem Vorwurf. „Das ist ganz unmöglich, denn ich war volle zweihundertfünfzig Schritte hinter den Tieren."

„Tut nichts! Das muß ich verstehen! Ich bin ein alter erfahrener Mann, und Ihr seid noch jung. Laßt Euch ein Beispiel erzählen: Master Cornpush, den ich nicht leiden kann, kommt zu mir und sagt mir Dinge, die mich wütend machen. Ich nehme ihn und werfe ihn die obere Treppe hinab, oder vielmehr, will ihn nur die obere Treppe hinabwerfen; er aber ist so ungeschickt und stürzt alle beide Treppen hinunter, und ich mußte eine schwere Menge Strafgelder zahlen. So ist es mir mit diesem unglücklichen Master Cornpush ergangen; warum kann es mit der Kugel nicht dasselbe sein? Ich will bloß die Ziegen treffen, aber die Kugel will durchaus zu Euch hinüber, fliegt über die Ziegen hinweg und Euch in den Kopf – nun, was dann, he? Und Ihr fragt, warum ich nicht geschossen habe, statt daß Ihr mir dafür dankt, daß ich so geistesgegenwärtig war, Euch das Leben zu retten? Charley, das hätte ich nicht von Euch erwartet!"

Ich gestehe, ich war verblüfft über diesen Vorwurf, der mit solchem Ernst und solcher Überzeugung vorgetragen wurde. Doch ich wollte den Mann nicht noch mehr in Zorn bringen, und erwiderte darum:

„Aber warum schoßt Ihr denn nicht hinter den Ziegen her?"

„Konnte ich, wenn dieser Henrystutzen nicht losgehen will? Ich habe gedrückt und gekniffen, gezogen und geschoben aus Leibeskräften – pshaw, er wollte einmal nicht! Hier habt Ihr Eure Schießröhre wieder. Wenn ich wieder einmal auf Ziegen gehe, so nehme ich mir eine Feueresse mit; von der weiß ich doch wenigstens, daß sie Funken und Rauch speit. Wo nehme ich nun meine sechs Tiere her, he?"

„Hm, leider", lachte ich, „sechs Ziegen auf zwei Schüsse!"

„Charley, bringt mich nicht in Krawall! Her mit meiner Büchse! Habt Ihr etwas damit geschossen?"

„Ja, zwei. Die eine ist tot, und die andere ging dort hinauf; sie ist verwundet und hat stark geschweißt."

„Ist das etwa zu verwundern?" fragte er ingrimmig. „Wenn so ein armes Tier verwundet ist und einen solchen Berg hinauf muß, wird es doch wohl schwitzen dürfen."

Jetzt wurde aus meinem Lachen ein Gelächter. Das brachte ihn so in Harnisch, daß er mir die Büchse aus der Hand riß.

„Charley, Ihr seid ein Barbar, ein gefühlloser Mensch! Ich habe mit Euch nichts mehr zu schaffen. Segelt von Port Lloyd nach Kanton, mit wem Ihr wollt, nur mit mir nicht!"

Er warf mir den Bergstock vor die Füße und schritt mit einer Gebärde des höchsten Unwillens fort. Ich ließ ihn laufen, denn ich wußte genau, daß er wiederkommen würde, nahm meinen Stock auf und stieg den Spuren der verwundeten Ziege nach. Gleich hinter der zu erklimmenden Höhe mußte die See liegen, wie ich von dem gegenüberliegenden Punkt der Talwand gesehen hatte. Fährte und Schweiß waren deutlich zu erkennen und führten mich nach einem schmalen Rücken, der senkrecht nach der See abzustürzen schien. Hart am Rand lag die Ziege. Sie war schwer getroffen und versuchte, sich zu erheben, als sie mich erblickte. Ich machte durch einen sicheren Schuß ihrer Qual ein Ende.

Kaum war der Knall verhallt, so war es mir, als vernähme ich tief unten einen Ruf. Ich legte mich nieder, bog den Kopf über den scharfen Rand des Felsens und blickte hinab. Wie ich vermutet hatte, fiel die Wand senkrecht zur Tiefe und bildete einen kleinen Halbkessel, der in seinem Hintergrund höchstens dreißig Fuß breit war, nach vorn, wo er von den Wogen der See bespült wurde, sich allmählich erweiterte und sich ringsum so streng abgeschlossen zeigte, daß ihn außer einem Vogel wohl noch nie ein lebendes Wesen betreten hatte. Von oben war kaum hinabzukommen, und an der Wasserseite verwehrte eine scharfe Korallenbarre, über die sich die See in hohen Wogen brach, den Zugang. Und doch stand ein Mensch da unten, der mich bemerkt hatte und mir durch Winken zu verstehen gab, daß er sich in einer verzweifelten Lage befinde.

Ich konnte die Laute ziemlich deutlich hören, die Worte aber nicht verstehen. Seine Kleidung sagte mir, daß er ein Chinese war. Wie kam der Mann nach Stapleton-Island und noch dazu in diese unzugängliche Bucht? Freiwillig jedenfalls nicht. Und wie war es möglich, ihn herauszubringen? Ich überlegte noch, wie es zu machen sei, als ich hinter mir Schritte hörte. Ich drehte mich nicht um, denn ich schloß aus dem lauten Schnaufen, daß es mein reuig zurückkehrender Frick Turnerstick war.

„Alle Wetter, war das geklettert! Ich will lieber an tausend Mastbäumen hinauf, als diesen Berg hinunter!" seufzte er.

Der gute Mann ließ außer acht, daß er auf jeden Fall wieder hinab mußte.

„Wollt Ihr vielleicht auf dieser Seite hinab, Sir?" fragte ich, auf den Abgrund deutend.

Er streckte abwehrend alle zehn Finger aus.

„Fällt mir niemals ein! Ich glaube, ich käme so unmäßig schnell in die Tiefe, daß der Kapitän Frick Turnerstick als ein Wrack untenläge, an dem man weder Rumpf noch Masten oder Spieren und Stengen zu erkennen vermöchte."

„Und doch müßt Ihr hinab."

„Ich? Müssen? Warum? Charley, ich komme in guter und rechtschaffner Absicht wieder, und Ihr wollt mich dafür in den Tod jagen. Ist das recht von Euch?"

„Ja, was soll denn aus dem Mann da unten werden, wenn Ihr ihn nicht heraufholt?"

„Ein Mann? Wo?"

„Macht es wie ich: legt Euch nieder und seht ihn Euch an!"

Er folgte dieser Aufforderung mit bedeutender Vorsicht und fragte dann: „Ein Chinese, nicht, Charley?"

„Ja." – „Wie kommt der Kerl in diesen Käfig?"

„Das wird er uns wohl sagen. Zur See können wir nicht zu ihm, das ist wegen der fürchterlichen Barre dort unmöglich. Also müssen wir hier hinunter."

Der Kapitän machte ein verzweifeltes Gesicht.

„Hört, Charley, ich möchte dem Kerl von Herzen gern helfen, aber was kann es ihm nutzen, wenn ich seinetwegen Hals und Bein breche und dann selber hilflos unten liege?"

„Das ist richtig. Also werde ich versuchen, hinabzukommen."

„Wird Euch nicht anders gehen", meinte er ängstlich.

„Wollen sehen! Ganz hinunter kann ich unmöglich, aber es ist gut, daß ich meinen Lasso bei mir habe. Seht dort den Feyé[1] am Rand stehen. Von da aus lasse ich mich auf den schmalen Vorsrpung, den Ihr unter ihm seht, hinab, und es ist Eure Aufgabe, den Lasso, den ich mit hinunter nehme und bei meiner Rückkehr hinaufwerfen werde, aufzufangen und wieder an den Stamm zu binden. Ihr haltet natürlich mit fest, wenn ich emporsteige."

Wir schritten bis zu dem Feyé hin, an den ich, tief an der Erde, den Lasso befestigte. Dann warf ich Jacke und Mütze ab und ließ mich auf den erwähnten Vorsprung hinab, der vielleicht fünfzehn Fuß unter uns lag.

„Den Lasso los, Käpt'n!"

„Aye, aye! Aber nehmt Euch in acht, Charley; wenn Ihr stürzt, so kann Euch niemand helfen!"

Ich legte mir den Lasso um den Leib und stieg weiter. Die ganze Höhe des Felsens mochte zweihundert Fuß betragen. Von dem vier Fuß breiten Absatz, zu dem ich mich niedergelassen hatte, war es für einen schwindel-freien Bergsteiger nicht schwer, tiefer zu kommen, und nur ungefähr zwanzig und etliche Fuß über der Sohle des Kessels hörte diese Möglich-keit vollständig auf. Ich langte glücklich dort an.

Der Chinese war meinen Bewegungen mit gespanntem Auge gefolgt. Jetzt aber stieß er einen Ruf der Enttäuschung aus. Ich drehte mich ihm zu und fragte im Kuan-hoa[2], da ich vermutete, daß er mich so ver-stehen würde: „Wie heißt du?"

„Kong-ni." – „Wo bist du her?"

„Aus Tien-hia[3], dort im Si[4], über dem Meer."

„Aus welcher Provinz oder Stadt?"

„Aus Kuang-tscheu-fu[5] in der Provinz Kuang-tung."

„Wie kommst du hierher?"

„Ich war auf einem Lung-yen[6], der gestern im Taifun zugrunde ging. Die Wogen haben mich hereingeschleudert, und ich muß sterben, wenn du mich nicht rettest."

„Kannst du gut steigen?"

„Ich war in allen Bergen des Westens; mein Auge ist gut, und mein Fuß zittert nicht. Aber mein Kopf ist an die Felsen geschlagen, so daß mir schwindelt, und mein linker Arm ist verwundet, wodurch ich große Schmerzen habe."

„Wenn du deine Schmerzen beherrschen willst, so kann ich dich retten."

---

[1] Bergbanane [2] Die Sprache der gebildeten Chinesen [3] Deutsch: „Unter dem Him-mel" oder auch „Welt", wie die Chinesen ihr Reich nennen [4] Westen [5] Kanton [6] Wörtlich „Drachenauge". So nennen die Chinesen eine Art ihrer Dschunken, deren aufgerichtetes Vorderteil einem Drachenkopf mit außergewöhnlich großen Augen nach-gebildet ist

„Ich werde es tun."

Ich band den Lasso los und ließ das Schlingenende hinab.

„Leg dir diesen Riemen unter den Armen hindurch um den Leib; ich werde dich emporziehen."

Wegen seiner weiten Kleidung und seines verwundeten Armes dauerte es lange, bis er damit fertig wurde.

„Wirst du mich auch nicht fallen lassen?" fragte er empor.

„Nein. Halte dich mit dem rechten Arm vom Felsen ab, und hilf mit den Füßen nach!"

Er gehorchte dieser Weisung, und nach wenigen Augenblicken stand er vor mir, bleich und im höchsten Grad angegriffen. Er war noch ein junger Mann von etwa vierundzwanzig Jahren. Große Schmerzen mußte er haben, denn er hatte sich während des Emporziehens die Lippe blutig gebissen.

„Gib mir deinen Arm; ich will sehen, was ihm fehlt."

„Bist du ein Arzt? Kennst du das ‚Tschang-schi-yi-thuny'[1] und das ‚Wan-ping-tsui-tschün'[2]?" fragte er mich.

„Ich kenne beide, und auch den ‚Nü-tsuan-i-tsung-kin-kiang'[3]" antwortete ich, um ihm Vertrauen einzuflößen. „Zeig her!"

Er gab mir den Arm. Die Untersuchung mußte ihm schmerzhaft sein, denn ich fand, daß er den Arm oberhalb des Ellbogens gebrochen hatte.

„Dein Arm ist entzwei, aber ich werde ihn heilen, sobald sich die Geschwulst ein wenig gesetzt hat. Kannst du hier emporklettern?"

„Ich könnte es leicht, aber ich bin matt. Stütz mich!"

Ich tat es, mußte aber bald einsehen, daß es in dieser Weise nicht gehen würde. Ich versuchte sein Gewicht zu schätzen. Er war zwar kräftig, aber nicht allzu stark gebaut.

„Wirst du dich mit den Beinen festhalten können, wenn ich dich auf meine Schulter nehme?"

„Wolltest du das wirklich?" – „Ja."

„Aber ich weiß nicht, wer du bist, und ich mag nicht das Gesetz ver- verletzen, das mir vorschreibt, höflich zu sein."

„Du wirst dieses Gesetz nicht verletzten, denn ich bin kein Dse-tschung-kuo[4], sondern ein Tao-dse,[5] der dir helfen will. Komm, wollen es versuchen!"

Ich nahm ihn empor, daß er wie ein Reiter auf meinen Schultern saß und die Füße auf meinem Rücken ineinanderschlang. Während er sich mit der Rechten an meinem Kopf festhielt und ich mit der einen Hand seine Beine faßte, versuchte ich, mit ihm bergan zu kommen. Es ging, obgleich ich langsam und vorsichtig steigen mußte, um jeden Fehltritt zu vermeiden.

Es verstrich wohl eine halbe Stunde, ehe wir den oberen Vorsprung

---

[1] Deutsch: „Die ganze Heilkunde von Tschang-schi", von Tschang-lu-yü, dem Sohn jenes berühmten Arztes, im Jahr 1705 herausgegeben [2] „Der zurückkehrende Frühling aller Krankheiten." Beide Bücher gehören zu den vorzüglichsten klassischmedizinischen Werken der Chinesen [3] Wörtlich: „Goldener Spiegel der Arzneikunst", auch eins der klassischen Lehrbücher [4] „Sohn aus dem Reich der Mitte", also Chinese [5] „Sohn der Vernunft", ein Deutscher

erreichten. Dieser war, wie schon erwähnt, nur vier Fuß breit, und daher bereitete uns das Absteigen des Achselreiters bedeutende Schwierigkeiten. Wir konnten beide leicht hinunterstürzen. Ich befahl ihm darum, die Augen zu schließen, kniete nieder und ließ ihn langsam von mir gleiten. Dann rief ich nach oben: „Hallo, Master Turnerstick!"

„Hallo, bin schon da!" – „Fangt den Lasso auf!"

Es war nicht leicht, den Riemen emporzubringen, aber es gelang. Der Kapitän band ihn oben fest, und ich schlang das andere Ende um den Leib des Chinesen.

„Bleib stehen, bis ich oben bin", mahnte ich ihn.

„Ahoi, Käpt'n! Ich komme. Ist der Riemen fest?"

„Well! Wenn er nicht reißt, so mag es gehen, denn ich halte fest."

Ich griff mich empor und kam glücklich oben an. Turnerstick drückte mir freudig die Hand.

„Willkommen, Charley! Das war ein fürchterlicher Kurs, den Ihr gesegelt seid; ein solcher Weg, und dabei diesen Chinamann auf dem Hals, das ist keine Kleinigkeit. Wer ist der Kerl, wie heißt er, wo kommt er her, was will er hier, und was hat er Euch gerichtet?"

„Das ist ja eine ganze Schiffsladung von Fragen! Werde sie später beantworten, wenn er oben ist. Wir dürfen ihn nicht warten lassen. Er hat den Arm gebrochen und leidet große Schmerzen."

„Den Arm gebrochen? Armer Teufel! Herauf mit ihm, daß Ihr ihn wieder zusammensplissen könnt!"

Wir waren jetzt zu zweien; darum ging es leichter als das vorige Mal. Trotzdem sank er, als wir ihn oben hatten, sofort zu Boden. Die Kraft eines festen Willens hatte ihn bisher aufrechterhalten, jetzt aber nahm ihn eine wohltätige Ohnmacht in ihre Arme.

„Mit dem steht's schlimm, Charley. Er wird uns doch nicht etwa unter den Händen sterben?" meinte der Kapitän.

„Nein. Er hat Schiffbruch erlitten und ist von den Wellen in die Bucht geschleudert worden. Das lief nicht ohne Stöße und Püffe ab, und dabei ging der Arm entzwei. Er hat seit gestern und vielleicht noch seit länger weder gegessen noch getrunken, so daß gar es kein Wunder ist, wenn er nach der jetzigen Anstrengung die Besinnung verliert. Aber ich muß seine Ohnmacht benutzen und ihn hinunter ins Tal und ans Wasser schaffen. Was Euch betrifft, so bleibt Ihr doch wohl hier?"

„Ich? Warum?"

„Diese Höhe blickt gar weit in die See hinaus, und ich denke, daß Ihr sie als Leuchtturm schmücken wollt."

„Ich? Wer hat Euch das weisgemacht?"

„Ihr selber, Sir. Oder sagtet Ihr vorhin nicht, daß Ihr lieber an tausend Masten hinauf als hier wieder herunter wollt?"

„Redensart, Charley, nichts als Redensart. Wenn einem Menschen die Rakete in den Kopf fährt, so ist er imstand, Dinge zu sagen, an die er selber niemals glaubt. Aber auf welche Weise werden wir diesen Mann hinunterbringen? Ich habe mit mir selber gerade genug zu schaffen, wenn ich nicht wie eine Bombe ins Tal platzen will."

„Ich werde Eure Hilfe nicht brauchen; nur bitte ich Euch, mein Gewehr zu tragen."

„Eigentlich wollte ich das unglückselige Ding nicht wieder anrühren, aber wenn es nicht anders sein kann, so werde ich Euch den Gefallen tun. Gebt es her!"

Er war mir behilflich, den Ohnmächtigen aufzunehmen; dann stiegen wir die Höhe hinab. Unten fragte er: „Wo legt Ihr ihn nieder?"

„Hier nicht, da es hier kein Wasser gibt. Wir müssen bis zu dem Bach, den wir vorhin überschritten."

„Aber unsere Ziegen?"

„Um sie können wir uns jetzt nicht bekümmern. Wir werden sie morgen holen lassen!"

„Meinetwegen. Also vorwärts!"

Wir hatten bis zu dem erwähnten Bach nicht weit. Ich legte den Chinesen dort nieder und entfernte die Kleidung von dem Arm, um die Geschwulst mit Hilfe des Wassers zu kühlen. Er erwachte dabei und bat:

„Gebt mir zu trinken!"

Das geschah, und auch von unserem Lebensmittelvorrat aß er mit einer Begier, die deutlich zeigte, daß er gehungert hatte.

„Sag mir deinen Namen", bat er dann, „damit ich weiß, wie ich dich nenne, wenn ich dir danken will."

Ich nannte ihn. Er schüttelte den Kopf.

„Wenn man ein Wort sagt, muß man sich dabei etwas denken können, aber dein Name hat keine Seele. Erlaube mir, daß ich dich in der Sprache rufe, die im Schin-tan[1] gesprochen wird! Du bist ein Tao-dse; welchen Rang hat dir dein Kaiser gegeben?"

„Ich reise in allen Ländern der Erde und schreibe dann Bücher über das, was ich gesehen habe."

„So bist du nicht bloß ein Hieu-tsai[2] oder ein Kieu-jin[3], sondern ein Tsin-sse[4] und hast Anrecht auf die höchsten Ehrenstellen deines Landes. Du bist groß und stark und klug; ich werde dich Kuang-si-tsa-sse[5] nennen, denn dein Land liegt im Ti-si[6]. Wirst du es mir erlauben?"

Kein Volk ist so höflich wie die Chinesen, und es ist eine tödliche Beleidigung, einen Bewohner der Mitte grob zu nennen. Der Name, der mir erteilt wurde, war ein sprechender Beweis, daß Kong-ni keine Ausnahme bildete. Dieser Name war zwar beinahe mehr als hochtrabend, aber was konnte es schaden, wenn ich ihn annahm? Darum nickte ich:

„Ich erlaube es dir. Wie hieß die Dschunke, mit der du Schiffbruch littest?"

„Fu-schin-hai[7]. Der Taifun hat sie mit allen Leuten getötet, und ich bin allein entkommen."

„Willst du mit uns nach Kuang-tscheu-fu gehen?"

---

[1] Schin-tan wird China von den Buddhisten genannt [2] „Blühendes Talent", wie der Baccalaureusgrad genannt wird [3] „Beförderter Mensch", ungefähr Lizentiat [4] „Vorgerückter Mann", soviel wie Doktor. Auf diesen drei Graden beruht die Anstellungsfähigkeit in China, und nur einem Tsin-sse werden vornehmere Ämter übertragen [5] Wörtlich: „Großer Glanz, Doktor aus dem Westen" [6] „Westliche Erde" [7] „Königin der Meere"

„Hast du ein Schiff, das dorthin führt?"

„Es gehört diesem Mann, der mit ihm bereits durch alle Meere gefahren ist."

Er wandte sich zum Kapitän herüber.

„So bist du ein Ti-tu[1]! Wie ist dein Name?"

Ich entgegnete an Stelle des Kapitäns:

„Er spricht noch nicht die Sprache deines Landes, und ich werde also zwischen ihm und dir den Tun-sse[2] machen. Käpt'n, dieser Mann heißt Kong-ni und möchte auch Euern Namen wissen."

„Turnerstick", antwortete der Angeredete.

„Tu-re-ne-si-ki? Wirst du die Gnade haben, Ti-tu Tu-re-ne-si-ki Kuang-gan, mich mit nach Kuang-tsche-fu zu nehmen?" forschte der Chinese.

Ich übersetzte dem ,Admiral Tu-re-ne-si-ki, Exzellenz', diese höfliche Erkundigung. Er lachte im ganzen Gesicht und fragte mich:

„Was heißt ,Ja' auf Chinesisch?"

„Das kommt auf die Mundart an; entweder ,tsche' oder ,ssche'."

Er wandte sich zu Kong-ni und nickte.

„Tsche und meinetwegen auch ssche, alter Junge! Haben wir dich aus der einen Patsche herausgefischt, so werden wir dich doch nicht etwa in eine andere stecken. Wißt Ihr etwas, Charley? Dieser Mann hat sich einigermaßen erholt und wird wohl bis zum Strand laufen können. Es wird Abend, und wir wollen machen, daß wir hier fortkommen!"

Das war mir recht. Kong-ni erklärte, daß er genug Kraft besäße, selber zu gehen. Ich gab ihm mein Taschentuch als Binde, in der sein Arm ruhen konnte, und dann brachen wir auf. Der kurze Weg bis zur Jolle war bald zurückgelegt. Wir schoben sie ins Wasser, stiegen ein und griffen zu den Rudern. Kong-ni hielt sich wacker, und wir brachten ihn, der ohne unseren Jagdausflug auf dem einsamen Stapleton-Island elend hätte verschmachten müssen, glücklich auf unser Schiff, wo ich seinen Arm sofort in Behandlung nahm.

5. In Hongkong

Die Ausbesserungen, deren unser ,The wind' bedurfte, erwiesen sich leider als recht umfangreich. Der Taifun hatte das ganze Gebäude des Schiffs arg zusammengerüttelt; durch das Zerbrechen des Fock- und Bugmastes war es bis in alle Fugen erschüttert worden. Zudem fehlten die beiden Boote, und um nur das Hauptsächlichste wiederherzustellen, bedurften wir eines Aufenthalts in Port Lloyd von zwei Wochen. Dann endlich gingen wir in See nach Kanton, wo die Hauptausbesserungen bewerkstelligt werden sollten.

Der Arm Kong-nis machte mir keine Sorge, denn die Heilung schien einen regelrechten Verlauf zu nehmen. Überhaupt war mir die Anwesenheit des Chinesen sehr vorteilhaft; ich hatte meine Übungen in der

---

[1] Ein Ti-tu ist ein Admiral. Der Chinese versetzte in gewohnter Höflichkeit den Kapitän in diesen hohen Rang [2] Dolmetscher, wörtlich: „Doktor der Sprache"

Mundart von Peking gemacht; er aber lehrte mich die weichere, wohllautende Sprechweise der Leute in den südlichen Provinzen kennen. Deshalb behielt ich ihn fast während des ganzen Tags bei mir, um, ohne daß er es merkte, sein Schüler zu sein.

Darauf war der Kapitän aufmerksam geworden.

„Charley, sagt einmal, ist denn dieser Chinese gar so ein prachtvoller Mensch, daß Ihr keine Minute von ihm lassen könnt?" fragte er mich. „Ich muß Euch offen sagen, daß ich höchst unzufrieden mit Euch bin, denn Ihr vernachlässigt mich auf eine wahrhaft schauderhafte Weise."

„Ihr habt einigermaßen recht, Käpt'n, aber Ihr werdet mir verzeihen, wenn ich Euch gestehe, daß ich mich meist der Sprache wegen zu Kong-ni halte. Ihr glaubt nicht, wie viel man schon in einer einzigen Woche zu lernen vermag, wenn man Gelegenheit hat, seine Übungen in dieser zweckmäßigen Weise vorzunehmen."

„Ah, das ist es also, Ihr Schlaukopf! Ich bin ein wenig weit in der Welt herumgekommen und könnte es gut gebrauchen, wenn ich mir hier und da einiges von anderen Sprachen zusammengelesen hätte; aber einesteils kommt man mit unserem Englisch an jedem Ort durch, anderenteils habe ich eine ganz außergewöhnliche Begabung, in fremden Sprachen weniger als nichts zu lernen. Ich habe einst sechs Monate lang Französisch getrieben und weiß nur noch, daß vaisseau Schiff heißt, und auch das werde ich in acht Tagen vergessen haben. Aber eine Schande ist und bleibt es doch, daß ich nach Kanton will und kein Wort Chinesisch verstehe. Wollt Ihr mich nicht einiges lehren, Charley?"

„Sehr gern, wenn es Euch Spaß macht!"

„Spaß weniger, aber Arbeit wird es machen. Doch, ich habe mir sagen lassen, daß diese Leute nur einsilbige Wörter haben, und da denke ich, daß die Geschichte nicht gar so schwierig sein wird."

Diese Ansicht war allerdings belustigend, aber ich begann doch mit dem Unterricht und muß gestehen, daß er reißende Fortschritte machte im – Vergessen. Drei Worte, die er mir heute fünfzigmal hersagen mußte, hatte er bereits morgen wieder vergessen oder gebrauchte sie in einer Weise, die mir die Lachtränen in die Augen trieb. Als wir Kanton erreichten, war er imstand, eine englisch-chinesische Rede zu halten, von der kein Mensch ein Wort verstehen konnte, weil sie aus Bruchteilen bestand, die er für den Augenblick aus dem Stegreif bildete.

Die Granitfelsen der Insel, auf denen Hongkong erbaut ist, stiegen vor uns empor. Die uns begegnenden Fahrzeuge waren längst immer zahlreicher geworden, und als wir die Landspitze erreichten, hinter der Viktoria liegt, wie die Engländer die Stadt benannt haben, sahen wir im wahrsten Sinn des Wortes Tausende von Dschunken um uns her, teils mit Fischerei und teils mit Küstenhandel beschäftigt.

Ich stand mit dem Kapitän auf dem Achterdeck. Er beobachtete mit großer Aufmerksamkeit das uns umflutende Treiben und meinte:

„Wißt Ihr, Charley, daß ich einen außergewöhnlichen Entschluß gefaßt habe!"

„Welchen?"

„Ich habe Euch bisher nicht begreifen können, daß Ihr in der Welt herumstöbert, bloß um Land und Leute kennenzulernen; jetzt aber ist mir die Sache einleuchtender geworden. Ich hänge von keinem Menschen ab, muß mein Schiff hier wieder seetüchtig machen, woraus ein längerer Aufenthalt entsteht, und da ich mir unter Eurer vortrefflichen Leitung eine so unerwartete Fertigkeit im Chinesischen angeeignet habe, so bin ich entschlossen, mich Euch hier anzuschließen, um auch einmal in Eurer Weise ‚Land und Leute kennenzulernen‘. Ihr nehmt mich doch mit, Charley?"

„Mit Vergnügen, denn ich hoffe, daß Ihr mit Euerm Sprachschatz auskommen werdet."

„Habt keine Sorge, alter Junge! Das Chinesische ist tausendmal leichter, als man glauben sollte. Kan-tong, Nan-king, Hong-kong, Pe-king, Gin-seng; habt Ihr aufgepaßt? Alles lautet auf ong, ing, eng, ung und so weiter; das ist doch kinderleicht."

„Schön! Wie würdet Ihr also zum Beispiel einen Chinesen grüßen?"

„Wollt Ihr mich etwa verblüffen? Im Englischen grüße ich ‚good day‘, im Chinesischen also ‚goodeng daying‘. Wer das nicht versteht, ist so dumm, daß ihm kein Doktor helfen kann. Nun, Charley, wollt Ihr mich noch weiter prüfen?"

„Nein, ich habe genug!" lachte ich. „Laßt Euch aufrichtig sagen, daß ich noch niemals einen so geistesgegenwärtigen Schüler gehabt habe!"

„Ist das ein Wunder? Geistesgegenwart ist ja das erste Erfordernis bei einem tüchtigen Seemann, und Master Frick Turnerstick ist kein Kapitän, der sich unter die schlechten rechnen läßt. Aber jetzt müßt Ihr mich entschuldigen; ich habe keinen Lotsen und muß mich deshalb selber um das Einlaufen kümmern."

Wir gingen in voller Takelung vor Anker, und die üblichen Begrüßungsschüsse wurden gewechselt. Kong-ni stand neben mir. So bekannt er mir geworden war, in einer Beziehung war er mir doch ein Rätsel geblieben: ich hatte nie erfahren können, welchem Gewerbe oder Beruf er angehörte und in welchen Familienverhältnissen er sich befand. Zwar hätte ich leicht eine Frage aussprechen können, da er aber meine Andeutungen nicht verstehen wollte, so hatte ich das unterlassen.

Der junge Mann hatte nicht jenes nichtssagende und nur schlau blickende Gesicht, das den Chinesen angeboren zu sein schien; er besaß vielmehr recht geistvolle Züge, und unsere eingehenden Unterhaltungen hatten mir gezeigt, daß er eine unter seinen Landsleuten nicht gewöhnliche Bildung besaß.

„Wie lange wirst du in Hongkong bleiben?" fragte er mich.

„Das ist noch unbestimmt."

„Willst du bloß nach Kuang-tscheu-fu gehen?"

„Nein. Ich werde weiterreisen."

„Das werden dir die Kuang-fu[1] nicht erlauben."

---

[1] Kuang-fu sind die Beamten, die wir gewöhnlich Mandarine nennen. Dieses Wort kennen aber die Chinesen gar nicht; es wird nur von den Europäern gebraucht und darf vielleicht von dem portugiesischen mandar, d. i. befehlen, hergeleitet werden

„So werde ich selber es mir erlauben."

„Ich habe dich ‚Kuang-si-ta-sse' genannt und weiß, daß du klug und mutig bist; aber du wirst dennoch nicht weiter als bis Kuang-tscheu-fu kommen. Ihr nennt diese Stadt Kanton und dürft sie besuchen; aber wer von euch hat sie schon einmal richtig gesehen? Es ist euch nur erlaubt, die Straßen zu betreten, die nicht zur chinesischen Stadt gehören. Wie willst du noch weiter ins Land eindringen, wenn du kein Chinese bist?"

„So werde ich einer."

„Das ist schwer. Du hast mir das Leben gerettet, und ich möchte dir gern dankbar sein. Erlaube mir, dir einen Rat zu geben!"

„Sprich!" – „Willst du der Sohn eines Fu-yuen[1] werden?"

Ich erstaunte bei dieser Frage, die ebenso klang, als wenn mir daheim ein einfacher Bürger angeboten hätte, der Sohn des Königs von Bayern oder Sachsen zu werden. Kong-ni konnte schwerlich einen Scherz mit mir treiben, und ich besaß ja keine nähere Kenntnis des rätselhaften Landes, das ich betreten wollte. Deshalb fragte ich einfach:

„Ist das möglich?" – „Ich mache es möglich, dir zuliebe."

Diese Antwort wurde in einem Ton gegeben, der wie die reinste Überzeugung klang. Ein Fu-yuen ist der erste Beamte des Tsung-tu, den wir in Europa Vizekönig zu nennen pflegen, und hat die ganze Zivilverwaltung einer Provinz in der Hand. Wer war dieser Kong-ni, daß er mir einen solchen Vorschlag machen konnte? Ich hatte hier mit unbekannten Verhältnissen zu rechnen und mußte mich also rein abwartend verhalten.

„Ich habe bereits einen Vater", antwortete ich.

„Dein Vater ist nicht hier. Du bist kein Diener des Fo und auch nicht des Buddha, sondern ein Tien-tschu-kiao[2]. Verbietet dir dein Glaube, hier einen zweiten Vater zu haben, solange du in Tai-tsing-kun[3] bist?"

„Nein."

„So tue, was ich dir vorschlage; denn dann wirst du ein Tschin-dse[4] und kannst gehen und reisen, wohin es dir gefällt!"

Das Anerbieten, das er mir machte, konnte nicht vorteilhafter sein. Wie mancher, der sein Leben an die Erforschung Chinas gewagt hatte, wäre glücklich gewesen, einen solchen Vorschlag hören zu dürfen; aber er war mir ungeheuerlich, so daß ich beinahe Lust hatte, ihn zurückzuweisen. Dennoch meinte ich nach einigem Überlegen: „Wird ein Diener des Fo oder Buddha einen Kiao-yu[5] zum Sohn nehmen?"

„Ja. Warum sollte er nicht können oder nicht wollen? Euer Gott sagt: ‚Ich bin nur der eurige', unser Tienwen[6] aber lehrt uns, daß es nur einen Vater gibt, und wir alle sind seine Kinder. Es gibt drei große Religionen: die unsrige, die eurige und die der Hoeï-hoeï[7]. Sie haben Lip ï i sse[8] und sagen: ‚Unsre Religion ist die beste'; ihr habt Ting-sin-lo[9]

---

[1] Unterstatthalter   [2] Wörtlich: „Religion des Himmelsherrn"; so wird von den Chinesen die christliche Religion und so wird von ihnen auch jeder einzelne Christ genannt   [3] Wörtlich: „Reich der sehr reinen Herrscherfamilie" — China   [4] Chinese   [5] Wörtlich: „Freund der Religion"; so nennen die chinesischen Christen sich selber   [6] „Himmlische Literatur"   [7] „Muselmänner". Im engen Sinn bezeichnet dieser Ausdruck die Bewohner von Kaschgar   [8] So werden die Moscheen genannt   [9] „Stadt des ehrerbietigen Glaubens", wie der Chinese unsre Kirchen bezeichnet

und sagt: ‚Unser Gott ist der einzige‘, und wir haben Pagoden und Tempel und sagen: ‚San-kiao-y-kiao, die drei Religionen sind nur eine.‘ Warum solltest du also nicht der Sohn eines Mannes werden, der deinen Glauben ebensosehr schätzt, wie du den seinigen?"

Es hätte keinen Zweck gehabt, mich in diesem Augenblick mit ihm in einen religiösen Streit einzulassen. Seine Worte klangen überaus entgegenkommend und bestechend, aber sie zeigten mir das Haupthindernis, das in China der christlichen Mission entgegensteht – die Gleichgültigkeit. Den Worten ‚San-kiao-y-kiao‘ begegnet man überall im großen Reich der Mitte, aber dieser Ausspruch: ‚Die drei Religionen sind nur eine‘ ist nicht etwa das Ergebnis einer eingehenden Forschung oder einer sorgfältigen Vergleichung der betreffenden Glaubenssätze, sondern die Folge einer religiösen Gleichgültigkeit, wie man sie kaum sonst irgendwo zu finden vermag. Die christliche Glaubensausbreitung hat ihren Weg rund um die Erde beinahe vollendet; das islamitische ‚Allah il Allah, Mohammed rahsul Allah‘ wurde den Horden wilder asiatischer Eroberer vorangetragen; das berühmte ‚Om mani padme hum!‘ aber kennt nicht die Aufgabe unseres gewaltigen ‚Geht hin in alle Welt!‘ Nicht aus Rücksichten der Religion, sondern aus politischen Gründen wurde China den anderen Völkern verschlossen; die Religion läßt den Chinesen vollständig kalt, und wenn man ihm einen noch so langen und eindringlichen Vortrag über die Herrlichkeit der christlichen Lehre hält, so hört er geduldig und scheinbar aufmerksam zu, wie es ja die bekannte chinesische Höflichkeit erfordert, und meint dann freundlich: „Das ist gut, das ist schön, und ich lobe dich, daß du das alles glaubst; warum sollte ich mich also mit dir streiten? Deine Religion ist gut, die Religion der Hoeï-hoeï ist gut, und die meinige ist auch gut; San-kiao-y-kiao, die drei Religionen sind ja eine, und wir alle sind Brüder!" Nach dies en Worten würde es eine Verletzung des Anstandes sein, wenn man den Gegenstand noch einmal aufnehmen wollte, und tut man es dennoch, so lächelt der Chinese überlegen und entgegnet: „Du hast wohl noch nie das Li-king gelesen, ‚das Buch der Anweisung zum Benehmen für alle Klassen, an allen Orten und bei allen Gelegenheiten und in allen Erfahrungen des Lebens‘? Komm zu mir und hole es dir! Oder soll ich es dir lieber schicken?"

Diese Gleichgültigkeit ist schwerer zu besiegen als selbst ein scharfer Widerstand, wie jeder landeskundige Missionar bestätigen wird. Ich war nicht in dieser Eigenschaft nach Hongkong gekommen, und daher durfte ich mir wohl erlauben, von einem religiösen Streit mit Kong-ni abzusehen. Ich fragte deshalb: „Und dieser Mann ist ein Fu-yuen?"

„Ein Fu-yuen", nickte er.

„Also einer der höchsten Beamten des Landes?"

„Er ist ein Kuang-fu mit dem roten Knopf. Er ist mächtig, aber bereits alt. Der Hoang-schan[1] hat ihm die Erlaubnis gegeben, zwei Pfauenfedern zu tragen und von seinem Amt auszuruhen."

Also ein im Ruhestand lebender Beamter! Einflußreich aber mußte

[1] „Erhabene Hoheit" — der Kaiser

er sein, da er ein Mandarin des ersten Ranges war und zwei Pfauenfedern tragen durfte, während nur die vornehmsten Ko-lao[1] deren drei, die Ta-hia-su[2] deren gewöhnlich aber nur eine tragen.

„Hat er keinen Sohn?" erkundigte ich mich weiter. – „Er hat einen."

„Aber darf er denn nach eurem Gesetz einen zweiten nehmen?"

„Das Gesetz erlaubt es nicht, aber der Kaiser erlaubt es."

„Ist dieser Sohn bei ihm?" – „Nein; er ist bei dir."

Ich blickte überrascht auf.

„So sprichst du von deinem Vater und bist der Sohn eines Unter-statthalters?"

„Ja. Willst du mein Bruder werden?"

Das war nun allerdings abenteuerlich. Wollte er mich durch dieses Angebot dafür belohnen, daß ich ihm das Leben gerettet hatte? Ich war nicht gewillt, einen solchen Vorteil zurückzuweisen.

„Ja", erwiderte ich daher.

„Du sprichst unsere Sprache. Kannst du sie auch schreiben?"

„Nur die Siang-hing[3], und das ist wenig genug."

„So wirst du mir ansagen, und ich werde schreiben." – „Was?"

„Du wirst eine Schrift verfassen, die wir dem Ly-pu[4] einsenden. Der Sohn eines Fu-yuen muß ein Gelehrter sein, um Nan, Hèu, Phy oder Kung[5] werden zu können."

Das war überraschend! Fast kam es mir vor, als ob dieser Chinese mir eine Posse vorspielen wollte. Ein deutscher ,Weltläufer' sollte sich in China um einen akademischen Grad bewerben! Ich ging auf den Spaß ein.

„Was soll ich werden? Ein Sieu-tsai, ein Keu-jin oder vielleicht gar ein Tsin-sse?"

„Du bist sehr weise und kannst ein Tsin-sse werden. Um das gleich zu können, wirst du drei Schriften verfassen, für jeden Grad eine. Diese werden dem Ly-pu übergeben, und du kannst dann gleich durch eine einzige Prüfung den höchsten Rang erwerben."

„Ich werde es tun. Wann kannst du schreiben?"

„Wann es dir gefällt."

„So werden wir sofort das Schiff verlassen, um Papier, Tusche und Pinsel zu beschaffen."

„Willst du mir eine Bitte erfüllen?" – „Welche?"

„Laß mich allein aussteigen; ich werde dir schnell bringen, was du brauchst!"

„Ist mir auch recht", lächelte ich, denn ich bekam den guten Kong-ni in Verdacht, daß er mir so glänzende Anträge gemacht hatte, um mir mit seinem Dank nur auf gute Weise durchbrennen zu können. „Wie heißt dein Vater?"

„Phy-ming-tsu."

Also nach unseren europäischen Begriffen ungefähr ein Graf.

---

[1] Erste Klasse des Dienstadels, aus der allein die Minister gewählt werden [2] Zweite Klasse des Dienstadels, aus der die Vizekönige, Präsidenten usw. ernannt werden [3] „Rohe Bilder", aus denen die Schriftsprache zusammengesetzt wird [4] „Kollegium der Prüfungen und Zeremonien" [5] Diese vier Worte könnte man mit Ritter, Baron, Graf und Herzog übersetzen

„Wo wohnt er?" – „Das wirst du bald erfahren!"

Ich wollte mich weiter erkundigen, wurde aber durch einen Ruf meines alten Frick Turnerstick unterbrochen, der so eigentümlich war, daß ich mich sofort umwandte.

Wir waren während meines Gesprächs mit Kong-ni zwischen einem Engländer und einem Holländer vor Anker gegangen und wurden von zahlreichen Booten umschwärmt, deren Insassen der Bemannung unseres Schiffes alles mögliche zum Verkauf anbieten wollten. Ein Fruchthändler hatte sich bereits an das hinabgeworfene Tau gelegt; er war es, dem der merkwürdige Zuruf des Kapitäns galt:

„Guteng Taging! Was hasteng dung zung verkaufang?"

Der Chinese hatte ihn natürlich nicht verstanden, ahnte aber, was er meinte.

„Li-chy, Li-chy!" rief er herauf, indem er seinen Fächer als Schalleiter an den Mund hielt. „Li-chy[1], Li-chy! Si-kua[2], Si-kua!"

Der Kapitän winkte mir.

„Charley, kommt doch einmal her! Was brüllt denn eigentlich der Kerl herauf? Was ist Li-chy?"

„Er meint die Nüsse, die im Boot liegen. Sie sind sehr gut und schmekken fast wie Melonen."

„Und dieses Si-kua?" – „Wassermelonen."

„Alle Wetter, kann er das nicht gleich sagen?"

Er bog sich über die Reling und winkte hinab.

„Wir werdeng kaufang! Kommung zumong Fallreeping heraufeng!"

Er gab Befehl, das Fallreep niederzulassen, und der Chinese brachte an einem über die Achsel gelegten Bambusstab eine Menge der in Matten gewickelten Früchte herauf.

„Seht, Charley, der Mann hat mich verstanden! Freilich, es ist etwas außerordentlich Erhebendes, zu wissen, daß man die Sprache fremder Völker beherrscht. Das habe ich Euch zu verdanken, Charley, Euch und meiner ungemeinen Begabung für fremde Sprachen, an der ich bisher unbegreiflicherweise so sehr gezweifelt habe. Ich werde dem Kerl den ganzen Kram abkaufen."

Der Händler hatte seine Matten ausgebreitet. Turnerstick trat zu ihm, zeigte auf die Li-chy und klopfte ihm herablassend auf die Achsel.

„Was kosteng die Nüssang?"

Der Gefragte hob, da er die begleitende Gebärde wohl verstanden hatte, eine Handvoll der Li-chy empor und antwortete:

„Y tsien!"

„Seht Ihr's, Charley, daß er mich schon wieder verstanden hat? Aber er scheint das Chinesische schwerer zu sprechen, als er es versteht. Was meint er mit seinen Y tsien?"

„Das heißt: ein Tsien." – „Was ist ein Tsien?"

„Die kleine Münze, die Ihr hier an seinem Hals an die Schnur gefädelt seht. In Europa nennt man sie Sapeke, der Mongole sagt Dehos, und die englischsprechenden Völker heißen sie Cash. Sie unterliegt einem

---

[1] Eine Art Nüsse mit sehr dünner Schale [2] Wassermelonen

nicht unbedeutenden Kurs, und es gehen zweihundertfünfzig bis dreihundert auf eine deutsche Mark."

„So bekomme ich also eine Handvoll Nüsse für einen Drittelpfennig?"

„Allerdings. Es ist hier alles ungeheuer billig."

„Well; so werde ich weiter fragen!"

„Tut es, Sir!" antwortete ich in listiger Neugier auf sein weiteres Chinesisch.

Er zeigte auf die Melonen. „Der, Preising von diesong Meloneng?"

Der Chinese hob zwei der schönsten hervor.

„San tsien!"

„San tsien?" meinte Turnerstick. „Der Kerl spricht ein schauderhaftes Chinesisch. Was meint er, Charley?"

„Drei Sapeken."

„Zwei solche riesige Melonen für drei Sapeken, also für einen Pfennig? Der Mensch muß seine Ware gestohlen haben! Ich werde alles behalten."

Er machte eine Armbewegung um den ganzen Vorrat herum.

„Ich behaltong die ganzong Nüssang und Meloneng!"

Der Händler zählte ab und schob dann alles zusammen.

„Was habing zu bezahling?" – „Y tschun!"

„Was meint er, Charley?"

„Einen Tschun oder Tsian; das sind hundert Sapeken, also höchstens dreißig bis fünfunddreißig Pfennige. Ich weiß nicht, wie heute der Kurs ist."

„Für einen solchen Haufen Früchte? Warte, er hat noch welche im Boot; ich nehme sie alle, weil dieser Mann mich so prächtig versteht."

Er zeigte hinunter auf das Boot.

„Heraufang mit dem ganzeng Kramong! Ich werdeng ihn kaufing!"

Der Chinese machte ein vergnügtes Gesicht und holte alles herbei.

„Nun, was kosting das alles zusammong?" – „Sse tschun."

„Schauderhaftes Chinesisch! Was meint er, Charley?"

„Vier Tschun oder vierhundert Sapeken."

„Schrecklich billig! Aber wo nehme ich Sapeken her?"

„Ich habe auch keine. Gebt ihm englisches oder amerikanisches Kleingeld; er wird es schon kennen."

Er gab einen Dollar hin und bekam beinahe die ganze Sapekenschnur, die der Chinese um den Hals hängen hatte, als Rückgeld ausgezahlt. Diese Tsien sind die einzige in China gangbare Münze; Gold und Silber gelten nur als Ware und werden in Barrenform nach dem Gewicht in Zahlung genommen. Die Sapeken sind von Kupfer und rund; sie haben in der Mitte ein viereckiges Loch, damit man sie auf Schnüre reihen kann. Für fünf Dollar Sapeken zu tragen ist schon eine Last, zu der man Kräfte besitzen muß.

Jetzt kamen auch Mietgondeln herbei, und Kong-ni machte sich bereit, in ein solches Boot zu steigen. Er war natürlich von allen Mitteln entblößt, und ich bot ihm meine Hilfe an.

„Du bist gut; aber ich brauche nichts", war seine Antwort.

Er stieg in die Gondel und fuhr davon. Ich erwartete nicht, ihn jemals wiederzusehen, und wandte mich beobachtend dem Treiben zu, das sich infolge der Ankunft der Hafenbeamten und anderer Leute auf unserem Deck entwickelte. Da wurde ich einen Kahn gewahr, der sich, von zwei Ruderern getrieben, uns näherte. In ihm saß ein Mandarin fünfter Klasse mit dem kristallenen Knopf. Der Kahn legte an, und der Mandarin kam an Bord; es war – Kong-ni.

Ich erstaunte, weniger über die Umwandlung, die in so kurzer Zeit mit ihm vorgegangen war, als vielmehr über den Umstand, daß er die Abzeichen eines Kuang-fu trug, ohne das dazu nötige gesetzliche Alter erreicht zu haben. Er kam auf mich zu und begrüßte mich lächelnd.

„Jetzt wirst du wissen, wer Kong-ni ist. Hast du Zeit, mir anzusagen?"

„Ja. Komm herab in die Kajüte."

Er folgte mir und zog unten aus den weiten Ärmeln seines Kaftans die erforderlichen Schreibgegenstände. Dann setzte er sich und fragte:

„Worüber willst du schreiben, um ein Sieu-tseu zu werden?"

Ich besann mich ein wenig und wählte einen geographischen Stoff, weil ich dadurch mein ‚blühendes Talent‘, wie ja Sieu-tseu zu deutsch lautet, am besten ins Licht zu stellen hoffte.

„Ich wähle den Titel ‚Nian-yan-kui-dfe‘[1]. Bist du einverstanden?"

„Ja, denn das ist ein Stoff, der dich sehr berühmt machen wird."

Die Arbeit begann. Ich sagte an, und er schrieb. Trotz der Schwierigkeit der chinesischen Schriftzeichen ging es ihm so schnell von der Hand, als bediente er sich der Kurzschrift. Natürlich langten meine Sprachkenntnisse bei weitem nicht aus; er mußte daher gehörig nachhelfen, und nach zwei Stunden hatte ich meine kurze Abhandlung zum Abschluß gebracht. Den beiden folgenden Arbeiten gab ich den Titel ‚Pentsao-y-jin‘[2] und ‚Hio-thian-ti‘[3]. Sie waren beendet, noch ehe der Abend hereinbrach, und sogar der brave Kong-ni staunte über die ‚außergewöhnlich unbeschreiblichen Kenntnisse‘, die ich nach seiner Meinung darin niedergelegt hatte. Ich aber will offen und ehrlich gestehen, daß ich mich bemüht hatte, mir die ungereimtesten Dinge zu ersinnen und sie in ein Gewand zu kleiden, das gar nicht schwülstiger gedacht werden konnte. Ein Europäer hätte ganz sicher schon beim zwanzigsten Wort erklärt, daß es sich hier entweder um eine ungeheure Aufschneiderei handle oder daß der Verfasser zu den unheilbar Wahnsinnigen gehöre.

Wir waren eben damit beschäftigt, die Blätter, die nach chinesischer Weise nur auf einer Seite beschrieben waren, zusammenzulegen, als der Kapitän eintrat.

„Charley, Ihr habt mich gebeten, Euch nicht zu stören, aber ich muß dennoch kommen, denn der Kerl bringt mich zur Verzweiflung."

„Welcher Kerl?"

„Da legt vor einer Stunde ein Kahn mit verschiedenen Paketen bei uns an, und ein Mensch steigt an Deck, der mir wahrhaftig heiß gemacht hat. Sein Chinesisch ist noch viel schlechter, als es da oben bei den

---

[1] „Geschichte der Teufel aus den westlichen Meeren" (Engländer) [2] „Naturgeschichte der Fremdlinge"; so nennen die Chinesen die anderen Völker [3] „Studium des Himmels und der Erde"

Finnen und Lappen gesprochen werden mag, und ich bringe nichts weiter aus ihm heraus als ,krank pfui‘ und ,komm ja‘! Jedenfalls ist einer krank, der den schönen Namen Pfui hat, und man denkt, daß ich einen Arzt an Bord habe, der ja kommen soll.“

„Werde einmal sehen!“

Ich vermutete wieder ein sprachliches Meisterstück des Master Frick Turnerstick und hatte mich auch nicht geirrt. Als wir an Deck kamen, lauerte der Mann an der Kajütentreppe auf uns.

„Paßt einmal auf“, meinte der Kapitän. „Ich werde ihn noch einmal langsam und deutlich fragen, und Ihr werdet nichts als sein ,Krank pfui‘ und ,Komm ja‘ hören.“

Er hob mit bedächtiger Miene den Zeigefinger der rechten Hand empor, wie man es zu tun pflegt, wenn man jemand zur Aufmerksamkeit ermuntern will, und fragte: „Was willingst du auf meineng Schiffang?“

„Kuang-fu“ – antwortete der Chinese.

„Krank pfui! Da habt Ihr’s, Charley!“

Er deutete hinunter nach dem Boot.

„Wohing willst du fahreng?“ – „Kom-tscha!“

„Komm ja! Habe ich recht oder nicht, Charley?“

Ich zwang mich, ein Lächeln zu bändigen.

„Der Mann spricht allerdings ein Chinesisch, wie es Euch noch nicht vorgekommen sein mag; aber ich werde mich bemühen, Euch seine Sprache verständlicher zu machen. Kuang-fu heißt Mandarin; er meint damit jedenfalls unseren Kong-ni, der gleich aus der Kajüte auftauchen wird.“

„Ach so! Und dieses ,Komm ja‘?“

„Der Mann sollte Kom-tscha sagen. Kom-tscha hat eine vielfältige Bedeutung. Es heißt erstens soviel wie Freitee, gerade in dem Sinn, wie es bei uns Freikonzerts, Freibier und dergleichen gibt; sodann heißt es soviel wie Angeld oder Draufgeld, wie Schwanzgeld beim Viehhandel, und endlich auch soviel wie das arabische Bakschisch, also Trinkgeld.“

„Fertig? Das ist ja ein Wort, das einen geradezu zur Verzweiflung bringen kann, denn da möchte man einen Kopf haben wie einen Fregattenrumpf, um sich das alles merken zu können! Aber wie kommt er denn da zu uns? Ich habe ihm weder ein Freikonzert noch ein Angeld noch ein Bakschisch abverlangt.“

„Kong-ni wird uns die Sache erklären können. Da ist er.“

Der Genannte trat eben aus der Kajüte; er erblickte den Bootsführer und gab ihm einen Wink, worauf dieser in den Kahn stieg und die Pakete heraufbrachte.

„Kuang-si-ta-sse“, wandte sich der jugendliche Mandarin zunächst zu mir, „du hast mir das Leben gerettet und mir den Arm soweit geheilt, daß ich heute bereits wieder schreiben konnte. Dafür bin ich dir Dank schuldig. Tue mir den Gefallen und nimm diesen Kom-tscha[1] von mir an!“

Er zeigte auf einige der Pakete und drehte sich dann zu dem Kapitän.

„Tu-re-ne-si-ki, du hast mich auf dein Schiff genommen und hierher

[1] Hier soviel wie Geschenk

72

gebracht, hast mir Speise und Trank gegeben, ohne mich zu fragen, ob ich dich bezahlen kann. Du bist edelmütig, und ich bin dankbar. Nimm diesen Kom-tscha für das, was du an mir getan hast!"

„Gut! Eine Liebe ist der anderen wert, und ich will dich nicht beleidigen", antwortete Turnerstick; „ich werde also das Freibier und den Reukauf annehmen. Aber tue mir den Gefallen und nenne mich doch ordentlich Frick Turnerstick und nicht Tu-ru-nu-ku-su-mu-lu, oder wie das Ding geklungen hat. Und willst du mir mit Gewalt einen fremden Namen aufzwingen, so sprich wenigstens chinesisch; da heiße ich Turningsticking. Verstanden, alter Chinesischverderber?"

Diese Ermahnung war so ernstlich gemeint, daß ich die größte Mühe hatte, ein Lachen zu unterdrücken. Der gute Master Turnerstick hatte vom Leichtmatrosen auf gedient, verstand sein Fach aus dem Grund und hatte sich niemals Mühe gegeben, sein Wissen über das Seewesen hinaus zu erweitern. Andernfalls wäre es ja unbegreiflich gewesen, einen Seekapitän, und wenn er auch nur einen einfachen Kauffahrer befehligte, sich in einen so wahrhaft chinesischen Irrtum hineinarbeiten zu sehen. Mir allerdings gab seine sprachliche Seiltänzerei so viel Spaß, daß ich mir keine Mühe nahm, dieser Unerschrockenheit ein Ende zu machen.

Es wäre ein hoher Grad von Unhöflichkeit gewesen, wenn wir die Geschenke abgelehnt hätten. Darum nahm auch ich die meinigen an und bedankte mich bei Kong-ni. Dieser griff unter seine Kleidung und brachte eine seidene Schnur hervor, an der ein kleiner Gegenstand hing, den ich für eine Kapsel hielt.

„Ich werde jetzt dieses Schiff verlassen; aber ich kehre zurück, um dich abzuholen", sagte er zu mir. „Wirst du bis dahin hierbleiben?"

„Wann wirst du kommen?"

„In sechs Tagen."

„Diese ganze Zeit kann ich nicht an Bord verweilen. Ich werde flußaufwärts gehen und mir Kanton anschauen."

„Gehst du allein?" – „Nein, der Kapitän wird mich begleiten."

„So befolge meinen Rat: wenn du deine jetzige Kleidung beibehältst, so besuche nur die Orte, die die Y-jin[1] betreten dürfen."

„Läuft man Gefahr, wenn man weiter geht?"

„Ja; denn die Polizei soll jeden Fremdling, der seine Rechte überschreitet, fassen und vor das Gericht bringen."

„So werde ich mir chinesische Kleider kaufen."

„Tue das!" antwortete er lächelnd. „Dann kannst du gehen, wohin du willst; denn du sprichst die Sprache der Sse-haid-se[2], und niemand wird dich für einen Fremden halten, wenn du einen Pen-tse[3] trägst."

„Sind Pen-tses zu bekommen?"

„So viele, wie du brauchst, und so lange du sie haben willst", antwortete er mit demselben Lächeln. „Aber hüte dich vor den Lung-yin[4] und vor den Kuang-ti-miao[5], sie sind dem Fremden gefährlich."

---

[1] „Fremdlinge, Barbaren" [2] Sse-ha i = „Vier Meere" nennen die Chinesen ihr Land und sich selber Sse-hai-dse, d. i. „Söhne der Vier Meere" [3] Zopf [4] „Drachenmänner"; so werden die Flußpiraten genannt [5] Tempel des Kriegsgottes

„Vor den Lung-yin werde ich mich in acht nehmen, aber warum auch vor den Kuang-ti-miao?"

„Das wirst du noch erfahren. Kommst du aber in Gefahr, bevor ich wiederkehre, so nimm hier diesen Talismann, den du um den Hals tragen sollst! Zeige ihn den Lung-yin, und sie werden dich als Freund behandeln."

Er gab mir die Kette. Es war eine wahrhaft bewundernswerte chinesische Schnitzarbeit. Jedes einzelne Glied bestand aus einem Apfelkern, der mit mikroskopischer Genauigkeit zu einem Kahn ausgeschnitzt war, in dem ein Mann mit zwei Rudern saß. Das Anhängsel war ein Aprikosenkern; er bildete eine Kriegs- oder Mandarinenschunke mit Baldachin, acht Ruderern und dem Befehlshaber, der in der Mitte des Fahrzeuges saß und in der Rechten einen offenen Sonnenschirm und in der Linken den unvermeidlichen Fächer trug. Das war eine jener unvergleichlichen chinesischen Kleinkunstarbeiten, die uns die Genauigkeit, den Fleiß und die ungeheure Ausdauer ihrer Verfertiger lebhaft bewundern lassen und dennoch einen lächerlich niedrigen Preis besitzen. Die Kette, die ich in meiner Hand hielt, kostet hierzulande wohl kaum zwei Dollar, während sie in meiner Heimat von dem Liebhaber gern mit mehreren hundert Mark bezahlt worden wäre.

Und diese Kette sollte ein Talisman gegen die Drachenmänner sein? Das klang geradeso, als ob Kong-ni mit diesen fürchterlichen Leuten in irgendeiner Beziehung stände. Ich nahm das Geschenk und fragte:

„Wo werden wir uns treffen, wenn du zurückkehrst?"

„Bist du hier auf dem Schiff?"

„Ja; ich werde mich danach einzurichten wissen."

„So hole ich dich von hier ab. Deine gelehrten Arbeiten werde ich im Kao-pan[1] niederlegen."

„Ich denke, du schickst sie dem Ly-pu ein?"

„Weißt du nicht, daß die Prüfungen im Kao-pan stattfinden? Die Ausarbeitungen werden dann mit dem Bericht an das Ly-pu nach Peking gesandt und kommen zurück, um im Wne-tschang-kun[2] niedergelegt zu werden."

„Ich habe gehört, daß die Prüfungen im Kao-pan mündlich vorgenommen werden."

Er lächelte überlegen.

„Geht der Wind, wie er soll? Mein Vater ist Vorsteher der Provinzialbehörde für Staatsprüfungen; er wird tun, was gut und vorteilhaft für dich ist. Lebe wohl, bis ich wiederkehre!"

„Tsing-leao!" erwiderte ich, ihm die Hand reichend.

Auch Frick Turnerstick gab ihm die Rechte:

„Lebing wohl, alter Jungang, und wenn dung wiederkommst, so bist dung uns willkommang!"

Das Boot, das den jungen Mandarin von dannen trug, verschwand bald im Gewimmel der anderen Fahrzeuge, und wir machten uns daran,

---

[1] „Schauplatz der Prüfungen", eine Art Universitätsgebäude [2] „Palast der wissenschaftlichen Ausarbeitungen"

unsere Pakete zu öffnen. Sie enthielten allerlei Lackarbeiten und solche Waren, die der Chinese Kutung[1] nennt und die schon in China bar und erst recht im Ausland teuer bezahlt werden. Für mich war außerdem ein vollständiger Anzug beigelegt, in dem ich mit Erstaunen eine Mandarinenkleidung erkannte, an der nur der Hut mit dem Knopf fehlte. Dabei lag ein künstlicher Zopf, der so lang war, daß er mir beinahe vom Kopf bis nieder zur Ferse reichte. Jetzt verstand ich das zweideutige Lächeln, das ich im Gesicht Kong-nis bemerkt hatte, als ich davon sprach, daß ich mir eine chinesische Kleidung nebst Zopf kaufen wollte.

Als Turnerstick dieses Sinnbild des Reiches der Mitte erblickte, lachte er, daß ihm die Tränen über die Wangen liefen.

„Großartig, Charley! Von dieser Länge hat ihn nicht einmal ein preußischer Grenadier gehabt. Aber sagt einmal, wollt Ihr diesen famosen Schwanz wirklich ins Schlepptau nehmen?"

„Natürlich! Wenn ich als Chinese gelten will, muß ich mich auch als solchen kleiden. Nicht?"

„Well! Aber wenn ich mit Euch laufe, werde ich am Ende auch so ein Ding haben müssen?"

„Natürlich! Als Kong-ni seine Einkäufe machte, hat er nicht gewußt, daß Ihr Euch mir anschließen werdet, sonst hätte er wohl in der gleichen Weise für Euch gesorgt. Unseren ersten Ausflug aber machen wir in unserer gewöhnlichen Kleidung."

„Einverstanden! Paßt es Euch gleich morgen früh?"

„Ist mir recht. Wir werden also heute abend nicht vom Schiff gehen, um beizeiten munter zu sein." – „Nehmen wir unsere Büchsen mit?"

„Wozu?" – „Gibt es hier keine Jagd?"

„Nein, im besten Fall könnten wir einige Enten schießen, wenn wir weit ins Land gehen. Zunächst aber möchte ich mir Kanton ansehen. Geraten allerdings ist es, Messer und Revolver mitzunehmen, da man in einem fremden Land nie wissen kann, was einem begegnet."

„Well; ich werde mich bewaffnen, obgleich ich denke, daß es keine Gefahr geben wird, da wir ja beide der Sprache vollständig mächtig sind."

„Scheint mir auch so, obgleich es mich befremdet, daß diese Bewohner von Hongkong ein Chinesisch sprechen, das man mit aller Mühe und Aufmerksamkeit kaum verstehen kann."

„Wird wohl stromaufwärts besser werden."

Als ich mich schlafen legte, verscheuchten mir die fleißigen Gedanken lange Zeit die Ruhe. Die Geschenke Kong-nis schienen zu beweisen, daß es ihm mit allem, was er mir versprochen hatte, wirklicher Ernst gewesen sei. Auf den ersten Augenblick schien meine Bewerbung um einen akademischen Grad ein närrisches Unternehmen, aber bei näherer Prüfung doch eine ernste Sache zu sein.

Der chinesische Kaiser herrscht dem Namen nach vollständig selbstherrlich, doch findet seine Gewalt das stärkste Gegengewicht in der 'Körperschaft der Gelehrten'. Diese Körperschaft ist eine Kastenbildung, von der die gesamte Staatsverwaltung alle wirklichen und un-

[1] Wörtlich „Altes Gefäß" = Altertümer

mittelbaren Einflüsse empfängt. Der Kaiser ist gezwungen, alle seine Beamten aus dem Gelehrtenstand zu nehmen, und muß sich dabei an die Klassen und Grade binden, die infolge der Prüfungen vorhanden sind. Die Körperschaft der Gelehrten ist im elften Jahrhundert vor der christlichen Zeitrechnung, also in den letzten Regierungsjahren der Schangs, gegründet worden, doch das jetzt übliche Wesen der Prüfungen, die jeder bestehen muß, der in den Staatsdienst treten will, stammt aus dem achten Jahrhundert nach Christus, also von der Zeit des Herrscherhauses Tang her. Jeder Chinese, der ein Zeugnis des Wohlverhaltens aufweisen kann, hat das Recht, nach Zurücklegung des gesetzlichen Alters sich zu den Prüfungen zu melden. Diese zeichneten sich früher durch Ernst und Würde aus und waren bekannt wegen der Unparteilichkeit, mit der sie vorgenommen wurden. Jetzt aber ist das anders – sie sind ausgeartet. Die Bestechlichkeit hat in China nichts verschont und auch die Prüfungen, die Prüfenden und – die Prüflinge davon ergriffen. Die Gesetze und Vorschriften sind allerdings streng, und jede Willkür soll unmöglich gemacht werden, damit es sich herausstellt, was der zu Prüfende wirklich gelernt hat; aber das Geld ist mächtiger als alle Verbote und Vorkehrungen. Dem Reichen ist es leicht möglich, bei den mündlichen Prüfungen die Fragen im voraus zu erfahren, und, was das allerschlimmste ist, die Stimmen der Prüfenden sind dem Meistbietenden feil. Und noch weiter: ist es dem Reichen ja nicht möglich, seine Arbeit vor der Prüfung zu erfahren, so mietet er sich irgendeinen armen Gelehrten, der dann seinen Namen annimmt, an seiner Stelle die Prüfung macht und sich für ihn das Zeugnis ausstellen läßt. Und das geschieht so offen, daß die Chinesen für einen solchen Würdenträger die Bezeichnung ,Bakkalaureus, der hinter dem Reiter sitzt', erfunden haben. Sogar Abwesende können die Prüfung, die in diesem Falle eine schriftliche ist, bestehen, wenn sie gehöriges Geld oder nachhaltige Hintermänner besitzen; sie schicken eine Abhandlung ein, deren Stoff sie sogar selber wählen dürfen.

Vielleicht hatte Kong-ni seine Würde auch in dieser Weise erlangt, und warum sollte dasselbe nicht auch mir möglich sein?

Außer den obigen Betrachtungen drängte sich mir der Gedanke an seine Warnung auf. Daß ich mich vor den Flußpiraten hüten sollte, konnte ich sehr leicht begreifen; warum aber auch vor den Kuang-ti-miao, vor den Tempeln des Kriegsgottes? Er hatte mir auf diese Frage nur geantwortet: „Das wirst du erfahren."

Dieser Kuang-ti ist, sozusagen, der chinesische Mars. Er stammt aus der Provinz Sse-tschuen, deren Bewohner auf diese Landsmannschaft überaus stolz sind, und lebte im dritten Jahrhundert unserer Zeitrechnung. Er war ein ausgezeichneter Krieger, erfocht zahlreiche Siege und machte seinen Namen so berühmt, daß er noch heute im ganzen Reich eine große Beliebtheit besitzt. Die Chinesen erzählen von ihm viele Sagen; sie behaupten, er sei nicht gestorben, sondern zum Himmel gefahren und dort unter die Götter versetzt worden. Nun sei er Gott des Krieges.

Die Herrscherfamilie der Mandschu hat ihn bei ihrer Thronbesteigung in feierlicher Weise zum Gott erklärt und zum Schutzgeist ihres Herrscherstammes erhoben. Die Regierung ließ ihm in allen Provinzen Tempel erbauen, in denen er sitzend abgebildet ist: zur Linken sein Sohn Kuang-pin, vom Kopf bis zum Fuß bewaffnet, und zur Rechten sein getreuer Stallmeister, der sich auf ein breites Schwert stützt und eine möglichst fürchterliche Miene macht, um aller Welt Angst und Schrecken einzuflößen.

Die Verehrung dieses Kuang-ti gehört zur Staatsreligion. Das teilnahmslose Volk aber bekümmert sich ebensowenig um diesen Mars wie um die buddhistischen Gottheiten. Seine Tempel werden, gerade wie die anderen, zwar von dem gewöhnlichen Mann besucht, aber nicht etwa zum Zweck der Anbetung, sondern aus ganz anderen Gründen. Man übernachtet da; man hält feil, veranstaltet da Familienfeste und macht es sich so bequem wie in jedem anderen Haus. Aber die Beamten, besonders die Militärmandarine, müssen an bestimmten Tagen diese Miao[1] besuchen, dort vor dem Bild als Götzen auf die Knie fallen und dabei duftende Tsan-hiang[2] verbrennen. Die Mandschu haben, als sie diese Verehrung einführten, wohl politische Zwecke verfolgt. Sie ist ihnen ein Mittel, um Einfluß auf die Soldaten zu üben, und darum haben sie auch die Sage verbreitet, daß Kuang-ti in allen Kriegen, die die Dynastie geführt hat, sich leiblich habe blicken lassen. Er hat da über ihrem Heer in den Lüften geschwebt und ihnen stets den Sieg verliehen.

Und jetzt sollte mir dieser brave Götze gefährlich werden? Vielleicht weil ich ein Tao-dse und kein Mandschu war?

Was die Lung-yin, die „Drachenmänner", betrifft, so hatte ich über diese viel gehört und gelesen. Chinesische Seeräuberdschunken hat es zu allen Zeiten gegeben und gibt es auch noch heute. Diese Räuber sind ein mutiges Volk, noch verwegener aber sind die Flußpiraten, die in den fließenden Gewässern Chinas, an denen bedeutende Städte liegen, ihr verbrecherisches Wesen treiben. Sie vollführen ihre blitzschnellen Überfälle sowohl bei Tag als bei Nacht, mitten in einer Bevölkerung, die nach Millionen zählt, und haben Verbindungen von den untersten Schichten bis hinauf in die höchsten Mandarinkreise. Sie bilden weitverzweigte und dennoch enggeschlossene Huis[3], die von sehr strengen Gesetzen beherrscht werden, fürchterliche Schmarotzer im Volkskörper, Raubstaaten im Staat, der sich ihrer nicht erwehren kann. Wenn in einer Stadt von der Bevölkerung Pekings, Nankings oder Kantons täglich eine Anzahl von Menschen spurlos verschwindet, so erregt das keinerlei öffentliche Aufmerksamkeit. Wagen sich jedoch die Piraten, was allerdings auch nicht selten geschieht, an einen Ausländer, so greifen die Konsuln ein, und es beginnt eine Untersuchung, die gewöhnlich den Erfolg hat, daß die Verbrecher – straflos entrinnen. Hierfür gibt es Gründe, unter denen gewisse Mandarine jedenfalls einige nicht gern besprechen möchten.

[1] Tempel [2] Wörtlich: „Räucherwerk aus Tibet", in Stäbchenform. Man verfertigt die echten aus wohlriechenden Hölzern, die man zu Pulver zerstößt und mit Moschus und Goldstaub vermischt. Sie werden vor den Götzenbildern verbrannt und geben einen herrlichen Wohlgeruch [3] Körper- oder Genossenschaften

Endlich schlief ich ein; aber noch im Traum verfolgten mich die Gedanken weiter. Mein Zopf nahm die Gestalt einer Boa constrictor an und schlang sich um meinen Leib, um mich zu erwürgen; der gute Frick Turnerstick saß als oberster Götze in einer Pagode, spie mir Feuer entgegen und schrie: „Reiß aus, Charlung, sonst werdang ich dich fresseng!" Ich floh; aber die Pagode verwandelte sich in einen riesigen Drachen, der mich einholte, mich erfaßte, mit mir in die Lüfte stieg und mich dann hinunterwarf in einen Haufen von Wassermelonen und Nüssen, die alle lebendig wurden und von mir verspeist sein wollten. Ich tat ihnen diesen Gefallen, und als ich die letzte verschluckt hatte, erschien der chinesische Kriegsgott, schnitt mir ein zorniges Gesicht, faßte mich beim Arm, schüttelte mich drohend und rief:

„Alle Wetter, Charley, wacht doch endlich einmal auf! Oder soll ich Euch etwa den Arm auszerren?"

Ich schlug die Augen auf und sah mich sehr angenehm enttäuscht: der furchterweckende Kriegsgott hatte sich in meinen guten Frick Turnerstick verwandelt.

„Was gibt es, Käpt'n?" fragte ich ihn.

„Was es gibt? Hm, Tag gibt es bereits seit zwei Stunden, und Ihr liegt noch da, ächzt, stöhnt und wimmert, daß es einen Stein erbarmen möchte. Was für ein Unglück ist Euch denn widerfahren, he?"

„Mir träumte, Ihr säßt als Götze in einer Pagode und wolltet mich verschlingen."

„Ich – Euch? Könnte mir allerdings nur dann einfallen, wenn ich ein Götze wäre! Aber macht Euch reisefertig! Das Frühstück steht für Euch bereit. Ich bin schon fertig damit, und dann kann es fortgehen."

Ich war bald an Deck, um meinen Tee zu trinken. Unterdessen suchte sich der Kapitän unter den Lohnbooten eins aus und winkte es herbei. Der Führer legte am Fallreep an.

„Kommang heraufing!" rief Turnerstick hinab.

Die Handbewegung, die diese Worte begleitete, war so deutlich, daß sie der Mann verstehen mußte. Er kam herauf.

„Wir wollen nach Kanton. Willingst du uns fahreng?"

„Kanton? Kuang-tscheu-fu?" fragte der Angeredete. „Tsche!"

„Tsche! Elendes Chinesisch! Was meint der Mensch, Charley?"

„Wißt Ihr nicht mehr, daß ‚tsche' ja heißt?"

„Ah so! Hm, das hatte ich beinahe außer acht gelassen. Aber Ihr seht doch ein, daß ich ein ganz großartiges Chinesisch spreche, denn der Mann hat mich Wort für Wort verstanden, sonst hätte er nicht ja geantwortet. Wollen wir ihn mieten, Charley?"

„Habe nichts dagegen, Käpt'n. Macht die Sache mit ihm ab!"

Der Kapitän folgte dieser Aufforderung.

„Wir fahren zwei Manning. Was verlangst du für deng Taging?"

Der Gefragte nickte mit dem Kopf. Turnerstick trat ihm näher und erklärte:

„Wieviel du haben willingst?"

Er hatte denselben Erfolg wie vorher und wandte sich zu mir:

„Dieser Mensch versteht nicht einmal seine Muttersprache. Versucht Ihr einmal Euer Heil, Charley!"

„Ganz wie Ihr wollt, Käpt'n. Vorher muß ich Euch aber doch fragen, ob wir mit dem Boot dieses Mannes wirklich den weiten Weg bis Kanton zurücklegen wollen. Von hier bis Wam-poa braucht ein Dampfer beinahe einen vollen Tag, und von dort aus haben wir noch volle zwölf englische Meilen bis Kanton."

„Weiß das alles auch, Charley; aber ich will Land und Leute kennenlernen; versteht Ihr mich? Daher nehme ich einen solchen Bambuskahn, um beliebig hüben oder drüben anlegen zu können, so oft es mir einfällt, an Land zu gehen. Wie weit es bis Kanton ist und wann wir dort ankommen, das ist mir gleich, denn wir haben Zeit. Der Steuermann hat seine Weisung und wird mich vertreten, solange ich abwesend bin. Übrigens können wir uns ja von einem Dampfer ins Schlepptau nehmen lassen, wenn wir rasch vorwärts kommen wollen. Verstanden, Charley?"

„Vollständig. Aber wenn wir wirklich Land und Leute miteinander kennenlernen wollen, so möchte ich am liebsten gleich hier in Hongkong anfangen, das uns doch am nächsten liegt."

„Habt vollständig recht. Und so mag uns dieser Mann zunächst da hinüberfahren."

Ich mietete den Chinesen für drei Tschuns, also ungefähr eine Mark täglich; dann stiegen wir ein und ließen uns in die Stadt rudern.

Hongkong wurde von den Engländern als Ort ihrer Niederlassung mit jenem bewährten Scharfblick gewählt, der den Briten eigen ist. Die Insel, auf deren Nordseite es liegt, ist gebirgig und hat ungefähr achtzehn bis zwanzig englische Meilen im Umfang. Ihre Lage bietet den Vorteil, daß der geräumige Hafen zwei Eingänge hat, die sich gegenüberliegen, so daß also beinahe bei jedem Wind gefahrlos eingelaufen werden kann. Das Wasser des Hafens ist so tief, daß Schiffe von fünfzehn Fuß Tiefgang in geringer Entfernung vom Land ankern können. Ein weicher, zäher Lehmboden gibt ausgezeichneten Ankergrund bis dicht an die Küste, und die hohen Berge, die das Hafenbecken umgeben, gewähren guten Schutz gegen die hier üblichen Herbst- und Winterstürme.

Wir spazierten miteinander durch die Straßen der chinesischen Stadt. Sie waren meist schmutzig, stinkend und kloakenhaft. Wir fanden enge, dunkle Gassen und Gäßchen, in denen sich eine nicht sehr einladend aussehende Bevölkerung hin und her drängte, kleine Bambushäuschen, deren unteres, offenes Stockwerk meist als Verkaufsraum dient, dahinter ein paar finstere Gemächer und eine schmale Treppe, die nach oben führt, wo die etwas vorspringenden Schlafgemächer sind. Die Läden sind nach ihrer ganzen Breite hin offen und gestatten einen Blick in das innere Familienleben.

Hier sieht man einen Schuster jene Seidenzeugschuhe verfertigen, deren Sohlen aus einem starken Filz bestehen; dort gibt es einen Lackierer, der Täßchen fertigt, deren mehrfacher Lacküberzug ein ganzes Jahr trocknen muß. Daneben ist der Laden eines Geldwechslers, der mit seinem Suan-pan[1] so schlau umzugehen versteht, daß es großer Aufmerksamkeit bedarf, nicht von ihm betrogen zu werden. Ihm gegenüber arbeitet ein Schneider, geradeso auf seinen untergeschlagenen Beinen hockend wie unsere einheimischen Kleiderkünstler; diese Art besitzt ja überhaupt in allen Erdteilen eine unleugbare Familienähnlichkeit. In seiner Nähe gibt es eine Garküche, deren Speisezettel nach den zur Schau liegenden Früchten, Gemüsen und Fleischsorten sehr reichhaltig sein muß, und neben diesem verführerischen Ort treibt sich eine Menge jener geflügelten Spitzbuben herum, die in der alten Welt allüberall und seit einiger Zeit auch bereits in der neuen Welt zu finden sind. Der Türke nennt sie Muhassil-Baschi[2], der Chinese ruft sie Kianiao-eul[3], und der Deutsche kennt sie als Herr Spatz und Frau Spätzin. Ich gestehe offen, daß ich mich über den Anblick dieser laut zirpenden und schimpfenden Wegelagerersippe herzlich freute; ihre Schimpfereien waren ja „Heimatklänge", wenn auch nicht – von Gungl[4].

Vor dem Laden des Geldwechslers machte der Kapitän halt.

„Was meint Ihr, Charley, werden wir einzelnes Geld brauchen?" „Allerdings."

„So wollen wir uns jeder einen Dollar umwechseln lassen?"

„Mir recht. Kommt herein!" – „Laßt mir den Vortritt!"

Er trat ein, musterte den Laden mit einer höchst unternehmenden Miene und fragte dann:

„Guteng Taging! Können mir wechsangeln einang Dollering?"

Er griff dabei in die Tasche und zog das genannte Geldstück hervor.

„Sie wünschen Cash für einen Dollar, Sir?" fragte da der Wechsler in geläufigem Englisch.

Frick Turnerstick trat überrascht einen Schritt zurück.

„Englisch! Ein Chinese und Englisch! Alle Wetter, wozu lernt man denn eigentlich Chinesisch? Habe ich etwa dieses Kang-keng-king-kungkong studiert, nur um mich hier englisch anreden zu lassen? Gebt Eure Scheidemünze her, und dann sind wir miteinander fertig!"

Der Wechsler wußte offenbar nicht, wie ihm geschah, denn ihm mußte der Grimm, den Turnerstick darüber hegte, daß er seine Sprachkenntnisse nicht zeigen durfte, unverständlich sein. Er gab uns für die beiden Dollar seine Tsiens, und dann gingen wir. Draußen blieb der Kapitän stehen.

„Charley, ist Euch schon einmal so etwas vorgekommen?" – „Was?"

„Daß Ihr Chinesisch gelernt habt und könnt es nicht gebrauchen?"

„Nein! Das ist mir allerdings noch nicht vorgekommen."

„Na, also! Weshalb gehe ich denn eigentlich an Land, um Land und Leute kennenzulernen, he? Doch wohl nur, weil ich die Sprache verstehe und diesen Leuten zeigen will, daß hinter dem Berg auch noch Frickung Turningstickings wohnen. Und da schreit mich dieser Kerl englisch an! Ich mag von diesem Hongkong nichts mehr wissen. Wir müssen tiefer ins Land hinein, wo man gebrauchen kann, was man gelernt hat."

[1] Rechenmaschine [2] Oberzolleinnehmer [3] Familienvogel [4] Gungl war in den sechziger Jahren ein in München sehr bekannter Komponist

Eine Viertelstunde später trieben wir in unserem Bambuskahn mit der Flut stromauf. Die Ufer des Stroms waren felsig und malerisch; nach und nach wurden sie niedriger. Flüsse und Kanäle durchschneiden in allen Richtungen die weiten Ebenen, und an mehreren liegen Dörfer und Ortschaften, entweder auf erhöhtem Gelände und festem Gestein erbaut, oder in der Niederung, nur von Bambus und auf Pfählen errichtet. Wenn dann die steigende Flut die Felder unter Wasser setzt, liegen diese Ortschaften wie kleine Inseln darin.

Schwerfällige Dschunken glitten den Fluß entlang, und kleine Fischerboote durchkreuzten ihn nach allen Richtungen. Die großen Handelsdschunken sind ungeschlachte Dinger und sehr hochbordig. Sie ragen wie Nilpferde aus dem Wasser und haben einen breiten Stern gleich dem eines altholländischen Linienschiffs, der bunt bemalt und vergoldet ist. Das Deck ist mit einem ungeheuren Strohdach versehen, das das Fahrzeug noch viel schwerfälliger erscheinen läßt. Die Masten, die ungemein dick sind und aus einem einzigen Stück bestehen, haben an der Spitze eine Rolle, durch die ein schweres, drei Zoll im Durchmesser haltendes Tau läuft, mit Hilfe dessen das schwere Mattensegel aufgehißt wird. Das Vorderteil eines solchen Fahrzeugs ist meist rot bemalt und hat rechts und links vom Bug je ein Glotzauge von oft fünf Fuß im Durchmesser, von dem diese Dschunken den Namen Lung-yen erhalten haben, und die dem Schiff jenen drohenden Ausdruck geben, durch den böse Geister und andere Ungetüme, die nach chinesischem Glauben das Wasser bevölkern, verscheucht werden sollen. Wegen der gefürchteten Flußräuberei haben diese großen Handelsdschunken gewöhnlich über oder auch zwei Kanonen an Bord.

Die Kriegsdschunken sind etwas schärfer gebaut und auch nicht so übermäßig hochbordig. Sie führen gewöhnlich vier bis sechs Drei- oder Vierpfünder an den Seiten, einen oder zwei Sechs- und Neunpfünder im Vorderteil und zuweilen auch im Stern einige kleine Kanonen. Mehrere Gingals oder Wallbüchsen mit sechs bis acht Fuß langem Lauf und einer Mündung von zwei Zoll im Durchmesser drehen sich in Zapfen auf ihrem Gestell, das an den Schiffsseiten befestigt ist. Die Mannschaft ist mit Luntenflinten, Lanzen, Schilden und Säbeln bewaffnet; doch tragen viele noch Bogen und Pfeile. Die Segel werden durch fünfundzwanzig bis dreißig Ruder unterstützt. Die Zucht auf einem solchen Kriegsfahrzeug ist echt chinesisch. Täglich wird dreimal ein Gebet zu dem Kriegsgott gehalten, wobei es ein wahrhaft ohrenzerreißendes Klingeln, Pauken und Schreien nebst einem Feuerwerk von Schwärmern und Raketen gibt.

Unser Boot strich vor der Flut und der guten Brise, die sich fest in unser Bastsegel legte, recht munter durch die Wogen. Ich wußte, daß von der Mündung des Flusses aus bis hinauf nach Kanton vier Pagoden zu finden seien, und wir beschlossen, eine davon zu besuchen. Die erste hatten wir bereits hinter uns. Als die zweite vor uns auftauchte, hielten wir auf das Ufer zu, legten an und stiegen aus.

Pagoden sind in fast unglaublicher Menge über ganz China verstreut, und man findet kein Dorf, das nicht wenigstens eins dieser Gebäude aufzuweisen hätte. Die Chinesen erzählen, daß es in Peking mit Umgebung zehntausend Pagoden gebe, doch soll diese Zahl wohl nur „sehr viele" bedeuten. Man findet sie an den Landstraßen und Flüssen ebensowohl wie mitten in den Städten, Ortschaften und Feldern. Ihre Bauart ist sehr verschieden. Meist unterscheiden sie sich nicht sehr von den gewöhnlichen Wohnhäusern, und viele sind nur kleine Kapellen oder Nischen, in denen ein Götzenbild steht, vor dem sich die Gefäße für das Rauchopfer befinden.

Oft aber besitzen diese Bauwerke eine bedeutende Ausdehnung; zu diesen gehörte auch die Pagode, die wir besuchen wollten.

Unser Bootsführer blieb am Ufer zurück; wir aber schritten ins freie Feld hinein und auf ein Dorf zu, hinter dem sich das Gebäude erhob. Ich hatte erwartet, daß die Bewohner des Dorfs uns mit großer Neugier empfangen würden, sah mich aber getäuscht – der Ort mußte öfters von Fremden besucht werden. Man betrachtete uns zwar mit einiger Aufmerksamkeit, sonst aber erregten wir weiter kein Aufsehen, als daß einige Frauen aus den Türen traten und eine kleine Schar hoffnungsvoller Jungen hinter uns hertrabte und in allen Tonarten ihr „Bief-stä-Bief-stä!" riefen.

„Was wollen diese Rangen, Charley?" fragte Turnerstick.

„Sie halten uns für Engländer, die ja in der ganzen Welt den Ehrentitel ‚Beefsteaks' tragen. Ihr macht hier also die überraschende völkerkundliche Beobachtung, daß zwischen den Gassenjungen aller Länder eine erfreuliche Übereinstimmung herrscht."

Jetzt lag das Dorf hinter uns, und zur Höhe führte ein gut unterhaltener Weg, der zu beiden Seiten von Ziersträuchern eingefaßt war. Wir folgten seinen Schlangenwindungen und standen endlich vor der Pagode. Der Kapitän betrachtete sich das aus braunen, mit weißem Kitt verbundenen Ziegelsteinen aufgeführte Gebäude.

„Acht Stockwerke! Wozu das, Charley?"

„Eine indische Überlieferung erzählt, daß man Buddhas Leiche verbrannt und seine Asche in acht Teile gesondert und in ebenso viele Urnen verschlossen habe. Zur Aufbewahrung der Asche baute man nun einen achteckigen und achtstöckigen Turm und verwahrte in jedem Stockwerk eine der Urnen, so daß die Asche der Füße in das Erdgeschoß, die des Kopfes aber in das höchste Stockwerk kam. Dieser Turm nun hat den späteren Bauwerken als Muster gedient."

„Well, so laßt uns zunächst einmal das Fußstück betrachten!"

Vor dem Eingang der Pagode hielt ein alter Mann Früchte und jene chinesischen Strohzigaretten feil, von denen man tausend für eine deutsche Mark bekommt. Die Kinder waren uns bis hierher gefolgt. Ich kaufte den ganzen Korb voll Früchte für einen staunenswert niederen Preis und gebot dem Mann, den Vorrat unter die Jungen zu verteilen. Diese milde Stiftung erregte ungeheuren Jubel, und als ein jeder der „Knaben aus der Blume der Mitte" noch eine Zigarette bekam, da hatte es mit dem „Bief-stä" vollständig aufgehört, und alles eilte ins Dorf zurück, um dort die Kunde von unserer Freigebigkeit zu verbreiten.

Jetzt traten wir ein. Der achteckige Raum erhielt sein Licht durch einige schießschartenähnliche Öffnungen. Rechts führte eine schmale Treppe empor; in der Mitte des Hintergrunds saß Buddha, überaus wohlbeleibt, was ja nach chinesischer Anschauung das erste Erfordernis der Schönheit ist, mit dicken Hängebacken und kleinen, schiefgeschlitzten Augen. Der Ausdruck seines Gesichts war höchst vergnügt; das Standbild schien mir weniger einen Gott als vielmehr einen Schlemmer vorzustellen, der soeben ein feines Mahl beendet hat und nun vergnügten Sinns und mit fröhlich blinzelnden Augen sich anschickt, ein Mittagsschläfchen zu halten. Von Bedeutung war mir der Umstand, daß die Nase ganz nach kaukasischem Schnitt geformt war. Ich mußte dabei an die weitverbreitete Anschauung denken, daß die Tien-hio[1] aus dem Westen gekommen sei.

Zu beiden Seiten des Götzen saßen zwei kleinere Gestalten, deren Gesichtsausdruck sehr grimmig war. Vor allen dreien standen eherne Gefäße zur Aufnahme der Räucherstäbchen, und vor Buddha lagen außerdem mehrere Blumensträuße, während seine zornigen Gefährten auf diesen Schmuck verzichten mußten.

Da ließen sich Schritte auf der Treppe vernehmen. Aus dem oberen Stockwerk kam ein Mann herabgestiegen, der gemütlich eine Zigarette schmauchte.

„Wer ist das?" fragte der Kapitän. – „Der Ho-schang", antwortete ich.

„Ho-schang! Was ist das?"

„Der Priester und Wärter dieser Pagode. Die Ausländer nennen sie Bonzen, der Chinese aber kennt dieses Wort nicht, sondern sagt Hoschang oder Sing."

Jetzt erblickte uns der Bonze und neigte grüßend seinen Papierfächer.

„Tsching-tsching[2]!" grüßte er wohlwollend, indem er uns die Hand reichte.

„Ihr seid der Sing von dieseng Pagodang?" fragte Turnerstick.

„Sing, tsche!" nickte der Gefragte.

„Seht Ihr es, Charley, daß er mich versteht! Dieser Priester ist ein gebildeter Mann, und ich werde mich sehr angenehm mit ihm unterhalten."

Er deutete auf das mittlere Götzenbild und fragte:

„Wer ist der alting, guteng Herrang hier?"

„Fo!" lautete die Antwort.

„Fo? Wer ist das, Charley?"

„Buddha, der in China Fo genannt wird."

„Und wer sind die beideng anderen Leuting?" fragte er weiter, auf die beiden Nebenstandbilder deutend.

Der Bonze erklärte sich die Frage aus der Handbewegung und antwortete, erst auf das eine und dann auf das andere Götzenbild deutend: „Phu-sa und O-mi-to."

„Hört, Charley, ich sehe zu meiner Verwunderung, daß sogar die

_____
[1] Heilige oder himmlische Lehre   [2] Soviel wie „Guten Tag"

Gebildeten in China ein so schlechtes Chinesisch reden, daß man sie unmöglich verstehen kann. Was meint er?"

„Er spricht chinesisch und japanisch. Phu-sa nennen die Chinesen den berühmten buddhistischen Patriarchen Bodhisatwa, dessen Bild diese Figur sein soll. Und O-mi-to[1] ist japanisch, denn diesen Namen hat Buddha in Japan erhalten."

„Ja, wer und was ist denn nun eigentlich dieser Buddha?"

„Buddha ist ein Wort aus dem Sanskrit und bedeutet eigentlich ‚Weiser'. Buddha war ein berühmter Religionsstifter, lebte fünfhundert Jahre vor Christus und hatte zum Vater Sudhodana, den König von Mogadha, das jetzt Behar heißt. Sein eigentlicher Name war Sramana Gautama; doch wurde er auch Sockja Muni genannt und –"

„Stopp, stopp, stopp, Charley!" rief Turnerstick, sich die Ohren zuhaltend. „Wenn Ihr noch eine Minute lang mit solchen Namen um Euch werft, so schnappe ich über. Ich will doch lieber im stärksten Taifun segeln, als mich von so einem Fremdwörterorkan anblasen lassen. Wir wollen uns lieber dieses alte Gemäuer einmal betrachten."

Und sich zum Bonzen wendend, deutete er auf die Treppe.

„Dürfang wir aufsteiging?"

Das wurde uns ohne Widerrede erlaubt, aber bereits im zweiten Stockwerk blieb der Kapitän halten.

„Charley, klettert Ihr allein weiter! Das ist hier ja schlimmer als auf unserer Ziegenjagd. Ich werde mich verschnaufen und Euch hier erwarten."

Ich stieg mit unserem Führer weiter. Hätte ich eine großartige Tempeleinrichtung erwartet, so wäre ich vollständig enttäuscht worden, denn alle diese Räume zeigten nur die nackten Wände. Das einzige, was mich für den mühseligen Aufstieg belohnte, war die weltweite Rundschau, die sich mir auf dem sicher zweihundertfünfzig Fuß hohen Turm bot.

Der Bonze war – eben ein Bonze, und damit ist alles gesagt. Seine ganze Bildung bestand in der Kenntnis der rein gewohnheitsmäßigen Gebets- und Opfergebräuche, und ich fühlte die Meinung bestätigt, die ich mir vorhin über ihn gebildet hatte, als er die beiden Nebengötter für Phu-sa und O-mi-to erklärte. Er kannte nicht einmal die richtigen Namen der Gestalten, die er anbetete. Die Bonzen sind im allgemeinen unwissende Menschen. Sie leben teils von der Mildtätigkeit anderer und teils von den Gaben, die sie erhalten, um die Sünden anderer auf sich zu nehmen und durch ein frommes Leben abzubüßen. Da sie in Ehelosigkeit leben, sind sie kinderlos, kaufen sich aber gewöhnlich ein Kind, einen Sohn armer Eltern, den sie sich zum Nachfolger erziehen, indem sie ihn die wenigen Handgriffe und die kurzen Gebete lehren, die ihr ganzes Können und Wissen ausmachen.

„Du bist kein Fo-dse[2]?" fragte mich der Bonze.

„Nein; ich bin ein Kiao-yu, ein Christ."

„So wunderst du dich wohl, daß du diesen Tempel betreten darfst?"

„Nein, denn die Tempel meines Gottes darf auch ein jeder, also auch jeder Fo-dse betreten."

[1] Dieses Wort bedeutet „unendlich" [2] Buddhist

„Betet und räuchert ihr auch zu euerm Tien-tschu[1]?" – „Ja."

„Betet ihr ihn auch an mit Glocken und Gongs?"

„Wir bringen ihm schöneres Glockengeläut und bessere Musik als ihr."

„Wie ist das möglich? Ihr seid ja Barbaren und habt keine Musik."

„Die Kiao-yu haben bessere Musik als die Fo-dse, die Hoeï-hoeï, die Tsang[2], die Dschi-pen[3] und die Tung-da-dse[4]. Eure ist leicht, die unsrige aber ist schwer, daß sie kein Chinese spielen kann."

„Soll ich das glauben?" – „Tue es oder auch nicht, mir ist es gleich."

„Wie ist dein Name?" – „Kuang-si-ta-sse."

„Das ist ein großer Name. Kennst du die Klangwerkzeuge, die wir haben?"

„Ich kenne sie." – „Aber du kannst sie nicht spielen?"

„Ich habe noch kein einziges in der Hand gehabt, aber ich würde jedes sofort spielen."

Er lächelte überlegen. – „Den Gong?"

„Ja." – „Den Gamelang[5]?"

„Ja." – „Den Anklong[6]?"

„Ja. Aber du fragst mehr, als du darfst, denn der Anklong und der Gamelang sind keine chinesischen, sondern malaiische Instrumente."

Mein Einwurf schien ihn verlegen zu machen. Er fragte weiter:

„Kennst du auch die Pi-pa[7] und die Kiüt[8]? Sie sind sehr schwer zu spielen, schwerer als jede andere Musik in der Welt.

„Ich habe sie gesehen, aber ich sie noch nicht gespielt, doch ist die Musik für einen Christen so leicht, daß er die Kiü und die Pi-pa sofort spielen würde. Die Christen haben Klangwerkzeuge, die ein geschickter Mann nur dann richtig handhaben kann, wenn er sich zehn Jahre alle Tage fleißig geübt hat. Solche habt ihr nicht."

„Du bist sehr kühn, die Kiü und die Pi-pa sofort spielen zu wollen. Ich habe beide in meiner Wohnung. Willst du mitgehen?" – „Ja."

Er machte eine siegesgewisse Miene und schritt voran. Turnerstick hatte mit Ungeduld auf uns gewartet. Er fragte:

„Wie war es da oben auf dem Top dieses Turms, Charley?"

„Hoch Käpt'n."

„Hoch? Well, das konntet Ihr Euch hier unten denken. Was tun wir jetzt?"

„Wir gehen mit in die Wohnung dieses Mannes."

„Was wollen wir dort?" – „Spielen."

„Monte, Whist, Tarock oder Skat?"

„Nichts von alledem. Wir sollen die Kiü und Pi-pa spielen."

„Die Kühe und die Pipen? Ihr seid verrückt!"

„Nicht ganz. Die Kiü ist eine Geige und die Pi-pa eine Gitarre."

„Ah so; das muß man eben nur gesagt bekommen! Aber ich – – –"

„Ich geige also die Kiü, und Ihr klimpert auf der Pi-pa!"

---

[1] Himmelsherrn [2] Tibetaner [3] Östliche Tataren (Mandschu) [4] Westliche Tataren (Mongolen) [5] Es gibt zwei Arten des Gamelang, die man Glocken- und Metallharmonika nennen könnte; die erste hat Glocken, die andere Metallplatten, und beide klingen unserer Glasharmonika sehr ähnlich [6] Ein aus hohlen Bambusstücken bestehendes Werkzeug von einer Schwere bis zu fünfzig Pfund [7] Gitarre [8] Eine Art Geige

„Ich –? Auf der Pi-pa – –? Bleibt mir mit Eurer Pi-pa-pum vom Hals. Das von mir zu verlangen wäre gerade soviel, als wenn ein Walfisch stricken sollte! Ich habe in meinem Leben noch keine solche Wimmerei in der Hand gehabt."

„So werde ich es allein machen müssen."

„Ja, könnt Ihr denn das?" – „Ich denke es."

„Charley, ich will Euch einmal unter vier Augen etwas sagen: macht Euch vor diesem Chinesen nicht lächerlich! Einem Bären oder einem Tiger eine Kugel durch den Kopf zu jagen oder ein paar wilde Ziegen zu schießen, dazu gehört nicht viel, denn man braucht nur zu zielen und loszudrücken; aber eine solche Pi-pa ist ein gefährliches Ding, so gefährlich, daß nicht einmal ich mich heranwagen möchte."

„Wollen sehen!"

Unterdessen hatte der Bonze einige Worte mit dem Fruchthändler gesprochen, der eiligst nach dem Dorf schritt. Ich dachte mir, daß er Zuhörer herbeiholen solle, um meine mutmaßliche Niederlage zu einer öffentlichen zu machen.

Von der Pagode schlängelte sich ein schmaler Pfad auf der Höhe hin nach einem Häuschen, das die Wohnung des Bonzen bildete. Es war aus Bambus gebaut und mit grauen Dachziegeln gedeckt und bestand nur aus einem Erdgeschoß, vor dem ein Pfeilerdach einen schattigen und luftigen Aufenthalt bot.

Bei unserer Ankunft kam ein Knabe aus der Tür und begrüßte uns, jedenfalls war er der Schüler des Bonzen. Dieser flüsterte ihm einige Worte zu, und daraufhin wurde uns Tee gebracht, den wir nach chinesischer Weise aus winzigen Täßchen und ohne Zucker und Milch genossen.

„Herrlicher Brauch!" brummte der Kapitän, der allerdings andere Trinkgefäße gewohnt war. „Wenn ich da meinen Jungens einen Tee geben wollte, so würde ein jeder seine zwölfhundert von diesen Fingerhüten austrinken und dann gemütlich fragen, wann eigentlich der Tee käme. Aber wann wird dieser Mann nun seinen Pi-pa-pum bringen?"

„Wird uns nicht mehr lange warten lassen, Käpt'n, dann seht, die Zuhörer werden sich gleich einfinden!"

Vom Dorf her bewegte sich eine stattliche Schlange von Männern, Frauen und Kindern auf uns zu, und alle hatten Blumen und Sträuße in der Hand. Als sie das Haus erreichten, wurden wir begrüßt und erhielten die Blumen als Gegengabe für die Früchte und Zigaretten, die ihre Knaben erhalten hatten. In China wird auch das kleinste Geschenk mit hoher Dankbarkeit geehrt, und meine Gabe hatte mir die Herzen des ganzen Dorfes gewonnen.

„Was werden wir mit diesen Sträußen tun, die wir doch unmöglich fortbringen können?" fragte Turnerstick.

„Wir nehmen einiges mit und lassen das andere dem Bonzen hier."

„Aber bedanken müssen wir uns doch?"

„Allerdings; ich werde es sofort tun."

„Stopp, Charley! Ich bitte um die Freundlichkeit, das einmal mir zu überlassen."

„Meinetwegen! Macht's nur schön und rührend!"

„Soll nicht fehlen!"

Er erhob sich und wandte sich an die Leute:

„Chineseng, Manning, Weibing und Kinding! Wir sind gekommeng, um Landing und Leutang kennung zu lernang, und bei euch macheng wir den Anfang. Da habeng wir es gut getroffung, denn ihr bringt uns Blumang und Sträußing für Früchtung und Zigarettang. Wir statteng euch unsere Danksagung ab und hoffeng, daß ihr uns allezeiting in gutong Andenkung behaltang werdet!"

Dieser „Speech", der mit begeisterter Beredsamkeit vorgebracht worden war, wurde mit großem Beifall aufgenommen, obgleich kein Mensch ein Wort davon verstanden hatte. Die Leute merkten die Absicht und waren damit zufrieden, ohne weitere sprachliche Anforderungen zu stellen.

„Seht Ihr's, Charley, daß sie mich Wort für Wort verstanden haben? Ich will wünschen, daß Ihr mit Eurer Pupo ebenso besteht, wie ich mit meiner Rede! Hier bringt der Mann bereits seine Klimperei!"

Allerdings hatte der Bonze die beiden Klangwerkzeuge aus dem Innern des Hauses geholt und reichte sie mir dar. Ich wies ihn noch zurück.

„Ich habe weder die Kiü noch die Pi-pa spielen hören. Willst du mir nicht einmal zeigen, wie es gemacht wird, damit ich es nachahmen kann?"

Er lächelte überlegen, wie einer, der nichts anderes erwartet hat, und meinte: „Du wirst es nicht fertigbringen, obgleich ich es dir zeige!"

Dann griff er zunächst zur Geige. Sie besaß eine von der unsrigen abweichende Form, hatte aber auch einen Steg und vier Saiten, die allerdings in einer anderen Stimmung standen. Der Bogen war schwer und hatte die sägeähnliche Form unserer Violinbaßbogen. Nachdem er ihn mit gewöhnlichem Pech bestrichen hatte, begann er.

Die Chinesen lauschten mit Entzücken seinen Tönen. Er schien bei ihnen als Meister zu gelten, spielte aber weder eine erkennbare Weise, noch hörte ich irgendeinen Zusammenklang heraus. Eine Takteinteilung war auch nicht zu spüren, und das ganze Spiel bestand aus dem Anstrich immer derselben vier Töne, die er in abwechselndem Zeitmaß erklingen ließ.

Als er den Bogen absetzte, blickte er mich mit einer Miene an, in der sich die deutlichste Erwartung meiner besonderen Anerkennung aussprach. Als nichts dergleichen erfolgte und ich bloß leise winkte, meinte er: „So wird ein Christ nie spielen lernen."

„Hast du noch nie die Musik der Van-kui-dse[1] oder Fu-len[2] in Hongkong oder Makao gehört?" fragte ich.

„Nein. Sie sind Barbaren, und ich mag sie nicht hören."

„Du hast mir das Spiel auf der Kiü gezeigt; lehre mich auch das auf der Pi-pa!"

Er nahm die Gitarre zur Hand. Sie hatte die Form unserer alten Zithern, besaß einen langen Hals mit halbtönigen Griffdrähten und hatte sieben Saiten.

[1] Engländer   [2] Franzosen

Sein Spiel war ebenso eintönig wie vorher. Zwar griff er mit den Fingern der Linken zuweilen in die Saiten ein, doch bekamen wir weder eine Weise noch irgend zwei zusammenstimmende Töne zu hören, und es war mir unbegreiflich, wie jemand ein so vollkommen angelegtes Instrument besitzen konnte, ohne es auch ohne Lehrer zu einer besseren Geschicklichkeit darauf zu bringen. Das Muster zu diesen Klangwerkzeugen mußte von den Europäern eingeführt worden sein, ohne daß auch die richtige Handhabung übernommen worden war.

Als er geendet hatte und von den Zuhörern mit einem beinahe demütigen Beifall belohnt worden war, reichte er mir die Gitarre hin.

„Nun versuch, ob du das zustande bringst!"

Ich gab den sieben Saiten eine deutsche Stimmung nach H E A d g h e, versuchte einige Griffe und spielte dann einen schnellen Walzer, bei dem die linke Hand so viel zu tun hatte, daß meine Zuhörerschaft in sichtliches Erstaunen geriet.

„All devils!" rief Turnerstick, als ich geendet hatte, und versetzte mir einen kräftigen Schlag auf die Schulter. „Ihr seid ja ein wahrer Künstler auf der Pu-pa oder wie der Kasten heißen mag! Und davon habt Ihr mir nichts gesagt?"

Ich lachte.

„Ihr seht wenigstens, daß ich mehr kann als Bären und wilde Ziegen schießen, wobei man nur zu zielen und loszudrücken braucht."

Dann stimmte ich die „Gitarre" nach spanischer Weise auf H D G d g h d, gab zunächst das bekannte „Glockengeläut" zu hören und spielte dann einen Fandango. Die Chinesen ließen, als ich geendet hatte, keinen Laut hören, und der Bonze war unwillkürlich bis unter die Tür zurückgetreten, wo er mich anstarrte wie einer, der vollständig aus dem Sattel geworfen ist.

Der Kapitän hatte sich auf einen niedrigen Mattensessel niedergelassen und schlug vor Vergnügen mit beiden Beinen ein Rad.

„Charley, hier bleiben wir noch länger. Hier ist es gemütlich, hier gefällt es mir, denn Ihr macht Eure Sache beinahe so gut wie ich vorhin mit meiner Rede. Spielt weiter!"

Jetzt nahm ich die Geige und stimmte sie nach unserer Weise in Quinten. Erst spielte ich einen dreistimmigen Choral, dann ein Brinkmannsches Lied ohne Worte, nachher einen amerikanischen Reel und dann einen lauten, kräftigen Hopser, der so nach dem Geschmack Master Turnersticks war, daß er, sich auf dem Sessel wiegend, mit den Armen und Beinen in der Luft herumfuhr und sich redlich bemühte, mit allen zehn Fingern schnalzend, den Takt anzudeuten.

„Huzza, bravo, köstlich, unvergleichlich!" rief er, als ich den letzten Strich getan hatte. „Das war mir aus der Seele gegeigt, Charley; denn bei so einer Musik wird es einem, als wenn man mit voller Leinwand geradewegs in alle türkischen Himmel hineinsegeln sollte. So eine Musik kann mich auf die Beine bringen, obgleich ich nichts davon verstehe. Ich gäbe sehr viel darum, wenn ich bei diesem prächtigen Konzert auch eine Nummer übernehmen könnte!"

„Das könnt Ihr."

„Ich? Wie – was – wo –? Wie meint Ihr das? Soll ich vielleicht das Brummeisen blasen?"

„Könnt Ihr nicht singen, Käpt'n?"

„Singen? Hm, o ja; aber nur ein einziges Lied. Doch das singe ich so ausgezeichnet, daß die Fugen krachen und die Masten splittern, wenn ich einmal anfange."

„Welches ist es?"

„Dumme Frage! Natürlich der Yankee-doodle!"

„So macht los! Ich singe mit."

„Well! Das ist prächtig! Fangt an!"

Ich nahm die Gitarre wieder zur Hand, machte ein kurzes Vorspiel und hatte kaum mit dem Lied begonnen, so fiel Turnerstick mit einer Stimme ein, die allerdings Masten biegen konnte. Von musikalischem Gehör war bei ihm keine Rede und infolgedessen von reinen Tönen noch weniger; er brüllte den Text mit einer Bärenstimme, die zwischen fis und g lag und hier und da einen kühnen Sprung hinauf zwischen es und d hinein wagte; aber der ganze Text wurde zu Ende gebracht, und als wir aufhörten, erdröhnte rund um uns ein Beifall, der wenigstens ebenso ohrenzerreißend war wie der Gesang des begeisterten Seekapitäns.

Dieser war vor Anstrengung krebsrot im Gesicht geworden, aber seine Augen funkelten vor Vergnügen, und er befand sich in einer Stimmung, als hätte er in einem berühmten „paddle"-Klub den ersten Preis gewonnen. Er rief entzückt: „Blitz und Donner, das war gesungen! Nicht, Charley?"

„Sehr!" – „Wollen wir nicht noch einmal anfangen?"

„Es wird genug sein, Käpt'n; der Mensch darf seine Vorzüge nicht verschwenden."

„Richtig! Diese Leute wissen nun sicher, woran sie mit uns sind. Darum wollen wir dieses prächtige Lied für später aufheben, damit auch andere erfahren, was es heißt, wenn Kapitän Frick Turnerstick den Yankee-doodle losläßt."

Ich gab dem Bonzen seine beiden Tonwerkzeuge zurück.

„Glaubst du nun, daß die Christen Musik machen können?"

„Deine Musik ist viel schöner und auch viel schwerer als die unsrige. Aber hast du die Pi-pa und die Kiü wirklich noch niemals gespielt?"

„Nein; doch wir haben in unserem Land Klangwerkzeuge, die den deinigen ähnlich sind, und daher kommt es, daß ich auch diese zu behandeln weiß."

„Sagtest du nicht, daß du ein Fu-len seist?"

„Nein. Ich bin ein Tao-dse."

„Das ist gut, denn wir hassen die Fu-len und die Van-kui-dse, die unsere Städte zusammenschießen und uns mit ihren Kanonen zwingen, sie reich zu machen, indem wir ihnen ihr Gift[1] abkaufen müssen. Von Tao-dse-kue[2] aber habe ich gehört, daß seine Bewohner friedfertige Menschen sind und alles wissen und verstehen, wonach man sie nur fragen kann. Und das ist wahr, denn ich habe es jetzt gesehen. Wollt ihr nach Kuang-tscheu-fu?"

[1] Ist Opium gemeint [2] Deutschland

„Ja. Wir sind nur ausgestiegen, um deine Miao[1] zu betrachten. Willst du die Gefälligkeit haben, ein Komtscha von uns anzunehmen?"

„Ich bin arm und lebe von den Gaben derer, die barmherzig sind. Dein Kom-tscha wird mir willkommen sein."

Turnerstick hatte diese Worte nicht verstanden, als ich aber in die Tasche griff, merkte er, wovon die Rede gewesen war.

„Halt, Charley, Ihr wollt dem Mann ein Trinkgeld geben?" – „Ja."

„Das überlaßt mir! Ich habe zwar den Turm nicht so weit erklettert wie Ihr, aber ich habe dafür Eure Musik auf seiner Pum-po gehört und werde sie bezahlen."

Er holte seinen langen Zugbeutel hervor und wandte sich an den Bonzen:

„Hast mir sehr gefalleng, mein Junging; darum werdang ich dir gebung zwei Dolling und deinem Knabeng hier einen Dolling. Kannst dir Tabangk, Zigaretting oder ein paar Flascheng Rumang dafür kaufing. Lebung wohl, alter Pagodangwächter, und denke zuweilen an den Kapitän Turningsticking und an sein glänzendes Yanking-doodling!"

Der Bonze machte ein erstauntes Gesicht. Für seine Bedürfnisse und die hiesigen Preise waren zwei Dollar ein kleines Vermögen. Es war ihm unmöglich, die Freude über ein so reiches Geschenk für sich zu behalten; er sprang unter die anwesenden Chinesen hinein, zeigte ihnen die beiden Geldstücke und pries in den kräftigsten Ausdrücken die Mildtätigkeit der fremden Tao-dse. Dann faßte er mich bei der Hand und zog mich zur Seite.

„Du willst nach Kuang-tscheu-fu. Darf ich dir einen Rat geben, weil du so gütig gegen uns bist?"

„Du darfst."

„Ich bitte dich, keinen Menschen hören zu lassen, was ich dir jetzt sage: hüte dich vor den Lung-yin und vor den Kuang-ti-miao!"

Diese Warnung überraschte mich; es war beinahe wörtlich dieselbe, die ich bereits aus dem Mund von Kong-ni gehört hatte. Schnell fragte ich: „Warum?"

„Das darf ich nicht sagen. Hast du nicht gehört, daß die Lung-yin gern Fremdlinge gefangennehmen, um ein Lösegeld zu erpressen?"

„Ich weiß es. Erst vorgestern ist die Frau eines portugiesischen Kaufmanns in Makao verschwunden und allen Vermutungen nach von den Drachenmännern gefangengenommen worden. Doch, ich fürchte mich nicht vor ihnen."

„Du kennst sie nicht, sonst würdest du dich vor ihnen fürchten. Es gibt nichts Schlimmeres, als in ihren Händen zu sein und sie zu erzürnen. Hätte ich die Macht, so würde ich dir einen Talisman geben, der dich vor ihnen schützt."

„Gibt es einen Talisman?" – „Ja."

„Hast du ihn gesehen?"

„Ich habe selber – – ja ich habe ihn gesehen." – „Wie ist er?"

„Das darf ich dir nicht sagen."

Ich griff an den Hals und zog die Kette hervor.

[1] Pagode; doch heißt Miao auch Tempel

„War es ein solcher?"

Kaum hatte er den Gegenstand erblickt, so verschränkte er die Arme über die Brust und verbeugte sich beinahe bis zur Erde.

„Herr, verzeih mir! Ich wußte nicht, daß du ein Yeuki[1] der Lung-yin bist."

„Woher siehst du das?"

Er schien sich über diese Frage zu wundern.

„Du hast den Talisman und mußt also wissen, daß es für jeden Grad eine besondere Art gibt. Oder hättest du ihn nicht verdient, sondern nur gefunden? Das könnte dein Tod sein."

Ich hielt es nicht für nötig, ihn aufzuklären. Aber dieser buddhistische Bonze schien die Einrichtungen des Flußpiratentums zu kennen. Es war für mich wichtig zu erfahren, ob er vielleicht gar ein Mitglied des Bundes der Drachenmänner war.

„Ich habe ihn nicht gefunden. Zeige mir deinen!"

„Ich habe ihn im Haus, aber du mußt ja an meiner Tasse gesehen haben, daß ich zu euch gehöre."

Also das war es. Ich hatte zufällig seine eigentümliche Handstellung beim Teetrinken bemerkt; er faßte die Tasse mit den Spitzen des Daumens, Zeige- und Goldfingers an, während er die beiden anderen steif ausstreckte. Ich mußte mehr zu erfahren suchen.

„Kennst du auch die anderen Zeichen?"

„Es sind ja nur die beiden Grüße, und die kennt jeder: ‚Tsching-tschi-ng' und ‚Tsching-lea-o'. Nun weißt du auch ohne den Talisman, daß ich zu euch gehöre. Aber du hast mir nicht die Wahrheit gesagt; du bist kein Y-jin[2], sonst hättest du nie Mitglied oder gar Oberster des Bundes werden können."

Also der Gruß war auch ein Erkennungszeichen. Er wurde so ausgesprochen, daß die letzte Silbe eine Dehnung erhielt, also Tsching-tschi-ng statt Tsching-tsching und Tsching-lea-o statt Tsching-leao. Das konnte mir von großem Vorteil sein.

„Ich habe dich nicht belogen. Der Talisman ist mein rechtmäßiges Eigentum. Dir aber muß ich sagen, daß du sehr unvorsichtig bist."

„Warum? Wir beide gehören zu der großen Lung-hui[3] und können also darüber reden."

„Hast du gewußt, daß ich dazu gehöre? Ich habe dir das Zeichen nicht gegeben, und dennoch warntest du mich vor den Drachenmännern. Weißt du, was für eine Strafe darauf folgt?"

„Der Tod, wenn ich kein Ho-schang[4] wäre. Aber einem Diener des großen Fo darf niemand als nur der Hoang-schan[5] das Leben nehmen, denn nur er allein ist der Oberste aller Priester. Du warst gut und wohltätig, und da ich dich für einen Fremden hielt, habe ich dich warnen wollen."

„Warum auch vor den Kuang-ti miao?"

„Das kann ich nicht aussprechen, denn du mußt es selber wissen."

„So leb wohl! Aber eins muß ich dir noch sagen: weißt du nicht, daß

---

[1] Oberst [2] Fremder [3] Genossenschaft der Drachen [4] Bonze [5] „Erhabene Hoheit", der Kaiser

im Li-king[1] zu lesen ist: ‚Die Höflichkeit verbietet, das Angesicht eines Mannes schamrot zu machen‘?"

„Ich weiß es. Warum fragst du mich?"

„Hast du mich nicht beschämen wollen? Hast du nicht gezweifelt an dem, was ich dir sagte? Und doch habe ich dir bewiesen, daß es die Wahrheit gewesen ist. Nun ist dein Gesicht rot vor Scham. Sei in Zukunft höflicher mit den Fremden, denn sie sind weise und klüger als ihr. Tsching-lea-o!"

„I lu fu fing![2] Und vergib mir, was ich Unrecht getan habe!"

Der Kapitän war mir schon vorausgegangen. Als wir an das Ufer des Stromes kamen, fuhr eben eine kleine Gondel ab, die neben der unsrigen gelegen hatte.

„Wer war dieser Mann?" fragte ich den Schiffer.

„Ein Fischer, der hier ausruhen wollte."

Wir stiegen ein und nahmen unser Segel wieder hoch. Der Kapitän legte sich selber in die Ruder, der Bootsmann nahm das Steuer, und ich betrachtete das auf dem Fluß herrschende rege Treiben. Wir hatten uns bei der Pagode länger verweilt, als es unsere Absicht gewesen war; der Abend schien nicht mehr fern zu sein, und die geschäftige Flußbevölkerung suchte die kurze Helle noch zu benutzen, um mit dem Tagewerk zu Ende zu kommen.

Es fiel mir auf, daß die Gondel, die neben unserem Boot gehalten hatte, in gerader Richtung auf das jenseitige Ufer zufuhr. Es konnte unmöglich die Absicht des Mannes gewesen sein, bloß auszuruhen. Das hätte bedingt, daß er entweder eine längere Fahrt zurückgelegt oder noch vor sich hatte; im ersten Fall hätte er sicher gleich nach drüben eingelenkt, und im zweiten wäre er jetzt stromauf- oder stromabwärts gegangen, anstatt nach jenseits hinüberzusteuern.

„Kanntest du den Fischer?" fragte ich unseren Bootsmann.

„Nein." – „Was habt ihr gesprochen?"

„Nichts."

Hätte mir ein schweigsamer Araber diese Antwort gegeben, so wäre es mir nicht eingefallen, an der Wahrheit seiner Worte zu zweifeln; der Chinese aber ist im höchsten Grad rührig und geschwätzig, und es war nicht anzunehmen, daß die beiden Männer so nahe nebeneinander gelegen hatten, ohne sich zu unterhalten. Warum aber belog mich der Chinese? Ich konnte mir keinen Grund denken. Ich erkundigte mich weiter: „Nach Wam-poa können wir heute nun nicht kommen?"

„Nein."

„So müssen wir uns einen Ort suchen, an dem wir diese Nacht bleiben können. Weißt du einen solchen?"

„Es gibt überall Kung-kuan[3] oder Tien[4]. Die beste ist die Schen-kuang-tien[5], weiter oben am rechten Ufer."

„Wie weit ist es bis dorthin?"

[1] Der chinesische Ritualkanon [2] Möge dich der Glücksstern auf deiner Reise begleiten! [3] Gemeindehaus oder Gemeindepalast, wo vornehme Reisende auf Staatskosten verpflegt werden [4] Herbergen [5] Herberge zum glänzenden Fächer

„Fünfzehn Li[1]. Wir sind in einer Stunde dort, wenn der Wind so hält wie jetzt."

„Bis dahin ist es völlig Abend."

„Das ist gut, denn dann wirst du sehen, wie schön der Fluß des Nachts ist. Willst du in dieser Herberge einkehren, oder soll ich dir eine andere nennen?"

„Wir werden dort bleiben."

Es wurde rasch dunkler. Unser Bootsmann steckte eine bunte Papierlaterne auf; jedes, auch das kleinste Boot, war mit einer Beleuchtung versehen, und die größeren Fahrzeuge wimmelten förmlich davon. Die Lampen waren auch wirklich notwendig; zwar war keine größere Stadt in der Nähe, aber soweit sich die Lichter erkennen ließen, schien der Fluß von Fahrzeugen zu wimmeln.

Da kam ein hochmastiges Boot hinter uns her, das, soviel man beim Schein der Laterne beobachten konnte, von zehn Ruderern getrieben wurde. Es schien hart an uns vorüberzugehen zu wollen, noch aber hatte seine Spitze unseren Stern kaum erreicht, so erscholl es von ihr zu uns herüber: „Kiang[2] –!"

„Lu[3]!" antwortete unser Bootsmann.

Im Nu verlöschten drüben die Laternen; es kam etwas herübergeflogen, das wie ein Topf auf den Boden unseres Boots aufschlug und sofort einen so lähmenden, erstickenden Geruch verbreitete, daß ich auf der Stelle meiner Sinne beraubt wurde. Ich sah nur noch, daß unser Bootsmann unter Wasser tauchte. Er war über Bord gesprungen, als drüben die Laternen verlöschten.

7. „Kiang-lu"

Als ich wieder zur Besinnung kam und die Augen öffnete, lag ich gebunden in demselben Boot, das uns überfallen hatte; neben mir befand sich mein guter Master Turnerstick. Ich hatte ebenso wie er einen Knebel im Mund, der uns verhinderte, ein Wort miteinander zu sprechen.

Der Mann am Steuer war mir bekannt. Der Schein der Laterne fiel ihm ins Gesicht, und ich sah deutlich, daß es der Fischer war, der mit seiner Gondel neben der unsrigen gelegen hatte. Es war ein Lung-yin, und ich vermutete wohl mit Recht, daß unser Bootsmann mit den Drachenmännern im Einvernehmen gestanden hatte.

„Kiang-lu" war also die Losung dieser Leute. Und „Kiang-lu", das heißt „Flußdrache", wurde überall der Anführer der Piraten genannt, der, diesem Wort zufolge, von mongolischer Abstammung sein mußte. Es hat Flußpiraten gegeben, solange es eine chinesische Geschichte gibt; nie aber hatten sie ein solch straffes Gefüge besessen wie gerade in der gegenwärtigen Zeit. Es herrschte ein Schrecken vor ihnen, der selbst die Beamtenkreise erfaßt hatte, so daß es schwer hielt, staatliche Hilfe

---

[1] Der Li ist eine chinesische Meile, deren zehn auf eine stark deutsche Wegstunde gehen
[2] Fluß   [3] Drache. Dieses mongolische Wort hat also dieselbe Bedeutung wie das chinesische „Lung"

gegen ihre Streiche zu erlangen. Jetzt befand ich mich in ihren Händen. Furcht hatte ich nicht. Ich hatte mich mit der afrikanischen „Gum"[1], mit nordamerikanischen Bushrangers und ähnlichen Leuten herumgeschlagen und war jetzt sozusagen neugierig, wie ich diese Drachenmänner finden würde.

Es saßen dreizehn Mann im Boot, zehn Ruderer, ein Steuerführer, und zwei am Bug, die sich miteinander unterhielten. Sie wußten, daß wir Fremde seien, und schienen anzunehmen, daß wir des Chinesischen nicht mächtig wären, sonst hätten sie gewiß leiser gesprochen, da wir ganz in der Nähe lagen und jedes Wort deutlich verstehen konnten.

Neben ihnen standen einige Tongefäße von ganz derselben Form wie die indischen Tschatties[2]. Diese festverschlossenen Kübel waren jedenfalls „Stinktöpfe", die die chinesischen und malaiischen Seeräuber gebrauchen, um ihre Opfer zu betäuben, wie ich und der Kapitän es ja soeben an uns selbst erfahren hatten.

„Wer sind die beiden Männer?" fragte der eine der beiden Sprecher.

„Es sind zwei Tung-yin[3], wie uns ihr Bootsmann verraten hatte. Beide sind reich, denn sie waren die Herren ihres Schiffes."

„Und du wirst sie dem Dschiahur[4] übergeben?"

„Ja. Wir werden die Hälfte ihres Lösegeldes erhalten, und die andere Hälfte wird er mit den Kiang-lu teilen."

„Wieviel müssen sie bezahlen?"

„Das wird der Dschiahur bestimmen."

„Wo wirst du sie ihm übergeben?"

„Im Kuang-ti-miao." – „Ist dort Platz für sie?"

„Ja, denn es befindet sich dort nur das Weib des Portu-ki[5], das wir wegnahmen, weil diese Barbaren so dumm sind zu glauben, ein Weib hätte auch eine Seele. Sie lieben ihre Frauen geradeso wie sich selber und bezahlen gern ein hohes Lösegeld, um sie wiederzubekommen. Ihr Mann wird Nachricht erhalten durch denselben Boten, den wir auf das Schiff dieser zwei Barbaren senden."

Das waren für uns recht tröstliche Aussichten. Wir sollten gefangengehalten werden, bis einer dieser Biedermänner das Lösegeld von unserer Barke geholt haben würde. Ich besaß nicht einmal die Mittel, ein Lösegeld zu bezahlen, und wenn ich mich nicht auf die Kasse des Kapitäns verlassen wollte, so mußte ich mein stets bewährtes Glück und vielleicht auch – den Talisman in Rechnung ziehen, den ich von Kong-ni erhalten hatte.

Wir sollten nach einem Tempel des Kriegsgottes Kuang-ti geschafft werden – darum also die wiederholte Warnung vor den Kuang-ti-miao. Es schien, als ob die Drachenmänner gar in den öffentlichen Tempeln ihre Geschäftsstellen aufzuschlagen gewohnt seien, eine Dreistigkeit, die allerdings nur im Reich der Mitte denkbar war. Und was dabei meine höchste Teilnahme erregte, war der Umstand, daß die Portugiesin, von der ich zu dem Bonzen gesprochen hatte, in demselben Miao gefangen-

---

[1] Raubkarawane [2] Wasserkrüge [3] Mann aus dem Osten = Yankee [4] Die Dschiahurs bilden einen mongolischen Stamm [5] Portugiese

gehalten wurde. Es schien wahrhaftig mein „Kismet" zu sein, auf allen meinen Reisen mit Personen in Berührung zu kommen, die ihrer Freiheit beraubt worden waren.

Wir hatten seit meinem Erwachen wohl über eine Wegstunde stromaufwärts zurückgelegt, als das Boot nach links hinüberlenkte und in einen jener vielen Kanäle einbog, die in Form engmaschiger Netze die chinesischen Niederungen durchziehen. Das bunte Leben, das auf dem Fluß geherrscht hatte, hörte auf, und die Laternen verschwanden. Es wurde finster um uns her; nur die Sterne leuchteten zu unserer nächtlichen Fahrt, und einsam klangen die Schläge der Ruderer in das wellenlos dahingleitende Wasser. Es wurde öfters in einen Seitenkanal eingebogen, so daß ich über unsere Richtung immer unklarer wurde, zumal ich am Boden des Bootes lag und der Bordrand mir jede Aussicht verwehrte.

Endlich tauchte eine dunkle Masse vor uns auf, vor der wir hielten. Es war ein umfangreiches Mauerwerk, das ich aber nicht lange zu betrachten vermochte, da uns beiden jetzt die Augen verbunden wurden. Dann löste man die Stricke, die unsere Füße gefesselt hielten, und wir mußten uns erheben. Wir stiegen aus dem Boot und wurden an beiden Armen ergriffen.

Zunächst führte man uns eine, wie es schien, breite Stufenreihe empor, dann durch mehrere schmale Eingänge über einige Höfe hinweg, bis wir endlich in einen geschlossenen Raum traten, wie ich an dem Widerhall unserer Schritte hörte. Hier nahm man uns die Binde wieder von den Augen, und ich erkannte nun, daß wir uns im Inneren eines Tempels befanden.

Das Gebäude war aus dicken Backsteinmauern errichtet, schien nur aus diesem einen Raum zu bestehen und zeigte die bekannten Gestalten des Kriegsgottes, seines Sohnes Kuang-pin und seines grimmigen Stallmeisters, die vom Licht mehrerer Lampen hell beleuchtet wurden. Auf den bloßen Steinen des Fußbodens saßen oder lagen in allen möglichen Stellungen wohl an die zwanzig Männer, die mit Pfeilen und Bambusknüppeln, unmöglichen Pistolen und allen Sorten von Messern, Dolchen und Degen bewaffnet waren. Einer von ihnen trug sogar eine beinahe löcherig gerostete Luntenflinte; der Lauf war wie ein Korkenzieher gebogen, so daß man hätte glauben sollen, das sonderbare Ding sei bloß gefertigt worden, um Röhren damit auszubohren.

Sie alle gaben sich Mühe, eine wenigstens ebenso abschreckende Miene zustandezubringen wie der Stallmeister ihres dicken Kriegsgötzen. Ich verspürte aber nicht die mindeste Lust, mich ins Bockshorn jagen zu lassen. Die Männer machten vielmehr infolge ihrer vorsintflutlichen Bewaffnung, ihrer langen Zöpfe, ihrer schiefen Augen, ihrer Stumpfnäschen und ihrer schlafrockähnlichen Bekleidung einen gerade entgegengesetzten Eindruck auf mich. Es war mir ungefähr zumute, als sei ich auf einer Liebhaberbühne als gefangener Heldenspieler unter Räuberdarsteller getreten.

Mein guter Frick Turnerstick schien dieselbe Ansicht zu hegen; wenigstens zwinkerte er mir mit den Augen in einer Weise zu, als hätte er die größte Lust, seine riesigen Seemannsfäuste zu gebrauchen, sobald sie nur erst von ihren Banden befreit waren. Ich wußte, daß er allerdings der Mann war, es mit einer Anzahl von ihnen aufzunehmen. Der Chinese zeichnet sich mehr durch List und Verschlagenheit als durch Körperkraft aus; er schneidet gern auf, läßt sich aber durch Kraft und Mut sofort einschüchtern. Selbst wenn sich hier und da ein körperlicher Riese darunter findet, so wohnt oft gerade in einem solchen Gehäuse eine desto verzagtere Seele. Wenn es ja zum Kampf kam, so waren wir allerdings nur auf unsere Arme angewiesen, da man uns die Waffen nebst allem, was sich in unseren Taschen befand, abgenommen hatte.

Endlich zog man uns die Knebel aus dem Mund, so daß wir nun wenigstens richtig zu atmen vermochten; dann gab man uns durch Zeichen zu verstehen, daß wir uns setzen sollten. Ich nahm gerade zwischen den Knien des Kriegsgottes Platz, da ich dort die größte Bequemlichkeit erwartete und nur von vorn angegriffen werden konnte. Der Kapitän setzte sich neben den grimmigen Stallmeister, dessen Gestalt er sehr aufmerksam betrachtete.

„Was meint Ihr wohl, Charley", fragte er mich, „ob das fürchterliche Schwert, auf das sich dieser Götze stützt, wirklich von gutem Stahl ist?"

„Ob von Stahl, das ist zweifelhaft, von Eisen aber jedenfalls, wie Ihr sehr leicht erkennen könnt."

„Well! Da steht der Kerl so eine lange Zeit, ohne einen guten Hieb zu versuchen. Ich denke, daß ich ihm einmal zeigen werde, wozu man eigentlich einen Säbel in die Hand bekommt. Oder wollt Ihr in dieser Mausefalle steckenbleiben?"

„Solange es Euch gefällt, bleibe ich auch. Gute Kameraden dürfen einander nicht verlassen."

„So wollen wir machen, daß wir fortkommen!"

„Bringt Ihr denn den Strick entzwei?"

„The devil, ja, daran habe ich nicht gedacht. Aber könnten wir uns nicht mit einer Anzahl guter Fußtritte hindurchzwingen?"

„Geht nicht, Käpt'n! Denkt einmal: zwanzig Mann waren vor uns da; dreizehn kamen mit uns, macht dreiunddreißig. Es ist unmöglich, uns ohne Waffen durchzuschlagen, selbst wenn wir nicht gefesselt wären. Jeder zwei Revolver, das wären vierundzwanzig Schüsse – vielleicht der einzige Weg, uns frei zu machen, aber wir haben unsere Drehpistolen nicht. Übrigens ist es sehr leicht möglich, daß sie unsere Revolver zu gebrauchen verstehen, und dann wäre der Ausgang des Kampfes für uns unzweifelhaft."

„Well, so tut, was Ihr wollt. Ich werde Euch gehorchen."

„Wir werden erst mit diesen Leuten sprechen, und wenn sie keinen Verstand zeigen, ist es immer noch Zeit, an Gewaltmaßregeln zu denken."

„Richtig! Gesprochen muß mit ihnen werden, aber das werdet nicht Ihr tun, sondern ich werde es selber besorgen, und zwar so, daß sie ganz genau erfahren, woran sie mit uns sind. Soll ich anfangen?"

„Wartet noch ein wenig! Wie ich sehe, stehen sie eben im Begriff, die Unterhaltung zu eröffnen."

„Sollen merken, in welcher Weise sich ein Seemann mit solchen Schlang-, Schleng-, Schlong-, Schlung-, Schlingels zu unterhalten pflegt!"

Während unseres Gesprächs hätte man eine kurze Beratung gehalten. Jetzt trat einer der Männer näher und redete uns in gebrochenem Englisch an. Er mochte der einzige sein, der dieser Sprache mächtig war.

„Wer seid ihr?"

„Wer wir sind? Hm, Leute sind wir natürlich!" erwiderte Turnerstick mit verheißungsvoll knurrender Stimme.

„Wie heißt ihr?" – „Tut nichts zur Sache, mein Junge."

„Du wirst antworten, wenn ich dich frage; sonst werden wir dich das Reden lehren!"

„Müßte sich nicht übel ausnehmen, old blunt-nose!"

Sich „alte Stumpfnase" von seinem Gefangenen nennen zu lassen, schien gegen die Absicht des Chinesen zu sein. Er trat hart an den Kapitän heran und hob drohend die Faust.

„Soll ich dich niederschlagen, Mensch?"

Die Brauen des Kapitäns zogen sich zusammen, und mit aller Stimmkraft donnerte er: „Away – ffffforrrrrt!"

Der Chinese erschrak bei diesem Ton so, als hätte der Blitz vor ihm eingeschlagen, und sprang mehrere Schritte zurück.

„Komm noch einmal so weit heran", drohte Turnerstick, „so blase ich dich in die Luft, du Flaumfedersperling!"

Er befand sich in der Stimmung, eine ganze Liste von Drohungen loszulassen, hielt aber bereits nach dem letzten Kraftwort inne, denn hart hinter uns erhob sich eine weibliche Stimme.

„Help, per todos los santos! Help, Mesch'schurs!"

Die halb spanischen und halb amerikanischen Worte wurden jedenfalls hinter der Mauer gerufen, vor der sich die drei Götterbilder befanden. Die Hilfesuchende war sicher keine andere als die gefangene Portugiesin, die das Gespräch vernommen und daraus auf die Anwesenheit von Leuten geschlossen hatte, von denen sie vielleicht Beistand erwarten konnte.

„Hört Ihr's, Charley? Wer mag das sein?"

„Die portugiesische Kaufmannsfrau, von der wir gestern gehört haben."

„Steckt sie denn hier in dieser Götzenbude?"

„Ja. Die Drachenmänner sprachen vorhin davon."

„So muß sie heraus! Ich breche diesem tönernen Behemoth oder Leviathan, oder wen der Kerl eigentlich vorstellen soll, den Säbel heraus und schlage damit die ganze Bande zu Hackfleisch."

„Habt Ihr denn die Hände frei?"

„Holla, es ist ja wahr! Was werden wir tun?"

„Abwarten."

„Ja, bis wir auch in irgendeinem Loch stecken."

„Das werden sie wohl nicht so schnell fertigbringen. Diese Leute scheinen es nicht richtig zu verstehen, einen Gefangenen ordentlich zu fesseln. Sie haben uns nur die Oberarme an den Leib gebunden, so daß wir die Hände recht gut bewegen können. Wie ich sehe, ist der Knoten

Eures Strickes nicht schwer zu lösen, und wenn Ihr nur eine Minute hier gerade vor mir zu halten vermöchtet, würde ich die Fessel öffnen können."

„Eine Minute? Pshaw! Ich sage Euch, Charley, einen ganzen Tag werde ich mich halten. Soll ich kommen?"

„Wartet noch, sie scheinen einen Entschluß gefaßt zu haben."

Die Chinesen hatten jetzt wieder miteinander beraten und schienen zu einem für uns keineswegs angenehmen Ergebnis gekommen zu sein, denn der Dolmetscher trat wieder herbei, ihm zur Seite zwei andere, mit starken Bambusstöcken in der Hand. Ich hatte zunächst die Macht meines Talismans erproben wollen; fiel es aber diesen Leuten ein, durch Prügel mit uns zu sprechen, so war ich entschlossen, lieber auf diese Art der Unterhaltung einzugehen. Nachdem sich je einer der beiden Begleitmänner vor den Kapitän und mich hingestellt hatte, begann der Dolmetscher: „Ich werde euch jetzt wieder fragen. Antwortet ihr nicht, so erhaltet ihr den Stock!"

Er wandte sich zunächst wieder an den Kapitän:

„Du bist ein Yankee?"

„Mach dich hinweg, Boy, das sage ich dir! Solange wir diese Stricke am Leib haben, ist mit uns nicht gut zu reden."

„Die Stricke behaltet ihr, bis ihr ausgelöst seid. Und werdet ihr nicht ausgelöst, so werfen wir euch ins Wasser. Also, du bist ein Yankee?"

Der Kapitän antwortete nicht. Der Dolmetscher winkte seinem Gefährten, zuzuschlagen, aber es kam nicht dazu, denn Turnerstick fuhr blitzschnell von seinem Sitz auf, sprang auf ihn ein, rannte ihn zu Boden und versetzte dann dem anderen einen so kräftigen Fußtritt in die Magengegend, daß er sich überstürzte. Der dritte, der vor mir stand, hatte einen malaiischen Kris in seinem Baumwollgürtel stecken, und auf diese Waffe war natürlich mein Augenmerk gerichtet. Da ich die Unterarme ein wenig erheben konnte, war es mir leicht, dem Überraschten, der keinen solchen Angriff erwartet hatte, den Dolch zu entreißen, und dann flog er, von dem Absatz meines schweren Seemannsstiefels um den Halt gebracht, einige Schritte weit zurück.

„Niedergebückt, Käpt'n!" rief ich Turnerstick zu.

„Well; aber macht rasch!"

Turnerstick folgte augenblicklich meinem Gebot und brachte mir auf diese Weise seinen Strick vor den Dolch. Ein Schnitt, und er war frei. Sofort ergriff nun er den Kris und zerschnitt auch meine Bande. Das ging so schnell, wie eingeübt, so daß wir fessellos waren, noch bevor uns einer der Gegner wieder nahe kommen konnte.

„Jetzt drauf! Come on, Charley!" rief der Kapitän.

Mit beiden Fäusten zugleich ausholend, schlug er den Arm des Stallmeisterbildes entzwei und erfaßte das wohl fünf Fuß lange und vier Zoll breite zweischneidige Schwert. Für mich gab es außer dem Dolch, der mir nicht viel nützen konnte, keine anderen Waffen als die ehernen Räucherbecken, die vor den Bildern standen. Ich hatte kaum Zeit, eins emporzuraffen, so sah ich mich auch schon angegriffen.

Die guten Chinamänner schienen vor dem riesigen Schwert mehr

Achtung zu besitzen als vor meinem Becken, denn während sie den Kapitän nur umzingelt hielten, drangen sie auf mich in hellen Haufen ein. Ich trat zwischen die Beine des Kriegsgottes zurück und verteidigte mich. Das Becken war so schwer, daß jeder Schlag mit ihm den Getroffenen besinnungslos zu Boden warf – schon beim vierten Hieb zogen sich die Angreifer zurück, trotz der Luntenflinte, mit der ihr Träger mit fürchterlicher Miene auf mich gezielt hatte, leider ohne im glücklichen Besitz einer Lunte zu sein. Selbst wenn er imstande gewesen wäre zu schießen, hätte ich seine Spiralkanone nicht zu fürchten gebraucht, da sie für ihn weit gefährlicher sein mußte als für jeden anderen.

„Abgeblitzt, Käpt'n", lachte ich, „aber noch immer im Belagerungszustand. Wollen wir einen Ausfall wagen?"

„Was wollen diese Nußschalen gegen zwei solche Dreimaster ausrichten, wie wir sind? Vorwärts, wir segeln sie in den Grund!"

„Wird Euer Schwert nicht zu lang sein?"

„Je länger desto besser. Ich wollte, es wäre so lang wie der Hauptmast einer Fregatte!"

Er faßte den Griff seiner Waffe mit zwei Händen und rückte zum Angriff vor. Ich unterstützte diesen zunächst durch eine Kanonade, die ich mit den übrigen Becken eröffnete und die von sehr günstigem Erfolg begleitet war, und dann setzte auch ich mich als „Frontmitte" in Bewegung. Der andere Flügel fehlte, da wir nur zu zweien waren.

Die feindliche Linie zog sich um einige Schritte zurück. Das verdoppelte den Mut des Kapitäns. Wie der vorige Inhaber des Riesenschwerts, stützte er sich darauf, was ihm aber wegen der Länge der Waffe nicht vollständig glückte, und begann, nach dem Vorbild der Recken des Altertums, eine herausfordernde Rede zu halten.

„Chineseng, Räuber, Drachenmanning, Mörder und Spitzbubang! Hier steht der Kapitän Turningsticking und dort sein Freund Charleng, der die Indianer totgeschlagung und die Löwang totgeschossing hat. Was seid ihr gegeng uns! Es wird euch zwei Minutang Zeit gegebong; habt ihr bis dahing die Waffeng nicht gestreckt, so seid ihr verlorung und werdet von uns ing deng Grund geborang!"

Diese im zuversichtlichsten Ton gehaltene Ansprache schien nicht ohne Wirkung zu sein, doch wurde der Eindruck leider durch den Dolmetscher vollständig vernichtet, denn dieser brach in ein lautes Gelächter aus und rief: „Dieser Yeng-ki-li[1] ist wahnsinnig; er will die Sprache der Mitte reden und versteht sie nicht. Schlagt ihn nieder!"

Doch auch wir erhielten eine Aufmunterung, mutig zu sein, denn hinter der Mauer hervor ertönte es: „Maten a los carajos!"[2]

„Was sagt die Portugiesin?" fragte Turnerstick.

„Sie spricht spanisch. Wir sollen die Kerls niederschlagen."

„Well, so tun wir es auch. Wir sind die beiden Ritter dieser Dame und müssen sie unbedingt herausholen!"

Der Vorschlag des ‚ritterlichen' Kapitäns war nicht nach meinem Geschmack. Diese Chinesen hätten uns ohnehin bereits förmlich erdrücken

---

[1] „Yankee, Amerikaner"   [2] „Macht die Schurken nieder!"

müssen, wenn ihre Feigheit nicht so beispiellos gewesen wäre. Es war mir unbegreiflich, wie solche Leute Flußpiraten sein konnten. Doch war jetzt ihre Übermacht gegen uns zwei so bedeutend, daß ich vorzog, zunächst meinen Talisman zu erproben. Schon langte ich nach der Schnur, da öffnete sich der Eingang, und es erschien ein Mann von einer solchen Länge, daß er mich sicher um einen vollen Kopf überragte. Der Bau seiner Glieder war dieser Länge entsprechend, so daß er den Eindruck einer mehr als ungewöhnlichen Körperkraft machte.

„Der Dschiahur!"

So hörte ich es aus dem Mund einiger der Chinesen erklingen, und unwillkürlich zogen sie sich noch weiter von uns zurück, wie um anzudeuten, daß nun er der Herr unseres Schicksals sei.

Das also war der Unteranführer des berüchtigten Kiang-lu! Bei ihm gab es sicherlich keine Spur von Feigheit, das war aus seiner Abstammung zu schließen. Die Dschiahurs bilden nächst den Kolos, die von den Chinesen Si-fan genannt werden, den mongolischen Völkerstamm, der von der Kultur noch am wenigsten berührt worden ist. Sie sind stark, tapfer, genügsam, aber auch rachsüchtig und roh; allgemein ist bekannt, daß von ihnen der Raub als eine Art Sport ausgeübt wird. Dieser Dschiahur war sehr gut bewaffnet; er trug, was in dieser Gegend eine Seltenheit ist, hohe mongolische Stiefel. Die wenigen, aber wohlgepflegten Haare seines dünnen Schnurrbarts hingen ihm beinahe bis zum Gürtel nieder.

Er überflog die Versammlung mit einem raschen, stechenden Blick seiner kleinen, listig-kalten Augen und trat dann zu den beiden Männern, die das Boot befehligt hatten, von dem wir überfallen worden waren. Sie statteten ihm halblaut einen kurzen Bericht ab, in dessen Verlauf sich seine Stirn mehr und mehr verfinsterte. Am Schluß überblitzte er die Seinigen mit einem drohenden Blick und schritt dann gerade auf den Kapitän zu, der ihm am nächsten stand.

„Weg mit dem Schwert!" gebot er in chinesischer Sprache.

Auch wer diese Worte nicht verstand, mußte sich über ihren Sinn im klaren sein, da die begleitende Handbewegung deutlich genug war. Dennoch behielt Turnerstick die Waffe in der Hand und öffnete den Mund zu einer Antwort. Er kam aber zu keinem Laut, denn die mächtige Faust des Dschiahur traf ihn so an die Stirn, daß er lautlos zusammenbrach.

Das war ja mein eigener Jagdhieb, der mir zu dem Beinamen „Old Shatterhand" verholfen hatte! Es zuckte mir in der Faust, aber ich blieb ruhig, denn mein Schlag sollte ihn nicht so unerwartet und heimtückisch treffen, wie der seinige meinen armen Kapitän. Für den Fall eines Faust- oder Ringkampfes war mir nicht bange. Es war sehr leicht zu sehen, daß ich hier einer rohen Kraft gegenüberstand, der ich körperlich nicht gewachsen, in anderer Beziehung aber wohl überlegen war.

Er trat jetzt zu mir heran.

„Weg mit dem Becken!"

Ich regte kein Glied. Sein Arm zuckte blitzschnell empor und gegen mich nieder. Fast zu gleicher Zeit aber auch stieß er einen Schrei aus und wich einen Schritt zurück. Er hatte sich die Rechte verstaucht, da ich seinen Hieb mit einem Faustschlag gegen seine Handwurzel abgewehrt hatte. Unter einem zweiten Schrei der Wut riß er mit der Linken sein Messer hervor und holte gegen meinen Hals aus – ein Schlag von unten und mit der Linken gegen sein Kinn, fast in demselben Augenblick ein zweiter mit der Rechten gegen seine Schläfe, und er krachte neben Turnerstick auf den Boden nieder.

Das war den anderen denn doch zuviel. Laut heulend drangen sie auf mich ein. Ich riß den Talisman hervor, denn jetzt war der Augenblick gekommen, an dem ich seiner am notwendigsten bedurfte.

„Halt – sao-sao[1]!" rief ich ihnen entgegen. „Wer will wagen, gegen dieses Zeichen zu kämpfen?"

Die vorderen blieben halten, und schon nach dem ersten Augenblick war ich überzeugt, daß sich das Erkennungszeichen bewähren würde.

„Ein Yeu-ki[2]", ertönte es. „Er steht eine Stufe höher als der Dschiahur, der nur Tü-ßü[3] ist!"

Diese Worte belehrten mich, daß die Drachenmänner für ihre Offiziere genau die militärischen Grade in Anwendung brachten. Das Geschenk Kong-nis war kein Talisman, sondern ein geheimes Rangabzeichen. Wie aber war Kong-ni dazu gekommen? War vielleicht auch er ein Oberst der Flußpiraten? Er hatte auf mich nicht den Eindruck eines solchen Mannes gemacht. Doch darüber zu grübeln war jetzt nicht die Zeit. Ich mußte handeln. Das Bewußtsein, für einen hervorragenden Unteranführer der Lung-yin zu gelten, gab mir die nötige Sicherheit.

„Ja, einen eurer Yeu-ki habt ihr gefangengenommen, gefesselt und geknebelt, so daß er sich euch nicht einmal zu erkennen geben konnte. Ihr habt mir alles genommen, aber es war eure Pflicht, mich vollständig auszusuchen. Dann hättet ihr das Zeichen gefunden."

„Verzeih uns, o Herr!" meinte einer. „Nur die sind schuld, die dich gefangennahmen."

Da trat einer der beiden Bootsanführer vor.

„Nein, Herr, wir sind auch nicht schuld. Dein Ruderer sagte, ihr wärt Yeng-ki-li. Du fuhrst auf einem gewöhnlichen Tschuan[4], so daß wir nicht wissen konnten, daß du zu den Unsrigen gehörst. Hättest du einen Lung-tschuan[5] oder einen Lung-yen[6] benutzt und unsere Laterne aufgezogen, so hätten wir dir deine Ehre erwiesen."

„Willst du mir gebieten, was ich zu tun habe? Der Dschiahur hat nach mir geschlagen, ohne mich zuvor zu hören. Bindet ihn!"

Während sie meinem Befehl Folge leisteten, begann der Kapitän sich zu regen.

„Charley!" seufzte er, indem er die Augen öffnete. – „Käpt'n!"

„Alle Wetter! Wo bin ich? Warum brummt und summt es mir in den Ohren, als hatte ich mit einer Handspeiche einen Hieb – – – ah, Charley, jetzt weiß ich's!"

Er sprang auf. Der Hieb des Dschiahur hätte einen anderen getötet, Turnersticks Schädel aber besaß eine so gediegene Bauart, daß ihm eine

---

[1] „Sachte, langsam!" [2] Oberst [3] Oberstleutnant [4] Barke [5] Drachenbarke
[6] Drachenauge

bloße Faust nichts anzuhaben vermochte. Mit der Besinnung war ihm sofort das Bewußtsein alles Geschehenen zurückgekehrt.

„Potz Blitz, da liegt ja der Halunke! Habt Ihr ihn in den Grund gebohrt?"

„Ja." Und leiser fügte ich hinzu: „Ich gelte für einen Obersten der Strompiraten. Verhaltet Euch danach!"

„Wie – wa – was? Ah, gut, da hissen wir alle Segel, ziehen alle Flaggen und Wimpel und machen uns in großer Parade schleunigst aus dem Staub."

„Ohne die Portugiesin?"

„Well, Charley, die hätte ich in der Eile vergessen. Die nehmen wir nämlich ins Schlepptau."

„So tut mir vorher den Gefallen, und dreht diesem Riesen hier einmal Euer Taschentuch in den Mund."

„Warum? Er ist ja gebunden."

„Er wird bald erwachen, und wenn er zu sprechen vermag, weiß man nicht, was für Hindernisse er uns bereiten kann."

„Richtig; er soll das Sacktuch bekommen."

Während er dem Gebundenen den Knebel gab, wandte ich mich zu den übrigen: „Heraus mit dem, was ihr uns abgenommen habt!"

Es geschah, und sobald ich mich im Besitz des Messers und der Revolver wußte, fühlte ich mich so sicher, als ob ich mich an Bord unseres „The wind" befände.

„Ihr habt eine Gefangene hier?" – „Ja. Es ist eine Por-tu-ki."

„Bringt sie her!"

Der Sprecher verschwand hinter den Götzenbildern. Ich hörte eine Tür knarren, und dann erschien er mit der Gefangenen.

„Goeden avond – good evening, Mesch'schurs!" grüßte sie niederländisch und englisch, indem sie rechts und links die Seitenfalten ihres Rocks erfaßte und einen sehr tiefen Knicks machte.

„Goeden avond, Mejuffrouw[1]", antwortete ich, und indem ich meine holländischen Sprachbrocken zusammensuchte, fragte ich: „U bent uit Nederland?"[2]

Der Kapitän blickte mich erstaunt an, daß ich eine Portugiesin holländisch anredete; ich aber hatte auf den ersten Blick gesehen, daß wir es mit einer Holländerin zu tun hatten. Dieses breite, kräftig gerötete Gesicht, diese mehr als volle Gestalt, das schlichtblonde Haar, die blauen Augen, die großen Hände und Füße – man konnte diese Person unmöglich für eine Portugiesin halten, selbst wenn ihre Tracht nicht echt niederländisch gewesen wäre. Man konnte auch sofort wetten, daß sie der dienenden Klasse angehörte. Die Frau eines reichen portugiesischen Kaufmanns war sie auf keinen Fall; hier mußte also irgendein Irrtum vorliegen.

Sie machte ein freudiges Gesicht, als sie ihre Muttersprache hörte, und fragte, mir die Hand zum Willkommen entgegenstreckend:

„Bent U ook een Nederlander?" – „Neen; ik ben een Duitscher."

„Een Duitscher? Oh, ik kann ook Duitsch spreken; ik war in Berlin twee jaar en drie weken[3] Köchin."

[1] „Guten Abend, Fräulein"   [2] „Seid Ihr aus Holland?"   [3] Drei Wochen

„Wie kommen Sie von Berlin nach China?"

„Ik kam von Berlin nach Hertogenbosch und Amsterdam, wo ik bei een rijken koopmann Köchin wurde. Er zog nach dem Kap, wo de man een naastbestaande[1] hatte, dessen Wisselbank[2] er übernehmen sollte. Het huisgezin[3] starb aus, und ik fand de Vrouw van een koopmann aus Lissabon, die mij mee nach Makao nahm."

„Alle Tausend! Da sind Sie ja recht weit in der Welt herumgekommen! Waren Sie bis jetzt bei dieser Frau?"

„Ja, bis voor drie dagen."

„Wie kamen Sie von ihr weg und hierher?"

„Wij waren spazieren. Da kamen deze Räuber und hebben mij gefangengenommen."

„Was geschah mit Ihrer Herrin?"

„Zij is ausgerissen."

Jetzt war mir der Fall klar. Die Drachenmänner hatten es auf die reiche Kaufmannsfrau abgesehen gehabt, die als Portugiesin jedenfalls weit schmächtiger gebaut war als unsere dicke Holländerin. Da nun aber bei den Chinesen die Körperfülle als die höchste weibliche Schönheit gilt und aus diesem Grund jede vornehme Frau sich Mühe gibt, wohlbeleibt zu werden, so hatte man die Dienerin für die Herrin angesehen, die erste entführt und die andere entkommen lassen.

„Wie heißt Ihr Herr?" fragte ich weiter.

„Petro Gonjuis."

„Wie konnte man Sie mitten in der Stadt anfallen?"

„Het war am späten Namiddag und bald dunkel geworden."

„Was tat man mit Ihnen?"

„Zij hebben mij in een doek[4] gewickelt und in een Kahn getragen, und dann hebben zij mij hierher gefahren."

„Und von da an haben Sie da hinten gesteckt?"

„Ja. Und da is het mij voorbeeldeloos[5] slecht gegangen. Niemand heeft mij een maaltyd[6] gebracht. Ik konnte niet slapen, weil es an my heen an een immerwährendes roepen und loopen[7] ging, so daß ik ganz zwak und dor[8] geworden bin. Sobald ik wieder in Makao ben, werde ik dit slechte geselschap[9] besraffen laten!"

Ich hätte beinahe darüber lachen müssen, daß sie glaubte, vor Hunger, Durst und Ruhelosigkeit „schwach und dürr" geworden zu sein. Aber zum Lachen tat sie mir doch zu leid. Ich fragte noch:

„Haben Sie Verwandte, und waren Sie verheiratet?"

„Ik ben een meisje[10]; ik ben nooit[11] een vrouw gewesen. Mijn Vader und mijne Moeder zijn tot, und die anderen hebben mij vergeten."

„So werde ich mich Ihrer annehmen und Sie zu Ihrer Herrschaft zurückbringen oder wenigstens zurückbringen lassen!"

Während dieses Gesprächs war der Dschiahur erwacht. Er konnte weder reden noch sich bewegen, aber er funkelte mich mit grimmigen

Augen an, und ich sah ihm an, daß ich in ihm einen grimmigen Feind gewonnen hatte. Ich wandte mich an seine Leute:

„Dieses Weib ist nicht die Frau des Por-tu-ki, sondern nur ihre Dienerin. Der Por-tu-ki wird für sie keinen Li bezahlen, und ich nehme sie mit mir, um ihr die Freiheit wiederzugeben."

Es entstand ein leises Murren, und einer wagte sogar Widerspruch.

„Das Weib gehört uns, und niemand darf sie uns nehmen. Sie ist die Frau des Por-tu-ki, denn sie ist schöner als die, die mit ihr ging."

Wenn ich ihnen glücklich entkommen wollte, durfte ich mir das nicht bieten lassen. Ich trat daher hart an ihn heran.

„Ich sehe an deinem Gesicht und an deinen krummen Beinen, daß du kein Tschia-dse[1], sondern ein Tatar bist. Glaubst du, daß ich als euer Yeu-ki es leide, wenn mich ein Tsao-ta-dse[2] für einen Lügner erklärt? Oder meinst du, daß es mir schwerer wird, dich niederzuschlagen als den Dschiahur, der um zwei Köpfe größer ist als du?"

Ich faßte ihn bei der Kehle und am Oberschenkel, hob ihn empor und warf ihn gegen die Mauer, daß er sicher unschädlich war.

„Richtig, Charley!" meinte Turnerstick. „Soll ich Euch bei dieser Arbeit helfen? Der Hieb dieses Menschen hat mich in eine ganz besondere Leidenschaft für solche Zerstreuungen gebracht."

„Ist nicht notwendig, Käpt'n, denn ich denke, daß diese guten Leute uns gehorchen werden."

Es war ihnen wirklich anzusehen, daß ich Eindruck auf sie gemacht hatte.

„Tretet einmal näher!" gebot ich den beiden Männern, die das Boot befehligt hatten. „Euer Boot liegt noch draußen vor dem Kuang-ti-miao?"

„Ja, Herr." – „Wie lange seid ihr bereits an diesem Ort?"

„Drei Tage." – „Wie lange werdet ihr noch bleiben?"

„Du willst uns versuchen, denn du weißt, daß wir in jedem Kuang-ti-miao nur vier Tage bleiben dürfen."

„Gut! Macht euch fertig, uns nach dem Strom zu bringen."

„Befiehlst du einen Angriff auf ein Fahrzeug?"

„Nein. Ihr habt unsere Fahrt unterbrochen und werdet uns daher nach Kuang-tscheu-fu bringen."

„Wir gehorchen."

Jetzt nahm ich eines der Lichter und trat hinter die drei Götzenbilder. Im Rücken des Kuang-ti führte eine Tür in einen engen, dunklen Raum, der zur Aufbewahrung der Tempelgeräte zu dienen schien, denn ich erblickte neben künstlichen Kränzen und Girlanden eine Menge geölter Papierlaternen, mehrere Räucherbecken, Tamtams und sogar eine chinesische Pauke. Das war das Gefängnis der Holländerin gewesen. Die Tür hatte ein Schraubenschloß, ähnlich den alten deutschen Mutterschlössern, bei denen der Drücker zugleich als Schlüssel dient, indem er abgedreht und wieder angeleiert werden kann.

„Käpt'n, bringt einmal den Gefangenen herbei!" sagte ich.

„Well! Wollt ihn wohl in diese Koje stauen?"

---

[1] Chinese   [2] ‚Stinktataren.' So lautet bei den Chinesen der Schimpfname für die nomadisierenden Mongolen

„Aus Vorsicht. Mitnehmen können wir ihn nicht, und ihn so liegen zu lassen ist nicht ratsam, wie Ihr leicht begreifen werdet."

Er nahm den Dschiahur beim Kragen und schleifte ihn herbei. Wir brachten ihn in den Raum, den ich verschloß. Den Schlüssel steckte ich zu mir.

Die Drachenmänner hatten das ruhig mit angesehen; jetzt aber fragte mich einer:

„Was soll mit dem Dschiahur geschehen? Wer soll dem Kiang-lu seine Gefangennahme melden, du selber oder wir? Ich bin der Yng-pa-tsung[1] unserer Abteilung und müßte ihn nach Li-ting bringen, wenn du nicht selber hingehst."

Li-ting[2] ist eine kleine Stadt am Pe-kiang[3] und wegen ihrer Goldkarpfenzucht berühmt. Dort also war der Kiang-lu zu suchen.

„Ich habe Wichtigeres zu tun", antwortete ich. „Der Dschiahur bleibt bis zum Morgen hier, und dann schaffst du ihn gebunden zum Kiang-lu."

„Wird dein Bericht dann bei ihm angekommen sein? Der Tsiang-ki-um[4] sieht streng auf Pünktlichkeit."

„Du hast mir keine Lehren zu geben, sondern nur zu tun, was ich dir befehle."

„So gib mir den Schlüssel!"

Diese Forderung, so selbstverständlich sie war, paßte nicht zu meinen Absichten; doch war ich, um alles Mißtrauen zu vermeiden, gezwungen, ihr zu entsprechen.

„Hier ist der Drücker; aber ich gebiete dir, diese Tür nicht eher zu öffnen, als bis der Tag angebrochen ist."

„Welchen Namen soll ich beim Tsiang-ki-um nennen, wenn ich von dir spreche?"

„Ich heiße Kuang-si-ta-sse."

„Dein Name ist schöner und höher als der meinige; ich werde dir in allen Stücken gehorchen."

„So sorge dafür, daß die Dienerin der Por-tu-ki Speise in dem Boot findet! Ihr habt sie hungern und dürsten lassen. Wurde euch das vom Tsiang-ki-um geboten?"

„Herr, du weißt ja selber, wie die Gefangenen behandelt werden müssen. Wenn sie hungern und dürsten, gehen sie leichter auf alles ein, was wir von ihnen verlangen."

„Zounds, Charley, seid Ihr bald fertig mit Eurer Verhandlung?" ließ sich jetzt der Kapitän vernehmen. „Ihr sprecht ein so schauderhaftes Chinesisch miteinander, daß es unmöglich ist, auch nur ein einziges Wort zu verstehen."

„Ich bin zu Ende, und wir können aufbrechen."

„Well! Vorher aber muß ich diesen Leuten erst noch meine Meinung zu verstehen geben."

„Tut das, Käpt'n! Es kann ihnen nicht schaden, wenn wir mit der gehörigen Würde abtreten."

---

[1] Leutnant [2] Zu deutsch ‚Karpfenstadt' [3] Zu deutsch ‚Nordstrom' [4] Oberbefehlshaber

„Sagt mir vorher noch, was Ade auf Chinesisch heißt?" – „Tsing leao."

„Tsing leao, tsing leao! Ich werde das doch nicht etwa bis zum Schluß meiner Rede vergessen?"

Er setzte eine feierliche Miene auf:

„Mesch'schurs Pirateng, Kidnapperungs und Galgenstricklings! Ihr habt einsehung müssang, daß wir zwei von eureng höchsting Anführers sind. Ihr werdet zugestehung – – –"

„Tsing leao!" wiederholte er leise, sich zur Seite drehend; dann fuhr er laut fort: „Daß wir diejenigen Kerlang sind, die sich vor dem Teuf lung und euch nicht fürchteng. Dieser Charling hier hat eureng Hauptmann niedergeschlagong – – –"

„Tsing leao!" flüsterte er wieder abseits.

„Und ich, der Kapiteng Turningsticking, werde jedeng massakrierang, der es wagt, zu meutereng – – –"

„Tsing leao!" klang es leise zum drittenmal.

„Oder sich gegen uns zu empörang. Jetzt gehung wir fort. Leimt dieseng Beel zu Babel wieder zusammung, und haltet uns in guteng Andenking! Tsing leao, lebing wohleng, gutung Nacht!"

Sie hatten diese Musterrede mit schuldiger Aufmerksamkeit angehört, und sogar dem Dolmetscher war diesmal kein Lächeln beigekommen. Natürlich mußte auch ich einige Worte hören lassen; ich machte es kurz: „Wir gehen. Yng-pa-tsung, du weißt, was ich dir befohlen habe. Grüß mir den Kiang-lu!"

Jetzt verließen wir den Tempel, der für uns so verhängnisvoll hätte werden können. Einige Papierlaternen leuchteten uns auf dem Weg nach dem Wasser; ihr Licht war nicht stark genug, daß ich die Bauart des Gebäudes hätte betrachten können. Am Landeplatz lagen mehrere Boote, von denen wir eins bestiegen; es war dasselbe, in dem wir angekommen waren; dieselbe Mannschaft, die uns gebracht hatte, stieg ein, um uns fortzurudern.

Der Leutnant hatte für Trinkwasser und Früchte gesorgt, so daß die Holländerin ihren Hunger und Durst stillen konnte.

„God zij dank", meinte sie, „dat ik armes schepsel[1] een avondeten[2] finde! Het is kein wildbraad und kein ham[3] oder gebraden vleesch, aber het stillt den Hunger und den Schmerz, den ik im Magen heb."

Das gute „Meisje", wie sie sich selber bezeichnet hatte, schien in jeder Beziehung von sehr stofflicher Gewöhnung zu sein. In zehn Minuten war der ganze beträchtliche Vorrat, der zur Sättigung mehrerer Personen gelangt hätte, ein Opfer ihres „Magenschmerzes" geworden, und es war drollig, die verwunderten Ausrufe zu hören, zu denen diese Eßlust die genügsamen Chinesen veranlaßte.

Jetzt wurde sie redselig; ich erfuhr, daß sie Hanje Kelder hieß, und bekam eine ausführliche Lebensbeschreibung von ihr zu hören. Sie zeigte sich erstaunt darüber, daß sie von den Drachenmännern mit ihrer Herrin verwechselt worden war, und gab die nachdrückliche Absicht kund, die Räuber alle „te laten ophangen".

[1] Geschöpf [2] Abendessen [3] Schinken

Das brachte auch mich zu der stillen Frage, in welcher Weise ich mich zu den Strompiraten verhalten würde. In gewisser Beziehung war es sicher meine Pflicht, meine Erfahrungen bei der Polizei anzuzeigen. Aber welche Unannehmlichkeiten, Plackereien und Zeitversäumnisse konnten daraus entstehen! Dabei durfte ich auch der Gefahren nicht vergessen, in die ich mich dadurch bringen konnte; den Umstand gar nicht gerechnet, daß diese Anzeige ein Verrat gegen Kong-ni gewesen wäre, der sich mir so ungewöhnlich dankbar gezeigt hatte.

In diesen Betrachtungen wurde ich durch einen Ausruf des Kapitäns gestört: „Horcht, Charley! War das nicht Ruderschlag hinter uns?"

Ich lauschte und vernahm jetzt auch jenes plätschernde Geräusch, das durch das Eintauchen der Ruder entsteht.

„Es kommt ein Boot hinter uns her, Käpt'n."

„Yes. Aber was für eins? Ich denke, daß wir ein wenig Ursache haben, vorsichtig zu sein."

„Allerdings. Es ist leicht möglich, daß dieser Leutnant den Dschiahur befreit hat, der in diesem Fall höchstwahrscheinlich auf den Gedanken gekommen ist, uns zu verfolgen."

„Was tun, Charley? Die Drachenmänner hier werden ihm helfen."

„Wir müssen einen Vorsprung zu gewinnen suchen und sie dann unschädlich machen. Legt Euch mit in die Riemen. Wir sind kräftiger als die Chinesen."

„Well, wollen ihnen einmal zeigen, daß wir ein Boot fliegen lassen können."

Ich gebot den Leuten, kräftiger zu rudern. Wir griffen selber mit zu und verdoppelten die Schnelligkeit des Fahrzeugs. Nach einiger Zeit erreichten wir den Einfluß eines Seitenkanals, in den ich einbiegen ließ, dann gebot ich, die Laternen auszulöschen. Die Bootsleute gehorchten mir, obgleich sie meine Absicht nicht begreifen konnten.

„Legt an!" befahl ich, als wir eine Strecke einwärts gefahren waren. Das Boot berührte das Ufer.

„Alle heraus!" – „Warum, Herr?" fragte der Mann am Steuer.

„Du hast zu gehorchen. Vorwärts!"

Sie stiegen, allerdings zögernd, aus.

„Bleibt hier, und verhaltet euch ruhig, bis ich euch wieder einsteigen lasse!"

Ich stemmte das Ruder ein, stieß das Boot vom Ufer ab und ließ es hinüber ans jenseitige Ufer gehen.

„Well done, das ist richtig, Charley", meinte Turnerstick; „jetzt sind wir diese Kerls los. Aber horcht!"

„Kiang!" rief es vom Hauptkanal her.

„Lu!" antworteten unsere Bootsleute trotz meinem Befehl, sich ruhig zu verhalten.

Das Boot, das wir gehört hatten, war an die Kreuzungsstelle der beiden Kanäle gekommen, und seine Insassen hatten durch die Losung erfahren wollen, nach welcher Richtung wir gegangen waren.

„Wir sind verraten, Charley. Was nun?" fragte der Kapitän.

„Schnell an Land alle drei, und dann abwarten, mit wem wir es zu tun haben!"

Wir befestigten das Boot an einem Baumwollstrauch, der am Wasser stand, und stiegen aus.

„Wird het gevaar groot sin, Mynheer?" fragte die Holländerin leise.

„Das wird sich bald zeigen", erwiderte ich.

„Ik ben niet bang. Geeft mij een Stock oder een Ruder, und ik werde es den Kerls op de hoofden[1] slaan, dat ihnen die Ohren wie eene Baßgeige brummen."

Das war ja ein recht beherztes „Meisje". Eine andere wäre in dieser Lage vor Angst in Ohnmacht gefallen.

„Bravo, Fräulein Kelder! Die Ruder liegen schon bereit. Greifen Sie zu, und wenn sie wirklich Ernst machen, so versuchen Sie nur immer auf die Köpfe zu treffen."

„Heb geen angst! Ik zal dezen menschen schon zeigen, wat eene Neederlanderin für kräftige armen und vuisten hat."

Jetzt ertönte der Ruderschlag in der Nähe.

„Kiang!" rief es noch einmal.

„Lu!" antwortete es drüben.

Das Boot legte bei unseren Leuten an.

„Wo ist euer Tschuan[2]?" fragte eine Stimme, in der ich die des Dschiahur erkannte.

„Drüben am anderen Ufer."

„Wo ist der Ta-yin[3] mit dem Weib und seinem Gefährten?"

„Auch drüben." – „Warum habt ihr euren Tschuan verlassen?"

„Der Yeu-ki befahl es."

„Er ist kein Yeu-ki, kein Oberst der Drachenmänner. Er hat das Zeichen gestohlen. Er wird es herausgeben und dann sterben. Wartet hier!"

Das Boot lenkte zu uns herüber. Eine Flucht war nicht geraten, da wir das von vielen Wassern durchschnittene Gelände nicht kannten; wir mußten uns wehren. Dabei konnte es nicht meine Absicht sein, die Feinde ungehindert das Ufer erreichen zu lassen.

„Halt!" rief ich ihnen entgegen. „Hier wird nicht gelandet!"

„Das ist er. Drauf! Stecht ihn nieder!"

Ich sah die Riesengestalt des Dschiahur inmitten des Boots. Dieses stieß, an und mehrere der Leute sprangen an Land. Wir hatten die Ruder erhoben; zwei Schläge und noch zwei – wir waren von ihnen befreit.

„Nehmt auch die Ruder", gebot der Mongole. „Schlagt die Hunde nieder!"

Er blieb im Boot, die übrigen sprangen heraus. Drei warfen sich auf mich. Sie holten zu gleicher Zeit aus. Den vordersten traf mein Hieb, die beiden anderen vermochte ich nicht zu gleicher Zeit abzuwehren; ich erhielt einen Schlag auf die linke Schulter; dann wurde ich von vorn und von hinten gepackt.

„Haltet ihn fest!" rief der Dschiahur.

Ein rascher Sprung brachte ihn an Land. Ich schüttelte die beiden

---

[1] Köpfe   [2] Barke   [3] Großer Mensch

kleinen Männer von mir ab, brachte es aber nicht schnell genug fertig. Er konnte seine verstauchte Rechte nicht gebrauchen, doch in seiner Linken blitzte das Messer. Ich bog mich zur Seite, und die Klinge streifte mein Ohr. Nun packte ich ihn bei der Kehle und beim Arm, wurde aber zu gleicher Zeit von den beiden anderen wieder gefaßt, strauchelte über eins der Ruder, die wir weggeworfen hatten, und wurde zu Boden gerissen. Schon sah ich das Messer des Mongolen über mir.

„Stirb, Yen-dschi[1]!" rief er.

Im selben Augenblick aber erhielt er einen wuchtigen Schlag auf seinen Arm, und ich bekam Zeit, mich aufzuraffen. Die Holländerin hatte den Hieb geführt.

„Believen de Heeren niet auszureißen?" rief sie. „Oder soll ik ook beenen maken?"

„Hilfe, Charley!" rief in diesem Augenblick der Kapitän.

Ich sah mich um und bemerkte, daß er am Boden lag und sich nur mit Mühe seiner Angreifer erwehrte. Mit beiden Fäusten zugleich rannte ich gegen den Dschiahur. Er überstürzte sich und flog ins Wasser. Ich warf die beiden Chinesen zur Seite und sprang Turnerstick zu Hilfe.

„Gebt acht, Mynheer!" rief da die mutige Köchin. „Daar in het water komen zij wie de visschen aangezwommen."

Ich machte dem Kapitän Luft, so daß er aufspringen konnte, und wollte mich nun nach dem Kanal wenden, als ich einen Ruderschlag auf den Kopf erhielt, daß mir Hören und Sehen verging. Ich fühlte mich in einen Zustand halber Betäubung versetzt, so daß ich von jetzt an wie im Traum handelte. Ich sah Gestalten aus dem Wasser springen und sich der Ruder bemächtigen. Es waren jedenfalls die Leute unseres Bootes, die schwimmend den ihrigen zu Hilfe kamen. Ich sah den Kapitän wie einen Wütenden um sich schlagen, auch die Köchin gebrauchte das Ruder. Der Hieb auf den Hinterkopf schien mir die Nerven für den Augenblick gelähmt zu haben. Das Ruder wurde mir zu schwer, und ich griff nach den beiden Revolvern.

Als ich die ersten Schüsse abgab, hörte ich die Stimme Turnersticks:

„Blitz und Knall, an diese Dinger habe ich gar nicht gedacht! Heraus damit! Zwölf Schüsse, das erledigt zwölf Spitzbuben!"

Seine Schüsse krachten. Ich sah die Feinde in die Boote springen und sandte ihnen so viele Kugeln nach, wie ich noch geladen hatte; doch glaubte ich nicht, daß eine einzige getroffen hat, da mir die Hände zitterten. Auch der brave Turnerstick wird kein großes Blutbad angerichtet haben, da er es von jeher besser verstand um die Ecke als geradeaus zu schießen.

Dennoch aber hatten die schnell aufeinanderfolgenden Schüsse ihre Schuldigkeit getan – die Drachenmänner waren verschwunden; leider aber auch die Boote mit ihnen.

„Wohin denn so schnell?" rief ihnen Turnerstick nach. „Feige Memming, elende Haseng, furchtsamong Pack! Kommung doch her, du

[1] Ist mongolisch und heißt feiger Hund

Mongoling! Der Kapitang Turningsticking will dir das Lebung-wohl in die Physiognoming schlageng!"

„Zij zijn verschwunden!" meinte die Köchin, die sich so musterhaft benommen hatte. „Hoe maakt U het[1], Mynheer?"

„Nicht sehr wohl, Mejuffrouw Hanje", entgegnete ich, indem ich mir Mühe geben mußte, deutlich zu sprechen. „Ich habe – einen – – unbequemen Schlag – auf den Kopf erhalten."

„Was ist denn das, Charley?" fragte Turnerstick besorgt. „Ihr lallt ja wie ein Betrunkener! Traf Euch der Hieb auf den Hinterkopf?"

„Allerdings."

„Das ist bös. An die Stirn oder auf den oberen Schädel könnt Ihr mich klopfen, so sehr Ihr wollt; aber da hinten, da liegt das Leben, gerade wie bei einem Schiff das Steuer, und wenn das beschädigt ist, so ist es mit der guten Fahrt vorbei. Was ist zu machen?"

„Nicht viel. Ich brauche Ruhe und Kühlung."

„Das könnt Ihr beides haben. Hier ist Wasser die Menge, und vor Tagesanbruch werden wir diesen unglückseligen Ort doch nicht verlassen können, so daß Ihr also Zeit habt, Euch zu erholen."

Das Wasser stand bis an den Rand des Kanals. Ich grub mit dem Messer eine kleine Vertiefung, die sich sofort füllte, und legte, mich auf dem Rücken ausstreckend, den Hinterkopf hinein.

„Was der Kerl findig ist!" staunte Turnerstick. „Auf diese Weise braucht er weder Umschläge noch einen Krankenwärter."

„Zal ik Euch helpen, Mynheer?" fragte die Holländerin.

„Danke! Sie haben leider selber Mangel an jeder Bequemlichkeit."

„Het is te ertragen. Ik zal mij op de aarde legen und sehn, ob ik slapen kan."

Der Kapitän war ihr behilflich, aus Lieuzweigen[2] ein Kopfkissen anzufertigen, das allerdings nicht die Zartheit eines Daunenbettes haben konnte. Sie streckte sich aus, und bald bewies ein kräftiges Schnarchen, daß es unserer Gefährtin nicht schwer fiel, hier im Freien ein gemütliches „Slaapje" zu halten.

„Wäre es nicht besser, wir hätten einen anderen Ort aufgesucht, Charley?" fragte der Kapitän.

„Warum?" – „Weil ich denke, daß die Kerls wiederkommen können."

„Werden sich hüten."

„Meint Ihr? Dann könnte ich wohl nichts Besseres tun als mir auch ein Kopfkissen machen, denn ich glaube nicht, daß hier jemand so freundlich sein wird, uns eine Hängematte zu bringen."

„Tut es. Ich werde wachen."

„Aber habt Ihr auch den gehörigen Verstand dazu? Ich denke, Ihr seid betäubt, und da schläft man doch sehr leicht ein!"

„Habt keine Sorge. Das Wasser hält mich munter!"

„Well! So; da ist das Bett fertig. Weckt mich in einer Stunde, damit ich Euch ablösen kann. Good night, Charley!"

„Gute Nacht, Käpt'n!"

[1] Wie fahren Sie? Das heißt: Wie geht es Ihnen? [2] Chinesische Weide

In zwei Minuten war aus dem Schnarchen der Köchin ein Zwiegesang geworden, der mir geeignet erschien, alle Strompiraten zu verscheuchen, wenn es ihnen ja noch einfallen sollte, zurückzukehren. Über mir aber leuchteten die Sterne des Reiches der Mitte. Ich blickte lange Zeit zu ihnen empor, und ein wunderbarer Frieden senkte sich in mein Inneres bei dem Gedanken, daß ein allgütiger und allmächtiger Vater über uns wacht, auf welchem Punkt der Erde wir uns auch befinden mögen. Mein Denken und Fühlen floß in einem stummen Gebet zusammen, bis mir die Augen schwer wurden. Turnerstick hatte recht – ich schlief ein. – –

8. Das leere Nest

Als ich erwachte, war es bereits Morgen. Ich hätte aber wohl noch länger geschlafen, wenn mir nicht bei einer Drehung des Kopfes das Gesicht ins Wasser geraten wäre. Alle Müdigkeit und jede Folge des Ruderschlags waren verschwunden. Ich erhob mich. Tiefe Fußtritte in dem weichen Boden waren die einzigen Überreste, die von dem nächtlichen Kampf zu bemerken waren, und trotz aller Aufmerksamkeit konnte ich keinen Tropfen Blut entdecken, der mir verraten hätte, daß eine unserer Kugeln getroffen habe.

Drüben am nördlichen Himmel sah ich die Mauern des Kuang-ti-miao liegen, und auf der entgegengesetzten Seite zeigte eine langgedehnte Nebelschicht, wie weit wir vom Fluß entfernt waren. Wir hatten höchstens eine halbe Stunde zu gehen, um ihn zu erreichen.

Ich weckte den Kapitän: „Schiff, ahoi – ihhh!"

Er sprang mit gleichen Beinen empor.

„Ahoi –! Barke ‚The wind' aus – – – alle Wetter, Ihr seid es, Charley? Ich will doch nicht hoffen, daß Ihr mich zum Narren – – hm, in welchen Breiten liegen wir hier denn eigentlich vor Anker?"

„Bitte, Käpt'n, legt Euern Kopf ein wenig hier in mein Wasserloch, dann wird die nötige Besinnung sofort eintreten!"

„Ah, richtig! Da drüben steht der Götzentempel, dort ist der Fluß und hier – hier die niederländische Lady, die zwei Scheffel Melonen, Oliven und Nüsse verzehren kann."

„Dafür aber auch ihr Ruder brav zu führen versteht, Käpt'n."

„Weiß es! Ist ein prächtiges Weibsbild; hat ja zugeschlagen wie ein Hochbootsmann. Wollen wir sie wecken?"

„Wird wohl notwendig sein." – „Schön; werde es selber machen."

Er trat zu der Schlafenden.

„Pst, Mylady, Missis, Miß – –! Wollt Ihr nicht so gut sein und die Augen aufmachen? Die Sonne hat schon längst die Anker gelichtet."

Sie erhob sich.

„Goeden Morgen, mijne Heeren! Heb ik zu lang geslapen?"

„Good morning! Nein, denn ich bin auch eben erst unter Segel gegangen. Aber der da ist schon längst auf."

„Mynheer, hoe gaat het mit Ihrem Kopf?" fragte sie besorgt.

„Danke, Mejuffrouw; er ist vollständig hergestellt. Wollen wir aufbrechen, Käpt'n?"

„Ich denke nicht, daß wir hier noch etwas zu tun haben. Wir können mit Ehren abziehen, denn wir haben das Schlachtfeld behauptet."

„Aber eine unangenehme Geschichte war es doch, und von allzu großem Ruhm ist keine Rede, denn wir haben unser ganzes Gepäck und auch das eroberte Boot eingebüßt."

„Wir haben aber eine Lady befreit, Charley, geradeso, wie es in Romanen zu lesen oder im Theater zu sehen ist. Das haben Tausende in ihrem Leben nicht fertiggebracht, und das ist also etwas, wovon man sprechen kann, wenn man zu Haus ist. Seht, Charley, es ist doch richtig, was Ihr sagt: man muß in die weite Welt gehen, um Land und Leute kennenzulernen, und wenn man nun gar eine so schwere Sprache gelernt hat wie die chinesische, so gehört gar nicht viel dazu, solche Bücher und Geschichten zu schreiben, wie Ihr sie macht."

„Irrt Euch nicht, Käpt'n! Die chinesische Sprache ist auch nicht schwieriger als jede andere. Daß sie so ungemein schwer sein soll, ist nur eine Annahme, die einer von dem anderen übernommen hat, ohne den Gegenstand näher zu kennen."

„Well! Aber wir beide kennen ihn durch und durch, nicht wahr? Es soll mich verlangen, was sie in Hoboken bei Mutter Thick in der Kapitänsstube sagen werden, wenn der alte Frick Turnerstick anfängt, geläufig chinesisch zu reden. Das ist sicher das Absonderlichste, was seit langen Jahren dort geschehen ist. Meint Ihr nicht auch, Charley?"

„Ich bin überzeugt, daß sie alle staunen werden. Doch vorwärts! Ein längeres Bleiben hat keinen Zweck."

„Am liebsten möchte ich jetzt zurück nach dem Tempel, um noch mit diesen Drachenmännern zu reden."

„Kann geschehen, denn wir werden das erste europäische oder amerikanische Fahrzeug, das wir treffen, um Hilfe bitten."

„So wollt Ihr bei den Chinesen selber keine Anzeige machen?"

„Muß sich erst finden."

Wir schritten nach dem Hauptkanal zu und folgten ihm, dem Fluß entgegen. Gerade als wir diesen erreichten, kam eine holländische Pinasse heran, die stromabwärts segelte. Das traf sich glücklich. Wir riefen sie an, und sie folgte unserem Ruf.

„Wohin das Fahrzeug?" fragte der Kapitän, als sie anlegte.

„Nach Makao, Schiff ‚De valk' aus Amsterdam."

„Wollt Ihr uns einen Gefallen erweisen?" – „Welchen?"

„Hier ist eine Lady aus Makao, die von den Strompiraten in die Gefangenschaft geschleppt war. Wir haben sie frei gemacht. Wollt Ihr sie mitnehmen?"

„Eine Holländerin, nicht wahr?"

„Yes; ein sehr braves Weibsbild; das kann ich Euch versichern."

„Herein mit ihr!"

„Und das Reisegeld? Werde es abmachen." – „Wer seid Ihr?"

„Kapitän Turnerstick vom ‚The wind', Neuyork."

„Seid ein Ehrenmann, Mynheer. Das Fahrgeld soll Euch nichts kosten; es ist ja eine Landsmännin, die wir einnehmen."

„Well; seid ebenso brav, ihr Leute. Grüßt mir euern Käpt'n!"

„Danke! Wollt ihr nicht mit?" – „Nein; wir gehen stromauf."

„Dan met God, Kapitän!" – „Good bye!"

Unser „Meisje" konnte sich nicht so schnell von uns trennen. Es dauerte noch einige Minuten, bis sie uns den tausendsten Teil von dem gesagt hatte, was sie uns unbedingt noch sagen mußte. Die Pinasse befand sich beinahe auf der Mitte des Stromes, als uns die tapfere Köchin noch immer lauten Dank für ihre Rettung herüberrief. Die letzte Versicherung, die ich vernahm, endete damit, „het slechte gezelschap te laten ophangen"!

Jetzt mußten wir am Ufer warten, bis sich ein passend bemanntes Fahrzeug blicken ließ. Bei dem regen Verkehr, der auf dem Strom herrschte, konnte unsere Geduld voraussichtlich gar nicht lange auf die Probe gestellt werden, und wirklich kam bereits nach kurzer Zeit eine kleine englische Privatjacht den Fluß heraufgedampft und legte auf unser Zeichen am Ufer an.

„Was gibt's?" fragte der Kapitän vom Deck herab. „Wollt ihr mitfahren?"

„Wohin der Kurs, Käpt'n?" – „Nach Wampoa und Kanton."

„Gehen mit, wenn Ihr eine Stunde hier halten wollt."

„Weshalb?" – „Werdet es hören. Laßt uns ein Tau herab!"

In der nächsten Minute standen wir oben vor dem Kapitän.

„Darf ich um eure Namen bitten?" fragte der Engländer.

„Yes, Sir. Kapitän Turnerstick vom ‚The wind' aus Newyork, vor Anker in Hongkong."

„Ah! Habe das Schiff gesehen. Und dieser Mann?"

„Mein Freund, ein Kerl, der in aller Welt umherläuft, um Land und Leute kennenzulernen. Habe das bisher für eine riesige Dummheit gehalten, bin aber jetzt dahintergekommen, daß die Sache nicht zu verwerfen ist."

„Und wollt jetzt hinauf, um euch Kanton anzusehen?"

„Yes, Sir. Vorher aber wollten wir Euch bitten, uns einige Mannen mitzugeben, um eine Gesellschaft von Flußpiraten auszuheben, die hier in der Nähe sind."

„Drachenmänner vielleicht?"

„Richtig, Sir. Sie haben uns gestern überfallen, mit Stinktöpfen betäubt und nach einem Tempel geschafft, wo sie jetzt wohl noch zu finden sind."

„Ist's so, dann sollt ihr meine Jungens haben und mich dazu. Allerdings kann ich den Steamer nicht unbewacht lassen, aber zwölf Mann stehen zur Verfügung."

„Ist mehr als genug, Käpt'n."

„Wie weit ist der Ort von hier?"

„Nicht viel über drei Meilen."

„Wird in einer halben Stunde gemacht. Meine Boys verstehen zu rudern. Wie viele Drachenmänner sind es wohl?"

„Hm, so zwanzig oder dreißig; hat aber nichts zu sagen, denn ein guter Englishman wiegt zehn von ihnen auf."

„Weiß es bereits. Kommt in die Kajüte und nehmt zwei Bissen und einen Schluck, denn ich glaube nicht, daß ihr euch bei diesem Gesindel den Magen verdorben habt. Muß euch übrigens meinen Namen sagen: heiße Tom Halverstone aus Greenock am Clyde. Wißt schon, wo die schärfsten und schmucksten Dampfer gebaut werden."

„Kenne den Ort und muß ihm seine Ehre lassen. Also vorwärts, Käpt'n, denn ein Frühstück ist für den Menschen das, was eine gute Maschinenkohle für den Dampfer ist: ohne beides ist von einer sauberen Fahrt keine Rede."

Während wir unten tüchtig zulangten, traf der Kapitän an Deck seine Vorbereitungen, und nach einer Viertelstunde saßen wir unser fünfzehn wohlbewaffnete Männer in einem langen, schmalen Cuttingboot, das über das Wasser des Kanals flog, als wäre es aus einer Kanone geschossen.

„Was war der Anführer der Drachenmänner für ein Kerl?" fragte Halverstone.

„Ein Mongole vom Stamm der Dschiahur."

„Dachte, die Leute gehörten vielleicht zur Bande des Kiang-lu, der so viel von sich reden macht."

„So ist es auch, denn dieser Dschiahur ist nur ein Unteranführer von ihm."

„Well, so ist mir der kleine Ausflug desto reizvoller. Ich hoffe, daß wir sie treffen."

„Ich zweifle daran und bin nicht der Meinung meines Freundes Turnerstick", warf ich ein. „Nach dem, was heute in der Nacht vorgefallen ist, werden die Piraten jedenfalls so klug gewesen sein, den Kuang-ti-miao zu verlassen."

„Erzählt die Geschichte doch einmal ausführlicher, wenn ich bitten darf."

Ich erstattete ihm so weit Bericht, wie es mir nötig schien, tat aber meines Talismans und auch einiger anderer Umstände keine Erwähnung.

„Das ist ja ein regelrechtes Abenteuer gewesen", meinte Halverstone. „Nun glaube ich auch, daß sich diese Schlingel aus dem Staub gemacht haben. Aber ganz umsonst wird unsere Fahrt doch nicht sein, denn ich werde wenigstens Gelegenheit haben, einen dieser chinesischen Tempel in Augenschein zu nehmen."

Es war kaum eine halbe Stunde vergangen, so legten wir an derselben Stelle an, an der wir gestern als Gefangene ausgebootet worden waren. Zu meiner Überraschung hielten am Eingang des Tempels zwei Männer Blumen und Räucherstäbchen feil. Wir stiegen die breite Steintreppe zu ihnen empor.

„Tsing-tsing!" grüßte ich. „Ist hier der Zutritt erlaubt?"

„Hier kann jeder eintreten, der dem Diener des Gottes ein Kom-tscha gibt", lautete die Antwort.

„Ist dieser Diener zugegen?"

„Er ist im Innern des Miao. Du wirst ihn sehen, wenn du hineingehst. Doch mußt du dem Gott auch ein Opfer bringen."

„Worin besteht das?"

„In Blumen und Tsan-hiang[1], die du anbrennst."

Der Mann wollte etwas verdienen. Ich ließ ihm seine Blumen und Tsang-hiang und gab ihm lieber ein kleines Kom-tscha, das er mit großem Dank annahm und mit seinem Gefährten teilte.

„Sind viele Kuang-ti-dse[2] in diesem Miao?" fragte ich.

„Es ist noch keiner zugegen." – „Seit wann steht ihr heute hier?"

„Seit die Sonne aufgegangen ist."

„Wird der Gott auch des Nachts von seinen Gläubigen angebetet."

„Ja." – „Da seid ihr auch hier?"

„Nein. Des Nachts kommen nur die Gläubigen, die sich nicht vor den bösen Geistern fürchten, mit denen der mächtige Kuang-ti kämpft, sobald es dunkel geworden ist."

„Kommen diese bösen Geister alle Nächte?"

„Ich weiß es nicht; aber heute sind sie hier gewesen, denn sie haben dem Stallmeister des Gottes das Schwert entrissen. Kuang-ti aber ist stark und mächtig; er hat sie vertrieben."

„Was sagt der Mensch?" fragte Turnerstick. „Er spricht ein armseliges Chinesisch!"

„Er sagt, wir seien chinesische Kriegsgötter."

„Er hat wohl einige Speichen zuviel im Steuerrad?"

„Möglich. Er meint, diese Nacht wären böse Geister hier gewesen, die dem Götzen das Schwert entrissen haben; aber der mächtige Kuang-ti hat sie vertrieben. Folglich sind wir Kuang-tis oder Kriegsgötter."

„Diese beiden Männer wissen vielleicht ebenso gut wie wir, was vorgegangen ist."

„Kann sein."

„Sind die Drachenmänner noch hier?" – „Nein."

„Well, so werden wir diese Rinaldinibude einmal untersuchen."

Wir traten durch den Eingang in einen Hof, der ein Rechteck bildete und nichts zeigte als zwei kleine achteckige Pagoden, die je im Mittelpunkt seiner beiden schmalen Seiten standen. Durch ein zweites Tor gelangten wir in einen anderen Hof, wo wir rechts und links zwei kleine, offene Nebentempel erblickten, in denen die dicke Gestalt des Kuang-ti nebst der gewöhnlichen Gesellschaft seines Sohnes und Stallmeisters saß. Durch ein drittes Tor traten wir in den Haupttempel, den wir gestern abend bereits betrachtet hatten. Hinter der Bildsäule des Götzen befand sich die auch schon erwähnte Rumpelkammer. An den beiden äußersten Ecken des Raumes aber führte je eine Tür in einen Hof, in dem nichts als je ein viereckiges Wasserloch zu erblicken war. Das Ganze wurde von einer starken, vielleicht fünfzehn Fuß hohen Backsteinmauer umgeben und bildete ein Rechteck, dessen Riß nachstehend beigefügt ist.

Erst als wir aus dem Haupttempel in den zweiten Hof traten, erblickten wir den gesuchten „Diener des Gottes", und zu meiner Überraschung erkannte ich in ihm den Mann, der gestern mit der berühmten Luntenflinte so ausgezeichnet umgegangen war. Er trug jetzt einen Bonzenanzug.

---

[1] Räucherstäbchen   [2] Kriegsmandarine, wörtlich ‚Söhne des Kuang-ti‘

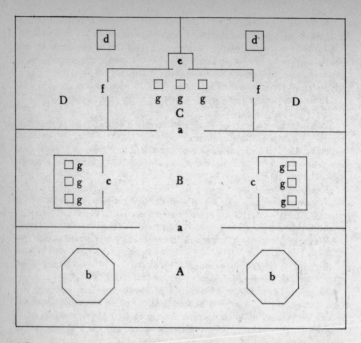

A Erster Hof. B Zweiter Hof. C Kunsttempel. D Hintere Höfe. a Eingänge, b Pagoden, c Nebentempel, d Brunnen in beiden hinteren Höfen, e Gerätekammer, f Ausgänge aus dem Haupttempel nach den hinteren Höfen. g Die drei Götzenbilder.

„Erkennt Ihr den Menschen, Käpt'n?" fragte ich Turnerstick.

„Blitz und Knall, ist das nicht der famose Artillerist, der die krumme Feldschlange hatte?"

„Dieser Priester ist einer der Drachenmänner?" forschte Halverstone. „Ja."

„Nicht übel! An Anerkennung soll es nicht fehlen. Ihr müßt nämlich bedenken, daß ihr bei keiner chinesischen Gerichtsbarkeit Unterstützung oder gar Gerechtigkeit findet. Wir müssen den Mann selber bei den Ohren nehmen."

„Einen Priester? In einem Heiligtum?" warf ich ein.

„Pshaw!" antwortete Turnerstick. „Habt Ihr gestern abend etwas Heiliges hier bemerkt? Hiebe, ganz gewaltige Hiebe soll der Kerl haben. Sein Kriegsgott mag ihm dann den Rücken salben!"

In jedem anderen Land wäre ein solcher Vorsatz lebensgefährlich gewesen, bei den hiesigen Zuständen schien auch mir keinerlei Gefahr aus einem solchen Lynchverfahren hervorzugehen.

Der Diener des Kriegsgottes hatte uns noch gar nicht bemerkt; er stand an dem Wasserloch und fütterte die Schildkröten, die sich darin befanden. Wir gingen auf ihn zu. Beim Schall unserer Schritte drehte er sich um, und es war deutlich zu bemerken, wie sehr er bei unserem Anblick erschrak. Doch faßte er sich sofort wieder, und in seinen listigen Zügen war nicht die mindeste Unruhe zu erkennen.

„Bist du der Sing[1] dieses Kuang-ti-miao?" fragte ich ihn.

„Nein", antwortete er stolz.

„Ah, so bist du wohl gar ein Ho-schang[2]?"

„Ja."

„Schön! Man darf doch diesen Tempel besuchen?"

„Es darf jeder kommen, der dem Gott opfert und seinen Diener nicht vergißt."

„Wir werden dich nicht vergessen! Aber du scheinst auch Männer hereinzulassen, die dem Gott nicht opfern, sondern seine Feinde sind!"

„Weshalb denkst du das?"

„Ich sah, daß deinem Gott das Schwert entrissen worden ist."

„Das hat der Tschüt-gur[3] getan."

„Der Tschüt-gur? Was hat der in diesem Kuang-ti-miao zu suchen?"

„Weißt du nicht, daß er ein Feind der Götter ist und sie überfällt, um mit ihnen zu kämpfen? Aber sie sind mächtiger als er; er kann ihnen wohl das Schwert entreißen, aber sie besiegen ihn dennoch und jagen ihn in den Ta-kang[4] zurück."

„Hast du einmal einem solchen Kampf zugeschaut?"

„Nein; selbst ein Priester würde getötet, wenn er das wagen wollte."

„So hast du auch den Tschüt-gur noch nicht erblickt?"

„Nein".

„Ich habe ihn gesehen. Soll ich ihn dir zeigen?"

„Das vermagst du nicht."

„Ich vermag es sogar jetzt gleich." – „Wo ist er?"

Ich deutete auf Turnerstick.

„Hier! Blicke ihn genau an und du wirst finden, daß du diesen Teufel bereits einmal gesehen hast."

„Du redest so, daß ich dich nicht begreife."

„Ich rede deutlich. Du sagst, der Tschüt-gur hätte deinem Gott das Schwert entrissen; folglich ist dieser Mann der Tschüt-gur, denn er ist es gewesen, der dem Götzen die Waffe genommen hat."

„Ich verstehe dich wieder nicht."

„Und du bist doch selber dabei gewesen! Dein Gedächtnis ist kurz, es reicht nicht von der Nacht bis zum Morgen. Ich muß ihm zu Hilfe kommen: wo ist der Dschiahur?"

„Den kenne ich nicht. Was ist ein Dschiahur?"

„Du fühlst dich beleidigt, wenn ich dich einen Sing statt einen Ho-schang nenne. Du willst ein Weiser, ein Priester, ein Schriftgelehrter sein und weißt nicht, was ein Dschiahur ist?"

„Nur Fo ist allwissend, der Mensch aber kann nicht alles kennen."

[1] Niedere Klasse der Bonzen [2] Höhere Klasse [3] Dieses Wort heißt „Teufel". Es ist aus der mongolischen Sprache in die chinesische übergegangen [4] Wörtlich „Riesenofen", heißt Hölle, ein Begriff, den die Chinesen aus dem Christentum herübergenommen haben

„Du bist als Ho-Schang in einem Kloster gewesen und hast dort das Schan-hai-king[1] und das Hoan-yü-ki[2] lernen müssen. Auch das Fo-kue-ki muß dir bekannt sein, und du willst nicht wissen, was ein Dschiahur ist? Ich bin ein Si-yin[3] und in den Si-ti[4] hat man ein sehr gutes Mittel, das Gedächtnis zu stärken."

„So gib es mir!" lächelte er verschmitzt.

„Du sollst es haben."

Ich wandte mich an einen der Matrosen:

„Drin in der Kammer liegen Bambusrohre, die als Laternenstöcke gebraucht werden. Hole einen oder zwei herbei; dieser Mann bekommt zehn Hiebe!"

„Aye, Sir, wird schleunigst besorgt."

Er sprang davon und kehrte schnell mit einigen Bambusrohren zurück.

„Haltet ihn, und schlagt zu zweien je fünf gute Hiebe auf seinen Rücken!" gebot ich.

Dieses kleine Zwischenspiel war nach dem Geschmack der kräftigen Matrosen. Sie erfaßten den Bonzen und legten ihn auf die Erde nieder. Er wehrte sich aus vollen Kräften, und als das Sträuben nichts half, griff er zu seinem letzten Abwehrmittel:

„Ihr wollt es wagen, einen Priester zu schlagen? Der große Fo wird Tschüt-gur senden, der euch in die Hölle bringt."

„Der Tschüt-gur ist bereits hier und hat nichts dagegen, daß du Streiche bekommst", erwiderte ich ihm.

„So werde ich euch beim Hing-pu[5] verklagen!"

„Tue es, aber bedenke, daß wir keine Tschia-dse[6] sind und deinen Hing-pu nicht zu fürchten brauchen! Kennst du den Dschiahur?"

„Nein."

„Schlagt los!"

Beim ersten Hieb stieß der Zopfmann einen lauten Schrei aus; beim zweiten war seine Widerstandskraft bereits gebrochen.

„Halt, ich kenne ihn!"

Ich winkte, einzuhalten.

„Siehst du, wie prächtig mein Mittel das Gedächtnis stärkt? Wo ist der Dschiahur?"

„Fort." – „Wann?"

„Gleich nachdem er vom Kanal zurückkehrte."

„Wo ist er hin?" – „Ich weiß es nicht."

„Wo sind die anderen?" – „Sie sind mit ihm fort."

„Wohin?" – „Ich weiß es nicht."

„Du lügst!"

„Ich lüge nicht. Sie kommen und sagen nicht woher, sie gehen und sagen nicht wohin."

„Dein Gedächtnis ist noch nicht lange genug; ich werde es dir verlängern lassen. – Macht weiter!"

---

[1] Buch der Berge und Meere [2] Beschreibung der ganzen Erde, eines der besten geographischen Werke Chinas [3] Mann aus dem Westen [4] Westliche Gegenden [5] Justizministerium [6] Chinesen

Gleich beim nächsten Hieb brüllt er: „Halt, ich weiß, wo er ist!"

„Wo?" – „Beim Tsiang-ki-um."

„Wo wohnt dieser?" – „In Li-ting."

„Wie heißt er?" – „Das weiß ich nicht."

„Ich sehe, daß mein Mittel noch immer nicht vollständig geholfen hat."

„Es kann nicht weiter helfen, Herr. Alle Lung-yin wissen, daß der Tsiang-ki-um in Li-ting wohnt, aber kennen dürfen ihn nur die obersten Anführer."

Das leuchtete mir ein, und übrigens merkte ich es dem Bonzen an, daß er jetzt die Wahrheit sagte. Ich fragte ihn daher weiter:

„Aber die anderen sind nicht mit ihm nach Li-ting?"

„Nein." – „Wohin sonst?"

„Nach Kuang-tscheu-fu."

„Unter Anführung des Leutnants?" – „Ja."

„Wo sind sie da zu finden?"

„Im Scham-pan-fu[1]."

„Gib den Ort genauer an!"

„In der Nähe der Schi-san-hang[2] der Ing-kie-li liegt ein Herbergs-Scham-pan, der Wan-ho-tien[3] heißt. Dort sind die Drachenmänner stets zu finden."

„Halten sie in allen Kuang-ti-miao ihre Zusammenkünfte?"

„Nicht in allen, sondern nur in denen, die nahe am Strom liegen."

„Du kennst die, die gestern hier waren, beim Namen?"

„Nicht einen einzigen. Es dürfen nur solche kommen, die unbekannt sind. Sie weisen ihr Erkennungszeichen vor, und man muß ihnen gehorchen, wenn man nicht getötet werden will."

„Ich werde die Wahrheit deiner Worte prüfen. Hast du mich belogen, so komme ich wieder und fordere Rechenschaft von dir."

„Nun, Charley, wie ist es?" fragte Turnerstick, als er bemerkte, daß ich mit dem Mann zu Ende war.

„Die ganze Gesellschaft ist fort."

„Alle Wetter, das ist unangenehm. Wohin?"

„Teils nach Kanton, teils auch noch weiter."

„Das konnte man sich denken", bemerkte Halverstone. „Diese Leute werden sich nicht hierher setzen und warten, bis wir kommen. Laßt uns wieder aufbrechen!"

„Ich denke, dieser Feldschlangenmann soll vorher erst seine Prügel bekommen!" meinte Turnerstick.

„Kann uns nichts nützen, Käpt'n!"

„Well, so werde ich mir wenigstens dadurch Genugtuung verschaffen, daß ich das Schwert dieses Götzen als Andenken mitnehme."

„Das würde Tempelraub sein, und da die Verehrung des Kriegsgottes vom Kaiser befohlen ist, so könnten wir durch eine solche Tat in die ärgste Verlegenheit geraten."

---

[1] Große Stadt der Schampans. Schampans sind schwimmende Wohnungen auf Flößen, Booten oder auch alten Dschunken errichtet [2] Faktorei [3] Herberge zu den zehntausend Herrschern

„Ganz wie Ihr wollt, Charley. Aber Rache muß ich haben. Ich werde jeden Drachenmann, der mir begegnet, auf der Stelle erschlagen; darauf könnt Ihr Euch verlassen!"

Was konnte ich gegen den Bonzen unternehmen? Ihn anzeigen? Das wäre sicher erfolglos gewesen. Persönliche Rache an ihm nehmen? Das war nicht nach meinem Geschmack. Und so stand es auch mit den Lung-yin überhaupt. Eine Anzeige hätte nichts gefruchtet, davon war ich überzeugt. Mich an die Gesandtschaft zu wenden, dazu hatte ich auch keine Lust; ich kannte die mit diesem Rechtsweg verbundenen Weitläufigkeiten zu genau, und gerade hier in China hatten damals die Vertreter fremder Mächte eine so schwierige Stellung, daß es mir nicht einfiel, einem von ihnen seine Lage noch mehr zu erschweren. Mein Abenteuer hatte mir bis jetzt keinen anderen Schaden gebracht als den Verlust einer Decke und eines kaum erbsengroßen Stückchens aus dem Ohrläppchen, und beides war nicht schwer zu verschmerzen. Halverstone fragte:

„Was gedenkt ihr weiter anzufangen in dieser Angelegenheit?"

„Nichts, Sir", erwiderte ich. „Ich habe die Überzeugung, daß bei dem Geschäft der Lung-yin hochgestellte Mandarine beteiligt sind. Was kann da ein Ausländer tun?"

„Das ist richtig. Aber sollen sich zwei Männer wie ihr von diesen Menschen um die Freiheit und noch um anderes bringen lassen, ohne wenigstens bei den Vertretern ihres Landes einen Schritt zu unternehmen?"

„Diese Vertreter sind oft recht froh, wenn ihre Macht ausreicht, nur sich selber zu vertreten. China ist auf dem Papier und in den Grundzügen seiner Verfassung ein vom Kaiser selbstherrlich geleiteter Staat; aber in keinem Land ist die Willkür und die Macht der Nebenströmungen so ausgeprägt wie in China, und in keinem Staat haben so viele Umwälzungen, die stets mit einem Thronwechsel verbunden waren, stattgefunden, wie im Reich der Mitte. Das entartete Beamtentum war seit je die Triebkraft dieser Aufstände und Umwälzungen. Es riß die rechtlosen, hungernden Massen an sich und bediente sich ihrer zur Verfolgung seiner selbstsüchtigen Zwecke. Und die Massen ließen sich mißbrauchen, denn das Geld ist mächtig, mächtiger sogar als der vielbeneidete Sohn des Himmels, der drei Tage lang fasten muß, bevor er das Todesurteil eines Mörders oder Majestätsverbrechers unterschreiben darf. Welche Macht soll da der Konsul eines fernen, fremden Landes besitzen? Oder soll wegen Kapitän Turnerstick und meiner Wenigkeit ein Krieg zwischen den Vereinigten Staaten und China hervorgerufen werden?"

Halverstone lachte.

„Ihr habt nicht so ganz unrecht", meinte er, „aber ärgerlich ist es doch, gegen diese Kerls nichts tun zu können."

Ich zuckte die Achseln und wandte mich zu dem Bonzen:

„Ich sagte dir, daß ich dich nicht vergessen würde, und habe Wort gehalten: dein Kom-tscha hast du, wenn auch in anderer Form, als du dachtest. Ich gehe, ohne dich weiter zu züchtigen. Hast du mich aber belogen, so komme ich wieder."

Er verbeugte sich, so tief er konnte.

„Ich sagte die Wahrheit, und du wirst nicht wiederkehren. Tsing lea-o, Herr!"

Das Boot trug uns ebenso schnell nach dem Fluß zurück, wie es uns hergebracht hatte. Wir bestiegen die Jacht und dampften stromaufwärts nach Wampoa zu, das nicht mehr weit entfernt war und sich zu Kanton ebenso verhält, wie Bremerhaven zu Bremen oder Cuxhaven zu Hamburg. Das seichte Wasser des Flusses gestattet nämlich größeren Schiffen nicht, den Fluß weiter hinaufzugehen, sondern die Güter müssen hier in Boote und Dschunken umgeladen werden.

Von hier aus bis nach Kanton sind es zwölf englische Meilen, die die Jacht auch noch zurücklegen konnte, da ihr Tiefgang nur gering war. Sie legte in der Nähe der englischen Faktorei an, deren Banner weithin zu sehen war.

9. In der verbotenen Stadt

Von der Stadt selber hatte man bisher nichts wahrgenommen als am Ufer hin eine zahllose Menge von Bambushütten und auf dem Wasser jene verankerten Wohnungen, die die Chinesen Scham-pan nennen. Der Fluß wimmelte förmlich von kleineren Fahrzeugen jeder Bauart. Von hervorragenden Gebäuden, wie sie sonst in größeren Städten zu finden sind, war kein einziges vorhanden, außer einer alten Pagode und einigen hinter der Stadt auf Hügeln gelegenen Baulichkeiten, die entweder Tempel oder Befestigungen zu sein schienen.

Die Scham-pans sind in Straßen oder Reihen geordnet und stehen unter einer ordnungsliebenden Platzpolizei, die jede Lücke sofort wieder schließen läßt. Sie sind an Pfählen befestigt, und der Besitzer darf ohne vorhergehende Erlaubnis seinen Platz nicht verlassen.

Die ärmlichsten dieser schwimmenden Behausungen bestehen aus einem Floß, auf dem die Wohnung errichtet ist. Diese ist aus Bambus gebaut und mit Bambus gedeckt, wie überhaupt der Chinese ohne seinen Bambus gar nicht bestehen könnte. Die Fugen sind mit einer Art von Zement verstrichen, und als Bindemittel dient gespaltenes Rohr, womit alle Teile sozusagen zusammengenäht sind.

Andere Wohnungen von derselben Bauart sind auf richtigen Booten errichtet und gehören gewöhnlich armen Fischerfamilien, die des Erwerbs wegen öfters ihre Stelle wechseln. Man sieht diese Scham-pans sehr oft mit dem Strom treiben, querüber darübergehen oder auch gegen das Wasser halten. Im Stern des Fahrzeuges steht gewöhnlich die Frau und steuert mit einem langen Ruder, das sie hin- und herbewegt wie der Fisch den Schwanz. Im Vorderteil hilft der Mann mit einem ähnlichen Ruder, das er gelegentlich beiseite legt, um sein Netz auszuwerfen, das entweder aus dünnen Rohrfäden oder aus Kokosnußfaser geflochten ist. In der Mitte befindet sich das Bambushäuschen mit der Küche. Dort halten sich auch die Kinder auf, soweit sie schon laufen können, während das jüngste gewöhnlich auf dem Rücken der Mutter oder einer älteren Schwester festgebunden ist.

Auf keinem dieser Boote fehlt ein kleiner Hausaltar, vor dem sich stets eine brennende Lampe befindet.

Die wohlhabenden Klassen der Scham-pan-Bevölkerung bewohnen alte, unbrauchbar gewordene Dschunken, die oft mehrere Stockwerke besitzen und einen geräumigen Landungsplatz haben, dem einige Zierpflanzen in Töpfen das Aussehen einer Veranda geben.

Die Schi-san-hang oder Faktoreien sind auf einem den Chinesen abgekauften Stück Land im europäischen Baustil aufgeführt und von einer starken Mauer umgeben. Dort gibt es geschmackvolle Gärtenanlagen, in deren Mitte eine kleine, recht hübsche Kirche steht. Diese Anlagen bilden den einzigen Spaziergang für Fremde, wo sie sich unbelästigt bewegen können.

Vom Kai der Faktoreien erstrecken sich Reihen von Umfriedungen vierzig bis fünfzig Fuß weit in den Fluß hinaus und bilden eine Art geschlossener Hafen mit einer schmalen, für Boote berechneten Einfahrt. Das ist halb als eine kriegerische Maßregel gedacht, halb aber auch aus dem Grund geschehen, um die Zudringlichkeit der chinesischen Beamten und der Neugierigen abzuwehren. Außerdem sind überall, wohin man blickt, starke Türme angebracht, die Zeugnis davon geben, daß die Europäer dem Volk der Mitte nicht trauen.

Halverstone entschuldigte sich, daß er uns jetzt nicht Gesellschaft leisten könne, da er von geschäftlichen Rücksichten in Anspruch genommen sei. Wir beruhigten ihn, indem wir ihm unseren Entschluß zu erkennen gaben, die Jacht sofort zu verlassen. Der brave Mann nahm für die Fahrt keine Bezahlung, dafür aber war Turnerstick so „gentlemanlike“, der Mannschaft für ihre Begleitung nach dem Kuang-ti-miao seine Dankbarkeit durch die Stiftung eines Sondergrogs und einiger blanker Dollars zu beweisen.

Dann ließen wir uns an Land rudern. Sofort fielen eine Menge Agenten und sonstige böse Geister über uns her. Der eine brüllte uns an, als wollte er uns das Trommelfell zersprengen; der andere faßte uns beim Arm; der dritte versuchte, uns durch einen kräftigen Stoß nach der Richtung zu bringen, die in seiner Absicht lag; ein vierter hielt einen mehrere Geviertellen großen Zettel empor, auf dem in riesigen Buchstaben stand, was er in dem allgemeinen Lärm nicht sagen konnte; ein fünfter schlüpfte gewandt wie ein Aal zwischen all den vielen Armen und Beinen hindurch und überreichte uns eine gelb-seidene Khata, um uns durch diese in Tibet und der Mongolei gebräuchliche Höflichkeit zu veranlassen, sein Opfer zu werden; ein sechster reckte die Arme empor, spreizte die zehn Finger auseinander und zog mit seinen schiefen Augen, seiner Stumpfnase und dem breiten, zahnlosen Mund die undenklichsten Gesichter, um uns aus seinem Gebärdenspiel erraten zu lassen, was er uns mitzuteilen hatte.

Ich stand inmitten dieser Rotte Korah, Dathan und Abiram und ließ die Brandung geduldig über mich ergehen; die Flut mußte sich legen, sobald die Leute merkten, daß wir nichts von ihnen wissen wollten. Diese Geduld aber fehlte dem heißblütigen Turnerstick gänzlich. Er schob und stieß, puffte und schlug auf die Zudringlichen ein, als gelte es, sein Leben zu verteidigen, und versuchte dabei, mit seiner gewaltigen Stimme ihr Geschrei zu übertönen:

„Fort vong mir! Zurück, Jungengs! Wir könneng euch nicht gebrauchang; wir wisseng selber, was wir zu machung habeng! Weg, sage ich, sonst werdang wir euch lehrung, den Kurs freizugebing!"

Durch die Bewegungen, die ich machen mußte, um die verschiedenen Stöße abzuwehren, geriet mir die Kleidung in Unordnung, und das Lung-yin-Zeichen kam zwischen zwei Knopflöchern zum Vorschein. Der Mann mit der Khata sah es.

„Kiang!" raunte er mir zu.

Ich konnte in dem Lärm das Wort nicht hören, ich las es ihm mehr von den Lippen ab.

„Lu!" antwortete ich, auch mehr durch die Stellung der Lippen als mit der Stimme.

Er winkte, drängte sich durch die Umstehenden und wartete von fern auf uns.

„Vorwärts, Käpt'n. Wollen sehen, ob wir diese Blockade zu brechen vermögen!" sagte ich da.

„Well, das Zeug dazu haben wir ja."

Er schien bis jetzt bloß mit „halbem Dampf" gearbeitet zu haben, denn als er nun die sehnigen Arme ausstreckte, flogen die Bedränger wie die Fliegen auseinander, wir bekamen freie Bahn und schritten in die nächste Gasse hinein. Der Chinese folgte uns und trat zu mir heran.

„Herr, warum trägst du die Kleidung eines Fremden?" fragte er.

„Weil ich fern von Tschina[1] war", antwortete ich.

„Für unsere Hui?"

„Darfst du einen Yeu-ki fragen?"

„Verzeih, Herr! Ich sah noch keinen Lung-yin in einem fremden Gewand"

„Warum winktest du mir?"

„Ich habe allen Hui-dse[2], die ich treffe, eine Botschaft zu bringen."

„Welche?" – „Sie sollen in die Wan-ho-tien kommen."

„Wann?" – „Heute um Mitternacht."

„Weshalb?"

„Es kommen heute oder morgen zwei Feinde an, die gefangen werden sollen."

„Was für Männer sind es?"

„Du weißt doch selber, daß die Anführer nicht alles sagen."

„Wer gab dir den Auftrag?"

„Du weißt, daß ich das nicht sagen darf, obgleich du höher stehst als er."

„Es ist ein Tü-ßü?" – „Ja."

„So ist's der Dschiahur, der heute in der Wan-ho-tien eingekehrt ist."

„Herr, jetzt glaube ich erst, daß du ein Yeu-ki bist, denn du weißt, wo sich dein Untergebener befindet."

„Warum glaubtest du es vorher nicht?"

---

[1] China, wie ja überhaupt das Wort China nur Tschina ausgesprochen wird   [2] Genossen

„Du trägst fremde Kleidung; du trägst keine Pen-tse, und unsere vorigen Zeichen sind oft nachgemacht oder entwendet worden, was jetzt wieder der Fall sein könnte."

„Du weißt, daß du deinen Offizieren unbedingt zu gehorchen hast?"

„Ich weiß es."

„Ich gebe dir einen strengen Befehl: der Dschiahur darf nicht wissen, daß ich bereits in Tschina angekommen bin. Du wirst ihm verschweigen, daß du mich getroffen hast."

„Ich werde gehorchen."

„So sehen wir uns um Mitternacht wieder. Hast du mir noch etwas zu sagen?"

„Nein." – „Dann sind wir fertig. Tsing lea-o!"

„Lea-o!"

Er entfernte sich. Der Kapitän machte mir verwunderte Augen und fragte mich:

„Charley, seid Ihr etwa schon früher einmal in China gewesen?"

„Nein. Warum diese Frage?"

„Weil Ihr mit dem ersten besten Zopfmann, der uns begegnet, so vertraut tut, als ob Ihr ihn schon anderswo getroffen hättet."

„Wir gehören zueinander."

„Ihr und der? Inwiefern?"

„Habe ich Euch nicht gestern abend gesagt, daß ich für einen Obersten der Lung-yin gelte?"

„Das stimmt."

„Und das war ein Lung-yin."

„Ein Drachenmann? The devil, da habt Ihr mir einen verteufelten Streich gespielt!"

„Warum?"

„Ihr hättet mir sagen sollen, daß er ein Pirat ist."

„Ah!"

„Natürlich! Oder habt Ihr vergessen, daß ich jeden Drachenmann, der mir begegnet, totschlagen will?"

„Schlagt dafür bei der nächsten Begegnung zwei tot!"

„Das werde ich auch. Was wollte denn der Kerl?"

„Er hat mir gesagt, wo ich den Dschiahur treffen kann." – „Wo?"

„Hier in der Nähe, in der Herberge zu den zehntausend Herrschern."

„Wann?"

„Heute um Mitternacht."

„Da gehen wir hin! Ich habe mit diesem Mongolen noch ein Wort zu reden."

„Er ist nicht allein; es werden viele Lung-yin da sein, und viele Hunde sind des Hasen Tod. Was würde aus unserm guten ,The Wind' werden, wenn Kapitän Frick Turnerstick hier in irgendeiner Spelunke kaltgemacht würde?"

Die Erinnerung an sein Schiff wirkte.

„Das ist wahr, Charley. Was habt denn Ihr für eine Ansicht in dieser Sache?"

„Bisher keine. Wir haben noch viel Zeit bis Mitternacht, und bis dahin wird wohl ein Entschluß zu fassen sein."

„Darüber könnte es eigentlich gar keinen Zweifel geben. Erstens haben sie sich an uns vergriffen und müssen ihre Strafe leiden, und zweitens ist es allgemeine Menschenpflicht, die Welt von solchem Gesindel zu befreien."

„Sehr richtig, Käpt'n. Aber daß sie sich an uns vergriffen haben, haben wir ihnen mit unseren Rudern mit Zinsen wieder heimgezahlt, und der andere Punkt hat auch seine zwei Seiten. Was geht uns China an? Warum sollen gerade wir beide unser Leben wagen, um eine Bande von Räubern zu vernichten, die den guten Chinesen ganz willkommen zu sein scheint? Wenden wir uns an einen Konsul, so wird er die Achseln zucken; er kann sich nicht in die Angelegenheiten des Reichs mischen und darf nur dann einschreiten, wenn die Angehörigen seines Staates geschädigt werden, und auch in diesem Fall wird seine Bemühung ziemlich aussichtslos sein. Wenden wir uns aber an einen Mandarin, so müssen wir gewärtig sein, daß er auch zu den Lung-yin gehört und uns danach behandelt."

„Das klingt verzweifelt vernünftig. Aber es wäre mir ein Vergnügen gewesen, dieser Gesellschaft eine Klippe ins Fahrwasser zu wälzen!"

„Ich bin dabei, wenn ich sehe, daß es geschehen kann und uns keinen unverhältnismäßigen Schaden bringt."

„Well, so wollen wir uns die Sache erst noch überlegen. Was aber tun wir jetzt?"

„Die Stadt ansehen, und zwar erst von außen, denn der Zutritt ins Innere ist fremden Barbaren streng untersagt."

„So können wir nicht hinein?"

„Eigentlich nicht, doch wollen wir versuchen, ob es möglich zu machen ist. In diesem Fall werden wir, wenn sich auch nicht gerade die Polizei um uns kümmert, doch mit dem lieben Pöbel zu tun haben."

Wir wanderten Arm in Arm weiter. Wenn man die Zahl der Schampans in den Wasserstätten Kantons auf sechzigtausend schätzt, so finde ich das noch keineswegs zu hoch gegriffen. Sie waren so zahlreich, daß sie von der Vogelschau aus das Aussehen von Wasserlinsen haben mußten, die Flüsse, Weiher und Kanäle förmlich bedeckten.

Die Straßen, durch die wir schritten, waren sehr eng gebaut. Augenfällig war der Hundetrab, mit dem sämtliche Leute sich vorwärts bewegten. Besonders zahlreich vertreten waren die Lastträger, die durch ihr lautes O-hé, o-hé die Begegnenden vor einem Zusammenstoß warnten. Wie in den muselmännischen Basars waren die einzelnen Gewerbe je in besonderen Straßen und Gassen vereinigt, ein Umstand, der den Wettbewerb steigert und dem Kauflustigen sehr zustatten kommt.

Vor einem Geflügelladen blieb Turnerstick stehen.

„Was sind das für Vögel, Charley?"

„Schnepfen und Reiher."

„Fein herausgeputzt, wahrhaftig. Das macht Eßlust. Wollen wir nicht ein Gasthaus aufsuchen, um etwas zu genießen?"

„Bin dabei."

„Ihr seid natürlich mein Gast."

„Werde Euch durch eine abschlägige Antwort nicht unglücklich machen. Aber wie wollen wir speisen, billig oder wie vornehme Chinesen?"

„Vornehm, das versteht sich von selber! Bestellen werdet Ihr, aber nicht etwa Igelbraten, eingelegte Regenwürmer, schwarze Wegschnecken, Käfergerichte und so ähnliches Zeug, wie es die Chinesen gewöhnt sind."

„Habt keine Sorge, Käpt'n! Daß die Chinesen solches Zeug essen, ist bloß Fabel. Nur die Zubereitungsweise ihrer Speisen ist von der unsrigen verschieden."

„Habe aber doch davon gelesen!"

„Glaube es! Aber Schwarz auf Weiß ist auch nicht immer wahr. Zunächst hat wohl die Zubereitungsart ihrer Speisen zu dem Glauben Veranlassung gegeben, daß sie Dinge essen, die unserem Gaumen nicht geläufig sind, und wenn nun einmal ein lustiger Chinese veranlaßt gewesen ist, irgendeinen befangenen Ausländer zu Gast zu laden, hat er sich den Spaß gemacht, ihm allerlei seltsame Sachen vorzusetzen, um den Mann ein wenig zu foppen. Das ist das Ganze."

„Aber solche Sachen wie Schwalbennester und Seetang essen sie doch ganz gewiß!"

„Allerdings. Aber der Seetang ist auch wirklich ein sehr nahrhaftes Gewächs, und ein Schwalbennest in schmackhafter Tunke würdet Ihr auch nicht verachten."

„Junge Hunde?"

„Auch! Aber warum sollen sie das nicht? Ist das Fleisch eines jungen Hundes nicht ebensogut wie das einer jungen Ziege oder eines Kaninchens? Und wenn die Chinesen Haifischflossen essen, so ist das nicht so widerwärtig wie zu Beispiel unser Käse, der doch nur aus in Fäulnis übergegangener Milch besteht. Denkt an unsere Austern und Weinbergsschnecken, an das beliebte Kalbsgekröse, an die ‚sauern Flecke', an Froschschenkel und vieles andere mehr, so werdet Ihr sicher zu der Ansicht kommen, daß der Chinese nichts Schlimmeres verspeist als wir."

„Well, das klingt tröstlich. Sucht also ein Gasthaus!"

„Dort ist ja gleich eins, und zwar mit englischer Aufschrift: ‚Hotel zu allen guten Sachen'. Gehen wir hinein?"

„Yes!"

Bereits an der Tür wurden wir von einem chinesischen Kellner empfangen, und im Saal stand ein zweiter am Eingang, der in ausgesuchter Höflichkeit nach unseren Namen fragte. Als wir ihm geantwortet hatten, rief er die beiden Namen in englischer und chinesischer Aussprache laut über das Zimmer hin. Dann wurden wir an einen leeren Tisch geführt, der mit einem seidenen Tuch behangen war. Auch die Stühle waren mit Seide überzogen. Dann erhielten wir, ohne gefragt zu werden, jeder ein Gläschen süßen, starken Reisbranntwein.

Jetzt erst trat der Oberkellner zu uns und überreichte den Speisezettel, der aus dem feinsten roten Seidenpapier bestand und so groß war, daß ich mich hätte hineinwickeln können. Die Speisen waren mit Zahlen versehen, und so oft ich ihm eine bezeichnete, rief er die Nummer, so daß man es in der Küche hören mußte.

Messer, Gabel und Löffel gab es nicht. Es wurde alles in so zerkleinertem Zustand gebracht, daß man ein Messer nicht brauchte. Statt Gabel und Löffel dienten elfenbeinerne Speisestäbchen, von den Engländern und Amerikanern Chopsticks genannt.

Ein immerwährendes, unmutiges Brummen des Kapitäns verursachte mir ein Lächeln.

„Was lacht Ihr?" fragte er mich daher.

„Was brummt Ihr?" fragte ich dagegen.

„Soll ich etwa nicht brummen, he? Wer kann denn mit diesen zwei Stricknadeln etwas Gescheites zum Munde bringen! Ich fische in der Brühe herum wie ein Storch, der keine Frösche findet, und Ihr gebraucht die Dinger geradeso, als ob sie mit Euch auf die Welt gekommen wären!"

„Ich habe mich geübt, Käpt'n."

„Geübt? Wo?"

„Auf Euerm Schiff. Der Koch mußte mir täglich einen Teller Reis machen. Ich schnitzte mir zwei Stäbchen, und wenn ich allein war, versuchte ich, chinesisch speisen zu lernen."

„Das ist die größte Hinterlist und Heimtücke, die ich mir denken kann! Hättet Ihr mir etwas gesagt, so hätte ich mich an dieser Übung beteiligt."

„Oder mir die Chopsticks an den Kopf geworfen. Jetzt aber müßt Ihr daran glauben."

„Fällt mir nicht ein, sonst sitze ich übermorgen noch da und fische in den Schüsseln herum. Verlangt doch einmal ein tüchtiges Stück Brot!"

Ich tat es. Als er es erhalten hatte, zog er sein Messer hervor und schnitt sich aus dem Brot einen Löffel, mit Hilfe dessen er nun gleichen Schritt mit mir hielt.

Als wir das wirklich vorzügliche Mahl, das aus zwölf allerdings kleinen Gängen bestand, beendet hatten, erhielten wir Tee, und dann wurden wir gefragt, ob wir Yen[1] haben wollten. Ich verdolmetschte Turnerstick diese Frage.

„Gibt es Zigarren hier, Charley?"

Auf meine an den Kellner gerichtete Erkundigung brachte dieser einige echte Manila, die der Kapitän ausgezeichnet fand. Was mich betraf, so zog ich es vor, eine chinesische Wasserpfeife zu versuchen. Der Kopf hatte etwa die Größe eines Fingerhuts und mußte daher öfters gefüllt werden; der Tabak aber war gut, stark und etwas süßlich.

„Fragt einmal, was wir schuldig sind, Charley! Oder wartet; ich werde selber fragen. Garçon!"

Er blickte mich bei diesem französischen Wort siegesbewußt an.

„Ja, Ihr meint wohl, daß ich gar nichts verstehe? Seit ich chinesisch spreche, fällt mir die ganze französische Sprache wieder ein. He, Garçon!"

Der Kellner merkte, daß er gemeint war, und trat herbei.

„Wir habeng sehr gut gegessang, und ich bin mit Euch zufrieding. Was muß ich bezahleng?"

[1] Wörtlich „Rauch", soviel wie Tabak

Der Mann schüttelte den Kopf.

„Was sagt dieser Herr?" fragte er mich.

„Er wünscht zu zahlen."

Er trat an ein Tischchen, auf dem ein Suanpan[1] stand, rechnete den Betrag zusammen und schrieb dann mittels Tusche und Pinsel die Rechnung, die er dem Kapitän überreichte.

„Was bedeuten die Kratzfüße, Charley?"

Ich nannte ihm die Summe; sie war so bescheiden, daß sich der Kapitän darüber wunderte.

„Hier werden wir speisen, solange wir in Kanton sind", meinte er. „Aber einen Löffel muß ich mir mitbringen. Gibt es Trinkgelder?"

„Sehr, Käpt'n."

„Well, sollen mit mir zufrieden sein. He, Garçon, alle Kellner her!"

Ich mußte auch das übersetzen. Sämtliche dienstbare Geister des Hotels „zu allen guten Sachen" kamen herbei und erhielten ein Kom-tscha. Den Bücklingen nach, die sie machten, schienen sie sehr zufrieden zu sein.

Wir erhoben uns.

„Bleibt noch einen Augenblick, Herr!" bat der Oberkellner.

Er nahm den Speisezettel zur Hand und wandte sich gegen die übrigen Gäste. Nachdem er unsere Namen nochmals genannt hatte, verlas er alles, was wir genossen hatten, gab die Bezahlung an und veröffentlichte auch die Trinkgelder, die der Kapitän verabreicht hatte. Dann wurden wir von der ganzen Bedienung unter tiefen Bücklingen und mit der Bitte, wiederzukommen, nach dem Ausgang geleitet.

Der Kapitän schien sich durch diese Höflichkeit sehr geschmeichelt zu fühlen.

„Feine und anständige Leute, diese Chinesen!" sagte er. „Sie haben gewöhnlich nur den Fehler, daß sie in ihrer eigenen Muttersprache nicht recht zu Hause sind. Wo bleiben wir heute nacht?"

„In irgendeinem Gasthaus, deren es in der Nähe des Flusses mehrere gibt."

Wir setzten unseren Spaziergang fort. Er erstreckte sich durch die äußeren Stadtteile, die durch eine hohe starke Mauer von der eigentlichen Chinesenstadt, zu der der Zugang erschwert ist, getrennt werden. Durch diese Mauer, die in gewissen Zwischenräumen von Türmen gekrönt wird, führt hie und da ein Tor.

Die Straßen, Gassen und Plätze waren so belebt, als ob wir uns auf einem Jahrmarkt befänden. Da wir nicht stehenbleiben durften, um den Verkehr nicht zu unterbrechen, wurden wir endlich müde.

„Wollen wir nicht auch ein wenig ausruhen, Charley?"

„Wo?"

„In einer Wirtschaft, aber nicht hier außen. Ich muß auch die innere Stadt zu sehen bekommen."

„Wollen wir das nicht für später aufheben? Wenn wir chinesische Anzüge tragen, werden wir keine Belästigung erleiden."

„Später? Fällt mir nicht ein! Wenn ein Chinese nach New York oder New Orleans kommt, kann er auch gehen, wohin es ihm beliebt, und

[1] Rechenmaschine

dasselbe Recht nehme ich als amerikanischer Staatsbürger hier auch für mich in Anspruch. Da ist ein Tor. Kommt!"

„Ich stehe für nichts, Käpt'n!"

„Ich aber für alles. Vorwärts."

Er schritt rasch voran, und ich war gezwungen zu folgen.

Gleich in der ersten Gasse sammelten sich die Straßenjungen und liefen hinter uns her. In der zweiten Straße begegnete uns ein Leichenzug.

Voran schritten mehrere Männer mit bunten Fahnen und Standarten; dann folgten drei Bahren, auf denen Götterbilder getragen wurden. Hinter ihnen kam eine Musikbande, die auf Flöten, Gongs und Kesselpauken einen bedeutenden Lärm erzeugte. Andere Personen trugen Räucherpfannen, Schwärmer und allerhand kleines Feuerwerk, das trotz der Enge der Straßen und der Feuergefährlichkeit der Bambushäuser abgebrannt wurde. Dann folgte die Totenbahre, an der der Sarg, an Seilen schwebend, befestigt war. Hinter dem Sarg schritt ein Bonze, und ein bunt durcheinandergewürfelter Haufe von Leidtragenden bildete den Schluß.

Wir traten zur Seite und drückten uns hart an die Wand des nächststehenden Gebäudes. Dennoch wurden uns finstere Blicke zugeworfen. Der Bonze blieb sogar vor uns stehen. Sein Gesicht hatte einen stumpfen, nichtssagenden Ausdruck.

„Ihr seid Y-jin[1]. Was wollt ihr hier?" fragte er.

Er hatte diese Frage an den Kapitän gerichtet, der ihm am nächsten stand.

„Was sagt er?" meinte dieser.

„Er fragt, was wir hier wollen."

„Schön, mein Junge!" Er zog einige von den Zigaretten, die er noch von der Pagode her in der Tasche hatte, hervor und reichte sie ihm hin. „Wir sind gekommen, um dir diese Zigarettang zu gebing."

Der Mann griff zu.

„Tsing!"

Damit beeilte er sich, seinen Zug wieder einzuholen.

Einige Straßen weiter schallte Musik aus einem Haus.

„Was ist das, Charley? Lest doch einmal diese Überschrift!"

„Jo-schi-siang." – „Was heißt es?"

„Musik- und Liederhaus."

„Hier wird also gespielt und gesungen. Gehen wir hinein!"

„Ich habe wenig Lust dazu. Man weiß nicht, was für einen Pöbel wir drin finden."

„Pöbel? Der Pöbel ist mir ganz gleich. Vorwärts!"

Der Unvorsichtige ließ sich nicht halten und schritt dem Eingang zu. Dort strömte uns ein nichts weniger als einladender Geruch entgegen; wir hätten umkehren sollen. Turnerstick aber hörte auf keine Warnung.

Als wir in die Stube traten, erkannte ich, daß wir in eine der niedrigsten Kneipen geraten waren. Auf schmutzigen und zerrissenen Matten und elenden Bänken hockte und lag eine Menge verkommener Gestalten an den Wänden hin und hörte der ohrenzerreißenden Musik zu, die von

[1] Barbaren

129

einer wackligen bühnenartigen Erhöhung herunterscholl. Sie hatten in kleinen Täßchen Tee vor sich stehen; ein bezeichnender Duft aber, der bei einem gelegentlichen Öffnen der Tür aus dem Nebenraum drang, sagte mir, daß dort eine Opiumbude sei.

Als wir eintraten, verstummte die Musik sofort, und aller Blicke richteten sich auf uns. Turnerstick nahm auf einer der Bänke mit einer Miene Platz, als ob er hier Stammgast wäre, und ich setzte mich neben ihn. Ein verkommener Kerl nahte sich uns.

„Was wollt ihr hier?" wurden wir gefragt.

„Trinken", antwortete ich.

„Was befehlt ihr?" – „Was hast du?"

„Tscha[1], weiter nichts."

„So gib uns Tscha!"

„Wollt ihr dazu rauchen?" – „Nein."

Es wurden uns zwei Täßchen gebracht, die mehr Schmutz als Tee enthielten. Es graute mir, das Zeug nur anzuriechen.

„Soll das Tee sein, Charley?" erkundigte sich Turnerstick. – „Ja."

„Dann ist Schiffsraumwasser der feinste Jamaika-Rum. Seht Ihr die Gesichter, die das Volk uns schneidet?"

„Laßt uns bezahlen und gehen!"

„Fällt mir nicht ein! Sollen diese Kerls etwa denken, daß wir aus Angst vor ihnen davonlaufen?"

Mehrere der Gäste hatten sich erhoben und waren zu dem Wirt getreten. Ich konnte von dem, was gesprochen wurde, nur weniges verstehen: „Du darfst keine Ing-kie-li, keine Meerteufel, bei dir leiden!"

„Mein Haus steht jedem offen, der mich bezahlt. Man hat die Ing-kie-li in die Stadt gelassen! Warum soll ich sie nicht dulden?"

„Man wird dich und uns bestrafen, wenn man sie hier findet. Jag sie fort oder wir gehen!"

„Seht ihr nicht, daß es starke Männer sind? Sie werden sich wehren und mir viel Schaden machen."

„Wir helfen dir. Geh hin und jag sie fort!"

„Tut ihr es. Mich gehen die Fremdlinge nichts an."

„Wohlan, so werden sie hinausgeworfen!"

Turnerstick mußte merken, daß wir der Gegenstand dieses bedrohlichen Gesprächs waren. Er fragte mich: „Was redet das Volk, Charley?"

„Sie wollen uns hinauswerfen."

„Blitz und Knall, den Kapitän Frick Turnerstick hinauswerfen! Diese dürren Kröten! Psahw, sie mögen kommen!"

„Laßt uns lieber verschwinden, Käpt'n!"

„Charley, wenn wir einmal Land und Leute kennenlernen wollen, so müssen wir doch auch erfahren, wie es in diesen Teekneipen zugeht. Ah, da kommen sie!"

Sämtliche Gäste hatten sich erhoben. Einer schob den anderen näher, bis die vordersten hart vor uns standen. Der, der vorhin zum Wirt gesprochen hatte, ergriff auch jetzt das Wort: „Ihr seid Ing-kie-li?"

[1] Tee

„Nein, sondern Tao-dse", antwortete ich, da Reden jedenfalls besser war als Schweigen.

„Das ist gleich; das ist eins so schlimm wie das andere. Kein Ing-kie-li und kein Tao-dse gehört nach Tschung-kuo[1]. Dieser Jo-schi-siang ist nur für uns und nicht für euch. – Geht fort, sonst werdet ihr unsere Arme fühlen!"

Wäre mir das in einem anderen Land gesagt worden, so hätte ich den Menschen einfach durchs Fenster geworfen. Unter den gegenwärtigen Verhältnissen aber war das nicht geraten, darum erwiderte ich:

„Eure Arme fürchten wir nicht. Wenn ihr Zank und Streit begehrt, so werdet ihr bald sehen, daß unsere Arme stärker sind als die eurigen. Geht ihr aber an eure Plätze zurück, so werden wir in kurzer Zeit dieses Haus verlassen."

„Ihr werdet keinen Augenblick mehr warten! Hinaus mit euch!"

Er griff nach Turnerstick, der nicht so lang war wie ich. Freilich kam er auch hier an den Unrechten. Der Kapitän packte ihn bei der Brust und fragte mich:

„Machen sie Ernst, Charley?" – „Ja."

„Well, so hat auch bei uns der Spaß ein Ende!"

Er hob den Chinesen empor und warf ihn unter die anderen hinein, daß sie auseinanderflogen.

„Was fällt euch ein, ihr dummeng Menschang! Wollt ihr euch gleich niedersetzing, sonst werdet ihr vong uns zu Mehl und Pulver geriebeng!"

Im Nu waren mehrere der Bänke auseinander gerissen, die aus Bambusstangen bestanden, mit denen sich die Angreifer bewaffneten, und es begann ein Handgemenge, aus dem wir nach einigen Püffen und Schlägen als Sieger hervorgingen.

Die acht bis zehn schmächtigen, schlecht genährten Gestalten waren uns nicht gewachsen, zumal sie von dem Wirt und den Seinen nicht unterstützt wurden.

Der kurze Kampf aber war nicht ohne Lärm abgegangen, und was ich erwartet hatte, geschah: es traten einige Polizisten ein, bei deren Erscheinen die Ruhe sofort zurückkehrte. Es waren Soldaten. Ihre Uniform bestand aus einem kurzen, roten Kittel mit weißem Besatz, blauen, kurzen, baumwollenen Hosen, groben Tuchschuhen mit Filzsohlen und einem geflochtenen Bambushut. Bewaffnet waren sie mit einem Rohrschild, auf den der kaiserliche Drache gemalt war, mit Pfeil und Bogen und einem kurzen Knüttel. Auf der Brust und auf dem Rücken trugen sie die weithin leuchtende Inschrift „Ping", und ihre dünnen, lang herabhängenden Schnurrbärte bemühten sich vergebens, ihnen ein kriegerisches Aussehen zu erteilen.

Sie schnitten bei unserem Anblick recht grimmige Gesichter und nahmen die Knüppel zur Hand.

„Wer seid ihr?" fragte der Anführer, indem er sich an den Kapitän wandte.

„Was will er?" fragte mich dieser.

[1] Reich der Mitte

„Er fragt, wer wir sind."

„Sagt es ihm, Charley! Aber sagt ihm zugleich, daß er auch seine Prügel haben kann, wenn er nicht höflich ist!"

Der „Ping" wiederholte seine Frage mit erhöhter Stimme.

„Dieser Mann ist ein Yeng-kie-li, und ich bin ein Tao-dse", entgegnete ich.

„Ihr seid Fremdlinge und Barbaren und wagt es, nach Kuang-tscheu-fu zu kommen?"

„Sei vorsichtig mit deinen Worten! In unserem Land ist das Wort Barbar eine große Beleidigung, die sich niemand gefallen läßt."

„Ihr seid Barbaren, sonst hättet ihr keine Schlägerei begonnen."–„Dann sind die Chinesen die Barbaren, denn sie haben den Streit angefangen."

„Das ist eine Lüge! Diese Männer sind gut und friedfertig; sie haben euch nichts getan."

Da legte ich dem Menschen die Hände auf die Schultern, daß er zusammenzuckte.

„Wenn du noch einmal von Lügen sprichst, streiche ich dir den Barbaren über den Rücken, daß er die Farbe des Himmels bekommt!"

Er trat zurück.

„Du drohst mir! Weißt du, was das zu bedeuten hat?"

„Nichts hat das zu bedeuten! Was willst du von uns?"

„Ich werde euch verhaften und zum Tscha-juan führen."

„Dagegen haben wir nichts einzuwenden, wenn du diese Leute gleichfalls ergreifst."

„Sie sind unschuldig."

„Das wird der Tscha-juan untersuchen. Wie kannst du wissen, wer schuldig oder unschuldig ist? Du hast ja noch keinen Menschen nach dem Hergang des Streits gefragt."

„Das geht euch nichts an. Bezahlt, was ihr getrunken habt, und schreitet voran!"

Der Kapitän sah an der Bewegung des Polizisten, um was es sich handelte.

„Was ist dieser Mensch, Charley?" – „Soldat und Polizist."

„Er will uns wohl festnehmen?"

„Allerdings."

„Tretet einmal auf die Seite. Ich will ihm ein Weniges auf den Hut hämmern, damit ihm der Verstand in Bewegung gerät!"

„Das würde uns nur Schaden machen. Wir sind einmal so unvorsichtig gewesen, ins Wasser zu gehen, und müssen nun auch mit dem Strom schwimmen."

„Soll das ein Vorwurf sein?"

„Nein. Ich bin ja mitgegangen und habe gewußt, daß ich mitgefangen werde. Mithängen aber lasse ich mich nicht. Tut mir den Gefallen und laßt Euch ruhig verhaften."

„Ich muß ja wohl, wenn Ihr nicht anders wollt!" brummte er.

„Wieviel kostet unser Tscha?" fragte ich den Wirt.

„Zusammen einen Fen."

„Hier habt Ihr!"

Ich gab ihm zehn Fen[1] und wandte mich an den Polizisten:

„Wir sind bereit, verlangen aber, daß du uns zwei Palankins besorgst, denn laufen werden wir nicht. Hier hast du Geld, sie zu bezahlen."

Ich legte einen Dollar in seine Hand.

„Willst du etwas wiederhaben?" fragte er dummdreist.

„Nein."

„Du sollst die Palankins erhalten."

„Aber ich verlange nochmals, daß auch diese Männer hier mitgenommen werden. Sie haben den Streit angefangen."

„Wenn sie ihn angefangen haben, so müssen sie mit."

„Und der Wirt als Zeuge!"

„Auch das sei dir gestattet!"

Der Dollar hatte dem Mann also bewiesen, daß wir keine Barbaren waren. Er schickte einen seiner Leute fort, der die Palankins herbeibrachte. Wir stiegen ein, und sämtliche Gäste nebst dem Wirt folgten unter Begleitung der „Pings" durch die Menschenmenge, die sich versammelt hatte.

Wir wurden nach dem Kuang-kuan[2] gebracht.

Das war ein stattliches Gebäude, dessen Vorderseite mit hölzernen Säulen verziert war. In dem Vorhof lungerte eine Menge Soldaten umher, die ganz dieselbe Uniform wie unsere Begleiter trugen. Hier stiegen wir aus, wobei ich dem Ping noch einen Dollar überreichte. Er schnitt ein verklärtes Gesicht und meinte: „Ihr seid keine gewöhnlichen Leute. Ich werde euch nicht mit den anderen zusammensperren, sondern dafür sorgen, daß ihr in das Zimmer der Vornehmen kommt."

Er übergab uns einem Yng-pa-tsung[3], dem er einige Worte zuflüsterte, die eine Empfehlung zu enthalten schienen. Von diesem wurden wir eine Treppe emporgeführt und gelangten in ein Gemach, das recht angenehm mit hübschen Teppichen und Rohrmöbeln ausgestattet war.

„Wartet hier!" gebot der Fähnrich.

Er verließ uns und kehrte nach kurzer Zeit mit Tee zurück. Turnerstick merkte natürlich, daß es auf ein Kom-tscha abgesehen war, und überreichte ihm einen Dollar.

Er steckte ihn schmunzelnd zu sich und tröstete uns:

„Fürchtet euch nicht! Der Tscha-juan ist zwar ein mächtiger Mann, aber er liebt die Gerechtigkeit und das Silber. Ihr seid sehr höfliche Leute und werdet euern Prozeß gewinnen."

Damit ging er ab.

Das war allerdings sehr deutlich gesprochen, so deutlich, daß für uns kein Zweifel übrigblieb, wie wir uns zu verhalten hatten. Ich teilte das dem Kapitän mit.

„So also, dieser Richter liebt die Gerechtigkeit und das Silber, das heißt, die Gerechtigkeit d u r c h das Silber! Von mir soll der Mensch keinen Half-Penny erhalten. Gebt Ihr ihm etwas?"

„Keinen Heller."

---

[1] Ein Fun oder Fen hat zehn Tsien, also ungefähr drei Pfennige [2] Gemeindepalast [3] Fähnrich, Standartenträger

„Übrigens kann er gar nicht über uns urteilen; wir gehören vor unser Konsulatsgericht."

„Das werde ich ihm natürlich begreiflich machen."

Jetzt trat der Ping herein, der uns verhaftet hatte.

„Ihr seid unschuldig. Ich habe die anderen verhört und alles entdeckt. Ich werde die Angelegenheit jetzt dem Tscha-juan melden."

Er trat durch eine Nebentür in ein Zimmer, in dem sich der Richter zu befinden schien. Wir hörten zwei Stimmen. Nach einiger Zeit kehrte er zurück und sagte uns, wir sollten eintreten.

Wir fanden einen Chinesen, dessen nichtssagende, verschwommene Züge kein besonderes Vertrauen erwecken konnten. Wir verbeugten uns. Er nickte gnädig und fragte:

„Ihr seid ein Yeng-kie-li und ein Tao-dse. Welcher ist der Yenk-kie-li?"

„Dieser", antwortete ich, auf den Kapitän deutend.

„So bist du der Tao-dse, nicht wahr?"

„Es ist nicht gut anders möglich."

„Du sprichst chinesisch und er nicht?" – „So ist es."

„Das wundert mich nicht. Die Ing-kie-li und die Yeng-kie-li geben sich nicht die Mühe, eine zweite Sprache als die ihrer Heimat zu kennen. Die Tao-dse aber sind verständige Leute; sie lernen sehr viel und betrüben nicht gern einen anderen. Ich habe sie lieb. Zu welcher Religion gehörst du?"

„Ich bin ein Kiao-yu[1] und bete den Himmelsherrn an."

„Das ist gut von dir, und wir sind Brüder, denn ich bin ein Ta-dse[2] und die Ta-dse und Kitat[3] haben auch einen Tien-rsch[4]!"

„Ja. Gott schuf den Menschen gut, aber der Mensch ward ungehorsam."

„Das lehren wir auch, denn unsere Religion ist eure Religion."

„Das ist vielleicht doch nicht ganz der Fall. Eure Religion sagt zwar: ‚Jen dse thu, sin pen schan'[5], doch wie der Mensch die verlorene Heiligkeit wieder erlangen kann, das lehrt sie nicht."

„Das vermag sie auch gar nicht zu sagen, denn der Mensch kann seine frühere Vollkommenheit überhaupt niemals wieder erlangen."

„Gerade darum ist deine Religion nicht die meine, denn die meinige sagt, daß der Mensch fromm, heilig und selig werden kann."

„Das sagt sie? Nun ja, so ist es die Meinung deiner Religion, und wegen einer Meinung soll man eine Religion nicht verwerfen. ‚San kiao, y kiao'[6], das hast du wohl schon gehört, und ‚Put tun kiato tun li'[7], das ist ganz dasselbe."

„Ich muß dir widersprechen. Das größte Unglück für den Menschen war, daß er seine Heiligkeit, seine Vollkommenheit verlor. Gibst du das zu?"

„Ja."

„Dann muß es für ihn ja auch das größte Glück sein, sie wieder erlangen zu können. Nicht?"

„Das ist richtig."

---

[1] Wörtlich „Freund der Religion". So nennen sich in China die Christen [2] Mongole [3] So werden die Chinesen von den Mongolen genannt [4] Himmelsherr [5] „Der Mensch war bei seinem Ursprung vollständig heilig" [6] „Die drei Religionen sind nur eine" [7] „Die Religionen sind verschieden; die Vernunft ist nur eine; wir alle sind Brüder"

„Deine Religion spricht ihm dieses Glück ab, die meinige gewährt es ihm aber. Welche ist da vorzuziehen?"

„Du willst sagen, daß deine Religion besser sei als die meinige? Du bist nicht höflich, und doch glaubte ich bisher, daß die Tao-dse sehr höfliche Leute seien. Aber wir wollen uns deshalb nicht zanken. Du sagst, daß deine Religion besser sei als die meinige, und ich sage nun auch, daß die meinige besser sei als die deinige; also sind wir vollständig einig, denn wir haben von unseren zwei Religionen ganz dieselbe Ansicht. Sage mir lieber, was du bist!"

„Ich bin ein Moa-sse[1]."

„Ein Moa-sse? Und warum kommst du nach Tien-hia[2]?"

„Weil ich dieses Land und seine Bewohner kennenlernen will."

„Und warum willst du sie kennenlernen?"

„Um ein Buch über Tien-hia schreiben zu können."

„So mußt du ein reicher Mann sein."

„Ich bin im Gegenteil sehr arm. Aber du mußt wissen, daß in meinem Land die Schriftsteller bezahlt werden, während bei euch die Moa-sse umsonst schreiben."

„Dann seid ihr Tao-dse ganz unbegreifliche Leute. Was ist der Yeng-kie-li hier?"

„Ein Yang-scheu-pi[3]."

„Hat er ein Schiff?"

„Ja; es liegt in Hongkong."

„Warum kommt er nach Kuang-tscheu-fu?"

„Weil er mein Freund ist und mich nicht allein gehen lassen wollte."

„Ist sein Schiff ein Kriegsschiff?"

„Nein, sondern ein Handelsfahrzeug."

„Das ist ein Glück für ihn, sonst müßte ich strenger gegen euch sein. Seit wann seid ihr in Kuang-tscheu-fu?"

„Erst seit heute."

„Weshalb seid ihr in die innere Stadt eingedrungen?"

„Weil wir nicht glaubten, daß wir dort so ungezogene Menschen finden würden."

„Schreibst du in deinem Buch auch von ihnen?" – „Ja."

„Und auch, daß du bei mir gewesen bist?" – „Ja."

„Und wie ich euch aufgenommen und behandelt habe?" – „Ja."

„Und das werden alle Tao-dse lesen?"

„Nicht bloß diese, sondern auch die Yeng-kie-li, die Ing-kie-li, die Fampa[4], die O-ro[5], die Por-tu-ki und die Hi-pan-si[6], denn das Buch wird auch in ihren Sprachen gedruckt."

Ich mußte die Sache ein wenig größer machen, als sie war. Das konnte mir nur Nutzen bringen.

„So setzt euch nieder. Ihr sollt sehen, wie ich Gerechtigkeit übe!"

Wir nahmen auf einem Diwan Platz. Er klingelte, und der Ping erschien.

„Bring die Männer herbei!"

---

[1] Schriftsteller, wörtlich „Doktor der Feder"   [2] „Unter dem Himmel", China gemeint   [3] „Seekapitän", eigentlich „Meerhauptmann"   [4] Franzosen   [5] Russen   [6] Spanier

„Dieser Kerl spricht wirklich ein schauderhaftes Chinesisch", flüsterte Turnerstick. „Ich habe kein Wort verstanden. Was wird mit uns geschehen?"

„Nichts. Ich glaube im Gegenteil, daß die anderen bestraft werden."

„Wie käme das?"

„Weil ich ihm gesagt habe, daß ich über China ein Buch schreiben werde und ihn mit darin erwähnen will."

„Sehr schlau, Charley, sehr klug. Bin neugierig!"

Unsere Gegner wurden gebracht. Das Gesicht des Richters war ein anderes geworden. Seine Stirn lag in schweren Falten, und seine kleinen Augen blitzten zornig auf sie nieder, die nach chinesischer Sitte vor ihm auf den Knien lagen.

„Ihr wagt es, bloß zu knien, ihr Hunde?" donnerte er sie an. „Auf den Bauch mit euch, und die Stirn an die Erde! Welcher von euch ist der Wirt, bei dem die Untat geschah?"

„Ich Siao-ti[1]!" antwortete dieser, ohne das Gesicht vom Boden zu erheben.

„Haben diese Tschu[2] den Streit begonnen?"

„Nein. Sie sind ganz ruhig gewesen."

„Und dennoch habt ihr sie geschlagen! Wenn sie zu ihrem Konsul eilen und Strafe verlangen, so werdet ihr getötet. Sie sind aber gnädig und haben es in meine Hand gelegt. Ihr geht, jeder drei Jahre lang, in die Verbannung und tragt vorher zehn Tage lang den Block!"

„Ich bin unschuldig, Tschin-kuang-fu[3]!" wagte der Wirt zu bemerken. „Ich, Siao-ti, habe diese Leute gewarnt und ihnen verboten, die Tschu-kuo-ngan[4] zu schlagen!"

„Du hättest es verhindern sollen. Bitte die Y-tschu[5]; vielleicht erlassen sie dir den Block!"

Er kam auf dem Bauche zu uns herbeigerutscht.

„Ihr seid Ti-ta-schu[6], und ich bin Siao-ti. Ihr wißt, daß ich unschuldig bin. Habt Erbarmen!"

Ich wandte mich an den Richter:

„Deine Weisheit ist groß, und deine Gerechtigkeit glänzt wie die Sonne. Laß uns nun auch deine Gnade sehen! Dieser Mann ist wirklich unschuldig, und wir bitten dich, ihm die Strafe zu erlassen!"

„Ein Kitat würde anders sein", antwortete er; „ich aber bin ein Tadse und erfülle eure Bitte. Steh auf, du Hund! Geh heim, und preise meine Gerechtigkeit und die Gnade dieser Y-tschu! Du aber", sprach er zu dem Ping, der im Zimmer geblieben war, „führe diese Menschen fort und schreib mir ihre Namen auf!"

Sie krochen auf dem Bauch zur Tür hinaus.

Die Strafe war sehr hoch bemessen; aber einesteils war es ganz gut, einmal Ausländer gehörig in Achtung gesetzt zu sehen, und andernteils traute ich dem Mandarin nicht; vielmehr glaubte ich, er spiele ein wenig

---

[1] „Der ganz Kleine", so muß sich jeder niedrigstehende Chinese einem Mandarin gegenüber nennen   [2] Herren   [3] Erhabener Mandarin   [4] Die Herren Exzellenzen   [5] Die fremden Herren   [6] Ganz große Herren

Komödie und würde die Leute nach unserer Entfernung wieder entlassen. Diese beiden Gründe hielten mich ab, für sie zu bitten.

„Seid ihr mit mir zufrieden?" fragte er jetzt.

„Vollkommen! Darum sagen wir dir Dank und werden deinen Namen zu rühmen wissen überall, wohin wir kommen."

„So werdet ihr mir auch den Wunsch erfüllen, nicht wieder das Innere der Stadt zu betreten. Der Schang-ti[1] hat es den Fremdlingen verboten, und seine Diener müssen darauf achten, daß sein Wille erfüllt wird. Wie lange gedenkt ihr in Kuang-tscheu-fu zu bleiben?"

„Vielleicht nur heute oder morgen."

„Seid ihr Gäste eines Freundes oder Bekannten?"

„Nein. Wir bleiben in einem Y-fang[2]."

„Das werde ich nicht zugeben. Kommt, und folgt mir!"

Er verließ das Zimmer und führte uns nach einer anderen Seite des Hauses, wo er zwei Türen öffnete.

„Das sind zwei Stuben, in denen meine Freunde wohnen, wenn sie mich besuchen. Ihr seid meine Gäste und bleibt bei mir!"

Das war ein sehr schmeichelhaftes Anerbieten, aber nach chinesischer Sitte durften wir es nicht annehmen, sondern mußten alle möglichen Einwendungen machen. Eine geschriebene oder gedruckte Einladung ist stets ernst gemeint, ein bloß gesprochenes Anerbieten aber ist meist nur eine Höflichkeitsformel und wer ohne weiteres darauf eingeht, der macht sich des gröbsten Verstoßes gegen die gute Lebensart schuldig. Setzt der Chinese jemand eine Tasse Tee vor, so muß sie angenommen werden. Spricht er aber: „Bleib bei mir, und trink den Tscha mit mir!", so muß man ablehnen, selbst wenn es einen Kampf mit Redensarten kostet; das erfordert die Sitte. Geht man aber darauf ein, so wird er mit lauter Stimme den Tee bestellen, doch es wird keiner kommen. Man wartet lange; man wird endlich ungeduldig und bittet, den Tee zu erhalten oder gehen zu dürfen. Dann erhält man die Antwort: „Was soll ich von dir denken? Ich war so höflich, dir Tee anzubieten, und du hattest nicht genug Höflichkeit, ihn abzulehnen. Bist du ein Barbar, ein Kirgise, ein Tunguse oder gar ein Russe, der seinen Verstand im Schnaps vertrunken hat?"

Hier jedoch half uns all unser höfliches Widerstreben nichts. Er eilte schließlich sogar in sein Amtszimmer zurück, schrieb in größter Schnelligkeit zwei Einladungen und brachte sie uns.

„Hier, nehmt und seht, daß es mein Ernst ist! Oder wollt ihr mich wirklich beleidigen?"

„Wenn du zuletzt befiehlst, so müssen wir gehorchen."

„Gut, so befehle ich. Tretet ein, und denkt, daß ihr Herren meines Hauses seid. Ich werde euch sofort einen Diener senden, der euch in allem zu gehorchen hat."

Die beiden Zimmer waren, nach chinesischem Begriff, sehr fein ausgestattet und augenscheinlich nur für vornehme Gäste bestimmt.

„Das lasse ich mir gefallen, Charley", meinte Turnerstick. „Es ist

[1] Kaiser   [2] Fremdenhaus

doch gut, wenn man in Gesellschaft eines Büchermachers Land und Leute kennenlernt, denn diese Büchermacher sind höchst gefährliche Leute. Ich kann mir nichts Unangenehmeres denken, als wenn man gedruckt lächerlich gemacht wird; darum muß man höchst zuvorkommend gegen euch Schriftsteller sein, und darum werden wir auch von diesem Mandarin in einer Weise aufgenommen, als ob wir zu den Größten des himmlischen Reiches gehörten. Weiß er denn auch, was ich bin?"

„Ja; aber wie wir heißen, weiß er noch nicht. Er hat aus reiner Höflichkeit gar nicht nach unseren Namen gefragt."

„Womit hat er die Kerle bestraft?"

„Mit zehn Tagen Block und drei Jahren Verbannung."

„Blitz und Knall, das ist streng!"

„Wenn er Ernst macht, ja. Zehn Tage Block ist sehr hart, die Verbannung ist jedoch nicht so schwer, wie man vielleicht denkt. In China gibt es keine Gefängnisstrafe; statt ihrer wird die Ausweisung nach einer der inneren Provinzen in Anwendung gebracht. Jeder Verbannte hat das Recht, seine Familie mitzunehmen."

„Er macht Ernst. Guckt einmal hinunter in den Hof, Charley!"

Die Fenster des Zimmers führten nach dem Außenhof, und dort standen die Verurteilten bereits, ein jeder mit dem Block belastet. Die Blöcke waren aus dem ungemein schweren Agilaholz gefertigt und lagen auf den Schultern der Verurteilten, deren Köpfe durch ein Loch in der Mitte hervorblickten.

Jetzt kam der Diener, der sich uns zur Verfügung stellte und kunstvoll gearbeitete Laternen brachte, um die Zimmer zu erleuchten, da es bereits zu dämmern begann. Er führte uns in ein Bad und stellte uns nachher eine leichte und bequeme chinesische Hauskleidung zur Verfügung, deren wir uns auch bedienten.

Dann wurden wir, um uns die Zeit zu kürzen, in die Bücherei des Richters geführt. Sie war sehr reichhaltig. Ich beschäftigte mich mit den Büchern und Handschriften, Turnerstick aber mehr mit den Holzschnitten, deren viele vorhanden waren. Sie hatten alle die Eigentümlichkeit, daß ihnen die Perspektive fehlte. Ein Mann, der auf einer Landschaft weit im Hintergrund einen Berg bestieg, war noch einmal so groß wie der Knabe, der sich im Vordergrund mit Angeln beschäftigte.

Später erhielten wir die Einladung zum Abendessen und begaben uns nach dem Speisezimmer. Unser Wirt erschien allein; entweder wollte er uns ungestört genießen, oder er scheute sich, wissen zu lassen, daß er zwei Barbaren mit seiner Gastfreundschaft beehrte.

Wir speisten sechzehn Gänge, die ich der Absonderlichkeit wegen hier aufzählen will.

Die Einleitung bildeten ein ausgezeichneter Tee und eine Schale vortrefflicher Mandelmilch, die der Chinese überhaupt sehr liebt. Dann kam als erster Gang ein Frikassee von Hühnerkehlen. Hierauf folgten gefüllte Krabben, die meinem braven Turnerstick ungemein zu munden schienen. Dann Schinken, Austern und Pickles. Nachher gebratene Ente und gesalzene Schweineschwarte mit Pilzen und gekochtem Seetang aus Wanghien. Jetzt eine Suppe von Schwalbennestern mit Ei und Schinken. Nun ein Gemisch von Haifischflossen und Hahnenkämmen. Hierauf Entenzungen mit Bambussprossen und Schinken. Dann allerliebste Hammelfleischpasteten. Weiter junge Wasserschnecken aus dem Poyang-See. Nachher geräucherter Schweinebraten in Honigseim. Danach gebeizte Ente in einer köstlichen Tunke. Dann Fadennudeln aus Peking mit Eichhornkeulchen. Ferner eine Roulade vom Fasan. Nun rote Grütze mit Hung-sa[1]. Hierauf Hammelbraten in süßer Tunke mit japanischen Sago-Klößchen. Und endlich junger Stör mit Reis, Melonen, gegorenem Ingwer und Salzgurken aus der Mandschurei.

Als Getränk gab es außer der Einleitung von Tee und Mandelmilch noch Sam-schou[2], frischen Tee, angesüßtes Wasser und zum Schluß einen Champagner, der zwar nicht echt, aber doch recht trinkbar war.

Das war nun allerdings ein Essen, wie wir es nicht erwartet hatten und mit dem unser Wirt, die Wasserschnecken, die er selber verzehren mußte, ausgenommen, bei meinem Turnerstick alle Ehre einlegte.

Der Kapitän war mit unserem Wirt besonders deshalb zufrieden, weil dieser so rücksichtsvoll gewesen war, uns außer den chinesischen Speisestäbchen Messer, Gabel und Löffel beilegen zu lassen.

„Ist das nicht ein prächtiger Mann?" fragte er mich. „Ich lerne hier Land und Leute vorzüglich kennen und habe nur auszusetzen, daß sie ihre Sprache vernachlässigen. Sie reden chinesisch ungefähr so, wie ein Indianer englisch spricht; man kann sie nicht verstehen."

„Aber ich verstehe sie doch!"

„Ja, wie Ihr das fertig bringt, das ist mir ein Rätsel."

Bei jedem neuen Gang sagte mir der Tscha-juan, was es wäre, und fragte mich, wie es uns schmeckte. Ich erklärte ihm, wie dieselbe Speise in unserer Heimat zubereitet wird, und fand überhaupt, daß er ein wohlunterrichteter und wißbegieriger Mann war. Ich mußte ihm von meinen Reisen erzählen; er war in der Länder- und Völkerkunde bewanderter, als man von Chinesen gewöhnlich anzunehmen pflegt, und gestand schließlich: „Du hast soviel gesehen und erlebt, wie in unseren ganzen King und Schuh[3] nicht steht, aber in Schin-tan[4] wird dir kein Abenteuer zustoßen. Das Land und das Volk sind zu nüchtern dazu."

„Und doch habe ich bereits eins erlebt."

„Willst du es mir erzählen?"

„Du sagst, dieses Land wäre zu nüchtern für ein Abenteuer. Denk nur an die Lung-yin, und du wirst zugeben, daß es hier genug Gelegenheit zu überraschenden Erlebnissen gibt."

„Die Lung-yin? Bist du bereits mit einem von ihnen zusammengekommen?"

Sein Gesicht hatte einen eigentümlichen, ich möchte sagen, lauernden Ausdruck angenommen.

„Allerdings." – „Wann?"

[1] Hung-sa ist eine unserer Quitte ähnliche Frucht [2] Das chinesische Nationalgetränk, eine Art Branntwein aus Reis; es ist sehr stark, für unseren Gaumen aber nicht angenehm schmeckend [3] Bücher und Anweisungen [4] So wird China von den Buddhisten genannt

„Gestern." – „Und wo?"

„Auf dem Fluß." – „Wie geschah das?"

„Sie nahmen mich und meinen Freund gefangen und schafften uns nach einem Kuang-ti-miao."

„Und haben euch wieder freigegeben?"

„Freiwillig nicht; wir haben sie dazu gezwungen."

„Das ist unmöglich."

„Es ist möglich, denn du siehst mich hier bei dir."

„Das ist außerordentlich! Die Lung-yin haben noch niemals einen Gefangenen ohne Lösegeld freigegeben."

„Ich habe ihnen sogar eine gefangene Holländerin weggenommen, die ich im Kuang-ti-miao fand."

„Wie viele waren es?"

„Dreißig ungefähr."

„Dann hast du sie nicht durch bloße Gewalt zu zwingen vermocht, sondern dich eines anderen Mittels bedient. Ich schenke dir immer mehr Teilnahme. Willst du die Güte haben, mir deinen Namen zu nennen?"

„Ich wurde hier Kuang-si-ta-sse genannt."

Er sprang überrascht vom Sessel auf.

„Kuang-si-ta-sse! Kennst du ein Nian-yan-kui-dse?"

Ich erstaunte. Er kannte meine Ausarbeitung: „Geschichte der Teufel aus den westlichen Meeren."

„Ja."

„Und ein Pen-tsao-y-jin?"

„Ja."

„Und ein Hio-thian-ti?"

„Ja."

„Und du bist es, der diese drei Werke geschrieben hat?"

„Ich bin es."

„Jetzt weiß ich genau, warum du den Lung-yin entkommen bist: das Zeichen, das dir Kong-ni gab, hat dich aus der Gefangenschaft errettet."

Mein Erstaunen wuchs.

„Kennst du Kong-ni?" fragte ich.

„Ich kenne ihn. Du hast ihm das Leben gerettet, und er hat es mir erzählt, denn er besuchte mich, sobald er nach Kuang-tscheu-fu zurück-kehrte. Auch deine Arbeiten gab er mir zu lesen. Ich mußte sie sehen, denn ich gehöre zu den Kao-pan-sse[1] und habe sie mit zu prüfen."

„Sind sie bereits geprüft?" – „Von mir und noch einem."

„Was wird der Erfolg sein?" – Er lächelte leise.

„Ganz derselbe, den dir Kong-ni vorausgesagt hat. Sein Vater ist mächtig im Reich, obgleich er vom Kaiser die Erlaubnis erhalten hat, sich auszuruhen. Er ist in unserer Provinz der oberste der Prüfenden und kann den Grad erteilen, ohne vorher beim Ly-pu anzufragen. Er wird aus deinen Arbeiten sehen, daß du ein großer Gelehrter bist, und wird dich zum Tsia-sse[2] machen, wenn du ihm gehorchst."

„Ihm gehorchen? In welcher Angelegenheit?"

---

[1] Doktoren des Schauplatzes der Prüfungen [2] Doktor

„Das wird er dir selber sagen. Er schickt dann deine Schriften dem Ly-pu nur zur Ansicht, und darauf werden sie im Wen-tschang-kun[1] niedergelegt. Du bist ein Fremder, aber es kommt ganz auf dich an, ob du ein Ta-kueng-fu[2] werden willst. Dann wirst du mächtig sein und brauchst nicht in dein Land zurückzukehren, wo du Bücher schreiben mußt, wenn du nicht hungern willst."

Eine solche Wendung unserer Unterhaltung hatte ich nicht erwartet. Diese Ausarbeitungen waren von mir mehr dem Abenteuer zuliebe gefertigt worden. Es war mir kaum eingefallen, an einen Erfolg zu glauben, und nun sagte mir dieser Tscha-juan, der doch ein hochgestellter und einflußreicher Mann war und zur Mandarinklasse mit dem blauen Knopf gehörte, daß ich wirklich einen akademischen Grad erhalten würde. Hier mußten besondere Verhältnisse obwalten, zumal die Angelegenheit mit einer Eile betrieben wurde, die in China sonst ganz ungebräuchlich ist. Neugierig war ich dabei auf die Dinge, in denen ich dem Vater Kong-nis gehorchen sollte. Ich vermutete, daß dieser mit dem Richter verwandt sei.

„Kong-ni ist nicht mehr bei dir?" fragte ich daher.

„Nein. Er ist zu Ming-tsu, seinem Vater, gegangen."

„Du kennst auch diesen?"

„Ja. Er ist mein Bruder, und wenn du seinen Willen tust, wirst du sein Sohn werden."

„Wo wohnt er?"

„In Li-ting. Hat dir Kong-ni das nicht gesagt?"

„Nein."

Also der Vater Kong-nis wohnte in demselben Li-ting, wo sich auch der Kiang-lu, der oberste der Drachenmänner, aufhielt! Das gab mir Stoff zum Nachdenken. Ich kam auf den Gedanken, daß beide in einer gewissen Beziehung zueinander stehen müßten, und versuchte, darüber einen Anhaltspunkt zu gewinnen, indem ich mich erkundigte:

„Ist es erlaubt, daß ein chinesischer Phy, ein Graf, der ein Fu-yuen war, einen Ausländer, einen Christen, als Sohn annimmt?"

„Alles, was man tun kann, ist erlaubt."

Das war ein höchst eigentümlicher Grundsatz.

„Dann wäre es auch den Lung-yin erlaubt, Stromräuber zu sein?"

„Sie erlauben es sich selber."

„Aber das Gesetz, die Gerechtigkeit?"

„Wird sie bestrafen, wenn sie nicht klug genug sind, ihre Vorkehrungen zu treffen."

„Du bist ein Richter, ein Vertreter des Gesetzes, das dir gebietet, die Lung-yin zu vertilgen."

„Das werde ich auch, wenn das Gesetz es verlangt. Aber es ist noch keiner gekommen und hat es mir befohlen."

„So will ich dir Gelegenheit dazu geben." – „Du?"

„Ja. Im Wan-ho-tien versammeln sich heute um Mitternacht viele Drachenmänner, um die Maßregeln zu besprechen, mich und meinen

---

[1] Palast der wissenschaftlichen Ausarbeitungen [2] „Ein großer Mandarin"

Freund zu fangen und zu töten. Du hast da die beste Gelegenheit, sie aufzugreifen und zu bestrafen."

Er lächelte eigentümlich und nickte dann.

„Ich werde es tun; ich werde sie überraschen, weil du es willst. Also euch wollen sie fangen?"

„Ja."

„War ein großer Mann, ein Dschiahur, ihr Anführer?"

„Allerdings", antwortete ich erstaunt. „Kennst du ihn auch?"

„Ich bin ein Richter, und es ist meine Pflicht, alle Leute zu kennen, über die ich einst zu urteilen habe. Sind die Richter deines Landes nicht so klug?"

„O ja. Sie kennen ihre Leute ebensogut, aber sie warten nicht, bis eine Anzeige gemacht wird, sondern sie handeln freiwillig, wenn es gilt, ein Verbrechen zu verhüten."

„Dann müssen sie sehr wenig Arbeit haben, wenn ihnen Zeit für solche Dinge bleibt. Der Richter soll warten, bis man ihm den Verbrecher bringt. Aber weil du es willst, werde ich den Dschiahur im Wan-ho-tien aufsuchen."

„Darf ich dich begleiten?"

„Nein. Mein Amt verbietet mir, einen Ausländer mitzunehmen, und überdies bist du mein Gast, den ich nicht in Gefahr bringen darf. Ich werde dafür sorgen, daß dir die Lun-yin nicht wieder feindlich begegnen."

„Steht das in deiner Macht?"

„Ja. Wie lange habt ihr Zeit, von euerm Schiff fortzubleiben?"

„Solange es uns beliebt. Nur wenn Kong-ni zurückkehrt, möchte ich dort anwesend sein."

„Das ist nicht notwendig, denn ihr werdet morgen früh zu Kong-ni gehen."

„Wohin?"

„Nach Li-ting. Ihr sollt Palankins haben und eine Begleitung. Oder zieht ihr vor, auf einer Mandarinschunke zu fahren?"

„Wir ziehen vor, selber zu bestimmen, was wir tun und wohin wir gehen werden."

„Das steht euch frei. Aber du mußt doch zugeben, daß ich es gut mit euch meine. Ihr wollt China kennenlernen und könnt das am besten, wenn ihr tut, was ich euch anbiete. Du hast die Kleidung, die dir geschenkt wurde, nicht mit. Ich werde euch chinesische Gewänder geben und Mandarinhüte, so daß man euch überall mit Achtung begegnen wird."

„Darfst du uns die Abzeichen einen Mandarin geben?"

„Ich erlaube es mir. Übrigens sprichst du chinesisch, so daß du dich nicht verraten wirst."

Das klang verlockend. Darum ging ich, obgleich verschiedene Bedenken in mir aufsteigen wollten, auf den Vorschlag ein, doch nicht, ohne vorher mit dem Kapitän darüber zu sprechen.

„Wollt Ihr ein Mandarin werden, Käpt'n?"

„Warum nicht, falls es Spaß macht und nicht allzusehr gefährlich ist."

„Unser Wirt will uns chinesisch kleiden und zu Kong-ni schicken, der sich bei seinem Vater, der ein Graf ist, aufhält."

„Well! Ich bin dabei, falls der Ausflug nicht viel Zeit in Anspruch nimmt. Wenn der Mann ein Graf ist, so hat man alle Hoffnung, daß der jetzige Speisezettel hier und da eine Wiederholung findet!"

Das war also abgemacht, und ich teilte dem Tscha-juan unseren Entschluß mit.

„Ihr tut wohl daran, und ich werde so für euch sorgen, als ob ihr meine Brüder wärt."

Er erhob sich. Ich dankte ihm für seine Gastlichkeit, und auch der Kapitän konnte nicht unterlassen, einen Dankversuch zu machen:

„Richter, Freund und Gastgeber! Ich muß saging, daß mir noch niemals ein Essong so geschmeckt hat, wie das gegenwärtigeng. Wenn Ihr einmal auf meinang Schiffeng kommung wolltet, so würde ich mir Mühe gebeng, mich erkenntlich zu zeigang."

Der Richter lächelte, nickte ihm für diese Worte, deren Sinn er erriet, freundlich zu und entfernte sich. Hierauf brachte uns der Diener Tabak, Pfeifen, Zigarren und Zigaretten, und da es noch nicht spät war, so beschlossen wir, gemütlich zu schmauchen.

Es waren nicht zehn Minuten vergangen, so wurde uns ein Mann gemeldet, der uns zu sehen wünschte. Es war der Besitzer eines Kleiderladens. Er prägte unsere Körpermaße seinem Gedächtnis ein und brachte bereits nach einer Viertelstunde zwei Anzüge, zu denen der Diener dann noch Zopf, Fächer und zwei Mandarinhüte gesellte, von denen der eine einen vergoldeten und der andere einen Knopf von Kristall hatte. Der erste war für den Kapitän und der andere für mich bestimmt. Ich sollte als Mandarin fünfter und Turnerstick als ein solcher neunter Klasse gelten.

„Wollen wir anprobieren, Charley?" fragte Turnerstick.

„Zeit haben wir." – „Well; greift zu!"

Wir legten die Gewänder an und steckten einander die langen Zöpfe an den Kopf. Als ich vor dem Spiegel trat, mußte ich hellauf lachen, und auch der Kapitän kam vor Lachen kaum wieder zu Atem.

„Charley, sagt einmal aufrichtig, sehe ich auch so abenteuerlich aus wie Ihr?"

„Natürlich! Ihr kommt mir vor wie ein Kasperl, den man chinesisch angezogen hat."

„Ganz dasselbe ist bei Euch der Fall. Aber unsere Bärte passen nicht."

„Hier ist ja alles was wir brauchen, auch Bartwichse, wie es scheint. Wir können uns also helfen."

„Was tun wir nun mit unseren Kleidern? Der Tausch würde mir auf die Dauer denn doch nicht behagen."

„Wir übergeben sie dem Tscha-juan, der sie uns nach Hongkong besorgen muß."

„Well, das ist das beste. Nun aber wollen wir schlafen, damit wir morgen beizeiten fertig sind!"

Wir gingen zur Ruhe, und wie während der ersten Nacht in Hongkong hatte ich es wieder im Schlaf mit allerlei wunderlichen Gestalten zu tun. Eine Menge von Lung-yin in Krokodilsgestalt und mit Mandarinhüten auf den Köpfen sperrten die Rachen auf, um mich zu verschlingen. Kong-ni hatte Pferdehufe, Hörner und einen Schwanz bekommen und streckte seine teuflischen Krallen nach mir aus. Der Kiang-lu war ein riesiger Haifisch mit Drachenflügeln; er kam auf mich zugeschossen und verschlang mich. Als ich durch seinen Rachen glitt, sah ich unseren Wirt die Hände freudig zusammenschlagen, und neben ihm stand Mejuffrouw Hanje Kelder und schrie: „Heb geen angst, Mynheer, da haai wird U niet in zyn gorgel behalten!"

10. Bei einem chinesischen Großen

Als ich erwachte, war es noch früh am Morgen, und aus dem Nebenzimmer ertönte das laute Schnarchen des Kapitäns. Vom Fenster aus bemerkte ich, daß die beiden Palankins bereits im Hof standen. Ich weckte den Kapitän, und wir zogen unsere Mandaringewänder an.

Da wir die Fenster öffneten, erkannte man, daß wir erwacht seien, und so kam der Diener, um uns zum Frühstück zu rufen, das der Tschajuan mit uns einnehmen wollte. Er hatte bereits auf uns gewartet. Er meinte, daß uns die Gewänder gut kleideten, und überreichte mir ein Empfehlungsschreiben, das ich seinem Bruder Phy-ming-tsu übergeben sollte.

Bis nach Li-ting war es im Palankin eine Tagereise, und zur Bestreitung der dabei entstehenden Kosten gab er mir zwei Silberbarren.

Dann nahmen wir Abschied. Auch Turnerstick erfaßte die Hand des Richters.

„Geliebter Freund und Bruder! Es will mir scheineng, daß du ein braver und gemütlicher Kerling bist. Habe Dank für alles, was wir gegessang und getrunking habong. Auf der Rückfahrt kommang wir wieder. Adieu, lebing wohl, alter Jungeng."

Wir wurden von ihm bis hinab in den Hof begleitet. Ich gab mir Mühe, Fächer und Regenschirm möglichst mit Würde zu handhaben, Turnerstick aber schulterte seinen Schirm sehr einfach wie eine Flinte und trug den Fächer in der Faust, als ob er eine Eisenholzkeule zu schleppen hätte.

Das Gefolge bestand aus mehr als dreißig Menschen, die sich bei unserem Erscheinen alle zur Erde warfen. Wir nahmen noch einen letzten, kurzen Abschied, stiegen ein, und dann ging's in eiligem Trab fort, wie es die Palankinträger gewohnt sind.

Voran eilten vier Läufer, ausgerüstet mit Bambusstäben, um jedem Begegnenden durch kräftige Streiche begreiflich zu machen, daß er anhalten, ausweichen und demütig grüßen müßte, da ihm die unverdiente Gnade zuteil werde, zwei Tragsessel zu sehen, in denen sich vornehme Kuang-fu befänden. Dann folgten acht Soldaten, bewaffnet mit Luntenflinten, aus denen wohl seit zwanzig Sommern und Wintern kein Schuß getan worden war; sie hatten vorn auf der Brust den Drachen und auf dem Rücken die Inschrift „Ping". Nun kamen vier ledige Träger, die Ablösung für die anderen; dann erschien mein Palankin und der des Kapitäns, hinter dem unser Reisemarschall keuchte. Ihm folgten wieder vier ledige Träger, da jeder Palankin von vier Mann befördert wurde. Hinter ihnen liefen nochmals acht Soldaten, diese aber mit Lanzen, Pfeil und Bogen bewaffnet. Zu guter Letzt kam ein langgezogener Schwanz von Straßenjungen, die aus allen Kräften schrien und nur immer die beiden Worte ‚Tsien", und „Kom-tscha" brüllten. Zuweilen blieb einer der Läufer zurück und zog ihnen einen kräftigen Tsien oder ein klatschendes Kom-tscha über den Rücken, was aber nur zur Folge hatte, daß sich das Geschrei verdreifachte. Und wenn ja einmal einer dieser Schlingel zurückblieb, waren mittlerweile bereits zwei andere für ihn eingetreten.

Erst als wir nach anderthalb Stunden die Stadt nebst ihren Vororten im Rücken hatten, löste sich der Schweif allmählich vom Kometen ab, und es begann ruhiger hinter uns zu werden.

Die Palankinträger sind die volkstümlichsten Gestalten des ganzen himmlischen Reiches. Sie leisten beinahe Übermenschliches. Immer im Geschwindschritt rennen sie vorwärts; sie keuchen unter ihrer Last, der Schweiß rinnt ihnen aus allen Poren, aber sie scheinen niemals zu ermüden. Ihnen ist es gleich, ob der Weg gut oder schlecht ist, bergauf oder bergab geht und durch heiße Sandstrecken oder breite Wasserläufe führt. Und dafür bekommen sie einen Tsien für die Meile, also etwas über drei Pfennige die Wegstunde. Gekleidet sind sie in ein sehr kurzes Beinkleid und eine ebenso kurze Jacke. An den nackten Füßen tragen sie Sandalen aus Reisstroh.

Ich konnte mich für die Reise im Tragsessel nicht begeistern. Man lag wie in einem Sarg; lieber hätte ich ein gutes Pferd unter mir gehabt, die Pferde aber sind in China, besonders in dem südlichen Teil, sehr selten.

Erst zu Mittag machten wir halt. Wir befanden uns in einem Dorf, dessen Sian-yo[1] uns den Kuang-kuan[2] öffnete und alles, was wir brauchten, herbeischaffen mußte. Wir hielten eine mittelmäßige Mahlzeit und ruhten noch eine Weile aus.

„Charley, sagt einmal, wie Euch so ein Palankin gefällt?" fragte Turnerstick.

„Nicht sehr."

„Und mir noch weniger. Das Dings ist aus den köstlichsten Stoffen gemacht, aber man reist niederträchtig darin. Ich lobe mir meine Barke!"

„Und ich mir ein Pferd."

„Heigh-ho, fällt mir nicht ein! Ein Pferd, von dem ich alle zehn Schritte zwanzigmal herabrutsche? Das ist noch viel schlimmer als ein Palankin. Ob es hier am Pe-kiang auch Drachenmänner gibt?"

„Natürlich. Ich habe Euch doch bereits gesagt, daß der Oberdrache in Li-ting wohnt, wohin wir gehen."

„Well, so werden wir uns den Kerl einmal ansehen!"

[1] Schultheiß [2] Gemeindehaus

„Auch der Dschiahur wird kommen, der sich nur unseretwegen in Kanton länger verweilt hat."

„Werden auch ihn ansehen, aber nicht allein ansehen, sondern noch etwas anderes. Unsere Revolver haben wir ja hier in diesen ewig weiten Ärmeln stecken und – doch, Charley, weshalb hat man uns denn diesen Regenschirm und diesen Fächer aufgehängt?"

„Mit dem Fächer sollt Ihr Euch Kühlung zuwedeln, wenn es zu heiß wird, und dieser Schirm ist ein Allerweltsmittel: er schützt gegen den Regen und den Sonnenstrahl, dient als Stock beim Gehen und mag wohl auch den löblichen Zweck haben, jemand einen guten Hieb zu versetzen."

„Von dem allen leuchtet mir das letzte ein. Wozu der Fächer? Wenn ich schwitze, so knüpfe ich diesen Schlafrock auf, nehme den Zopf mit dem Hut vom Kopf und puste mich einmal richtig aus. Und wenn es regnet – dumme Erfindung, so ein Schirm! Es ist doch gleich, ob der Rock oder Schirm naß wird. Eins von beiden muß daran glauben und wieder getrocknet werden. Kann es jemals tiefer gehen als bis auf die Haut?"

„Nein, Käpt'n, ist aber auch tief genug! Dennoch müßt Ihr Euch an den Fächer und den Schirm gewöhnen, wenn Ihr als ein Mandarin gelten wollt."

„Well! So nennt mich aber auch nicht mehr Käpt'n, sondern Master Mandarinung Turningsticking!"

„Geht nicht, denn das Wort Mandarin gibt es im Chinesischen nicht. Der Chinese sagt Kuang-fu statt Mandarin. Ich müßte Euch daher Kuang-fu Tur-ning-stik-king nennen."

„Und ich Euch?"

„Kong-ni hat mich Kuang-si-ta-sse getauft; ich bin also Kuang-fu Kuang-si-ta-sse."

„Zweimal Kuang, das ist schwer auseinanderzuhalten. Schreibt mir diesen Namen auf ein Stück Papier; ich werde ihn auswendig lernen, wenn ich wieder im Palankin bin."

Ich tat das mit Vergnügen, denn ich wußte vorher, daß seine Anstrengung vergeblich sein würde. Dann bezahlte ich den Schultheiß und gab Befehl, aufzubrechen.

Der Reisezug setzte sich in derselben Reihenfolge wieder in Bewegung und ging immer am Ufer des Pe-kiang aufwärts. Am Nachmittag hielten wir eine kurze Rast, um eine Tasse Tee zu trinken, und eben als die Sonne unterging, sahen wir Li-ting vor uns liegen.

Es war eine kleine Stadt, deren Häuser aber sehr weit auseinander lagen, weil die meisten von ihnen von Gärten umgeben waren, in denen ich zahlreiche größere oder kleinere Weiher bemerkte. In diesen werden die Goldfische gepflegt, mit denen Li-ting einen ausgedehnten Handel treibt.

Vor dem Ort sah ich ein stattliches Bauwerk, dem man es anmerkte, daß es der Sommersitz eines chinesischen Großen war. Und hinter der Stadt erhob sich eine Art Schloß, aus mehreren Gebäuden bestehend und von einer hohen Mauer umgeben. Weiter im Hintergrund bemerkte ich nackte und zackige Felsen, deren Zinnen die untergehende Sonne vergoldete. Ringsum war nichts als Reis, Zuckerrohr und Bambuspflanzen, eintönige Landschaft; doch das auf dem Fluß herrschende Leben bot einen hübschen Anziehungspunkt für das Auge.

Unser Zug trabte durch die Stadt dem burgähnlichen Gebäude zu, vor dessen Tor er anhielt. Es öffnete sich sofort, und ein alter Chinese trat heraus, der beim Anblick der beiden Sänften verwundert die Hände zusammenschlug.

„Der Tscha-juan! Herbei, ihr Männer; helft dem Tschin-tschu[1] aussteigen!"

Turnerstick hatte sich seinen Palankin gleich selber geöffnet, stieg aus und schritt, den Sonnenschirm wie einen Turnierspeer unter dem Arm, durch das Tor in den Hof. Ich aber blieb, selbst als unser Reisemarschall die Sänfte geöffnet hatte, ruhig sitzen. Ich war ein Mandarin mit dem Kristallknopf und wollte standesgemäß empfangen sein.

Der Alte mochte die Tragsessel kennen. Er hatte uns für den Richter, den Bruder seines Herrn, gehalten. Während ich dem Marschall die Reisekosten zur Auszahlung an die anderen entrichtete und für jeden ein Kom-tscha hinzufügte, hörte ich im Hof die laute Stimme des Kapitäns:

„Blitz und Knall, das ist ja dieser Kong-ni, den wir zwischeng den wildang Zieging herausgelesung habong! Welcome, alter Junge!"

„Ihr hier, Kapitän? Wo ist euer Freund, und wie kommt Ihr nach Li-ting?"

„Dieser Charley oder vielmehr dieser Kung-fu-kung-hu-kung-lu sitzt wahrhaftig noch drin in der Kutsche, als müßte er Gänse ausbrüten!"

Kong-ni stand sofort bei mir und begrüßte mich mit Freude. Er war sichtlich erstaunt über unsere Umwandlung, fragte aber nicht, sondern führte uns nach dem Haus und eine breite Empfangstreppe empor, auf deren oberster Stufe ein Mann stand, der dem Richter so ähnlich sah wie ein Bruder dem anderen. Es war jedenfalls Kong-nis Vater.

„Kuang-si-ta-sse!" rief ihm der Sohn entgegen.

Der Vater machte ein überraschtes Gesicht, ließ mich aber nicht zu der gehörigen Verbeugung kommen, sondern bewillkommnete mich in einer Weise, als ob wir alte Bekannte wären. Dann geleitete er uns in ein großes Zimmer, in dem er mich erst richtig in Augenschein nahm. Dann begrüßte er mich abermals:

„Sei mir willkommen, Retter meines Sohnes. Mein Haus ist dein Haus; befiehl, und alles wird dir gehorchen!"

Ich zog das Schreiben seines Bruders hervor und übergab es ihm. Er öffnete und las es, während wir Platz nahmen, dann winkte er uns, ihm zu folgen. Wir traten in einen Gang.

„Hier teilt euch in die Räume. Die Zimmer rechts sind dein, und die links deinem Freund. Tretet ein; ihr werdet erhalten, was ihr braucht, und dann erlaubt mir, mit euch zu sprechen!"

[1] Erhabener Herr

Ich hatte eine Reihe von kostbar ausgestatteten Zimmern vor mir und hatte mich kaum darin umgesehen, als ein Diener kam und frische Leibwäsche und Kleidung brachte. Ich zog mich um und blickte dann durch das Fenster hinab in einen Garten, der wirklich prachtvoll war und mir seine erquickenden Düfte entgegenschickte.

Bald erschien ein anderer Diener mit einer kunstreichen Lampe aus gegossenem Horn, in der ein köstliches Hiang-yu[1] brannte.

„Beliebt es dir, beim Herrn zu erscheinen?" fragte er höflich.

„Ja. Wo ist er?"

„Er wird dich in demselben Zimmer empfangen, in dem du vorhin gewesen bist."

Ich ging. Draußen auf dem Gang brannten mehrere Lampen derselben Art und verbreiteten ein schönes Licht über den mit allerlei fremdartigen Schnitzwerk verzierten Raum. In dem Zimmer erwartete mich der Phy mit seinem Sohn. Ein Mahl war aufgetragen, das sicher hinter dem gestrigen Abendessen nicht zurückstand.

Gleich hinter mir trat Turnerstick ein. Beinahe hätte ich laut aufgelacht. Er hatte den langen Zopf auf der Seite und den Regenschirm unter dem Arm. Den Fächer hatte er ausgebreitet und handhabte ihn während der Verbeugung mit einer Kraft, als wollte er damit einen Stier erschlagen.

Die beiden Chinesen blieben ernst. Wir gingen zur Tafel. Turnerstick machte ein vergnügtes Gesicht und lehnte seinen Regenschirm in die Ecke.

„Tsing[2]!" bat der Wirt einfach, und dann setzten wir uns.

Der Kapitän schlug die ungewohnt weiten Ärmel zurück und griff nach den Süßigkeiten, die ihm Kong-ni reichte. Der Chinese beginnt nämlich, umgekehrt wie wir, die Speisenfolge mit dem Nachtisch und hört meist mit der Suppe auf. Nur einem Europäer zuliebe wird diese Reihenfolge einmal umgeändert. Auch trinkt er den Wein nicht kalt aus den Gläsern, sondern warm aus runden Porzellanbechern. In den Pausen zwischen den einzelnen Gängen erhebt man sich, raucht eine Pfeife oder zerstreut sich auf irgendeine andere Weise. Frauen sind nie dabei; höchstens schauen sie durch die Tür eines Nebengemaches, die durch ein Bambusgitter ersetzt wird, zu.

Das Mahl wurde, außer den nötigen Höflichkeiten, schweigend eingenommen. Wir hatten zuviel auf dem Herzen, als daß eine lebhafte Unterhaltung hätte stattfinden können. Aber als der Hausherr die Eßstäbchen an die Stirn gehalten und dann auf die Tasse gelegt hatte, zum Zeichen, daß das Mahl beendet sei, griff Kong-ni unter die Tafel und brachte einen bisher versteckten echten Tintio[3] hervor. Der Diener reichte Gläser, und es dauerte nicht lange, so waren die Zungen gelöst.

„Charley, was macht Ihr nur für Fehler!" tadelte Turnerstick.

„Welche?" – „Vergeßt Euren Regenschirm!"

„Im Zimmer? Haben die beiden anderen den ihrigen mitgebracht?"

„Nein. Als Wirte brauchen sie das nicht. Wir Gäste aber sind ver-

---

[1] ‚Wohlriechendes Öl.‘ Hauptbestandteil ist Sesamöl [2] Hier soviel wie „ich lade euch ein" oder „greift zu!" [3] Ein feuriger, roter portugiesischer Wein

pflichtet, als vollständige Chinesen zu erscheinen. Dieser Fehler ist nicht zu verzeihen."

„Der Eurige auch nicht." – „Welcher?"

„Daß Ihr mich wieder Charley nennt."

„Well, habt recht, Master Kang-fu-king-wu-kung-tu. Soll aber nicht wieder geschehen!"

Aus Höflichkeit hatte man bisher vermieden, uns nach unseren Erlebnissen zu fragen. Jetzt aber begann Kong-ni: „Wie uns der Tschajuan schreibt, hat euch mein Talisman Nutzen gebracht?"

„Allerdings." – „Dürfen wir den Hergang erfahren?"

Ich gab ihnen einen ausführlichen Bericht über alles, was uns begegnet war. Sie hörten ihn ohne Unterbrechung bis zu Ende.

„So vermutest du also, daß der Kiang-lu hier in Li-ting zu finden ist?"

„Nach dem, was ich hörte, ja."

„Dann mußt du Anzeige erstatten."

„Werde mich hüten. Ich bin kein Diener des Hiu-po[1] in Peking."

„Du sprichst weise; denn es könnte leicht kommen, daß eine solche Anzeige dein Tod wäre. Wie lange willst du in China bleiben?"

„Solange es mir gefällt."

„Es wird dir gefallen", meinte der Phy. „Deine Ausarbeitungen öffnen dir die Blumen der Mitte; ja, es wird dir hier so gefallen, daß du nie wieder gehen willst."

„Wann wird über meine Ausarbeitungen entschieden?"

Er lächelte.

„Wann es mir beliebt. Es kommt nur auf dich an, und wenn du es wünschst, kannst du die Entscheidungen bereits morgen früh in den Händen halten."

„So bitte ich dich darum."

„Der Wunsch sei dir gewährt. Aber siehe, welch einen herrlichen Abend wir haben! Ich pflege diese Stunde im Garten zu verbringen. Werdet ihr mit uns gehen?"

„Gern."

Wir erhoben uns, und der Kapitän griff, als ich ihm unsere Absicht mitgeteilt hatte, nach dem Regenschirm.

Es war kein Garten, es war ein wundervoll angelegter, weitläufiger Park, durch den wir spazierten. Kong-ni hatte sich Turnersticks bemächtigt und war mit ihm zurückgeblieben. Der Phy aber schritt mit mir immer vorwärts, bis wir auf einem künstlichen Fels haltmachten und uns niederließen. Ich hatte ihm von Deutschland, von meinen Angehörigen und von meinen Erlebnissen erzählen müssen; jetzt begann er mit einer Frage, die ich nicht erwartet hatte:

„Du hast also kein Weib daheim?"

„Nein."

„Kennst du auch kein Weib, das du lieb hast?"

„Nein."

„Hast du Kong-ni gern?"

[1] Oberkriminalgericht

„Ja."

„Er hat dir gesagt, daß er dich zum Bruder haben will?"

„Ja."

„Willst du mein Sohn sein?"

„Dem Namen nach oder in Wirklichkeit?"

„In Wirklichkeit, mit allen Rechten und – – Pflichten."

„Sage mir deine Gründe!"

„Diese liegen nicht fern. Kong-ni hat dich lieb, er will seinem Lebensretter dankbar sein, und ich stimme ihm bei. Ich werde dich öffentlich als Sohn annehmen."

„Darfst du das?"

„Glaubst du, daß einem Phy und Fu-yuen etwas unmöglich ist, was er will?"

„Ich habe Eltern in der Heimat."

„Du sollst ihr Sohn bleiben. Entscheide dich, denn du gefällst mir!"

„Ein Barbar, der keinen Rang und keinen Grad aufzuweisen hat, kann nicht ja sagen. Entscheide über meine Arbeiten, dann werde ich auch über deinen Antrag entscheiden."

„Du bist stolz, und das gefällt mir. Du wirst morgen früh erfahren, was ich tue. Wo hast du unsere Sprache gelernt?"

„Lesen und verstehen lernte ich sie in meiner Heimat, sprechen aber im Land der Yeng-kie-li, wo viele chinesische Kulis sind, mit denen ich verkehrte."

„Bist du ein Freund von Büchern?"

„Ein großer,"

„So lasse dir meine Bücherei zeigen!"

Wir schritten durch den Garten zurück. Selbst beim Mondschein bemerkte ich, wie reizend er angelegt war und wie sorgsam er gepflegt wurde. Ich machte dem Phy eine Bemerkung darüber.

„Wenn du diesen Garten im Licht des Tages betrachtest, so wirst du sehen, daß seinesgleichen nicht wieder ist. Hast du von Sse-ma-kuang gehört?"

„Ja. Er war Minister und Geschichtsschreiber. Sein Vermögen soll ungeheuer gewesen sein."

„Hast du auch seine Schriften gelesen?"

„Nein."

„Ich besitze sie und werde dir seine Beschreibung des Gartens geben, den er sich anlegte, um von den Arbeiten seines Amtes ausruhen zu können. Ganz nach diesem wunderbaren Muster habe ich den meinigen geschaffen."

Als wir ins Wohnhaus traten, führte er mich in einen großen Saal, der von vielen Lampen und Laternen erleuchtet war. Hier waren Tausende von Büchern und Schriften aufbewahrt. Er nahm einen Band herab und reichte ihn mir.

„Das ist das Buch des Sse-ma-kuang. Du wirst die Beschreibung gern lesen, um meinen Garten zu verstehen. Bleibe hier, solange es dir beliebt, und erlaube mir, zu gehen, denn ich habe noch zu schreiben."

Er entfernte sich.

Ich setzte mich an eine Lampe und schlug das Buch auf. Die von dem Phy erwähnte Stelle war bald gefunden. Sie erregte meine lebhafte Teilnahme, einesteils wegen des warmen Tones, in dem sie geschrieben war, und andererteils auch infolge der Anschauungen, die sie von einem chinesischen Staatsmann offenbarte und die mit dem Bild, das wir uns gewöhnlich von einem Chinesen zu machen pflegen, wenig übereinstimmte. In meiner Nähe stand ein Tisch mit Reispapier, Tusche und Pinsel. Ich nahm von dem Papier, griff zum Bleistift und übersetzte mir den Text zum Andenken an den Aufenthalt bei einem chinesischen Grafen. Er lautete: „Andere Menschen mögen Paläste bauen, in denen sie ihre Sorgen einschließen oder ihren Eitelkeiten frönen; ich aber habe mir eine liebliche Einsamkeit geschaffen, um meine Mußezeit angenehm zu verbringen und meine Freunde bei mir zu sehen.

Dazu habe ich nicht mehr als zwanzig Morgen Land gebraucht.

In der Mitte liegt ein großer Saal, in dem ich fünftausend Bücher verwahre, um mit der Weisheit reden und mit den alten Gelehrten verkehren zu können. Gegen Mittag liegt, umgeben von Wasser, ein kleinerer Saal, ummurmelt von einem Bach, der von den westlichen Hügeln herabspringt. Er bildet ein tiefes Becken, aus dem fünf Wasser fließen, auf denen unzählige Schwäne segeln.

Am Ufer des ersten Baches, der schäumende Fälle bildet, liegt ein steiler Felsen mit einem Gipfel, der gekrümmt ist wie der Rüssel eines Elefanten und einem scheinbar in der Luft schwebenden Gemach zur Stütze dient. Es ist unverschlossen, damit man die frische Luft einatmen und die Edelsteine sehen kann, mit denen die Morgenröte die emprosteigende Sonne krönt.

Der zweite Bach teilt sich nach wenigen Schritten in zwei Kanäle, die sich um eine hochliegende Wandelhalle winden, die mit einem doppelten Stufenbau eingefaßt ist, der von Blumen duftet und Rosen- und Granatbäume als Pfeiler hat.

Der dritte Bach schlägt einen Bogen um einen einsamen Säulengang herum und bildet dort eine niedliche Insel, deren Ufer mit Sand, Muscheln und glänzenden Kieselsteinen verziert sind. Ein Teil dieser Insel ist mit immergrünen Bäumen bepflanzt, und auf dem anderen steht eine Hütte von Rotang[1], wie sie unsere Fischer haben.

Die beiden letzten Bäche scheinen einander zu suchen und dennoch zu fliehen. Sie plätschern am Rand einer blumenreichen Wiese dahin, der sie Labung spenden. Zuweilen treten sie aus ihrem Bett und bilden kleine Weiher, die von grünendem Rasen umschlossen werden. Dann verlassen sie die Wiese, bilden schmale Rinnen, brechen sich durch ein Gewirr von Felsen, die ihnen den Weg streitig machen. Dann drängen sie, tief rauschend oder silberne Wellen bildend, in engen Windungen durch den Ausgang.

Nördlich von dem Büchersaal liegen mehrere einzelne kleine Häuser teils auf den Hügeln, von denen einer über den anderen blickt wie die Mutter über ihre Kinder, teils sich an Bergabhänge lehnend. Mehrere von ihnen lugen auch versteckt aus kleinen Talschluchten hervor.

[1] Rotang ist unser spanisches Rohr

Überall spendet Bambusgebüsch kühlen Schatten, und kein Sonnenstrahl fällt auf die mit Sand bestreuten Wege.

Nach Sonnenaufgang hin breitet sich eine kleine Ebene aus, die teils in viereckige und teils in länglich runde Beete geteilt ist und durch einen uralten Zedernwald vor dem kalten Nordwind geschützt wird. Die Beete tragen wohlriechende Kräuter, Arzneipflanzen, Blumen und Gesträuche.

„An diesem herrlichen Ort gibt es steten Frühling. Ein Wäldchen von Granatbäumen, Zitronen und Orangen, die ohne Unterlaß Blumen und Früchte tragen, zieht sich bis hin zum Gesichtskreis. Inmitten des Planes steht ein grünes Gemach, zu dem man, wie in den Windungen einer Muschel, allmählich emporsteigt. An den Seiten zieht sich Rasen hin, der an mehreren Stellen Bänke bildet. Sie bieten Erholung und den Genuß der schönsten Aussicht.

Nach Sonnenuntergang führt eine Doppelreihe von Hängeweiden an das Gestade eines breiten Wassers, das sich in einiger Entfernung über einen Felsen hinabstürzt, der mit Efeu und wildem Grün überzogen ist. Rundum sieht man schroffes, wirr durcheinandergeworfenes Gestein, das sich in einfacher Weise ringstufig übereinander baut.

Tief unten liegt eine Grotte, die nach und nach weiter wird, dann einen gewölbten Saal von unregelmäßiger Gestalt bildet und das Licht durch eine breite, mit Geißblatt und wilden Reben umsäumte Öffnung erhält. Hier findet man erquickenden Schutz gegen die drückende Sonnenwärme. Einzelne Felsblöcke und Bänke, die in den Stein gehauen sind, dienen als Sitze. Aus einer der Wände springt ein Quell hervor in die Höhlung eines großen Steines, fließt in silbernen Fäden aus ihr ab, windet sich durch zahlreiche Spalten und sammelt sich in einem Becken, das zum Bade einladet. Dann verliert er sich unter einem Gewölbe, macht dort eine Wendung und fließt nun einem Teich zu, der sich am Fuß der Grotten befindet. Zwischen ihm und dem Felsengewirr führt ein schmaler Pfad dahin. Dort gibt es wilde Kaninchen, und im Teich spielen Fische.

Ist diese Einöde nicht bezaubernd? Der Teich ist mit kleinen, rohrbewachsenen Inseln übersät, auf denen verschiedene Arten von Vögeln wohnen. Man gelangt leicht von einer Insel zur anderen, indem man über Steine schreitet oder über kleine Brücken geht, die nach Willkür oder je nach den gegebenen Ortsverhältnissen im Zickzack oder in gerader Linie verteilt sind.

Wenn die Wasserlilien blühen, bilden sie einen Kranz von Purpur und Scharlach, wie der Himmelsrand am mittägigen Meer, wenn ihn die Sonne beleuchtet.

Um aus dieser Einöde zu gelangen, muß man denselben Pfad öfters betreten oder die Kante steiler Felsen überschreiten, die ihn von allen Seiten umgeben. Man steigt von diesem Steinwall vermittels einer steilen Treppe hinab, die in das Gestein gehauen werden mußte, in dem man noch die Spuren der spitzigen Hacken bemerkt. Dort steht ein einfaches Häuschen, das ausgezeichnet ist durch die Fernsicht über eine weite Ebene, in der sich der Fluß durch Dörfer und Reispflanzungen windet. Das Auge folgt mit Lust den zahlreichen Schiffen auf dem großen Strom.

Die Landschaft wird belebt durch die vielen Reisenden auf den Straßen und die auf den Feldern arbeitenden Menschen, und der Blick fühlt sich erquickt, wenn er an den blauen Bergen haftet, die das Gesichtsfeld einfassen.

Wenn ich in meiner Bücherei genug gedacht und geschrieben habe, steige ich in einen Kahn, den ich selber rudere, und genieße das Vergnügen, das mir mein Garten bietet. Oft lege ich, während ein breiter Strohhut mich vor den Sonnenstrahlen schützt, bei der Fischerinsel an. Ich locke die Fische, die im Wasser spielen, und denke an die Leidenschaften der Menschen, wenn ich bemerke, daß ein Fisch vergeblich nach dem Köder schießt.

Oder ich nehme den Bogen in die Hand, hänge den Köcher über die Schulter, steige die Felsen hinan, spähe nach den Kaninchen und durchbohre sie mit dem Pfeil, sobald sie aus ihrem Bau kommen. Doch sie sind besonnener als wir; sie fürchten die Gefahr und suchen sie zu vermeiden, denn keines von ihnen erscheint, wenn ich von ihnen bemerkt worden bin.

In dem Garten pflücke ich heilsame Pflanzen, die ich aufbewahre. Ich nehme eine Lieblingsblume und freue mich herzlich über ihren Duft. Wenn eine Blüte Wasser braucht, so begieße ich sie, und das kommt auch ihren Nachbarinnen zugute. Wenn ich meine sattgereiften Früchte erblicke, so habe ich oft die Lust zum Essen wieder erhalten, die ich beim Anblick des Fleisches verloren hatte.

Meine Granaten und Pfirsiche gefallen auch meinen Freunden, wenn ich ihnen davon schenke. Ich beschneide einen jungen Bambus, der stehen bleiben und wachsen soll, oder biege seine Zweige zusammen, damit sie den Weg nicht vesperren. Es ist mir gleich, ob ich mich am Ufer des Wassers befinde, ob tief im Gehölz oder auf einer Felsenspitze; diese Plätze sind alle gut zum Ruhen.

Ich betrete ein Häuschen, um zu beobachten, wie der Storch den Fischen nachstellt. Bald aber habe ich vergessen, weshalb ich gekommen bin, denn ich habe die Geige ergriffen und bewege die Vögel, miteinzustimmen in meine Weisen.

Oft überrascht mich der scheidende Sonnenstrahl, wenn ich noch eine Schwalbe beobachte, die in zärtlicher Fürsorge für ihre Kinder umherflattert. Dazu sehe ich, welche Listen der Raubvogel aufbietet, um seine Beute zu erlangen. Der Mond ging bereits auf, und ich sitze immer noch da, das ist ein Genuß mehr. Wenn der Bach murmelt, wenn die vom Wind bewegten Zweige rauschen, versinke ich beim Anblick des Sternenhimmels in süße Träume. Die ganze Natur redet mit meiner Seele; das Gefühl besiegt mich, und erst die Zeit der Mitternacht bringt mich zu meiner Wohnung zurück.

Zuweilen kommen Freunde, um meine Einsamkeit zu unterbrechen. Sie lesen mir ihre Arbeiten vor oder hören die meinigen an. Sie beteiligen sich an meinen Erholungen. Unser einfaches Mahl wird erheitert vom Wein und gewürzt von der Philosophie. Am Hof werden die Leidenschaften erregt; man verleumdet dort einander, schmiedet Waffen und legt Schlingen. Wir dagegen verkehren mit der Weisheit und weihen ihr unsere Herzen. Mein Auge ist ihr immer zugewandt, leider aber werden ihre Strahlen durch zu vieles Gewölk getrübt.

Wenn ein Sturm diese Wolken verjagt, dann wird die Einsamkeit für mich ein Tempel des Glückes werden. Doch, was rede ich! Ich habe ja als Vater, Gatte, Untertan und Mann der Wissenschaft tausend Pflichten, mein Leben ist nicht mein alleiniges Eigentum. Lebe wohl, lieber Garten, lebe wohl! Die Liebe zu den Meinen und zum Vaterland ruft mich nach der Stadt zurück. Deine Reize mögen dir treu bleiben, um mir die Sorgen zu verscheuchen und meine Tugend zu bewahren!" –

Als ich hiermit fertig war, kehrte ich nach meinen Zimmern zurück. Eben wollte ich eintreten, als sich mir gegenüber eine Tür öffnete und der Kapitän über die Schwelle trat.

„Charley!" winkte er geheimnisvoll.

„Schon wieder Charley?"

„Schön, alter Fu-kung-bu-kung-zu-kung! Aber sagt einmal, wollen wir ihn fangen?"

„Wen?"

„Diesen Mongolen."

„Welchen Mongolen?"

„Nun, diesen Dschi – Dscha –, der uns im Götzentempel festhielt!"

„Den Dschiahur?"

„Ja, so heißt der Kerl."

„Ist er da? Wo ist er?"

„Ich hatte mein Licht ausgelöscht und hielt noch ein wenig Ausguck nach der Stadt hinüber. Da kam er; ich kannte ihn sofort. Er ging um die Ecke herum, nach dem Garten zu. Hier habe ich den Revolver; soll ich den Räuber über den Haufen schießen?"

„Wartet noch ein wenig, bis ich Euch abhole!"

„Was wollt Ihr vorher noch tun?"

„Umschau halten."

Well! Hier sind wir an Land, wo Ihr mehr zu Hause seid als ich. Und im Anschleichen seid Ihr ja ein Hauptkerl."

„Stellt Euch ans Fenster und paßt auf, ob er zurückkommt!"

„Wird besorgt, Master King-fu-kang-fi-kung-fo!"

Er trat in seine Wohnung zurück. Ich verließ den Gang und stieg die Treppe hinab. Der Ausgang war verschlossen. Ich öffnete ein Fenster, das im Dunkeln lag, und stieg hinaus. Dabei hätte ich den Kapitän nicht mitnehmen können, denn er war für dergleichen Dinge zu ungeübt.

Wohin sollte ich mich jetzt wenden? Der Park war so umfangreich, daß sich eine halbe Kompanie Soldaten darin zu verbergen vermochte, ohne entdeckt zu werden. Ich aber konnte beim Suchen bemerkt werden. Wenn der Mann wirklich nach dem Garten gegangen war, so verließ er ihn vermutlich an derselben Stelle, an der er ihn betreten hatte. Ich schwang mich hinaus, um diese Stelle zu suchen.

Der Schein des Mondes fiel hell auf diese Seite der Mauer. Ich hatte es hier nicht mit einem Indianer zu tun, der gewohnt ist, keine Fährte zurückzulassen. Die Spuren eines großen, weichsohligen Stiefels waren deutlich zu erkennen und führten nach einem Punkt der Mauer, wo auf der inneren Seite ein Bambusgesträuch stand. Hier war er übergestiegen.

Ich kehrte zurück und schwang mich im Schatten des Gebäudes wieder hinüber. Nun pirschte ich mich unter Anwendung aller Vorsicht bis hin zu dem Bambusgebüsch. Er war nicht da, sondern jedenfalls weiter in den Garten vorgedrungen. Ich legte mich auf die Lauer, und zwar so, daß ich nicht bemerkt werden konnte.

Lange hatte ich hier gewartet, als sich meine Voraussetzung endlich als richtig erwies: ich hörte Schritte, aber nicht von einem Mann, sondern von zweien. Sie kamen näher und blieben hart vor mir stehen. Der eine war der Phy, der andere hatte die Länge und Breite des Dschiahur, war aber ein anderer. Von weitem und besonders nachts waren beide leicht zu verwechseln.

„Wird es dir gelingen?" fragte der andere.

„Ich hoffe es."

„Schreibe ihm noch heute nacht die Urkunde. Wenn es dir nicht gelingt, muß Kong-ni meine Tochter heiraten. Ein Sohn von dir muß mein Eidam werden, sonst bist du verloren."

„Also dir ist es gleich, ob Kong-ni oder der andere?"

„Du hattest nur den einen Sohn, darum konnte ich nur ihn verlangen. Er kam auf den Gedanken, dir einen zweiten Sohn zu bringen. Nun wohl, so mag es mir gleich sein, welcher es wird. Dieser Tao-dse soll ein starker und mutiger Mann sein; er ist mir vielleicht wertvoller als Kong-ni. Aber warum kam Kong-ni gerade auf diesen Fremdling?"

„Er liebt ihn und will ihn gern festhalten. – Doch sage! Darf er deine Tochter sehen, bevor ich mit ihm spreche?"

„Ich bin ein Si-fan[1], und kein Si-fan schließt sein Weib oder seine Töchter ein. Es kann ein jeder mit ihnen sprechen. Bringe ihn mir morgen, oder soll ich euch eine Einladung senden?"

„Sende sie, damit er nichts ahnt."

„Du sollst sie haben. Also tue, was ich dir geboten habe. Der Kiang-lu scherzt mit seinen Plänen nicht!"

„Aber wenn er nicht will?"

„Dann tritt Kong-ni ein."

„Ist das dann der letzte Ausweg?"

„Der letzte, wenn du nicht Gewalt anwenden willst."

„Gewalt? Inwiefern?"

„Ist nicht im Lung-keu-siang[2] schon mancher auf bessere Gedanken gekommen?"

„Allerdings. Aber wie ihn da hinaufbringen?"

„Nichts leichter als das, und dann tut der Hunger weh, und der Durst schmerzt noch mehr. Also handle! Ich gehe jetzt!"

Mit zwei Sprüngen stand er draußen vor der Mauer, und ich hörte seine Schritte verklingen. Der Phy blieb noch eine Weile unbeweglich

[1] Osttibetaner, auch Kolo genannt, wegen ihres Hanges zu Räubereien bekannt
[2] Erker der Drachenschlucht

stehen und schritt dann dem rückwärtigen Eingang zu, wo ich bald das Schloß leise klirren hörte. Ich wartete noch einige Minuten und stieg wieder in das Fenster ein.

Turnerstick hatte mit Ungeduld auf mich gewartet.

„Wo steckt Ihr denn so ewig? Er ist bereits wieder fort!"

„Ich weiß es."

„Und habt ihn fortgelassen?"

„Es war nicht der Dschiahur."

„Wer sonst?"

„Der Kiang-lu."

„Der – der oberste der Strompiraten?"

„Ja."

„Niederträchtig, daß ich nicht dabei gewesen bin. Den hätte ich fassen wollen!"

„Pshaw, hättet es auch nicht getan! In einem fremden Land und mitten unter Feinden und Verrätern ist es besser, man handelt mit Vorsicht, als daß man die Mauer mit dem Kopf einrennen will."

„Feinde – Verräter? Mit solchen haben wir's doch nicht etwa zu tun!"

„Doch!"

„Wer zum Beispiel?"

„Alle."

„Erklärung!"

„Ich muß die Tochter des Oberdrachen heiraten, sonst – –"

„Die Tochter des Oberhalunken? Seid Ihr bei Sinnen?"

„Sehr bin ich bei Sinnen! Die Sache ist auch danach. Ich muß die Unbekannte heiraten, sonst werden wir an einen Ort gesteckt, den sie Lung-keu-siang nennen. Dort sollen wir verhungern und verdursten."

„Was heißt dieses Wort?"

„Erker der Drachenschlucht."

„Schöner Erker! Aber warum sollt Ihr sie heiraten?"

„Weiß es auch nicht, werde es aber wohl erfahren. So viel aber habe ich wenigstens gehört, daß ursprünglich Kong-ni gezwungen werden sollte, das Mädchen zur Frau zu nehmen. Er hat aus irgendeinem Grund keine Lust und schiebt mich als Stellvertreter vor."

„Zounds!"

„Ich kann ihm nicht ernstlich bös sein, trotzdem er Verrat an mir geübt hat. Ich glaube nicht, daß er es wirklich schlecht mit mir meint. Es muß ein Grund vorhanden sein, der den Kiang-lu zwingt, sich mit dem Phy verwandtschaftlich zu verbinden. Er muß die Macht in der Hand haben, das nötigenfalls zu erzwingen. Ferner muß Kong-ni Ursache haben, sich gegen diese Verbindung zu sträuben und gerade mich als Stellvertreter zu wünschen."

„Ich habe keine Lust, mir darüber den Kopf zu zerbrechen. Was werdet Ihr tun?"

„Zunächst abwarten, was man mit mir verhandeln wird."

„Schön; ich werde also mit abwarten müssen."

„Allerdings. Übrigens werden wir morgen zum Kiang-lu eingeladen."

„Wirklich! Freut mich. Es ist doch wundervoll, Land und Leute kennenzulernen!"

„Nicht wahr? Es ist manchmal ein klein wenig Gefahr dabei, aber daran darf man sich nicht stoßen. Für heute wollen wir zur Ruhe gehen; der morgende Tag mag für sich selber sorgen. Gute Nacht, Kuang-fu-Tur-ning-stik-king!"

„Good night, Sir Kung-fu-Kung-fo-Kung-mo-lo!"

In meinem Zimmer verlöschte ich die Lichter und legte mich nieder. Es war eigentümlich: heute, wo ich einer gewissen Gefahr bewußt entgegenging, schlief ich prächtig und traumlos. Als ich am Morgen aufwachte, trat der Kapitän eben bei mir ein.

„Wacht auf alter Freund! Unser Wirt hat bereits bei mir anfragen lassen, ob Ihr munter seid. Es gilt, den Morgentee einzunehmen."

„Komme gleich!"

„Well! Werde also hier warten."

Einige Minuten später traten wir in das Speisezimmer, wo wir Kong-ni und seinen Vater bereits anwesend fanden.

Es gab bloß Tee mit Kuamien[1], was der Phy damit entschuldigte, daß er eingeladen sei und auch uns mitbringen solle.

„Zu wem?" fragte ich.

„Zu einem mächtigen und einflußreichen Freund, einem Mandarin mit dem ziselierten roten Korallenknopf. Er hat deine Ausarbeitungen mitgeprüft, und du bist ihm Dank schuldig, denn meist durch ihn ist es mir möglich, dir jetzt bereits das hier einzuhändigen."

Ich ahnte, daß es die Urkunde war, von der beide gestern abend gesprochen hatten, und irrte mich nicht. Das Papier enthielt wirklich meine Ernennung zum Tsia-sse.

„Ich danke dir und werde auch ihm zu danken wissen", antwortete ich einfach. „Diese mit dem kaiserlichen Siegel versehene Urkunde hat also unbedingte Gültigkeit?"

„Durch das ganze Reich. Sie bedarf keiner Bestätigung. Und daß wir deine Ausarbeitung einsenden, geschieht nur der Form wegen."

„Wie heißt der hohe Mandarin, zu dem ich mitkommen soll?"

„Er ist ein Kuang-kinn-ßü[2] und heißt Kin-tsu-fo."

„Wann geht ihr?"

„Sobald es dir beliebt."

„Es ist noch lange nicht Mittag."

„Ihm ist es zu jeder Zeit genehm. Sage, wann du gehen willst!"

„Eine Stunde vor Mittag, bis dahin möchte ich arbeiten."

Damit war deutlich gesagt, daß ich auf ihre Gesellschaft jetzt verzichten wollte. Das war allerdings eine Unhöflichkeit, aber ich mußte ungestört sein, um mich einmal richtig umschauen zu können.

Im Garten, den ich ganz nach der gestern abend gelesenen Beschreibung fand, traf ich einen Arbeiter, mit dem ich ein Gespräch anknüpfte. Während der Unterhaltung fragte ich ihn auch, ob es hier in der Um-

[1] Runde oder viereckige Stücke getrockneten Teigs, an Schnüre gereiht [2] Ein hoher militärischer Grad; soviel wie Brigadier

gebung einen Ort gebe, der Lung-keu-siang genannt würde. Er verneinte, aber ich sah es ihm an, daß er mehr wußte, als er mir sagen wollte. Und als ich weiterging, sandte er mir einen Blick nach, der mir beinahe drohend erschien. Hatte ich einen Fehler begangen, nach dem Ort zu forschen?

Im hinteren Teil des Gartens führte eine Pforte hinaus ins Freie. Ich trat hinaus und wanderte zwischen den grünen Pflanzungen den Bergen zu, die ich bereits gestern bemerkt hatte. Wenn es hier eine Drachenschlucht gab, so konnte sie nur zwischen diesen Höhen liegen, die sich ungefähr eine Viertelstunde von der Stadt entfernt erhoben.

Sie stiegen steil und jäh empor und schienen nur schwer zugängig zu sein. An der Drachenschlucht hing vielleicht mein Schicksal; ich mußte sie finden. Eben begegnete mir ein Knabe, der eine Ziege am Band führte. Ich sprach ihn an.

„Sag mir, ob es hier eine Drachenschlucht gibt?"

Beim Anblick meiner äußeren Abzeichen warf er sich zur Erde.

„Verzeih mir, Herr, ich kenne keine Drachenschlucht."

„So kennst du wohl diese Berge nicht?"

„Ich kenne sie sehr wohl, denn ich bin mit meinen Ziegen den ganzen Tag da oben."

Die Bezeichnung Drachenschlucht schien also nur unter den Drachenmännern bekannt zu sein.

„So sag mir, ob es in den Bergen einen Ort, einen Felsen gibt, der wie ein Erker aussieht!"

„Was ist ein Erker – o Herr?"

„Ein Erker ist ein Vorsprung an einem Haus, der in der Höhe angebracht ist, ein Platz, von dem man behaglich Ausschau halten kann."

„Einen solchen Ort kenne ich, Herr. Willst du ihn sehen?"

„Ja. Wie weit ist es bis dahin?"

„Du brauchst nur fünf Minuten. Aber hinaufgelangen kannst du nicht."

„So führe mich!"

Er band seine Ziege an einen Bambusstamm und führte mich.

„Kennst du den Phy-ming-tsu?" fragte ich weiter. – „Ja."

„Und auch den Kin-tsu-fo?"

„Ja. Es sind die beiden mächtigsten Leute in unserer Stadt."

„Wohnen sie schon lange hier?"

„Schon der Vater des Phy-ming-tsu hat hier gewohnt; der Kin-tsu-fo aber ist erst vor einiger Zeit hergezogen und hat sich sein Haus gekauft."

„Hast du schon mit ihnen gesprochen?"

„Nein. Das sind vornehme Männer, o Herr, die einen armen Knaben nicht sehen."

„Oder bist du bekannt mit einem von ihren Dienern?"

„Nein. Ich habe sie gesehen und auch ihre Namen gehört, aber gesprochen hat noch keiner mit mir."

„Aber mit deinem Vater?"

„Ich habe keinen Vater mehr, nur noch eine Mutter."

Ich war beruhigt, denn es stand zu erwarten, daß weder der Phy noch der Kiang-lu erfahren würde, daß ich den Erker gesehen hatte.

Vor uns schnitten drei enge Schluchten in die Berge ein. Der Knabe führte mich auf die mittlere zu. Nachdem wir eine Strecke in ihr emporgestiegen waren, deutete er nach oben.

„Schau da empor! Das ist der Fels, der wie ein Erker aussieht; aber du kannst nicht ganz hinauf."

Im Hintergrund der Schlucht stieg eine Bergkante steil an, doch war sie für einen geübten Kletterer immer noch ersteigbar. Sie wurde von einem großen, würfelförmigen Felsblock gekrönt, an dessen Wänden Jahre und Witterung so gearbeitet hatten, daß er beinahe das Aussehen eines chinesischen Erkers hatte.

„Wenn ich nicht hinauf kann, muß ich allerdings wieder umkehren," meinte er vorsichtig. „Auch du kannst gehen."

Ich gab ihm von meiner Schnur zwanzig Sapeken, also ungefähr sieben Pfennig. Das aber war ein solcher Reichtum für den Waisenknaben, daß er vor Erstaunen fast starr wurde. Dann warf er sich nieder, küßte den Saum meines Gewands, sprang wieder auf und eilte davon.

11. Im „Erker der Drachenschlucht"

Ich folgte der Schlucht weiter und gelangte nach einer Viertelstunde mühevollen Steigens auf der Kante an. Auf der anderen Seite gähnte ein tiefer Abgrund, rechts und links von hohen Felsen eingeschlossen, die sich zu keinem Ausgang zu erweitern schienen. Es war ein tiefes, schauerliches Loch, das wohl schon so viele Opfer der Drachenmänner verschlungen hatte.

Ich besah den Erker von allen Seiten und fand endlich neben einer säulenartigen Anschwellung des Felsens in doppelter Mannshöhe zwei Haken, die das Aussehen und die Entfernung voneinander hatten, als ob sie angebracht wären, um einer Leiter als Haltepunkt zu dienen.

Wenn das wirklich der Fall war, so war diese Leiter ganz sicher in der Nähe versteckt. Ich suchte – lange Zeit vergebens, endlich aber war ich doch so glücklich, sie zu finden. Sie war aus Bambus gefertigt und so eingerichtet, daß sie zusammengeklappt werden konnte; sie lag unter einem Haufen von Steinen und Geröll verborgen.

Es war am hellen Tag, und ich mußte also, wenn zufällig jemand die Schlucht betrat, leicht bemerkt werden. Das konnte mich aber nicht zurückhalten. Unmittelbar über den Haken hatte der Fels einen Absatz, einen breiten Sims, auf dem man leicht zu stehen vermochte, und weiter oben, wieder in doppelter Mannshöhe, bemerkte ich noch zwei Haken. Ich legte die Leiter an und stieg empor auf den Sims. Nun zog ich sie nach und legte sie von neuem an. Jetzt trat ich auf das platte Dach des Erkers und bemerkte, daß er ausgehöhlt war. Ein schachtähnliches Loch, etwas über einen Meter im Durchmesser, führte hinab.

Wie tief mochte es wohl sein? Ich ließ einen Stein hinabgleiten und horchte. Statt des erwarteten Aufschlags aber tönte ein lauter, menschlicher Schrei herauf.

„Kommst du schon wieder?" klang es dumpf. „Ich bin noch nicht tot, aber ich sterbe."

„Wer ist da unten?" rief ich hinab.

Meine Worte konnten unten natürlich nicht so gut verstanden werden.

„Nein", antwortete es. „Ich fluche deinem Fo und deinem Buddha; ich will lieber verhungern, als meinem Tien tschu[1] untreu werden. Ich bete ‚Tsei thian ago-teng fu tsche, ago-teng yuan örl ming kian-schiny!'[2], und er ist mächtig; er wird mich erretten, wenn es ihm gefällt."

Ich rief zum zweiten- und drittenmal hinab, aber es ertönte keine Antwort. Die Gefangene – denn es war eine weibliche Stimme, die ich vernommen hatte – hatte mit ihren Worten wohl ihre letzten Kräfte erschöpft.

Was war zu tun? Ich wollte sie retten; aber konnte ich jetzt? Das Loch mußte wohl gegen zwölf Meter tief sein. Ursprünglich mochte es der Regen ausgebohrt haben; später hatten vielleicht menschliche Hände nachgeholfen.

Dieser Kerker war auch für uns bestimmt. Wie war er unten beschaffen? Ich wickelte mein Messer in mein Taschentuch und warf es hinab. Die Gefangene hatte sich wohl von der Öffnung zurückgezogen, denn es ertönte diesmal kein Laut. Sie war entweder abgemattet oder so abgestumpft, daß sie nicht sprechen wollte.

Ich konnte nicht eher etwas tun, als bis der Abend hereingebrochen war, kletterte also wieder abwärts und verbarg die Leiter an demselben Ort, an dem ich sie gefunden hatte. Dann stieg ich die Kante wieder hinab und kehrte nach Haus zurück. Im Garten traf ich den Kapitän mit Kong-ni.

„The devil, wo treibt Ihr Euch denn herum? Seid wohl am Fluß gewesen?"

„Warum sollte ich nicht?"

„Well, so konntet Ihr mich mitnehmen! Ihr wißt ja, daß ich ohne Wasser nicht gut sein kann. Macht, daß wir fortkommen! Wir sind eingeladen, und ich bin schon längst bereit!"

Er hielt seinen Regenschirm bereits unter dem Arm.

„Willst du deinen Schen[3] holen?" fragte mich Kong-ni. „Die Palankins stehen bereits vor der Tür."

„Gibt es keinen Diener, der es tun kann?"

„Ja. So kommt! Der Vater ist bereits fort."

In seinem Wesen lag etwas Fremdes, Gedrücktes. Was war mit ihm? Er war noch jung; er konnte sich nicht verstellen. Beim letzten Gebüsch blieb er stehen, während Turnerstick weiterschritt.

„Du hast heute morgen im Garten mit einem Mann gesprochen?" fragte er.

„Ja", antwortete ich aufrichtig.

„Du hast nach einem Lung-keu-siang gefragt?"

„Ja."

„Was ist es mit diesem Lung-keu-siang?"

[1] „Herrn des Himmels" [2] Wörtlich: Bist-im Himmel unser Vater welcher; wir wünschen Deinen Namen heilig-sein [3] Fächer

„Weißt du es nicht?"

„Nein."

Sein Auge strafte ihn Lügen.

„Du mußt es wissen, denn du hast mir ja das Zeichen gegeben. Du mußt die Geheimnisse der Lung-yin kennen."

„Ich kenne sie nicht; ich erhielt das Zeichen von einem Freund gerade wie du von mir. Wer hat dir denn von dem Lung-keu-siang erzählt?"

„Wenn du die Geheimnisse der Lung-yin nicht kennst, so darf ich es nicht sagen. Das wäre ja sonst ein Verrat."

Er schien von dieser Antwort sehr befriedigt zu sein.

Wir bestiegen die Tragsessel und gelangten durch die Stadt nach dem Landhaus, das wir bei unserer Ankunft zuerst bemerkt hatten. Als wir dort ausstiegen, kam uns der Riese von gestern abend entgegen.

„Willkommen im Heim eures besten Freundes und Verehrers! Wollt ihr nicht eintreten?" grüßte er.

„Wir kommen, dir, dem großen Kuang-kinn-ßü, unsere Achtung zu erweisen, und werden glücklich sein, die Schwelle deines Hauses betreten zu dürfen!", entgegnete ich.

„Gewährt mir die Gnade, euch leiten zu dürfen!"

„Erlaube mir, dir vorher zu sagen, daß dies mein Freund Tur-ning-stik-king-kuang-fu ist!"

Der Kapitän merkte, daß ich ihn vorstellte. Er setzte mir die Spitze seines Regenschirms auf die Brust und meinte, indem er mit zwei Fingern der rechten Hand militärisch grüßte:

„Und ich werde vorstellang my olding Master Kung-ki-fung-ki-lung-ki-mung-ki!"

Der Si-fan verstand ihn nicht, und Kong-ni vermochte seine ernsthafte Miene zu bewahren. Wir wurden in das Empfangszimmer geleitet, wo der Phy zwischen einem jungen Mädchen und einem anderen Gast saß.

Das Mädchen war hoch und schlank gewachsen und hatte recht angenehme, aber traurig überhauchte Gesichtszüge; sie besaß unverkrüppelte Füße, was sie wohl dem Umstand zu verdanken hatte, daß sie die Tochter eines Mongolen war.

Der andere Gast war – unser Dschiahur. Doch tat er bei unserem Erscheinen nicht im mindesten, als ob er uns bereits einmal gesehen hätte.

Alle drei erhoben sich, um uns zu begrüßen. Dabei wurden die Namen genannt. Das Mädchen hieß Kiung, ein mongolisches Wort, das „die Reiche" bedeutet und in demselben Sinn auch im Chinesischen gebraucht wird. Dem Dschiahur wurde der Name Laktoeul gegeben.

Kiung bediente uns selber. Wir erhielten einen köstlichen schwarzen Tee vorgesetzt mit dünnen Stücken von Pantan[1], aber nicht so einfach gebacken, wie es in der hohen Mongolei geschieht. Dann forderte uns der Si-fan auf, seinen Hof und Garten zu besichtigen.

Der Garten hatte bei weitem nicht die Größe dessen, den der Phy besaß, aber es war mit gutem Verständnis jedes Plätzchen benutzt, um nach chinesischen Begriffen ein Paradies zu schaffen. Der Hof war im Verhält-

---

[1] Ein Teig von Hafermehl, bei den Mongolen sehr beliebt

nis zum Haus sehr geräumig, was mich wunderte, da man in China selten Haustiere hält; doch ich wurde über den Zweck des Hofs bald aufgeklärt, denn der Si-fan öffnete eine Tür, die in einen – Pferdestall führte.

Man hat in China die schlechtesten Pferde der Welt; ich war also neugierig, was der „Brigadier" uns zeigen würde. Von einem Stallknecht wurden zwei Pferde herausgelassen, die man bereits gesattelt hatte. Sie gehörten jener kleinen, langzottigen Mongolenrasse an, die trotz ihrer Unansehnlichkeit eine außergewöhnliche Kraft und Ausdauer besitzt und daher hoch im Preis steht, in einem besseren Klima leider aber sehr bald ausartet.

„Könnt Ihr reiten, Tur-ning-stik-king-kuang-fu?" fragte der Si-fan den Kapitän.

„Was will er?" meinte dieser zu mir.

„Er fragte, ob Ihr reiten könnt."

„The devil, solche kleine Tiere allemal!"

„Ich möchte Euch dennoch warnen."

„Pshaw! Ihr wißt, daß ich nicht gern so ein Viehzeug unter mir habe, denn es ist, wenn man im Sattel sitzt, als ob ein Vulkan mit einem in der Welt herumsauste; aber diese Bologneserhündchen werde ich schon zahm machen. Sagt nur immerhin ja."

Ich tat es.

„Mag er eins der Pferde versuchen?"

Ich verdolmetschte diese Frage, und sofort stieg Turnerstick auf. Er bildete mit seinem chinesischen Gewand, dem Zopf, dem Regenschirm, den er nicht weggelegt hatte, und dem Fächer eine wunderliche Figur, ritt zweimal rund im Hof herum, aber sehr vorsichtig und langsam, und stieg dann ab.

„Nun, wie habe ich meine Sache gemacht?"

„Sehr gut", lobte ich ihn.

Die anderen waren zu höflich, als daß sie sich nicht anerkennend hätten aussprechen wollen. Dann aber stiegen der Si-fan und der Dschiahur auf und ritten die mongolische Schule durch, daß die Pferde dampften. Der erste stieg gerade vor mir ab.

„Du hast die ganze Welt bereist, wie ich hörte. Sag, welches Volk die besten Reiter hat."

„Die Si-fan", antwortete ich höflich, obgleich ich anders dachte.

„Das wußte ich", meinte er stolz. „Kein Si-fan kann im Reiten übertroffen werden. Willst du auch einmal aufsteigen?"

„Deine Pferde sind zu schwach; sie können mich nicht tragen und kommen mit mir nicht von der Stelle."

Er lachte.

„Bin ich nicht schwerer als du? Versuch es!"

Ich legte die Hand auf den Sattel und sprang frei auf. Wer wilde Mustangs durch den einfachen Schenkeldruck gefügig gemacht hat, der reitet recht gut mit einem Mongolen um die Wette. Ich machte mich schwer und legte die Knie an. Das Pferd war bereits ermattet; es keuchte und schnaubte, ging vorn und hinten hoch, wehrte sich vielleicht fünf

Minuten lang, kam aber nicht von der Stelle und knickte dann unter mir zusammen.

„Siehst du, daß es mich nicht tragen kann? Du bist ein besserer Reiter als ich, aber ich bin schwerer als du."

Er war als Mongole ein leidenschaftlicher Reiter. Sein Auge leuchtete.

„Ich will dir ein Pferd zeigen, dem du nicht zu schwer bist. Ich habe es mir über die Berge kommen lassen, aber kein Mensch darf es besteigen. Es wirft mich und alle ab, die es versuchen wollten."

„Zeig es mir!"

„Tretet zuvor weg! Aber wenn dir ein Unglück geschieht, trage ich nicht die Schuld!"

Ich nickte. Wir traten unter das Tor, um geschützt zu sein. Der Stallknecht öffnete eine zweite Tür und sprang sofort dahinter. Ein Rappe kam hervorgeschossen, ein Rappe wie der Teufel. Ich sah es auf der Stelle: es war eines der vortrefflichen kaschgaraner Rassepferde. Seine Augen glühten; seine Nüstern schienen Feuer zu sprühen; ich hätte es für den besten Mustang eingetauscht.

„Laß es nur austoben, so kommst du hinauf, aber sofort wieder herunter", meinte der Si-fan.

„Und wenn ich dennoch oben bliebe, wenn es sich gar nicht weigert, mich zu tragen?"

„So ist es dein!"

„Dann ist es bereits jetzt mein Eigentum."

Ich trat vor in den Hof.

„Halt, warte! Die Gefahr ist zu groß!" warnte er.

Ich beachtete den Ruf nicht, sondern streifte mein kostbares Obergewand ab und legte es zu einem Tuche zusammen. Der Rappe fegte einigemal an mir vorüber und schnellte dann jedesmal die Hinterhufe nach mir. Als er wieder heranstürmte, warf ich ihm das Gewand über den Kopf; er tat noch einige Sätze und hielt dann, um das Tuch abzuschütteln. Sofort hatte ich ihn mit der Linken bei der Mähne und schlug ihm Zeige- und Mittelfinger der Rechten tief in die Nüstern. Er wollte hoch, ich hielt ihn nieder; er hätte sich sonst die Nüstern zerreißen müssen. Da stieß ich ihm den Kopf empor und trat einen Schritt zurück. Ein Ruck, und er lag auf den Hinterfüßen, ein zweiter half ihm wieder auf, ein dritter warf ihn wieder nieder und so fort. Es war ein ernsthaftes Stück Arbeit, denn hier rang lediglich rohe Kraft gegen rohe Kraft, nur daß ich den Vorteil hatte, das Tier bei den Nüstern zu halten, ein Griff, der es in meine Gewalt gab. Das Pferd dampfte, und ich schwitzte. Endlich blieb es stehen, zitterte an allen Gliedern und stöhnte. Jetzt strich ich ihm Kopf, Brust und Vorderbeine und sprach ihm dabei mit kräftiger Stimme zu; dann schnellte ich mich auf seinen Rücken. Es wollte emporsteigen, aber ein scharfer Ruf genügte, es am Platz zu halten. Dann gehorchte es dem Druck meiner Schenkel und ging im langsamen Schritt, noch immer zitternd und schnaubend, im Hof umher.

Jetzt stieg ich ab und erklärte lachend: „Das Mori-mori ist mein!"

„Du kennst diese Rasse?" fragte der Besitzer erstaunt.

„Ich bin ein Reiter."

„Ja, wahrlich, das sehe ich! Aber noch ist es nicht dein."

„Warum?"

„Ich habe gesagt, daß es dein sein soll, aber wann es dein sein soll, das ist noch nicht bestimmt."

„So bestimme es!"

„Der Phy wird mit dir darüber sprechen!"

Ich beruhigte mich dabei, denn ich wußte, daß das vortreffliche Pferd auf diese oder jene Weise doch mein Eigentum sein würde.

„Blitz und Knall, war das ein Theater!" meinte der Kapitän. „Ihr habt Euch bei diesen Leuten ganz verteufelt in Achtung gesetzt; ich habe die Augen beobachtet, die sie bei der Geschichte machten."

„Das Pferd gehorcht mir, aber einen anderen läßt es nicht auf."

Ich nahm einen Zaum vom Pflock und legte ihn dem Tier über, indem ich es streichelte und ihm sanft zusprach; dann führte ich es in den Stall, band es an und gab ihm Hafer in die Krippe. Zu gleicher Zeit besichtigte ich die Schließvorrichtung der Stalltür. Sie war leicht zu öffnen, da sie nur aus einem Kreuzöhr mit Vorstecker bestand. Ebenso war es auch mit der Tür des anderen Stalles und dem Hoftor, das nach außen führte.

Jetzt wurde auch das Wohnhaus in Augenschein genommen, das, nach chinesischen Begriffen, zweckmäßig erbaut und vornehm eingerichtet war. Bei dieser Gelegenheit wußte man es dahin zu bringen, daß ich mit Kiung allein in einem Zimmer zurückblieb. Ich sah ihr an, daß sie von den Absichten ihres Vaters unterrichtet war.

„Du darfst frei umhergehen und mit Männern verkehren?" fragte ich sie. „Ja."

„Auch in der Stadt?"

„Ja, denn ich bin keine Chinesin."

„Du hast einen Bekannten, den du liebst?"

Sie schwieg.

„Sag es mir, damit du glücklich wirst."

„Der Vater leidet es nicht!"

„Wer ist es?"

„Der Sohn unseres Pao-tsching[1]."

„Er wird dein Mann sein, denn ich werde euch nicht trennen. Hast du deine Mutter noch?"

Sofort füllten sich ihre Augen mit Tränen.

„Nein." – „Wie lange ist sie tot?"

„Sie ist nicht tot; sie ist nur verschwunden. Sie war eine Kiao-yu[2] geworden, und der Vater wollte das nicht leiden. Darum ist sie entflohen."

Gräßlich! Also sein eigenes Weib hatte dieser Unmensch in den Lung-keu-siang eingesperrt, um sie verhungern zu lassen. Das durfte ich dem armen Mädchen nicht sagen.

„Du wirst sie wiedersehen. Der Gott der Christen ist mächtig; er wird dir und ihr seine Hilfe senden."

[1] Bürgermeister [2] Christin

„Ich sah es an dir, wie stark und mächtig du bist, darum wird dein Gott auch mächtiger sein als Fo und Buddha. Wenn er mir die Mutter wiedergibt, so werde auch ich ihm dienen. Wirst du dem Vater sagen, daß du mich nicht zum Weib willst?"

„Ja. Du weißt nicht, weshalb ich mit ihm nichts zu schaffen haben mag, ich aber weiß es und er auch."

„Ja, ich weiß es!" klang es hinter mir.

Der Kiang-lu hatte gehorcht und stellte sich zwischen mich und das Mädchen.

„Du hast heute nach dem Lung-keu-siang gefragt?"

„Ja." – „Warum?"

Ich blickte mich um, um rückenfrei zu sein.

„Weil ich gestern abend deine Unterredung mit dem Phy-ming-tsu belauscht habe."

„Ah – –! Verlasse mein Haus. Wir sind geschieden. Geh!"

„Geh du voran!"

„Fürchtest du dich? – Gut! Folge mir!"

Er verließ das Zimmer und schritt vor mir der Treppe zu. Kein Mensch befand sich auf dem Gang, so daß ich sicher schien. Schon hatte ich die Treppe beinahe erreicht, da knarrte eine Tür hinter mir, zwei Arme legten sich um meinen Leib, zwei Hände krallten sich mir um die Kehle, und auch der Si-fan drehte sich um, mich zu fassen. Ich machte eine vergebliche Anstrengung mich zu befreien, die Überrumpelung war zu schnell gekommen, ich verlor die Besinnung.

Als ich wieder zu mir kam, war es vollständig dunkel um mich. Arme und Beine waren mir festverschnürt, und ein Knebel verschloß mir den Mund. Neben mir hörte ich ein röchelndes Atmen. Lag vielleicht der Kapitän da? Wahrscheinlich hatten sie auch ihn überrumpelt. Ich grunzte, der einzige Laut, den ich von mir geben konnte, und sofort antwortete er mir mit denselben Tönen.

Also wieder einmal gefangen! Doch hatte ich keine Sorge.

Die Zeit verging, eine schrecklich lange, lange Zeit! Es mußte längst Abend und Nacht geworden sein. Da endlich öffnete sich eine Tür, und beim Schein der Laterne sah ich den Kiang-lu und den Dschiahur eintreten. Dieser grinste uns höhnisch an.

„Ihr seid mir im Kuang-ti-miao und in Kuang-tscheu-fu entkommen, jetzt aber entflieht ihr mir nicht wieder!" versicherte er.

Der oberste der Drachenmänner bog sich zu mir nieder.

„Du hast uns belauscht und weißt daher alles; ich brauche dir nichts zu sagen. Willst du tun, was ich von dir fordere?"

Ich schüttelte den Kopf.

„So kommt ihr jetzt in den Lung-keu-siang und werdet elend verhungern. Entscheide dich. Seid ihr einmal in dem Erker, so ist es zu spät. Der Kiang-lu weiß dafür zu sorgen, daß ihn niemand verraten kann."

Ich schüttelte abermals den Kopf.

„Gut, so mögen dich die Kuei[1] zum Tschüt-gur bringen!"

[1] Böse Geister

Er stieß einen Pfiff aus, und es erschienen vier Personen, die uns erfaßten und hinaus in den Hof schafften. Dort wurden wir in zwei Palankins geschoben und fortgetragen.

Der Weg führte um das Städtchen herum nach der Schlucht zu, die ich heute früh erstiegen hatte. Wir wurden darin emporgetragen. Droben aber, wo die Felskante begann, hob man uns heraus und zog uns Seile unter den Armen hindurch. Unterdessen stieg der Kiang-lu voraus. Jedenfalls war der Ort, an dem die Leiter verborgen lag, sein Geheimnis, das er nicht entdeckt wissen wollte. Jetzt, da ich mich nicht mehr im Tragsessel befand, sah ich, daß außer dem Dschiahur noch sechs Männer bei uns waren.

Wir wurden von ihnen an den Seilen emporgeschleppt. Als wir an den Fuß des Erkers gelangten, hatte der Kiang-lu die Leiter bereits angelegt. Während er mit den anderen emporstieg, blieb der Dschiahur bei uns und sagte: „Ihr seid verloren! Hier habt ihr euern Abschied!"

Er versetzte jedem von uns einige sehr unzweideutige Fußtritte. Dann ließ man Stricke herab, an denen wir emporgezogen wurden.

Oben nahm mir der Kiang-lu den Knebel aus dem Mund.

„Jetzt sag zum letztenmal, ob du mir gehorchen willst!"

„Nein. Ich werde nicht gehorchen, sondern dich bestrafen!"

„Mich bestrafen? Du bist bereits tot. Du wirst da unten Gesellschaft finden, von der du erfährst, was es heißt, den Kiang-lu verraten zu wollen. Fahr hin!"

Ich wurde zuerst hinabgelassen, dann zog man das Seil unter meinen Armen weg wieder empor.

„Wer kommt?" fragte eine weibliche Stimme.

„Ein Opfer des Kin-tsu-fo. Ich soll hier verhungern wie du. Willst du dich, mich und deine Tochter retten?"

„Vermag ich es?"

„Ja. Ich habe dir heute ein Messer herabgeworfen. Bist du gefesselt?"

„Das warst du? Nein, ich bin nicht gefesselt."

„Schnell, nimm das Messer und schneide meine Stricke entzwei!"

Sie tat es mit zitternden Händen, und noch ehe der Kapitän unten angelangt war, fühlte ich mich frei. Sofort untersuchte ich den Raum. Er war so niedrig, daß ich nur knien konnte, und faßte ungefähr vier Personen. Der Eingang stieg gerade empor, war aber zu weit, als daß ein Mann nach Schornsteinfegerart hätte emporklettern können. Dieser Umstand mochte den Kiang-lu zu der Überzeugung gebracht haben, daß von hier niemand zu entfliehen vermöchte.

Meine Hände und Füße waren vollständig gebrauchsfähig, was sicher nicht der Fall gewesen wäre, wenn ich von Indianern gebunden gewesen wäre.

„Gib mir das Messer!" bat ich die Frau.

Ich nahm es aus ihrer Hand, und noch während der Kapitän niederschwebte, war ich imstande, seine Fesseln zu zerschneiden. Man zog den Strick hinauf.

„Schnell wieder empor, Käpt'n!" flüsterte ich ihm zu.

„Blitz und Knall, wie kommt Ihr zu dem Messer? Laßt mich nur erst verschnaufen. Wie wollen wir hinauf?"

„Für einen ist der Schacht zu weit, zu zweien aber gehts. Wir stemmen uns mit den Rücken aneinander und schieben uns mit Händen und Füßen empor."

„Das geht besser als Bergsteigen, denn das ist die reine Mastauffahrt. Jetzt habe ich Atem. Kommt, Charley, schnell, ehe sie uns entwischen! Jetzt ist's vorbei mit dem Humbug; jetzt wird Ernst gemacht."

„Werdet ihr mich retten?" fragte das Weib ängstlich, als sie bemerkte, daß wir so schnell wieder fort wollten.

„Hab keine Sorge, wir holen dich!" beruhigte ich sie.

Die Rücken fest gegeneinander stemmend, krochen wir in die Höhe. Man hatte uns die Waffen genommen, aber ich besaß mein Messer wieder. Wir kamen rascher hinauf, als ich dem Kapitän zugetraut hatte.

„Jetzt so leise wie möglich!" bemerkte ich, als wir nur noch drei Fuß bis zum Rand des Kamins hatten.

Geräuschlos erreichten wir ihn. Der Kiang-lu stand in stolzer, aufrechter Haltung, mit dem Rücken gegen uns, ganz allein noch oben auf der Plattform und betrachtete die jenseits des Abgrunds gelegene helle Mondscheinlandschaft.

„Hinunter mit ihm!" flüsterte der Kapitän.

„Nein, das wäre hinterlistiger Mord. Hier liegt noch das Seil. Wir binden ihn und schaffen ihn hinab, nachdem wir sein Weib heraufgeholt haben. Dann erstatten wir Anzeige."

„Sein Weib? War das sein Weib?"

„Allerdings."

„Hört, Charley, der Kerl verdient mehr als die Anzeige, denn man wird ihn vielleicht gar laufen lassen. Wir sind ja Ausländer. Diesen Menschen sollte man –"

Er stampfte in unvorsichtigem Zorn mit dem Fuß. Der Kiang-lu fuhr herum und erblickte uns.

„Wer – – –?"

Das Wort blieb ihm vor Schreck im Mund stecken.

„Habe ich dir nicht gesagt, daß ich dich bestrafen werde?" fragte ich.

„Wie kommt ihr herauf? Seid ihr Geister oder Menschen?"

„Menschen, aber bessere Menschen und klügere als du. Gibst du dich gefangen?"

Statt der Antwort legte er die Hände an den Mund und stieß einen gellenden Ruf aus. Ein mehrstimmiger Schrei antwortete aus der Tiefe.

„Gefangen?" rief er jetzt. „Ihr seid noch ebenso verloren wie vorher. Hört ihr, daß sie zurückkehren?"

Jetzt galt es allerdings zu handeln.

„Bis sie kommen, bist du mein!"

Mit diesen Worten trat ich auf ihn zu. Er stand am Rand der Plattform. Dorthin durfte er den Kampf nicht tragen lassen, deshalb sprang er mir mit einem gewaltigen Satz entgegen. Er rannte mit der Brust gegen meine vorgestreckten Fäuste und taumelte zurück. In diesem Augenblick holte Turnerstick aus und versetzte ihm mit seiner eisernen Faust einen Schlag vor den Kopf, der ihn noch mehr aus dem Gleichgewicht brachte – ein gellender, gräßlicher Schrei, und der Kiang-lu stürzte rückwärts über die Felskante hinunter in den Abgrund.

Wir horchten atemlos. Ein dumpfer Ton drang herauf – der Körper des gefürchteten Strompiraten war unten aufgeschlagen und sicherlich zerschellt.

„Charley!"

„Käpt'n!"

„Er ist hinunter!"

Der Kapitän war so erschrocken, als hätte er die schrecklichste Tat begangen.

„Ja, hinunter zu seinen Opfern, wo er hingehört. Macht Euch kein Gewissen daraus, Käpt'n! Erstens habt Ihr ihn nicht mit Absicht hinab-gestürzt, und zweitens hat er den Tod schon oft verdient."

„Well, das ist richtig; aber es ist ein eigentümliches Gefühl, einen Menschen – – brrr!"

„Seid vernünftig, und denkt daran, daß die Notwehr nach dem gött-lichen und menschlichen Gesetz gestattet ist. Wir wollen lieber auf die Gegenwart achten. Seht, da unten stehen die sechs mit dem Dschiahur. Sie können nicht herauf, weil sich der Kiang-lu die Leiter wieder empor-gezogen hatte."

„Nun sind wir belagert."

„Tut nichts! Wir wollen vor allen Dingen die Frau heraufschaffen."

„Wie bringen wir das fertig?"

„Sehr leicht. Ich lasse Euch hinunter. Ihr bindet ihr den Strick unter den Armen um den Leib, aber so, daß sie atmen kann. Dann ziehe ich erst sie und nachher Euch herauf."

„Das geht – come on!"

Der Strick war fest. Wir konnten ihm vertrauen. In einigen Minuten war das Werk getan, und die vor Hunger und Durst abgemattete Frau lag oben auf der Plattform.

„Wer seid ihr?"

„Wir sind Christen, wie du."

„Wo ist mein Mann?"

„Er ist nicht hier, er ist auch nicht daheim. Er ist weit fort, und du wirst ihn lange Zeit nicht wiedersehen."

Die frische Luft wirkte so auf sie, daß sie in Ohnmacht fiel.

Jetzt konnten wir unsere Aufmerksamkeit ganz auf unsere Belagerer richten. Sie waren sich unklar darüber, was der Schrei bedeutet hatte, denn die Plattform war so breit, daß sie uns nicht erblicken konnten.

„Kiang!" tönte die Stimme des Dschiahur von unten herauf.

„Lu!" antwortete ich hinab.

„Was willst du, Herr?"

Es war klar, daß er mich für den Kiang-lu hielt. Ich versuchte, meine Stimme der des Toten ähnlich zu machen.

„Ich? Nichts! Wer schrie da drüben auf dem Berg?"

„Da drüben? Warst du es nicht?"

„Es muß ein Lung-yin gewesen sein. Seht hinüber, was es ist!"

„Es gibt keine Gefahr, sonst hätte er wieder geschrien."

„Hast du meinen Befehl gehört?"

„Ich gehorche!"

Er ging. Die anderen mit ihm.

„Sie machen sich fort, Charley. Wie habt Ihr das fertiggebracht?" fragte Turnerstick.

Ich erzählte es ihm. Wir ließen sie unten in der Schlucht verschwinden und machten uns dann daran, hinabzuklimmen.

Ich nahm die Frau in den Arm und trug sie auf der Leiter bis zum Sims hinab. Turnerstick folgte und hängte die Leiter in die unteren Haken ein. So kamen wir hinab, wo ich das Gerät wieder unter den Geröllhaufen versteckte.

„Wohin bringt ihr mich?" fragte die Frau, die wieder zu sich gekommen war.

„In deine Wohnung, zu Kiung, deiner Tochter", erwiderte ich.

„Kennst du sie?"

„Ja. Sie hat viel um dich geweint und wird dich mit Entzücken in ihre Arme schließen. Kannst du gehen?"

„Nein."

„So erlaube, daß ich dich trage!"

„Gott mag dir vergelten, was du an mir tust!"

Weiter unten fanden wir die zwei Palankins, mit denen wir hergeschafft worden waren. Die Träger hatten sie niedergesetzt als der Schrei ihres Anführers ertönt war.

„Kommt, Käpt'n; wir wollen die Ärmste in einen Tragsessel tun. Da haben wir es bequemer!"

„Well, kommt, Mistress! Wir werding Euch in dieser Hängemattong nach Hause schaffeng!"

Sie stieg ein, Turnerstick faßte vorn und ich hinten an, und so kamen wir bedeutend schneller von der Stelle. Wir gingen um die Stadt herum und standen eben im Begriff, nach dem Landhaus einzubiegen, als uns ein Mann entgegenkam.

„Wer seid – – –?"

Er sprach die Frage nicht vollständig aus. Es war der Phy-ming-tsu, der uns erkannte und augenblicklich zwischen den Bambussträuchern verschwand.

„Setzt nieder, Charley; wir müssen ihm nach!" rief der Kapitän.

„Laßt ihn jetzt laufen, Käpt'n! Wir rechnen schon noch mit ihm ab!" antwortete ich.

Wir gingen also weiter und kamen vor dem Garten des Landhauses vorüber. Es war mir, als ob soeben eine Gestalt über den Zaun gestiegen sei und sich bei unserem Anblick schnell in das Gezweig geduckt hätte.

„Halt!" gebot ich, als wir die Stelle erreichten.

Wir setzten ab. Ich trat näher zum Zaun, und richtig, da hockte ein junger Mann, der sich jetzt notwendigerweise emporrichten mußte.

„Was tust du hier?"

„Ich gehe spazieren."

„Daran tust du wohl, denn die Nacht ist schön und warm. Wer bist du?"

„Warum fragst du?"

Da kam mir ein Gedanke.

„Wenn du der Sohn des Pao-tsching bist, so sage es. Ich bin ein Freund von dir!"

„Von mir? Ich bin der, den du nanntest. Aber ich kenne dich nicht."

„Ist Kiung noch im Garten?"

„Was willst du von ihr?"

„Eile zu ihr und sage ihr, sie soll öffnen. Wir bringen ihre Mutter."

„Ihre Mutter? Sagst du die Wahrheit?"

„Ja, ich bin da!" ertönte es im Innern des Palankin.

Schnell sprang er über den Zaun zurück. Er war der Geliebte von Kiung und hatte ein Stelldichein mit ihr gesucht.

Wir nahmen den Tragsessel wieder auf und bogen um das Haus herum. Dort vor dem Eingang brauchten wir nicht lange zu warten. Es wurde geöffnet; die Mutter war ausgestiegen und wurde von der Tochter mit lautem Jubel empfangen.

Ich nahm den Geliebten des Mädchens beiseite.

„Kiung und ihrer Mutter droht vielleicht Gefahr, doch dein Vater ist mächtig. Beschütze sie!"

„Wo hast du die Mutter gefunden?" fragte mich das Mädchen, vor Wonne strahlend.

„Habe ich dir nicht gesagt, daß der Gott deiner Mutter mächtig ist und sie dir wiedergeben würde? Nun diene ihm so, wie du versprochen hast! Das andere wird sie dir selber erzählen."

„Warum seid ihr heute mit dem Vater so böse gewesen und so schnell fortgegangen?"

„Auch das wirst du noch erfahren. Gib nun der Mutter Speise und Trank und führe uns in das Zimmer deines Vaters!"

„Geht selber hinauf. Es liegt neben dem Raum, in dem wir am Mittag waren, und ist erleuchtet. Wo ist der Vater?"

„Du wirst es später hören!"

Wir stiegen die Treppe empor und gelangten in das Gemach. Auf dem Tisch lagen unsere Revolver, unsere Uhren und alles, was wir bei uns gehabt hatten. Noch waren wir damit beschäftigt, diese Gegenstände wieder an uns zu nehmen, als wir unten eine laute Stimme vernahmen: „Wer kam in diesem Palankin?"

„Die Mutter", antwortete Kiung.

„Wer brachte sie?"

„Die beiden Kuang-fu, die heute eingeladen waren."

„Sie haben deinen Vater getötet; sie haben sich und deine Mutter befreit und ihn in den Lung-keu geworfen. Sie müssen sterben. Wo sind sie?"

„Droben."

Wir hörten viele Leute in den Flur treten. Draußen wurde es laut, und als ich das Licht verlöschte und ans Fenster trat, sah ich einen ganzen Haufen von Menschen aus der Stadt her sich dem Haus nähern. An ihrer Spitze erkannte ich den Phy-ming-tsu.

Der aber, der unten gesprochen hatte, war der Dschiahur. Darum sagte ich zu Turnerstick:

„Wir müssen fliehen, Käpt'n; schnell! Hier scheint es mehr Lung-yin als ehrliche Leute zu geben, und auf Gerechtigkeit können wir nicht rechnen!"

„Fliehen? Vor diesen Menschen?" fragte er verächtlich.

„Vor diesen vielen Menschen, müßt Ihr sagen! Vorwärts, ehe es zu spät ist!"

Ich schob ihn hinaus in den Gang und riß ein langes Gewand vom Nagel. Wir eilten nach der Hofseite des Gebäudes, wo sich kein Mensch blicken ließ.

„Hier durch das Fenster hinab!" – „Ich kann nicht springen, Charley."

„Steigt nur hinaus. Ihr erfaßt dieses Gewand wie ein Tau; ich halte fest."

Klettern konnte Turnerstick als Seemann sehr gut. In einer Minute stand er schon im Hof. Ich sprang ihm nach.

„Wohin nun?" fragte er.

„Die Pferde heraus. Wir reiten! Da holt uns niemand ein."

„Well! Aber nehmt für mich das kleine, das ich heute bereits geritten habe!"

Ich öffnete den Stall und zog es heraus. Zum Satteln war keine Zeit. Dann holte ich das gebändigte Mori-mori. Es erkannte meine Stimme sofort, aber es wollte wegen der Dunkelheit nicht aus dem Stall. Endlich hatte ich es im Hof; da wurde die hintere Tür des Gebäudes aufgestoßen, und die Verfolger drängten sich heraus.

„Hier sind sie! Ergreift sie!" rief der Dschiahur und warf sich auf den Kapitän.

Da aber blitzte es in der Hand Turnersticks auf, und der Mongole stürzte nieder. Die Menge stockte, und das gab mir Zeit, das Tor zu öffnen und auf das Pferd zu springen.

„Vorwärts, Käpt'n! Mir nach – links am Fluß entlang!"

„Well, Charley. Jetzt sollt Ihr mich auch als Reiter kennenlernen!" – – –

Bereits am Nachmittag ritten wir in Kanton ein, und am anderen Abend befanden wir uns mit unseren zwei Pferden an Bord des ‚The wind'

Da gab es allerdings zu erzählen, und noch als wir uns zur Koje begaben, meinte Turnerstick:

„Das war Land und Leute richtig kennengelernt, Charley! Aber was nun? Erstatten wir Anzeige?"

„Das beste ist, wir erkundigen uns beim Konsul und richten uns ganz nach dem, was er uns rät."

„So mag es sein, my old King-lu-kang-li-kong-la-lo! Und dann gehts sofort nach Makao; das könnt Ihr Euch denken."

„Was wollt Ihr dort?"

„Was ich dort will? Sonderbare Frage! Natürlich unserem Meisje einen Besuch machen."

„Um ihr dafür zu danken, daß sie uns so tapfer bei der Verteidigung geholfen hat? Das soll ein Wort sein; ich gehe mit!" – – –

12. Gefährliche Bekanntschaften

Wenn ich in stillen Stunden die Erlebnisse meines vielbewegten Lebens an mir vorüberziehen lasse, so drängt sich meinem Geist vor allen Dingen die Mannigfaltigkeit der Erscheinungen auf, die die Erinnerung mir vor Augen führt. Die Erscheinungen des kalten, starren Nordens und des glühenden Südens, des jungen Westens und des altersgrauen Ostens haben sich meinem Gedächtnis eingeprägt, und es bedarf oft einer gewissen Anstrengung, diese an Form und Farbe so verschiedenartigen Bilder auseinanderzuhalten. Ich habe mir überall Früchte gepflückt, irdische für den Körper und geistige für die Seele. Von diesen Früchten gleicht keine der anderen an Gestalt, Farbe und Geschmack, an Art und Tiefe ihrer geistigen Wirkung; denn jedes Land hat seinen eigenen Boden und infolgedessen auch seine eigenartigen Entwicklungsformen und seine eigenartigen stofflichen und geistigen Erscheinungen. Eine einzige Frucht ist es, die ich in allen Ländern, bei allen Völkern pflückte, eine Frucht, die mir an den norwegischen Fjords ebenso wie in der wasserleeren Sahara, am Marannon ebenso wie am Jangtse-kiang reifte: die Erkenntnis nämlich, daß ein großer, allmächtiger, allgütiger und allweiser Schöpfer waltet, der nicht bloß die Sonnen durch das Weltall wirbelt, sondern auch den Wurm im Staub bewacht, die Tiefen des Meeres und die Höhen der Berge bestimmt, mit seinem Odem den Halm des Grases und die Wedel der Palme bewegt, im Brausen des Katarakts, im Heulen des Sturmes und im Brand des Vulkans zu uns spricht, im Tropfen ebenso waltet wie im Ozean, im Zweig wie im Urwald, im einzelnen Menschen wie im ganzen Volk, und ohne dessen Willen kein Sonnenstäubchen fliegt, kein Blättchen fällt und kein Haar unseres Hauptes verlorengeht.

Ein großer, Staunen erregender, Ehrfurcht erweckender Zusammenhang, der unserem Auge nur zuweilen verborgen bleibt, geht durch die ganze Reihe der Lebewesen. Keines kann sich ihm entziehen: alle sind ihm untertan. Er macht sich bemerkbar ebensowohl in der äußeren Folge der Geschlechter wie in der inneren Entwicklung des einzelnen Menschen. Er verbindet die Räume ebenso wie die Stunden und Jahrhunderte und bringt eine Gerechtigkeit zur Offenbarung, in deren Tiefen unsere schwache Erkenntnis nicht zu dringen vermag. Eine jede Pflanze zeitigt ihre Frucht; eine jede Tat trägt den Keim der Vergeltung in sich.

Wie oft bin ich gerade dieser Gerechtigkeit begegnet, den erstaunlich wachsenden Folgen einer Tat, die von Menschen nicht beachtet oder längst vergessen worden war, und deren Urheber noch in fernen Zeiten oder in fernen Ländern plötzlich von der Wahrheit des Psalmistenwortes überzeugt wurde: „Wo soll ich hingehen vor Deinem Geist, und wo soll ich hinfliehen vor Deinem Angesicht? Führe ich gen Himmel, siehe, so bist Du da; bettete ich mich in die Hölle, siehe, so bist Du auch da; nähme ich die Flügel der Morgenröte und flöge ans fernste Meer, so würde doch Deine Hand daselbst mich führen und Deine Rechte mich halten."

Längst vor den im Vorhergehenden erzählten Erlebnissen befand ich mich wieder einmal in der Heimat, und eine Rundreise führte mich an einen berühmten Knotenpunkt des westfälischen Kohlen- und Eisenwerkbezirks, wo ich einige Tage verweilte. Zur Abreise gerüstet, fuhr ich dann in einer Droschke nach dem Bahnhof, der eine beträchtliche Strecke von der Stadt entfernt war. Eben als ich ausstieg, ging ein Zug ab, und als ich die Halle betrat, wurde einer der Kartenschalter geschlossen.

„Zug nach Düsseldorf?" fragte ich den Pförtner.

„Ist soeben abgefahren."

„Ah! Wann fährt der nächste?"

„In drei Stunden fünfzig Minuten."

„Also vier Uhr fünfzig. Bewahren Sie bis dahin meinen Koffer auf!"

Ich begab mich nach dem Wartezimmer, unentschlossen, ob ich nach der Stadt zurückkehren oder die Zeit bis zur Abfahrt des betreffenden Zuges auf dem Bahnhof verbringen sollte. Kaum hatte ich Platz genommen, so trat der Pförtner ein, um mir die Hinterlegungsmarke für das Gepäck zu übergeben.

„Soll ich für eine Karte nach Düsseldorf sorgen, mein Herr?"

„Danke. Werde mich nicht wieder verspäten."

Er ging. Im Saal befand sich außer mir nur eine Dame, die so sehr in eine Zeitung vertieft war, daß sie meinen Eintritt nicht bemerkt zu haben schien. Nach einiger Zeit legte sie die Blätter fort und blickte nach der Uhr. Sie erhob sich wie erschrocken und wendete sich an mich.

„Verzeihung, mein Herr! Ist es Ihnen gegenwärtig, wann der Zug nach Düsseldorf abgeht?"

„Vier Uhr fünfzig, mein Fräulein."

„Quel horreur! Da habe ich mit diesem fesselnden Blatt die Zeit versäumt! Was tun?"

Halb ratlos und halb forschend ließ sie ihr Auge über mich gleiten. Dann fragte sie:

„Kann man nicht eher fort? Vielleicht auf einem Umweg?"

„Das Bahnnetz ist hier so eng angelegt, daß Sie unter mehreren Umwegen die Wahl haben, doch erreichen Sie Düsseldorf dadurch sicherlich nicht eher, als wenn Sie hier drei Stunden warten."

„Schlimm!"

„Allerdings, wie ich an mir selber erfahre."

„Wieso?"

„Ich habe denselben Zug versäumt."

Ein halbes Lächeln überflog ihr Gesicht.

„Mein Beileid! Aber meinen Sie, daß in der Gleichheit unseres Schicksals eine Beruhigung für mich liegen könnte?"

„Vielleicht; doch kommt es hierbei auf die Beschaffenheit des Gemüts an. Gleichheit des Schicksals erzeugt Teilnahme, und Teilnahme mildert bekanntlich den Druck der Verhältnisse."

„Ah, Sie wollen zu erkennen geben, daß Sie Teilnahme für mich empfinden?"

„Dieses Gefühl zu hegen, ist sicherlich jedermann erlaubt, es aber durch Worte auszudrücken, kann unter Umständen kühn genannt werden."

„Wissen Sie, daß wir Damen die Kühnheit lieben und uns von ihr fesseln lassen?"

„Geradeso, wie wir die Schönheit bewundern und uns gern unter ihre Herrschaft begeben."

„Wirklich? Dann mögen Sie mich für schön und ich will Sie für kühn halten, damit wir uns durch gegenseitige Bewunderung die Zeit bis zum Abgang des Zuges verkürzen."

„Angenommen. Hier meine Karte!"

„Danke! Und hier die meinige!"

Wir verbeugten uns gegenseitig, und ich schob ihr einen Sessel in meine Nähe. Sie nahm Platz.

„Adele Treskow, Sängerin, Berlin", stand in feinen Zügen auf ihrer Karte, und wohl nur eine Künstlerin konnte sich in so selbständiger Weise einem ihr unbekannten Herrn beigesellen. Ich brauchte sie nicht für schön zu halten, sondern sie war wirklich eine Schönheit, und zwar eine jener selbstbewußten Schönheiten, wie sie sich in der Welt der Bühne entwickeln. Der Name Treskow war mir sehr wohl bekannt; er wurde von einem altadeligen Geschlecht getragen. Sollte sie vielleicht diesem Geschlecht entstammen und unter dem Druck der Verhältnisse oder aus innerem Trieb zur Bühne gegangen sein? Möglich, nur fiel mir die leise, polnische Klangfarbe auf, mit der sie sprach.

Unsere Unterhaltung war bald sehr lebhaft und ließ mir die Sängerin als eine höchst geistvolle Persönlichkeit erscheinen. Sie zeigte sich bald voll tiefen, warmen Gefühls, bald naiv kokett, bald voll liebenswürdigen Humors, dann gleich ein wenig gefühlsselig und duldete während des Gesprächs nicht die kleinste Pause. Dabei beobachtete ich an ihr eine wahrhafte Vollendung in jenem innigen, gemütvollen Augenaufschlag, der, selbst wo nichts vorhanden ist, einen Schatz echter, reiner Weiblichkeit, ein tiefes Wissen und die Fähigkeit der Anschmiegung erraten läßt und wohl manchen ernsten Mann betört.

„Auch Sie sind musikalisch, wie ich höre?" fragte sie mich, als unsere Unterhaltung auf diesen Gegenstand gekommen war.

„Nur so viel, wie man fürs Haus braucht."

„Spielen Sie Klavier?"

„Auch ein wenig. C-dur, G-dur, F-dur. Viele Kreuze und B's liebe ich nicht."

Sie nickte lachend.

„Das kennt man! Soll ich Ihnen beweisen, daß Sie ebensogut Cis wie C oder Ges wie G spielen?"

„Wie wollen Sie diesen Beweis führen?"

„Durch einen Vorschlag, den ich Ihnen mache."

„Dann bitte!"

„Wir haben noch volle drei Stunden Zeit?"

„Allerdings."

„Sie geben zu, daß es hier auf dem Bahnhof höchst langweilig ist. Ich besuchte gestern abend das Café N. und bemerkte in einem der hinteren Zimmer ein prachtvolles Klavier. Wollen wir zur Stadt gehen und ein wenig Musik machen? Oder werden Sie mir Ihren Arm versagen?"

Ich nahm diesen Vorschlag an, der mir einen Kunstgenuß versprach, und verließ mit ihr den Bahnhof. Wenige Minuten später saßen wir in dem betreffenden Zimmer des Kaffeehauses und lösten einander am Klavier ab. Ich gestehe gern, daß sie sich mir überlegen zeigte; doch schien es mir, als gehörte sie zu jenen Klavierspielerinnen, die nur einige eingeübte Stücke ausgezeichnet vorzutragen wissen und dann am Ende ihrer Fertigkeiten stehen.

Während unserer Vorträge war ein Herr eingetreten und hatte um die Erlaubnis gebeten, bei uns Platz nehmen zu dürfen. Er war von hoher, starker Gestalt, sehr anständig gekleidet, hatte vertrauenerweckende Gesichtszüge und schien sich in nicht ganz schlimmen Verhältnissen zu befinden, denn unter seinem Überrock bemerkte ich eine wohlgenährte Geldkatze, die er sich um den Leib geschlungen hatte.

Eben hatte die Sängerin eines ihrer Stücke beendet, als ein Ruf von der Tür her erscholl: „Fräulein von Treskow!"

Sie blickte sich um, ich mich auch. Am Eingang stand ein junger Herr, der vielleicht achtundzwanzig bis dreißig Jahre zählen mochte. Sein Äußeres war das eines Mannes der „besseren" Stände. Er schien von der Anwesenheit der Dame überrascht zu sein, und sie über die seinige in gleichem Maß.

„Herr Assessor!"

„Welch ein Zufall, Sie hier zu sehen!"

„Und Sie nicht weniger! Was tun Sie hier?"

„So ist es Ihnen unbekannt, daß ich von Berlin hierher versetzt wurde?"

„Vollständig! Ich mußte mir Urlaub erbitten, um eine Tante in Dorsten zu besuchen. Ich befinde mich auf der Rückreise und gehe mit dem nächsten Zug nach Düsseldorf. Doch, gestatten die Herren, Sie miteinander bekannt zu machen."

Der Assessor hieß Max Lannerfeld und war, wie er mir sagte, in Berlin ein eifriger Bewunderer der Sängerin gewesen. Auch der dicke Herr erhob sich. Er meinte, da er einmal anwesend sei, halte er es für seine Pflicht, sich uns ebenfalls vorzustellen, besonders da er gleichfalls mit unserem Zug nach Düsseldorf fahren würde. Seinen Namen habe ich vergessen. Er war ein reicher Viehhändler aus Köln und kam von Holland, wo er bedeutende Geschäfte gemacht hatte. Er schien ein heiterer Gesellschafter zu sein und wurde in unserem Bund gern aufgenommen.

Auf dem Tisch lag eine aufgeschlagene Zeitung, mit der die rosigen Finger der Sängerin spielten. Sie warf wie unwillkürlich einen Blick auf das Blatt und rief: „Ah, Assessor, was sehe ich da!"

„Was?" – „Pankert ist in Hannover erwischt und eingezogen worden."

„Pankert, der berüchtigte Kümmelblättler?"

„Derselbe. Da, lesen Sie!"

Der Assessor nahm das Blatt und überflog die betreffende Stelle.

„Wahrhaftig! Seine Verhaftung überrascht mich sehr, da ich ihn früher einigemal zu vernehmen hatte; der Mann war so gewandt, daß es mir unmöglich war, ihn zu überführen. Er wurde stets wieder entlassen."

„Ein Kümmelblättler?" fragte der Viehhändler. „Ich habe von dieser Sorte der Bauernfänger schon viel gehört und gelesen, ohne dieses Spiel zu kennen. Ist es schwierig zu erlernen?"

„Ja und nein; es kommt auf das Geschick an", antwortete der Assessor.

„Benutzt man französische oder deutsche Karten dazu?"

„Ganz gleichgültig. Es werden drei, vielleicht auch vier Blätter dazu genommen, je nach der Weise des betreffenden Künstlers. Er zeigt eine der drei Karten vor, wirft sie mit den übrigen beiden untereinander und läßt dann sagen, wo sie liegt. Wer sie trifft, hat gewonnen, im anderen Fall verloren."

„Dann möchte ich behaupten, sie stets zu treffen. Es ist ja keine Schwierigkeit dabei."

„Sie irren. Ich behaupte vielmehr, daß Sie nicht treffen."

„Pah! Ich getraue mir sogar, eine Wette einzugehen. Gut aufpassen; weiter ist nichts nötig."

„Hätte ich Übung, so wollte ich auf Ihre Wette ohne Zögern eingehen. Leider aber kann ich das nicht, da ich mir das Spiel nur zeigen ließ, um es oberflächlich kennenzulernen."

„Nur nicht zu bescheiden, Assessor!" meinte die Sängerin. „Sie haben ja auch uns das Kunststück vorgeführt – es war eines Abends nach der Vorstellung, unter uns Künstlern. – Sie besitzen eine ganz hübsche Fertigkeit darin."

„Wirklich?" fragte der Händler. „Unsereiner kann sehr leicht in die Lage kommen, mit solchen Gaunern zusammenzutreffen, und dann ist es gut, wenn man einen Begriff von der Sache hat. Kennen Sie das Spiel, mein Herr?" fragte er, sich zu mir wendend.

„Nein."

„Dann wollen wir doch den Herrn Assessor ersuchen, es uns zu erklären. Karten sind ja wohl zu haben."

Er verließ, da kein Kellner zugegen war, das Zimmer und kehrte bald mit einem Spiel Karten zurück, das er dem Assessor überreichte.

„Ich darf nicht", weigerte sich dieser. „Das Spiel ist verboten, und in meiner Stellung – – –"

„Pah, Stellung!" fiel ihm die Sängerin ins Wort. „Wir sind unter uns und wollen das Spiel nur kennenlernen, ohne einander zu übervorteilen. Und was Ihre Stellung betrifft, so können Sie sich ja sichern."

Sie erhob sich und öffnete die Tür.

„Kellner, wir wünschen ungestört zu bleiben! Wenn wir etwas brauchen, werden wir Sie rufen."

Sie machte die Tür zu und schob den Riegel vor.

„Gut, Ihnen zu Gefallen, Fräulein!" meinte des Assessor und griff zu den Karten.

Das hatte sich alles so unauffällig gemacht, daß jedes Mißtrauen ausgeschlossen schien. Ich aber wußte sofort, woran ich war: ich hatte es mit Gaunern zu tun. Die Dame, die sich eine Sängerin nannte, war die Zubringerin; sie hatte den Zug nach Düsseldorf nicht versäumt, sondern war durch die Worte des Pförtners auf meine Verspätung aufmerksam gemacht worden und hatte das benutzt, mich in ihre Schlinge zu bekommen. Der eigentliche „Macher" war der sogenannte Assessor, während der vorgebliche Viehhändler den Unwissenden spielte, um das Geschäft in Gang zu bringen.

Die Fertigkeit des Assessors schien wirklich sehr schülerhaft zu sein, denn die beiden anderen errieten fast regelmäßig seine Karte. Der Viehhändler begann zu setzen, und die Sängerin folgte ihm.

Beide gewannen.

„Wollen Sie es nicht auch versuchen?" fragte mich die Holde.

„Warum nicht?"

Ich setzte fünf Groschen, gewann einigemal und verlor dann einmal. Die beiden anderen begannen leidenschaftlich zu werden; sie setzten höher und belustigten sich über meinen niedrigen Einsatz.

Ich setzte einen Taler und gewann; ich ließ stehen und gewann; ich ließ wieder stehen bis auf acht Taler und gewann.

„Dieses Spiel ist allerdings höchst fesselnd", meinte ich.

„Sie haben Glück", ermunterte mich der Assessor. „Versuchen Sie es doch weiter!"

„Versteht sich."

Ich setzte einen Fünftalerschein und gewann; ich ließ wieder stehen und gewann. So hielt ich fest, bis vierzig Taler lagen. Da aber griff ich in die Tasche und zog drei Fünfzigtalernoten heraus. Das war mein Reisegeld, im Augenblick mein ganzes Vermögen.

„Gewinne ich jetzt, so setze ich diese hundertfünfzig Taler", versicherte ich, um den sogenannten Assessor zu fangen.

Ich wußte, daß ich verloren hätte; bei diesen Worten aber zuckte es höhnisch und blitzschnell über sein Gesicht.

„Sie halten also die vierzig?" fragte er.

„Ja."

„Gut! So stehen also achtzig."

Er legte seine vierzig hinzu und nahm die Karten.

„Herz-Aß. Aufgepaßt. Wo liegt es?"

„Hier!" antwortete ich, auf das betreffende Blatt zeigend.

Er wendete es um; ich hatte gewonnen.

„Riesiges Glück!" meinten die anderen. „Nun die hundertfünfzig darauf."

Ich aber zog die achtzig an mich und schob sie mit dem übrigen in die Tasche.

„Man muß dem Glück Atem gönnen, meine Herren, es mag ausruhen. Spielen Sie unterdessen weiter", bat ich in ruhigem Ton.

„Wie meinen Sie das? Sie wollen zurücktreten? Sie haben versprochen die hundertfünfzig zu setzen, und ein Ehrenmann hält sein Wort."

„Das werde ich auch, Herr Assessor; aber habe ich gesagt, w a n n ich sie setzen werde?"

„Das versteht sich ganz von selber: jetzt natürlich."

„Darüber sind wir leider verschiedener Meinung. Ich werde setzen, wann es mir beliebt, vielleicht in Düsseldorf, vielleicht in Köln, wenn Sie uns bis dahin folgen wollen."

„Ich verlange den Einsatz unbedingt jetzt."

„Sie verlangen? Das soll wohl heißen, Sie befehlen?"

„Nichts anderes."

„Sie machen sich lächerlich."

„Und wie machen Sie sich denn? Aber wir werden Sie zu zwingen wissen, Wort zu halten."

„Wir? Meinen Sie damit auch diesen Herrn und diese Dame?"

„Allerdings meint er uns", antwortete der Kölner. „Wir können nicht dulden, daß der Bankhalter durch Versprechungen, die dann nicht gehalten werden, veranlaßt wird – –"

Er hatte sich verfahren; er hielt inne.

„Fahren Sie fort! Sie wollten sagen: ‚veranlaßt wird, ehrlich zu spielen, bis so viel steht, daß ein Umschlag an der Zeit ist.' Sie haben sich damit selber verraten, und ich bin gezwungen, mein Wort zurückzunehmen. Ich werde weder hier, noch in Düsseldorf, noch in Köln wieder einen Pfennig setzen."

„Schurke!" meinte der Kölner, indem er auf mich eindrang. „Willst du setzen oder nicht?"

Ich tat einen raschen Schritt gegen die Tür, riß den Riegel zurück und zog sie auf. Im nächsten Augenblick stand ich im Gastzimmer und hatte die Tür von außen verschlossen.

„Herr Wirt!"

Der Gerufene trat von einem der vorderen Tische herbei.

„Kennen Sie die Leute, die sich mit mir in diesem Zimmer befanden?"

„Nein."

„Es sind Kümmelblättler, die mich rupfen wollten."

„Ah, wollen doch mal sehen!"

Er rief mehrere Kellner herbei und schloß dann die Tür auf – – das Zimmer war leer; aber die beiden Flügel des breiten Fensters, das auf eine enge Seitengasse führte, standen offen.

„Ausgeflogen!" lachte er und trat ans Fenster.

Draußen war kein Mensch zu sehen.

„Haben Sie mitgespielt?"

„Ja."

„Verloren?"

„Nein, gewonnen."

„Prächtig! Das war nur die Lockung; später hätte man Sie gerupft. Sie sind nicht von hier, wie es scheint?"

„Nein. Ich fahre in einer Viertelstunde mit dem Zug ab."

„So ist es gut für Sie, daß die Vögel fort sind. Sie wären als Zeuge vernommen worden und hätten eine Menge Weitläufigkeiten und Zeitversäumnisse gehabt. Reisen Sie ab! Ich werde sofort die Polizei benachrichtigen, ohne Sie in die Sache zu verwickeln, und Sie können sich darauf verlassen, daß wir die saubere Gesellschaft sicher fangen."

Ich folgte diesem Rat und reiste ab. Erst später ist mir der Gedanke gekommen, daß der Wirt mit den Entflohenen im Einvernehmen gestanden hat und mich zu entfernen suchte, damit ich weder ihnen noch ihm gefährlich werden konnte. – – –

Es war einige Monate später. Ich war wieder daheim in Dresden und war so beschäftigt, daß ich mir nur selten eine freie Stunde gestatten konnte. Das griff natürlich die Gesundheit an, und der Arzt gebot mir, einige Tage auszuspannen. Ich unternahm infolgedessen einen Ausflug in die Sächsische Schweiz.

Es waren mir vier Tage vergönnt worden; meine Arbeiten aber lagen mir so am Herzen, daß ich bereits am dritten Abend zurückkehrte. Ich muß bemerken, daß ich mich damals für kurze Zeit als Redakteur hatte anstellen lassen.

Ich hatte den letzten Zug benutzt, und es war bereits nach Mitternacht, als ich in mein Zimmer trat. Ich war gewohnt, vor dem Schlafengehen einen Rundgang durch sämtliche Arbeitsräume zu machen, und tat das trotz meiner Ermüdung auch heute.

Ich nahm den Hauptschlüssel und trat durch die Hintertür des Vorderhauses in den Hof, der von den hohen Nebengebäuden, die die Arbeitsräume enthielten, umschlossen wurde.

Zunächst öffnete ich das Kesselhaus, wo ich alles in Ordnung fand. Von hier aus führte gegenüber der Feuerung eine Tür in den Raum, der dem Schriftgießer angewiesen war. Hinter dieser Tür glaubte ich ein leichtes Geräusch zu vernehmen.

Ich öffnete.

Hier hatte bis jetzt eine Lampe gebrannt; ich sah den Docht noch glimmen. Das enge, dunstige Erdgemach wurde beinahe hell erleuchtet von einem Feuer, das im Ofen brannte, und meine Windlaterne vermehrte die Helligkeit. Es war hier gearbeitet worden; aber wo war der Schriftgießer?

Der Mann besaß nicht die Erlaubnis, über die Arbeitszeit hierzubleiben. Vielleicht hatte er eine eilige Arbeit gehabt und in meiner Abwesenheit, wo er annehmen durfte, daß niemand nachsehen würde, doch gegen die Hausordnung gehandelt. Mein plötzliches Erscheinen im Kesselraum hatte ihn veranlaßt, das Licht auszulöschen. Mit dem Ofenfeuer war ihm das nicht gelungen. Aber er selber, wo war er hingekommen? Die Tür, die zu dem Lagerraum nebenan führte, von wo aus sich auch der Fahrstuhl erhob, war verschlossen und ihm überhaupt unzugänglich, und der einzige Weg durch das Kesselhaus war ihm durch mich abgeschnitten gewesen.

Ich suchte. In einer der Ecken standen einige Gipsfässer. Zwischen ihnen und der Wand sah ich zwei Stiefel, in denen unbedingt ein Paar

Füße stecken mußten. Aber die Füße waren zu klein, als daß sie die des Schriftgießers hätten sein können.

„Wer liegt hier?" fragte ich.

Keine Antwort.

„Heraus."

Wieder keine Antwort. Ich nahm einen vollen Wassereimer und goß seinen Inhalt hinter die Fässer.

„A–uhhh!"

Jetzt regte es sich und kroch hervor. Es war einer meiner älteren Setzerlehrlinge.

„Sie?! Was tun Sie hier?"

Er troff von Wasser und schnitt ein höchst jammervolles Gesicht.

„Ich – will das Matern lernen."

„So! Zu dieser Zeit? Wie kommen Sie herein?"

„Ich habe den Schlüssel vom Hausmann."

„Hat er ihn freiwillig herausgegeben?"

„Nein; ich habe ihn weggenommen", gestand er zögernd.

Der junge Mensch war ein Neffe des Hausmanns, bei dem er wohnte. Auf diese Weise war es ihm möglich gewesen, sich den Schlüssel anzueignen.

„Sie haben von innen wieder verschlossen und den Schlüssel also bei sich. Her damit!"

Er gab ihn heraus.

„Wie kommt es, daß Sie sich nicht an mich wenden, wenn Sie etwas Nützliches lernen wollen?"

„Ich dachte, Sie würden es mir nicht erlauben."

„Warum nicht?"

„Weil – weil Sie so streng mit mir sind."

Da hatte er recht; aber er verdiente diese Strenge, denn er war träge und unzuverlässig; auch trieb er sich trotz seiner Jugend und Mittellosigkeit bereits auf Tanzsälen und mit Menschen herum, die ihm nur schaden konnten.

„Sagen auch die anderen, daß ich streng bin? Sie sind der einzige, der mich nicht liebt; aber ich hätte mich gefreut, wenn ich aus Ihrer Bitte gesehen hätte, daß Sie ein brauchbarer Mann werden wollen. Ihr heutiger Streich ist jedoch nicht danach angetan, daß ich Sie loben kann. Wie wollen Sie ohne Anleitung das Schriftgießen lernen?"

„Ich habe öfters zugesehen und wollte es einmal versuchen."

„Das genügt nicht und führt nur zu einer Verschwendung des Arbeitsstoffs. Bringen Sie Ihre Bitte an der geeigneten Stelle vor, und man wird Sie nicht zurückweisen. Jetzt löschen Sie das Feuer aus!"

Er tat es, und ich fragte unterdessen:

„Haben Sie hier bereits etwas gearbeitet?"

„Nein. Ich wollte eben anfangen."

„Womit?"

„Mit dieser Titelseite."

Ich sah, daß er log, rollte die Fässer, hinter denen er gesteckt hatte, auf die Seite und fand, was ich suchte. Er hatte mehrere Besuchskarten, sowohl auf männliche als auch auf weibliche Namen lautend, gesetzt und nur diese jedenfalls gießen wollen. Was aber gab es für einen Grund, das zu verheimlichen? Fürchtete er den Verweis wegen verschwendeten Arbeitsstoffs? Das schien mir nicht hinreichend. Ich schlug, wie man sich auszudrücken pflegt, auf den Busch: „Diese Arbeiten wurden bestellt?"

Er schwieg.

„Sie haben mich bereits vorhin belogen. Reden Sie die Wahrheit! Wer hat sie bestellt?"

„Ein Fremder."

„Wie heißt er?"

„Emil Willmers, wie hier steht."

„Für wen sind die anderen Karten?"

„Für Bekannte von ihm."

„Wo wohnt er?"

„Auf der R.'schen Gasse."

„Haben Sie sonst noch etwas für ihn gesetzt?"

„Nein."

Dieses „Nein" klang so eigentümlich, daß ich annahm, es enthielte eine Unwahrheit. Ich suchte also weiter, doch ohne Ergebnis.

„Kommen Sie mit nach dem Setzersaal!"

Er erbleichte. Das gab mir Grund, auf einen weiteren Fund zu rechnen.

Wir verließen den Raum und das Kesselhaus, und als wir die Treppe emporstiegen, hustete er so laut und eigentümlich, daß es mir auffallen mußte. Hatte er einen Mitschuldigen oben, den er warnen wollte?

„Wenn Sie noch einmal husten, geschieht etwas! Sie haben sich ruhig zu verhalten und die Treppe leise zu ersteigen!" drohte ich.

Die Fenster des Setzersaals gingen nach dem Garten. Ich hatte also vom Hof aus nicht sehen können, ob sie erleuchtet waren; aber bereits auf dem Gang vernahm ich ein Geräusch, das ich gut kannte. Es kam von der Handpresse, auf der die Setzer ihre Korrekturabzüge zu machen pflegten. Durch das Schlüsselloch schimmerte Licht. Ich versuchte zu öffnen, erst am Drücker, dann leise mit dem Hauptschlüssel. Es ging nicht, denn die Tür war von innen verriegelt.

„Sie haben also auch diesen Schlüssel bei sich?" fragte ich den Lehrling.

„Ja", hauchte er zitternd.

„Sie haben mit dem Burschen da drin ein Zeichen verabredet, auf das hin er öffnet?"

„Ja."

„Welches?"

„Erst ein-, dann zwei- und dann dreimal klopfen."

„Haben Sie mit ihm schon vorher hier gearbeitet?"

„Nur gestern."

Ich gab das Zeichen, indem ich in der angegebenen Weise klopfte. Es wurde geöffnet, und ich trat ein. Der Mann stieß einen Ruf aus und taumelte zurück. Es war keiner meiner Setzer, wie ich vermutet hatte; es war vielmehr ein Bekannter von meiner Reise her, nämlich der – Herr Assessor Max Lannerfeld.

„Ah guten Abend, Herr Assessor! Sind Sie gekommen, mich an meinen Einsatz zu erinnern?" fragte ich.

Er gab keine Antwort, sondern ergriff einen Hammer und drang auf mich ein. Ich wollte ihn fassen und strauchelte über einen Kasten, der im Weg stand. Das benützte er, mir einen Hieb auf den Kopf zu versetzen. Zur Tür gelangte er aber nicht; ich packte ihn und rang ihn zu Boden. Ich war ihm an Kraft überlegen, aber er besaß eine bewundernswerte Geschmeidigkeit, und ich bewältigte ihn nicht eher, als bis ich ihm durch Zusammenpressen der Kehle den Atem benahm.

Schnüre und Stricke lagen genug umher; ich band ihn und trat dann zur Presse. Er hatte sich – – Paßmuster gedruckt, die trotz der Unzulänglichkeit der alten Presse scharf ausgefallen waren.

Ich rief den Setzer, denn ich glaubte, er hätte den Ausgang des Kampfes vor der Tür abgewartet, erhielt aber keine Antwort. Ich suchte ihn auf der Treppe und auf dem Flur, fand ihn aber nicht. Jetzt bemerkte ich, daß mir der Hauptschlüssel fehlte. Ich hatte ihn in der Hand gehabt, als ich in den Setzersaal trat, und ihn wahrscheinlich dort fallen lassen. Er lag nicht da. Jedenfalls hatte ihn der Lehrling aufgehoben, während ich mit dem anderen rang, und sich mit Hilfe des Schlüssels den Weg in die Freiheit gebahnt.

Das war mißlich, denn ich war nun gezwungen, Lärm zu schlagen, was ich gern vermieden hätte. Ich rief sehr lange, ehe sich die Hintertür des Vorderhauses öffnete und der Hausmann in den Hof trat.

„Wer ruft?"

Ich gab mich zu erkennen und fragte dann, ob er seinen Neffen gesehen hätte.

„Der Schlingel ist wieder ausgegangen, ohne es mir zu sagen, und ist noch nicht heimgekehrt."

„Sehen Sie einmal nach dem vorderen Tor, und machen Sie dann hier unten auf!"

Schon nach wenigen Augenblicken kehrte er zurück.

„Was ist denn das? Das Tor offen und Ihr Hauptschlüssel steckt drin."

„Öffnen Sie nur zunächst hier!"

Er kam herauf und staunte nicht wenig, einen Gefangenen zu sehen. Ich erzählte ihm alles, und ohne sich weiter um mich zu bekümmern, sprang er davon. Ich folgte ihm, nachdem ich den Schwindel-Assessor eingeschlossen hatte. Der Lehrling war in seine Wohnung geeilt, hatte sich seiner Kleider, einiger Wäsche und der Barschaft des Oheims bemächtigt und war entwichen.

Der Hausmann war so ergrimmt, daß er selber zur Polizei rannte, trotzdem es sich um einen Anverwandten handelte, den er allerdings von jeher nicht sonderlich ins Herz geschlossen hatte.

Die Polizei erschien und bemächtigte sich des Gefangenen.

Die Untersuchung ergab, daß der Herr Assessor ein polnischer Schriftsetzer war, der längere Zeit in Berlin gearbeitet hatte. Später war er mit seiner Freundin, einer geborenen Polin, auf Reisen gegangen.

Die „Sängerin" wurde nicht aufgefunden. Jedenfalls hatte der Setzerlehrling, der auch spurlos verschwunden blieb, sie gewarnt und mit ihr beizeiten die Stadt verlassen.

Der Herr Assessor wurde zu einer längeren Haft verurteilt. –

13. Nach Sibirien

Das freundliche, an der Wolga liegende Subzow lag hinter mir, und die Troika[1], deren ich mich bediente, flog auf der Straße nach Moskau hin. Der Jämschtschik[2] sang in seiner ewig guten Laune das alte, durch ganz Rußland beliebte Lied vom Dreigespann:

Das Licht war flackernd im Verglimmen,
das Feuer im Kamin verglüht –
da klang's in mir wie fremde Stimmen:
ein Traum bezaubert mein Gemüt.
Fern kommt ein Dreigespann gezogen,
rollt laut vom Knüppeldamm herbei,
doch trüb und klagend unterm Bogen
erklingt das Glöckchen von Waltai.
Früh hat's den Fuhrmann fortgetrieben,
so schwül ward's ihm um Mitternacht –
er sang ein Lied von seiner Lieben,
von ihrer blauen Augen Pracht:
Ach, blaue Augen, warum brennt ihr
so tief in meine Seele mir!
Ach, böse Menschen, warum trennt ihr
zwei Herzen, die so eins wie wir!
Leb, Moskau, wohl, so lieb und teuer;
leb wohl, leb wohl, du süße Maid!
Ich sterbe wie ein rauchend Feuer,
vergessen in der Einsamkeit!

Die Pferde rannten, was sie konnten, dennoch suchte der Kutscher ihren Lauf teils durch Schnalzen und Klatschen mit der Peitsche, teils durch die freundlichsten Ausrufe noch zu beschleunigen.

„Schneller, mein Schimmel, mein weißes Täubchen! Ich gebe dir auch süßes Zuckerchen. Willst du? Nicht? Nun, da hast du eins mit der Nagaika[3]! Lauf mein herrlicher Woron[4]. Ich gebe dir auch Tabakrauch in das Näschen und Haferchen in die Krippe. Spring, mein Fuchs, du Seelchen, du feines Liebchen! Ich werde dich abtrocknen mit einem Tuch von Seide, und du darfst trinken vom besten Wässerchen im heiligen Rußland. Eilt, ihr drei Herrlichen, eilt! Ihr seid meine Kinder, meine Engel, meine Lieblinge."

Dann wandte er sich zu mir.

„Brüderchen, siehst du dort die Gostinnitza[5]? Du bist ein guter Herr, ein gnädiger Gebieter und wirst mich dort halten lassen, um einen kleinen Wodka[6] zu trinken."

---

[1] Dreigespann   [2] Kutscher   [3] Peitsche   [4] Rappe   [5] Gast- oder Einkehrhaus
[6] Schnaps

„So halte! Auch ich steige aus."

„Wirst du so lange warten, bis meine Pferde ein Gräschen oder ein Haferchen gefressen haben?"

„Ja."

„Herr, du bist gut; ich liebe dich über alles, denn nun kann ich zwei oder drei Schnäpschen trinken statt nur einen."

Man merkte es dem Gasthaus an, daß man sich in der Nähe von Moskau befand, denn es hatte nicht das Dach auf dem Erdgeschoß, sondern war überbaut. Der Kutscher hielt an, und der Wirt kam herbeigesprungen. Er riß die Pelzmütze, die er trotz der sommerlichen Hitze auf dem Kopf trug, herunter und fragte:

„Was befiehlst du, gnädiger Herr?"

„Gib mir ein Glas Moloko[1], wenn du welche hast!"

„Ein Milchlein ist immer da, Herr, denn die vornehmen Leute trinken es lieber als den Wodka."

Er ging und brachte mir das Verlangte.

Neben der Tür stand ein kräftiger Ukrainer, der militärisch gesattelt war.

„Wem gehört dieses Pferd?" fragte ich.

„Einem hohen Herrn, dem Romisto[2] von Semenoff."

Semenoff? Der Name war mir vertraut. Ich hatte in Dresden die Bekanntschaft eines russischen Offiziers gemacht, der sich Iwan Semenoff nannte. Wir hatten uns am Billard getroffen. Er war ein ausgezeichneter Spieler und ein höchst ehrenwerter Mann. Wir waren Freunde geworden, und ich hatte versprechen müssen, ihn oder wenigstens seine Mutter zu besuchen, wenn ich einmal nach Moskau kommen sollte. Jetzt nun reiste ich nach der „heiligen Stadt" und hatte mir vorgenommen, mein Versprechen zu erfüllen. War er es oder war es ein Anverwandter von ihm?

„Wo ist der Rittmeister?" fragte ich.

„Er ist nach dem Flüßchen gegangen. Es ist so heiß, und er wollte baden."

„Kennst du die Richtung, in der er sich entfernte?"

„Er ging diesen Pfad, und ich sah ihn hinter jenen Büschen verschwinden."

Am Fluß gab es jedenfalls eine kühlere Luft als hier. Ich folgte dem schmalen Pfad, der sich durch die Wiese schlängelte, bis in die Büsche, zwischen denen er sich bald verlief. In dem hohen Gras war leicht eine frische Spur zu erkennen, die jedenfalls von Semenoff herrührte. Ich freute mich auf das Zusammentreffen und schritt schnell vorwärts.

Plötzlich vernahm ich vor mir ein höhnisches Lachen. Ich blieb stehen. Es mußten da zwei Personen beisammen sein, die höchstens zwanzig Schritt vor mir standen. Ich beschloß, nicht gerade auf sie zuzugehen, sondern erst zu sehen, ob ich es wirklich mit dem Gesuchten zu tun hätte.

Auf einem kleinen Umweg durch die Sträucher gelangte ich in ihren Rücken. Ein Dragoneroffizier stand mir gerade gegenüber. Er war hoch und schlank gewachsen, hatte scharfe Gesichtszüge und ein auffälliges stechendes Auge. Vor ihm, den Rücken nach mir gewendet,

---

[1] Milch [2] Rittmeister — aus dem Deutschen n das Russische übergegangen

stand ein Mann in der Kleidung eines gewöhnlichen Bürgers; seine Gesichtszüge konnte ich nicht erkennen. Beide sprachen polnisch miteinander, der Offizier so, daß er bei dem S mit der Zunge anstieß.

„Lüge nicht, Bursche!" hörte ich diesen sagen. „Nur mir allein hast du es zu danken, daß du frei bist. Ich habe dem Dozorca[1] zweihundert Rubel zahlen müssen."

„Möglich, aber von mir verlangte er eigens noch hundert, und da ich sie nicht beschaffen konnte, war ich auf mich selber angewiesen."

„Und wie hast du es angefangen, aus dem Gefängnis zu entkommen?"

„Das sind Geheimnisse, Herr, die Ihnen nichts nutzen können. Oder glauben Sie, einmal in die Lage zu kommen, meine Handgriffe gebrauchen zu müssen?"

„Schweig, Chlopisko[2]! Ich rate dir, nicht zu vergessen, wen du vor dir hast, und wer du bist!"

„Jedenfalls ein Mann, der schon sehr viel für Sie gewagt hat und auch noch länger für Sie arbeiten wird."

„Aber ein Mann, den ich sofort verderben kann."

„Auch ohne sich selber zu schaden? Doch, streiten wir uns nicht! Daß ich Ihnen ergeben bin, sehen Sie daraus, daß ich hier volle drei Tage auf Sie gewartet habe, obgleich ich Gefahr lief, ergriffen zu werden. Das will ich nicht umsonst getan haben; sprechen wir also von unserem Geschäft! Sie wünschen, daß Wanda in Ihren Dienst tritt?"

„Nur auf ein Jahr als Beraterin bei meinen Plänen."

„Ein Jahr ist eine lange Zeit, und Sie wissen, daß ich Wanda selber notwendig brauche, denn ich finde keine Verbündete, die so scharfsinnig und kühn ist wie sie. Was bieten Sie?"

„Fünfhundert Rubel für dich, ausgezahlt auf der Stelle."

„Haha, zu wenig, viel zu wenig!"

„Und eine Anstellung in meinem Dienst."

„Als Diener, Reitknecht oder so ähnlich?"

„Nein, denn das wäre zu gefährlich. Als Mittelsmann."

„Gut; aber fünfhundert Rubel sind trotzdem zu wenig."

„Bedenke, was mich Wanda kosten wird, um sie ihre Rolle spielen zu lassen."

„Bedenken Sie, was wir beide Ihnen nützen werden!"

„So gebe ich sechshundert."

„Immer noch zu wenig. Geben Sie tausend!"

„Ich gebe dir freiwillig sechshundert. Gehst du nicht darauf ein, so werde ich andere Mittel anwenden und werde mein Ziel erreichen, ohne daß du einen einzigen Rubel bekommst."

Ein kurzes Lachen erklang.

„Wir haben einander gegenseitig in den Händen, Herr."

„Wem wird man glauben, dir oder mir?"

„Mir, denn ich bin im Besitz der Beweise: ich habe alle Ihre Zuschriften aufbewahrt."

„Lajdak[3]! Habe ich dir nicht befohlen, sie stets zu vernichten?"

[1] Schließer, Gefängniswärter   [2] Kerl   [3] Schurke

„Der Mensch ist schwach, Herr, und Sie sind gütig. Sie werden mir sicher den kleinen Ungehorsam verzeihen."

Der Hohn, mit dem diese Worte gesprochen wurden, war nicht zu verkennen. Wo hatte ich diese Stimme nur schon einmal gehört? Auch die schlanke, geschmeidige Gestalt kam mir so bekannt vor, als ob ich sie bereits einmal gesehen hätte, aber als ich jetzt bei einer Wendung des Mannes seine Züge erblickte, kam mir das vollbärtige Gesicht mit den dunklen Zigeunerfarben, das von langen, schwarzen Korkzieher-locken umwallt wurde, vollständig fremd vor.

„Du wirst sie nachträglich vernichten", verlangte der Offizier.

„Vielleicht. Vielleicht auch verkaufe ich sie."

„An wen?"

„An den, der am meisten dafür bezahlt."

„Kerl, nimm dich in acht, daß ich dich nicht fasse!"

„Das würde zu nichts Klugem führen, Herr. Verständigen wir uns lieber. Wenn Sie für Wandas Anstellung tausend Rubel zahlen, verbrenne ich die Papiere."

„Gut, ich zahle sie; aber ich will die Papiere selber verbrennen."

„Zugestanden. Also tausend, jetzt gleich!"

„Ich habe nur sechshundert mit. Hier sind sie. Hol dir heute abend das übrige!"

„Danke, Herr! Das gibt mir die Mittel in die Hand, dafür zu sorgen, daß ich nicht erkannt werde. Wohin werden Sie Wanda schicken?"

„Sie bleibt in ihrer gegenwärtigen Stellung, wo sie am besten für mich arbeiten kann. Jetzt geh! Hier ist der Schlüssel zur Gartenpforte. Bei den Eichen treffen wir uns um ein Uhr."

„Ich komme, wenn es mir gelingt, unangefochten in die Stadt zugelangen."

„Man erkennt dich nicht. Hätte doch sogar ich dich beinahe für einen Fremden gehalten. Du konntest sofort in die Stadt gehen und hattest nicht nötig, mich erst hierher zu bestellen."

„Ich mußte vorher wissen, ob mir die Maske geglückt ist. Daß Sie mich nicht erkannten, gibt mir die Gewißheit, daß ich mich nicht zu sorgen brauche."

Er ging. Er mußte hart an mir vorüber und wendete mir dabei das volle Gesicht zu. Jetzt war es mir allerdings, als hätte ich auch dieses Gesicht mit der scharfen, so wenig russischen Nase und den großen dunklen Augen bereits einmal gesehen. Wo und wann es aber gewesen war, das wollte mir nicht einfallen.

Auch der Rittmeister verschwand. Er wandte sich dem Flüßchen zu, dessen Wellen ich unweit meines Standorts durch die Büsche schimmern sah. Ich kehrte unbemerkt nach der Gostinnitza zurück, wo ich dem Wirt bedeutete, daß er dem Offizier nicht sagen sollte, es sei ein Fremder dagewesen. Ein Na-Wodki[1] machte ihn geneigt, mir diesen Wunsch zu erfüllen, und noch ehe der Rittmeister zurückgekehrt war, flog unsere Troika wieder auf der Straße dahin.

---

[1] Trinkgeld, wörtlich „für Schnaps"

Das Gehörte gab mir viel zu denken. Ich hatte zwei Verbrecher belauscht, Verbrecher schlimmer Sorte, obgleich der eine den höheren Ständen angehörte. Ein Menschenschacher im eigentlichen Sinn des Wortes war es nicht gewesen, was sie getrieben hatten, denn nur die Schlauheit und Gewandtheit dieser Wanda sollten dem Rittmeister auf ein Jahr gehören. Wozu? Ging mich diese Angelegenheit etwas an? Ja oder nein, sie mußte mich doch lebhaft fesseln, da der Offizier den Namen meines Freundes trug.

Inzwischen sang der Kutscher eins seiner Lieder nach dem anderen, und ich konnte nicht umhin, ihnen meine Aufmerksamkeit zuzuwenden. Das Volkslied hat für Rußland eine tiefere Bedeutung als für andere Länder. In Rußland ist das Lied der einzige Beweis der geistigen Entwicklung der breiten Masse. Es besteht in dem „heiligen Reich" eine gewisse altherkömmliche Dichtkunst, die die Vergangenheit, die Sitten, die Leidenschaften, die Anschauungen des Volkes in treuen Zügen widerspiegelt. Ohne diese reiche und belebende Quelle würde die Geschichte des Volkes zu einer trockenen Aufzählung seiner kriegerischen Erfolge und Unfälle zusammenschrumpfen und uns über die eigentlichen und wesentlichen Triebfedern seiner Kraftäußerungen im Dunkeln lassen.

Nun erhob sich Moskau vor uns mit seinen sechzehnhundert Türmen und sechzehntausend Häusern. Ich fuhr nach der Maraseka[1] und stieg im Hotel „Petersburg" ab. Die Familie Semenoff wohnte in derselben Straße. Ich schickte meine Karte hin, und kaum war der Bote wieder zurück, so hörte ich eilige Schritte, die Tür wurde rasch geöffnet, und Iwan trat ein. Ich sah es ihm an, daß er sich über meine Anwesenheit freute.

„Ist's möglich! Sie hier in Moskau? Willkommen, herzlich willkommen! Aber warum sind Sie im Gasthof abgestiegen?"

„Nehmen Sie mir das übel?"

„Gewiß! Sie gehören zu mir! Kommen Sie! Ich werde Sie sofort meinem Mütterchen vorstellen!"

Ich mußte mit. Im Gegensatz zu Petersburg, wo in den schnurgeraden Straßen die Häuser militärisch gleichmäßig in Reih und Glied aufgestellt sind, als ob sie jeden Augenblick bereit sein müßten, eine Schwenkung nach links oder rechts zu machen, ziehen sich in Moskau fast alle Paläste und Gebäude, die etwas für sich bedeuten wollen, aus der ohnehin unregelmäßigen Straßenlinie möglichst weit zurück und schieben aus dieser Entfernung ein Gitter oder eine Verzäunung vor, durch die der Vorplatz von der Straße abgeschlossen wird.

Etwa der vierte Teil aller Häuser in Moskau besteht aus solchen Gebäuden mit Vorgarten, und auch das der Semenoffs war ein solches. Es war die Nachahmung eines venezianischen Palastes, die allerdings nicht recht geglückt erschien.

Iwan führte mich ohne Umstände in das Zimmer der Baroneska. Diese war sehr einfach in Schwarz gekleidet und empfing mich mit jener freundlichen Ungezwungenheit, die sich von der so beleidigenden

[1] Eine der inneren Hauptstraßen Moskaus

Herablassung wohltuend unterscheidet. Sie stammte aus einem alten polnischen Geschlecht und gehörte der römischen Kirche an, wie ich bereits wußte. Der klare, offene Blick ihres blauen Auges stimmte mit der milden Würde überein, in der sie sich zu geben wußte. Als ich ihre kleine weiße Hand mit den Lippen berührte, wußte ich bereits, daß ich sie liebhaben würde.

„Matjuschka[1], hier bringe ich ihn", meinte Iwan. „Bestrafe du ihn, daß er nicht sofort bei uns vorgefahren ist!"

„Die Strafe wird sehr hart sein", sagte sie lächelnd. „Ich bin gezwungen, Sie zu einer langen Haft zu verurteilen. Was wählen Sie, Einzel- oder Sammelhaft?"

„Ich möchte mich für das zweite entscheiden, meine Gnädige."

„Gut! Dann werden Sie diese Haft hier in unserem Haus verbringen und so lange gefangenbleiben, bis Sie gebessert sind."

„Also Besserungsverfahren mit bedingter Beurlaubung?"

„Allerdings. Iwan mag die Aufsicht führen, er hat Zeit dazu, da er für einige Wochen aus Petersburg beurlaubt ist."

„Ja", meinte er, „Sie sind zur glücklichen Stunde gekommen. Zur anderen Zeit hätte ich die Karambolage versäumt, mit der Sie sich Ihre Gefangenschaft jedenfalls erleichtern werden."

Er war noch der Alte – als leidenschaftlicher Billardspieler mußte er im ersten Augenblick von der Karambolage sprechen, und wirklich hatte ich mich kaum fünf Minuten mit der Dame des Hauses unterhalten, so entführte er mich nach dem Billardzimmer.

„Ich muß sehen, ob Sie ebenso in Übung geblieben sind wie ich. Wir standen uns stets gleich, jetzt aber möchte ich wetten, daß ich über Sie hinausgewachsen bin. Hier sind die Stöcke; oder wollen wir ein Spiel zu dritt versuchen?"

„Wer ist der dritte?" fragte ich.

„Eine Dame." – „Ah!"

„Ja, die Gesellschafterin meiner Mutter, ein sehr feines Mädchen, ernst, fromm, still, unterrichtet, spricht russisch, polnisch, französisch und deutsch und – spielt ausgezeichnet Karambolage und Dreikegel- partie. Mutter hält große Stücke auf sie, und auch ich achte sie hoch. Ich begehe also wohl keinen Fehler, wenn ich sie Ihnen vorstelle."

Er ging zur Klingel und schellte. Ein Diener erschien.

„Ich lasse Fräulein Wanda fragen, ob ihr ein Spiel gefällig ist."

Wanda? Dieser Name berührte mich eigentümlich. Ich stand am Fenster. Unten lenkte ein Reiter nach dem Tor. Es war der Dragoner- rittmeister, den ich belauscht hatte.

„Wer ist dieser Offizier?" fragte ich Iwan.

„Vetter Kasimir", antwortete er in auffällig kaltem Ton.

„So wird wohl ein Spiel zu vieren fertig?"

„Nein. Ich verkehre so wenig wie möglich mit ihm, obgleich er eine Abteilung unseres Hauses bewohnt. Wir können einander nicht leiden. Aber hier ist Fräulein Wanda!"

[1] Mütterchen

Ich drehte mich um. Iwan beeilte sich, uns einander vorzustellen.

„Fräulein Wanda Smirnoff" nannte er sie, nachdem er ihr meinen Namen gesagt hatte. „Wir werden eine – aber Fräulein, was ist Ihnen?" unterbrach er sich. „Sind Sie krank?"

„Nein. Entschuldigung, meine Herren! Ein kleiner Schwindel, weiter nichts!"

Es war kein Schwindel, es war Schreck gewesen, der sie so fürchterlich erbleichen ließ, als sie mich erblickte. Die „stille, ernste, fromme" Gesellschafterin war – Adele Treskow, meine Sängerin und Kümmelblatt-Bekannte.

Ich verriet durch keine Miene, daß ich sie erkannt hatte, und das Spiel begann. Daß sie eine wirklich gute Spielerin war, sah ich an ihrer Haltung. Heute aber gelang ihr nur selten ein Stoß. Sie befand sich augenscheinlich in Aufregung und trat bereits nach dem ersten Spiel wieder zurück.

Später bekam ich drei Zimmer angewiesen und hatte mich kaum darin umgesehen, als es klopfte.

„Wojti[1]!"

Ich hätte das deutsche Wort gebrauchen können, denn nicht einer der Diener, sondern Wanda trat ein. Ich blieb stehen und blickte ihr ohne irgendeine einladende Bewegung kalt entgegen.

„Mein Herr – –"

Sie stockte; da ich aber nicht antwortete, fuhr sie fort:

„Wir haben einander bereits einmal gesehen – –"

„Weiter!"

„Meine jetzige Stellung hat mich veranlaßt, meinen damaligen deutschen Namen ins Russische zu übertragen, und – –"

„Heißt Adele Treskow auf russisch Wanda Smirnoff? Die Übersetzung scheint mir etwas mehr als frei zu sein. Auch Ihr Haar hat eine Übertragung ins Russische erlitten, wie ich vermute, denn es hat eine ganz andere Farbe erhalten."

Sie schlug die Augen nieder, beantwortete meine Rede nicht und meinte in demütigem Ton:

„Ich gestatte mir, Sie aufzusuchen, um Sie zu fragen ob Sie unserer ersten Begegnung Erwähnung tun werden."

„Ich sehe mich nicht in der Lage, diese Frage schon jetzt entscheiden zu können; denn ich kenne die Umstände nicht, die maßgebend sein werden. Guten Tag!"

Es war, als wollte sie noch ein Wort sagen, aber in diesem Augenblick trat Iwan ein.

Er war über die Anwesenheit der Gesellschafterin sichtlich verwundert. Sie erglühte in Verlegenheit und entfernte sich. Als Mann von Bildung beachtete er den Vorfall jedoch scheinbar nicht und gedachte auch im Verlauf der Unterhaltung seiner mit keinem Wort. Später führte er mich in den Garten.

[1] Herein!

Dieser Gang war mir sehr erwünscht, da er mir Gelegenheit gab, mich davon zu unterrichten, ob der Rittmeister heute bei der Bestimmung des Stelldicheins diesen oder einen anderen Garten gemeint hatte. Er lag hinter dem Haus, nahm eine nicht unbedeutende Grundfläche ein und wurde von einer Mauer umschlossen, in der ich ein kleines Pförtchen bemerkte.

Unweit dieses Pförtchens befand sich ein Eichengebüsch, die einzigen Eichen, die im Garten standen. Das Gebüsch bildete einen kleinen Halbkreis, innerhalb dessen eine Ruhebank stand. Es leuchtete mir ein, daß dieser Ort gemeint sein mußte, und ich beschloß, heute nacht um ein Uhr hier zu sein.

In einer entlegenen Ecke des Gartens stand eine Laube, in der ich den Rittmeister erblickte.

„Wollen Sie mich Ihrem Vetter vorstellen?" fragte ich Iwan.

„Möchten Sie es?"

„Weder ja noch nein. Ich richte mich nach Ihrem Wunsch."

„Dann vermeiden wir ihn jetzt."

Es lag mehr als Feindseligkeit, es lag Verachtung in dem Blick, mit dem er diese Worte begleitete. Auf dem Rückweg aus dem Garten begegnete uns die Gesellschafterin, der es augenscheinlich nicht lieb war, daß wir sie hier trafen.

„Das ist das einzige, was ich an ihr auszusetzen habe", meinte Iwan.

„Was?"

„Daß sie in dieser Weise mit ihm verkehrt. Sie musiziert mit ihm, liest mit ihm, geht mit ihm im Garten spazieren, obgleich sie genau weiß, daß weder die Mutter noch ich es wünschen. Übrigens haben wir nachträglich erfahren, daß wir die Gesellschafterin nur seiner Empfehlung verdanken; er ließ sie uns durch eine dritte Person vermitteln. Es kommt mir vor, als hätten sie sich bereits früher gekannt."

„Haben Sie ihr zu wissen getan, daß Sie eine solche Freundschaft nicht für wünschenswert halten?"

„Offen nicht. Doch kommen Sie; man wird mit dem Abendessen bereits auf uns warten, und dann gehen wir ins Theater."

„Würden Sie mich für heute vielleicht entschuldigen? Ich habe Briefe zu schreiben und allerlei Angelegenheiten zu ordnen, die ich nicht gern verzögern möchte."

„Ganz wie Sie wollen. Mama wünscht, daß Ihre Gefangenschaft keinerlei Einfluß auf Ihre Selbständigkeit ausübt."

Ich hatte wirklich Briefe zu schreiben, die meine Zeit bis Mitternacht in Anspruch nahmen. Dann begab ich mich leise in den Garten, was mir nicht schwer wurde, da man mich in den Besitz eines Hauptschlüssels gesetzt hatte, mit dem ich die Türen zu öffnen vermochte.

Es war eine stockdunkle Nacht. Im Kalender stand Neumond und der Himmel war von dichten Wolken verhüllt, so daß man kaum zwei Schritte weit zu sehen vermochte. Ich schlich mich vorsichtig bis an die Eichen und fand die Bank noch unbesetzt. Das machte es mir leicht, mich unmittelbar dahinter in die Büsche zu verstecken.

Es mochte drei Viertel nach zwölf Uhr sein, als ich leichte Schritte vernahm. Sie schienen von einem weiblichen Fuß zu stammen, und wirklich erkannte ich in der Nahenden die Gesellschafterin, die auf der Bank Platz nahm.

Kaum eine Minute später knarrte das Pförtchen leise, und es erschien eine männliche Gestalt. Es war derselbe Mensch, den ich mit dem Rittmeister belauscht hatte. Seit ich diese Wanda erkannt hatte, wußte ich auch, wer er war, obgleich er sein Äußeres verändert hatte. Es war der frühere angebliche Assessor.

„Wanda?" fragte er leise.

„Ja."

„Wo ist der Rittmeister?"

„Er wird noch kommen."

„Hast du heute bereits mit ihm gesprochen?"

„Ja; ich weiß alles."

„Und bist du einverstanden?"

„Mit deiner Erlaubnis, ja. Kamst du gut in die Stadt?"

„Besser als aus dem Gefängnis. Wieviel zahlt er dir für das ausbedungene Jahr?"

„So viel wie dir: tausend Rubel. Doch wird es kein Jahr werden. Er steht im Begriff, bereits morgen einen Streich auszuführen, der ihm und auch uns so viel einbringt, daß wir uns zur Ruhe setzen können."

„Ah, was ist es?"

„Ein Diamantengeschäft."

„Mit wem?"

„Laß dich von ihm selber unterrichten! Es ist nämlich ein Umstand eingetreten, der mich bestimmt, Moskau und Rußland schleunigst zu verlassen, natürlich, nachdem ich vorher für die nötigen Reisemittel gesorgt habe."

„Mir lieb, denn auch meines Bleibens kann hier nicht lange sein. Welcher Umstand ist es?"

„Ich bin erkannt worden. Erinnerst du dich jenes Kümmelblatts in Westfalen, bei dem uns der Vogel mit unseren eigenen Federn entschlüpfte?"

„Ja. Es war ein Schreiber, ein Schriftsteller oder etwas Derartiges, der mich später in Dresden erwischte."

„Nun, dieser Mensch ist heute als Bekannter des jungen Herrn hier eingetroffen, hat mich gesehen und wird mich verraten."

„Dann entweder weg mit ihm oder fort mit uns!"

„Ich ziehe das zweite vor, und der Rittmeister ist einverstanden. Er wird uns trotzdem die tausend Rubel zahlen und jedem noch dreitausend dazu, wenn wir ihm morgen bei der Ausführung seines Plans helfen."

Sie konnte nicht weitersprechen, denn wieder waren Schritte zu hören. Der Rittmeister kam.

„Eingetroffen?" fragte er, als er das Paar erblickte. „Gut. Kommt mit zur Laube!"

Sie entfernten sich. Was sollte ich tun? Ihnen folgen? Das konnte mich leicht verraten. Der Schwindel-Assessor verließ den Garten jedenfalls durch das Pförtchen, dabei waren vielleicht noch einige Worte zu erlauschen. Ich trat daher hiezu und lehnte mich hinter einen nahen Holunderstrauch.

Es war nahe zwei Uhr, als der Erwartete endlich kam; Wanda begleitete ihn.

„Also vor allen Dingen pünktlich!" mahnte sie. „Um neun Uhr wird der Herr mit seinem Gast zur Parade gehen; das machten sie heute beim Billard aus. Die Baronin befindet sich zu derselben Zeit in der Kirche, und ich habe in ihrem Auftrag Kranken- und Armenbesuche zu machen. Ich kehre durch diese Pforte unbemerkt zurück und treffe dich auf der Seitentreppe, auf der wir in die Zimmer der Gnädigen gelangen. Der Rittmeister beschäftigt die Dienerschaft, bis wir mit dem Juwelier fertig sind."

„Der Streich ist fein erdacht und beinahe ungefährlich. Aber wäre es nicht besser für uns, dann sofort zu verschwinden?"

„Das geht nicht, da uns der Rittmeister erst bezahlen kann, wenn er die Diamanten versilbert hat. Gute Nacht!"

Sie nahmen Abschied und entfernten sich: er durch die Pforte und sie nach dem Haus zu.

Ich wartete noch längere Zeit, bevor ich ihr folgte, und gelangte unbemerkt wieder in meine Zimmer. Das Gehörte war so aufregend für mich, daß ich nicht schlafen konnte. Am Morgen war es mein erstes, Iwan davon Mitteilung zu machen. Er erstarrte vor Erstaunen und bat mich, seine Mutter nichts wissen zu lassen.

„Können Sie aus dem Erlauschten den Plan erraten, den die Elenden geschmiedet haben?" fragte ich ihn.

„Ich glaube es, will mich aber weniger auf meine Vermutung, als vielmehr auf das Urteil eines gewandten Polizisten verlassen. Wir tun, als gingen wir wirklich zur Parade, eilen aber statt dessen aufs Polizeiamt."

So geschah es. Unterwegs machte mir Iwan einige Mitteilungen über seinen Vetter, und ich erfuhr, daß dieser sein ganzes Vermögen im Spiel verloren hatte und darum schon öfters zu Handlungen verleitet worden war, die ihn hätten verderben müssen, wenn Iwan und seine Mutter nicht immer wieder Rücksicht auf den Umstand genommen hätten, daß er ihren Namen trug. Eines Streichs, wie es der geplante war, hatten sie ihn aber nicht für fähig gehalten.

Iwan kannte einen der höheren Polizeibeamten, zu dem ich ihn begleitete. Dieser hörte unserem Bericht aufmerksam zu und nickte dann.

„Wollen Sie mir das Innere Ihres Hauses genau beschreiben?"

Es geschah.

„Ich bin Ihnen dankbar für die vertrauensvolle Offenheit, mit der Sie mich über die sonderbaren Liebhabereien des Rittmeisters unterrichteten. Ist er nicht Adjutant des Generals von Melikoff?"

„Allerdings."

„Melikoff ist allmächtig. Wie wünschen Sie den Rittmeister behandelt zu haben?"

„Dürfen wir ihn schonen?"

„Ich rate dazu. Sein Plan ist wohl folgender: Der, den dieser Herr hier Assessor nennt, ist ein Pole namens Mieloslaw, ein höchst gefährlicher Mensch, der kürzlich erst aus dem Gefängnis entsprungen ist. Er wird irgendeinen Juwelier zu Ihrer Frau Mutter bestellen. Diese ist nicht zu Haus, und so wird die Gesellschafterin die Baroneska vertreten. Es wird eine spannende Szene geben, bei der ich zugegen sein muß. Erlauben Sie mir, einige Vorbereitungen zu treffen; dann werde ich Sie bitten, sich mir anzuschließen."

Er entfernte sich für einige Augenblicke und kehrte dann in Zivilkleidern zurück.

„Jetzt kommen Sie!"

Unten wartete eine geschlossene Delega. Wir stiegen ein und fuhren langsam der Maraseka zu. Der Iswoschtschik[1] schien unterrichtet zu sein; vielleicht war er auch ein Polizist. Er ließ seine Pferde schlendern, als ob er leer führe und sich nach einem Fahrgast umschaute, hielt in der Nähe des Semenoffschen Palastes endlich an, stieg vom Bock und griff nach dem Heu, um gemächlich abzufüttern.

Da trat die Baronin mit der Gesellschafterin aus der Tür. Beide trennten sich; die Baronin ging nach der Kirche und Wanda machte scheinbar ihre Krankenbesuche. Nach einiger Zeit erblickten wir sie wieder. Zwischen dem Palast und dem nachbarlichen Gebäude führte ein enger Gang dahin, auf den auch das Mauerpförtchen mündete. Unsere Delega hielt sich gerade diesem Gang gegenüber, so daß wir ihn bis da, wo er hinter den Gärten endete, überblicken konnten. Die Gesellschafterin tauchte dort hinten auf, eilte durch den Gang und verschwand im Pförtchen.

„Mieloslaw muß sich bereits vor unserer Ankunft eingeschlichen haben", bemerkte der Kommissar. „Sehen Sie den Rittmeister oben an seinem Fenster? Er beobachtet den Vorgang ebenso wie wir."

Eine Viertelstunde verging; da kam eine Droschke herbei und hielt vor dem Gittertor. Ein einzelner Herr stieg aus; er trug einen winzigen Handkoffer.

„Ah, der Juwelier Schikawiersky! Die Gauner haben sich den reichsten und geschicktesten ausgelesen. Er kommt selber; das ist ein Zeichen, daß ihm ein sehr bedeutendes Angebot gemacht worden ist. Iswoschtschik!"

Der angerufene Kutscher griff gleichmütig nach der Peitsche und klatschte einmal leichthin, worauf er sie wieder von sich legte. Da kam ein Briefträger aus der Nachbarschaft herbei, einige Augenblicke nach ihm mit feierlichem Schritt ein Pope, dann ein Holzhacker mit Axt und Säge und weiter ein breitschulteriger Fischhändler. Sie verschwanden sämtlich im Eingang des Palastes, und endlich sahen wir zwei Schutzleute die in das Gäßchen traten und sich vor dem Pförtchen aufstellten.

„Was jetzt?" fragte Iwan.

„Der Rittmeister ist vom Fenster weg. Schnell heraus und drüben hinein!"

[1] Kutscher

193

Der Fischhändler stand inmitten des weiten Flurs, von wo aus er den vorderen und auch den rückseitigen Ausgang im Auge hatte.

„Es verläßt niemand das Haus!" gebot der Kommissar.

„Dobro[1]!" erklang es ruhig. Der Mann sah nicht aus, als ob jemand ohne seinen Willen entkommen könnte.

Wir stiegen die Treppe empor.

Da stand der Pope.

„Wo?" fragte der Beamte.

Er zeigte lautlos nach einer Tür, die halb offen war. Wir traten ein. Vor der anderen Tür, die in das Nebenzimmer führte, standen der Briefträger und der Holzhacker. Sie horchten scharf auf die Stimmen, die da draußen ertönten. Da plötzlich riß der Briefträger einen Revolver hervor, stieß die Tür hastig auf und trat ein.

Der Holzhacker kam sofort hinter ihm, und wir drei folgten gleichfalls. Im Zimmer stand der frühere Schriftsetzer in der Livree des Hauses; etwas weiter vor ihm befand sich – die Baroneska. Die Vorhänge waren herabgelassen, so daß ein Halbdunkel herrschte, das es ermöglichte, die Verkleidungskunststücke zu übersehen, mit deren Hilfe sich die Gesellschafterin in ihre Herrin umgewandelt hatte. In der Hand hielt sie bereits den kleinen Koffer. Auf einem Stuhl lag, mehr als er saß, der Juwelier; seine Kleidung war in Unordnung – Kragen und Halsbinde waren zerrissen. Er war gewürgt worden.

„Guten Morgen, meine Kinderchen!" grüßte der Kommissar.

„Herr Kommissar!" rief der Juwelier, indem er aufsprang. „Gott sei Dank, ich bin gerettet!"

„Ja, mein Väterchen, du hast jetzt nichts mehr zu befürchten. Weshalb bist du denn eigentlich hierhergekommen?"

„Dieser Mensch kam zu mir und brachte mir von seiner Herrin, der Baroneska von Semenoff, eine Karte, auf der sie mich bat, sie mit meinen wertvollsten Diamanten zu besuchen; sie müsse für eine Verwandte einen Brautschmuck bestellen und sei durch Unwohlsein verhindert, zu mir zu kommen. Hier legte ich meine Steine vor und wurde dabei überfallen."

„Welchen Wert haben die Steine?" – „Mehrere hunderttausend Rubel."

„Das ist sehr schlimm für euch, meine Kinder", wandte er sich an die Überraschten. „Das wird euch viele Jahre Sibirien einbringen. Mein Sohn Mieloslaw, du bist ein sehr kluger Brodnik[2] und hast alle Anlagen, auch ein Burlak[3] zu werden. Gib uns deine Hände, daß wir sie dir drücken können!"

Er wurde gefesselt. Ebenso erging es seiner Gehilfin. Ich mochte dem Auftritt nicht beiwohnen und ging auf mein Zimmer. Als ich beim Mittagessen erschien, sah die Baronin zwar bleich und angegriffen aus, hatte sich aber von dem erlittenen Schrecken bereits wieder erholt. Nach der Tafel ließ sich der Rittmeister melden. Es sprach in einer wohlgesetzten Rede seine Verwunderung darüber aus, wie sehr man sich selbst im scheinbar besten Menschen irren könne. Iwans Blut kochte; das war ihm anzumerken. Er erhob sich.

[1] Sehr wohl [2] Landstreicher [3] Räuber

194

„Mein Herr, ich bin leider gezwungen, Ihnen eine Antwort zu geben. Ihre gestrige Zusammenkunft am Fluß wurde belauscht und ebenso die Unterhaltung der heutigen Nacht. Wir wissen jedes Wort, das gesprochen wurde. Gehen Sie!"

Der Rittmeister erbleichte; das hatte er nicht erwartet. Ohne ein Wort der Verteidigung schwankte er zur Tür hinaus.

Am Nachmittag kam die Kunde von einem Unglück, das ihm widerfahren sei. Er war ausgeritten; sein Pferd hatte vor einer Droschke gescheut und war mit ihm in die zur Zeit hochflutige Moskwa gesprungen. Er war tot. Ob sein eigener Wille diesen Unfall herbeigeführt hatte? Vielleicht.

Der „Brodnik" wurde mit seiner Gehilfin auf Lebenszeit nach Sibirien verbannt. Ich dachte nicht, daß ich ihn jemals wiedersehen würde.

14. „Om mani padme hum!"[1]

Seit jener Verhaftung in Moskau waren Jahre vergangen. Mein meist nur kurze Zeit schlummernder Wandertrieb hatte mich wieder einmal nach Amerika geführt, von wo aus ich mit dem Dreimaster „Poseidon" Kapitän Robert's das stille Weltmeer durchpflügt hatte, um auf einem der Paumotu-Riffe Schiffbruch zu leiden. Was von da an bis Kanton und Li-ting, der Karpfenstadt, geschah, wissen meine Leser. Es ist ihnen auch bekannt, wie ich mich dort mit Turnerstick rettete, und daß ich mit ihm glücklich auf seinem „The wind" wieder ankam.

Wir besuchten darauf in Makao das „tapfere Meisje", deren Herrschaft uns mit guten Gründen davon überzeugte, daß es für uns geraten sei, von einer Anzeige gegen die chinesischen Flußpiraten abzusehen. Der Konsul, an den wir uns dann wendeten, war derselben Ansicht. Wir verzichteten also darauf, über Kong-ni, seine Verhältnisse und Absichten etwas Näheres zu erfahren, und lichteten die Anker, sobald „The wind" ausgebessert worden war und neue Ladung eingenommen hatte. Turnerstick segelte als sein eigener Reeder nordwärts die den Ausländern offenen Hafenplätze an, bis wir in der Bai von I-mo-tung Anker warfen. Von hier aus wollte Turnerstick hinüber nach den Riukiu-Inseln und Japan, wozu ich keine Lust hatte, denn ich gedachte ein wenig landeinwärts zu gehen. Bis über den Chingan hinauf nach der Gobi war es nicht sehr weit, und da ich im Besitz von Papieren war, mit deren Hilfe ich für einen Chinesen gelten konnte, so entschloß ich mich am Ende doch, mich von dem alten, wackeren Freund zu trennen, um wenigstens für einige Tage Wüstenluft zu atmen. Ich brachte also meine wenigen Habseligkeiten in Tien-tsin unter. Dann begab ich mich nach einer Herberge. Vor ihr waren vier Pferde angebunden. Als ich eintrat, sah ich auf dem mächtigen Kang[2] zwei Männer sitzen, die Ziegeltee mit Butter tranken. Der eine trug die Kleidung der westlichen Tataren, und den anderen erkannte ich an seiner gelben Mütze als einen Lama.

„Men-du!" grüßte ich.

---

[1] ‚O du heiliges Kleinod in Lotos, Amen!' — Gebetsformel der tibetanischen Lamaisten   [2] Ofen

„A-mor!" dankten beide.

„Du bist ein Fremdling", sprach dann der Lama freundlich. „Steige herauf, und trinke den Tee mit uns!"

„Ich danke euch! Euer Tee geht zur Neige. Wollt ihr nicht lieber mit von dem meinen trinken?"

„Wo hast du ihn?"

„Wo ist der Besitzer dieser Herberge, der mir ihn bereiten soll?"

„Er sah dich kommen und ging, sein Weib zu rufen. Setze dich zu uns und trinke! Dann trinken wir auch mir dir."

Ich folgte dieser Einladung und stieg auf den Ofen. Ich mußte zwischen den beiden Platz nehmen; sie griffen in den Gürtel und brachten ihre Tabakfläschchen hervor, aus denen mir jeder ein wenig Pulver auf die Hand schüttete, das ich schnupfen mußte. Ich hatte mich auf die Art der Begrüßung vorbereitet, griff auch nach meinem Fläschchen und erwiderte die Höflichkeit. Dann zog ich mein Holznäpfchen aus der Busentasche, wo es jeder Mongole trägt, hervor und erhielt es voll Tee geschenkt.

Der Trank mundete nicht eben sehr. Der Ziegeltee ist die gewöhnlichste Sorte des Tees, und da er hier obendrein mit ranziger Butter übergossen war, so hatte ich Mühe, ihn hinunterzuschlucken.

Nun kam der Wirt mit seinem Weib. Beide machten nicht den Eindruck allzu großer Sauberkeit, begrüßten mich aber mit aufrichtiger Herzlichkeit. Ohne daß ich etwas bestellte, wurde ein niedriges Tischchen vor meine Füße geschoben, auf dem mehrere gelackte Kästchen mit Hafermehl, gerösteter Hirse, Butter und Käseschnitten standen. Dann kam ein großes Gefäß mit kochendem Tee dazu, aus dem wir mit unseren Näpfen schöpften.

„Woher saht ihr, daß ich ein Fremdling bin?" fragte ich.

Ich trug Lederhosen, hohe Stiefel, Pelzmütze und einen weiten mantelähnlichen Rock, wie ein Mongole, und hatte nicht gedacht, so schnell als Ausländer erkannt zu werden. Der Mongole lächelte und zeigte auf meine Gewehre und die Revolver.

„Kein Ta-dse[1] hat solche Waffen."

Der Lama nickte und fügte hinzu:

„Du hast dasselbe Gesicht, das Hü-ik hatte, und er kam aus dem Westen."

„Wer ist Hü-ik?"

„Hü-ik war ein großer Lama. Er kam, uns einen sehr schönen Glauben zu lehren. Er erzählte uns von dem Himmelsherrn und seinem Sohn, von einer heiligen Jungfrau, die die Mutter Gottes ist, und von einem Geist, der fromm und selig macht. Der Sohn des Himmelsherrn kam auf die Erde, um die Sünde wegzunehmen, und kehrte in den Himmel zurück, nachdem er Tote erweckt, Kranke geheilt und noch viele andere Taten und Wunder verrichtet hatte."

Dieser Mann sprach jedenfalls von einem Missionar. Ich suchte zu erfahren, wen er meinte.

„Wo ist dieser gelehrte Lama jetzt?"

[1] Tatar

196

„Er kam aus dem Land der Framba[1] und hatte einen Gefährten bei sich, der Scha-pe genannt wurde. Ich traf sie in dem großen Lamakloster Kum-bum. Sie gingen dann nach Lhassa, durften aber nicht dort verweilen, sondern wurden von dem Kin-tschaï[2] des Kaisers fortgeschickt."

„Hieß dieser Kin-tschaï Ki-schan?"

„Ja."

„So kenne ich diese beiden frommen und weisen Lamas. Ihr Diener, den sie bei sich hatten, hieß Sandadschiemba."

Der Lama machte eine Bewegung der Freude.

„Wahrhaftig, du kennst sie, denn so hieß ihr Begleiter. Bist du auch ein Framba?"

„Nein; ich bin ein Germa; aber unser Reich liegt neben dem Land der Framba, und wir haben denselben Glauben wie sie."

„Dann mußt du mir von dem mächtigen Sohn des Himmelsherrn erzählen, von seiner Mutter, die Ma-ri heißt und im Himmel für uns bittet, von Pe-tre und Jo-an[3], die er liebgehabt hat, und von La-sa-ra[4], den er vom Tod erweckte. Was ist das Ziel deiner Reise?"

„Ich will hinauf nach dem Chingan und der Wüste."

„Auf welchem Weg?"

„Ich kenne keinen. Ich werde mir hier ein Pferd kaufen und einen Führer nehmen."

Ich hatte nämlich das aus Li-ting entführte Mori-mori-Pferd, das ich mit Recht als gute Beute betrachtete, schon im nächsten Hafen verkauft, weil seine Beförderung zu Schiff zu schwierig war. Turnerstick hatte dasselbe auch mit dem Tier getan, auf dem er mit mir entflohen war.

Der Lama schlug vor Freude die Hände zusammen.

„Das wirst du nicht tun, denn du wirst auf einem Pferd dieses Mannes reiten und mit uns reisen. Du mußt nämlich wissen, daß ich ein Schabi[5] des ‚großen Heiligen' von Kuren bin, wo über dreißigtausend Lamas wohnen. Ich bin durch die Wüste gereist, um das heilige Mukden zu besuchen, und kehre nun zurück. Ich werde nach dem Bogdyla[6] gehen, wo ein großer Heiliger in einer Höhle wohnt. Das ist nahe an dem Gebirge, über das du reisen willst."

„Wie heißt dieser Heilige?"

„Er hat keinen Namen. Aber er ist berühmt diesseits und jenseits der Berge, denn er sendet seine Boten aus, die für ihn sammeln, weil er ein Kloster für zehntausend Lamas bauen und ihnen Schriften offenbaren will, die Buddha ihm des Nachts verkündet. Auch er kam aus dem Westen, wo die Lehren schöner, weiser und reiner sind als im Osten. Reitest du mit uns?"

„Ja, wenn du mir eines deiner Pferde verkaufst", wandte ich mich an den Mongolen.

„Du bist ein großer Lama", antwortete dieser. „Ich werde es dir nicht verkaufen, sondern ich schenke es dir, so lange du es brauchst."

Eine so günstige Gelegenheit bot sich mir jedenfalls nicht gleich wieder,

---

[1] Franzosen   [2] Gesandten   [3] Der heilige Petrus und Johannes   [4] Lazarus   [5] Schüler
[6] Heiliger Berg

und ich griff daher zu. Besonders überraschte es mich, daß der Lama mit den beiden Missionaren Huc und Gabet zusammengetroffen war und die von ihnen überkommenen christlichen Anschauungen so fest im Herzen bewahrt hatte.

„Wie heißt du?" fragte ich ihn.

„Nenne mich Schangü."

„Und du?" fragte ich den Mongolen.

„Ich heiße eigentlich anders, aber man nennt mich Bara[1]."

„So mußt du stark und mutig sein."

„Ich habe viel mit den Kolo und mit wilden Tieren gekämpft und bin nie geflohen", erwiderte er stolz. „Wie sollen wir dich nennen?"

Ich nannte ihnen meinen Namen. Der Lama sann ein wenig nach. Dann meinte er: „Das ist ein fremder Name, bei dem man sich nichts zu denken vermag. Erlaube, daß wir dich Baturu[2] heißen!"

„Warum gibst du mir gerade diesen Namen?"

„Hast du nicht so viele Waffen bei dir? Mußt du da nicht tapfer sein?"

Das war ein echt mongolischer Schluß. Die Lamas sind gelehrt, weil jeder von ihnen einige Bücher abgeschrieben hat, und ich mußte tapfer sein, weil ich einige Waffen bei mir trug.

Ich versorgte mich noch mit verschiedenem, was mir fehlte, besonders Khatas und Ziegeltee, der als Zahlungsmittel gebraucht wird, suchte mir dann eins der Pferde aus und war nun zum Aufbruch bereit.

Die Khata oder das Glückstuch spielt im gesellschaftlichen Verkehr der Mongolen und Tibetaner eine wichtige Rolle. Sie ist dreimal so lang wie breit, hat eine weiße, bläulich angehauchte Farbe, ist an den Enden gewöhnlich gefranst und besteht entweder aus Seide oder wenigstens aus einem seidenähnlichen Gewebe. Man hat – je nach den Mitteln – große und kleine, teure oder billige Khatas; jedermann muß welche bei sich tragen, da sie bei jeder Gelegenheit gebraucht werden. Macht man einen Besuch, spricht man eine Bitte aus, will man sich für etwas bedanken, feiert man ein Wiedersehen, will man seine Freude oder sein Beileid ausdrücken, in allen diesen und noch anderen Fällen faltet man eine Khata auseinander und bietet sie dem Betreffenden an. Dieser ist natürlich verpflichtet, die Höflichkeit zu erwidern. Ohne Khata hat das kostbare Geschenk keinen Wert, liegt aber eine Khata dabei, so gewinnt der geringfügigste Gegenstand an Bedeutung. Einem Bittenden seinen Wunsch abzuschlagen, wenn er eine Khata beifügt, würde gegen Sitte und Höflichkeit verstoßen.

Wir brachen auf. Ich hatte bereits in meinen Knabenjahren von dem „Wunderwerk" der chinesischen Mauer Schilderungen gelesen. Leider aber sah ich mich enttäuscht, als wir sie nach einigen Tagen erreichten, denn was ich von ihr erblickte, war nur ein wüster Schutthaufen, von dem aus einzelne Steinstreifen noch hier und dort in die Ferne verliefen. Ich lernte sie gerade an einer Stelle kennen, wo sie aufgehört hat als Mauer zu dienen. Meine beiden Begleiter ließen ihre Pferde über die Trümmer stolpern, ohne ein Wort über das berühmte Bauwerk zu verlieren.

[1] Tiger [2] Der Tapfere

Gegen Abend machten wir bei einer Herde halt, die aus Pferden, Ochsen, Eseln und Schafen bestand und von Hirten getrieben wurde, die unter dem Befehl eines Lamas standen. Dieser war soeben im Begriff, die Herde lagern zu lassen.

„Men-du, mein Herr Lama", grüßte ihn Schangü.

„A-mor, mein Herr Bruder", antwortete der andere. „Beliebt es euch nicht, Rast zu machen und diese Nacht bei mir zu bleiben?"

„Wenn du es uns erlaubst, so tun wir es."

„Ihr seid mir willkommen!"

Er ließ uns schnupfen, wir ihn ebenfalls. Somit war allen Förmlichkeiten genügt, und wir konnten absteigen.

Die Herde bot einen wunderlichen Anblick. Zwischen den Hörnern der Stiere, auf dem Rücken der Pferde und an den Schwänzen der Schafe waren papierene Windmühlen angebracht, die die buddhistische Formel „Om mani padme hum"[1] trugen und entweder vom Wind oder vom Gang der Tiere in immerwährender Bewegung erhalten werden. Diese Tschü-kor[2] oder Gebetsmühlen findet man in den buddhistischen Ländern allenthalben, besonders an Flüssen und Bächen in großer Menge. Vom Wasser in Bewegung gesetzt, beten sie zugunsten ihres Errichters Tag und Nacht. Auch in der Luft und auf dem Ofen werden sie angebracht; im letztgenannten Fall treibt sie die Wärme. Ihr Besitzer braucht nie selber zu beten und kann sie sogar zugunsten eines anderen beten lassen.

Diese Tschü-kor mußten den Tieren abgenommen werden, ehe sie sich lagerten, was eine zeitraubende und schwierige Arbeit verursachte. Endlich saßen wir vereint am Feuer, das mit gesammelten Argols[3] genährt wurde, und tranken unseren Ziegeltee. Jetzt erst hatte der fremde Lama Zeit, sich um unsere Verhältnisse zu bekümmern.

„Wo kommst du her?" fragte er Schangü.

„Aus Mukden."

„Das ist weise von dir, daß du diese heilige Stadt besucht hast. Und wo willst du hin?"

„Nach Bogdy-ola."

„Und diese Männer auch?" – „Ja."

„So wollt ihr den großen Heiligen sehen, dessen Diener und Schabi ich bin?"

„Du bist ein Schabi?"

„Sein Schabi und sein Gesandter. Ich habe die Länder diesseits der Berge bereist, um für ihn und das neue Kloster einzusammeln. Das ist die fünfte Herde, die ich beisammen habe; ich führe sie nach Ki-rin, um mir Barren für die Tiere geben zu lassen. Ihre Gebete kommen dann ihrem Käufer zugute."

„Wer bekommt die Barren?" fragte ich.

„Der Heilige. Er verwahrt sie in einer Padma, und wenn er genug hat, wird der Bau des Klosters beginnen."

[1] O du heiliges Kleinod in Lotos, Amen! [2] Wörtlich „Gebet, das sich dreht" [3] Getrockneter Tierdünger

199

„Was ist diese Padma?"

„Die Höhle, die er bewohnt, und seit dreißig Jahren ist er aus ihr nicht weggekommen."

„Bist du der einzige, der für ihn sammelt?"

„Nein. Es wird für ihn gesammelt unter dem Kitat, in der Wüste und in allen Ländern der Erde, wo man Buddha verehrt. Der Bau kann nun bald beginnen."

„Wie weit hat man von hier nach Bogdy-ola?"

„In drei Tagen werdet ihr dort sein, den Heiligen verehren und seine Schüler sein."

„Ich bin Schüler des Heiligen von Kuren", meinte Schangü stolz. „Ich bedarf keines zweiten Lehrers."

„So werde du sein Schüler", wandte sich der Sammler an mich.

„Auch ich habe bereits einen Lehrer. Er ist größer als alle die Heiligen und Schaberonen, zu denen ihr betet."

„Wie heißt er?"

„Jesus."

„Je-sus? Den kenne ich nicht und habe doch alle Bücher gelesen."

„Hast du das Meer ausgetrunken, wenn du einen Schluck genossen hast? Es gibt viele Millionen, die Jesus anbeten, und von diesen Millionen hat wieder gar mancher Tausende von Büchern, von denen du noch nichts vernommen hast. Ihr habt Mühlen, um Gebete zu fertigen, und wir haben Mühlen, die an einem einzigen Tag Tausende von Büchern schreiben."

Er machte ein erstauntes Gesicht.

„Dann sind die Schabi von Je-sus sehr kluge Leute. Wie heißt das Kloster, in dem er wohnt?"

„Er wohnt im Himmel hoch über den Sternen und hat auf Erden Millionen von Klöstern und Tempeln, in denen man ihn anbetet."

„Es ist der Sohn des Himmelsherrn", fiel Schangü ein und teilte nun mit großer Genugtuung die wenigen Kenntnisse mit, die er sich über die christliche Lehre angeeignet hatte.

Die anderen hörten aufmerksam zu, und ich gelangte zu der Überzeugung, daß die Mission bei den einfachen, arglosen Mongolen ein viel fruchtbareres Feld finden würde als bei den verschlagenen, unzugänglichen Chinesen.

„Habt ihr auch ein ‚Om mani padme hum'?" fragte schließlich der Schabi des Heiligen.

„Wir haben viele Gebete. Soll ich euch einige sagen und einige Sprüche aus unserem heiligen Buch?"

„Sage sie."

Ich betete ihnen das Vaterunser und den englischen Gruß vor und erzählte ihnen den Ursprung dieser Gebete. Ich erzählte weiter und weiter, die Sterne stiegen höher und höher; das Feuer verlöschte, es wurde kalt, endlich graute der Morgen. Da erhob sich der Schabi, indem er sagte:

„Du sprichst die Sprache der Ta-dse nicht gut, aber deinem Mund ist die Rede gegeben, wie dem Bach das Wasser, und deine Religion ist so hoch wie die Sterne da oben und so tief wie die Sterne, wenn sie gesunken sind. Ich habe den Schlaf versäumt, aber ich habe den Herrn des Himmels und der Erde kennengelernt. Bleibe in Bogdy-ola, bis ich wiederkehre! Dann werde ich dir zuhören und alles niederschreiben, damit ich es meinen Brüdern sagen kann."

Er ließ seinen Tieren die Gebetsmühlen wieder anhängen und brach dann mit seiner Herde auf. Beim Abschied bat er mich:

"Gib mir ein Wort aus dem heiligen Buch mit auf die Reise, damit meine Seele davon speisen kann!"

"Du sollst es haben: Gott ist die Liebe, und wer in der Liebe bleibt, der bleibt in Gott und Gott in ihm!"

"Das ist ein sehr schöner, tiefer Spruch. Gib mir noch einen!"

"Gott ist ein Geist, und die ihn anbeten, dürfen ihn nicht durch die Tschü-kor, sondern sollen ihn im Geist und in der Wahrheit anbeten."

"Über diesen Spruch werde ich besonders nachdenken. Lebe wohl!"

Er ritt davon, kam aber bereits nach fünf Minuten nachgesprengt.

"Mein Bruder, erlaube mir jetzt noch eins: du glaubst, daß der Himmelsherr die Tschü-kor nicht dulden mag?"

"Ich glaube es." – "Warum?"

"Er hat gesagt: ,Wenn du betest, so gehe in dein Kämmerlein und bete zu deinem Vater im Verborgenen.' Ein Vater hatte zwei Söhne. Der eine saß stets zu seinen Füßen und sprach gern und oft mit ihm; der andere aber war dazu zu bequem; er baute eine Mühle und schrieb darauf alles, was er vom Vater haben wollte. Welchem von den beiden wird das Herz des Vaters gehören, und wessen Bitte wird er lieber erfüllen?"

"Ich werde darüber nachdenken. Leb wohl und verlaß Bogdy-ola nicht, bis ich zurückkomme!"

Er sprengte seiner Herde im Galopp nach. Ich wußte, daß ein Funken in sein Herz gefallen war, der zur hellen Flamme werden konnte.

Je mehr wir uns dem Wohnort des großen Heiligen näherten, desto reger wurde der Verkehr. Reiter auf Pferden, zuweilen auch bereits auf baktrischen Kamelen, begegneten uns oder eilten von rechts und links derselben Richtung entgegen. Auf allen höher gelegenen Punkten waren Gebetsmühlen angebracht, und allüberall fand ich das „Om mani padme hum" in den Boden gegraben, in die Felsen geschnitten oder aus zusammengelegten Steinen gebildet. Dieses fromme Suchen nach Gott auf falschem Weg hatte für mich etwas tief Ergreifendes; ich hätte am liebsten Missionar sein mögen und habe noch niemals so viel über Religion gesprochen, wie in dieser kurzen Zeit mit Schangü.

"Hast du nicht gehört, daß der Schabi erzählte, daß acht Oro[1] bereits seit langer Zeit Schüler des großen Heiligen sind? Welche Lehre ist nun die richtige?" fragte er.

"Diese Oro muß ich erst sehen. Ein echter und richtiger Anbeter des Himmelsherrn verehrt keinen Bogdy-Lama."

Der Schabi hatte das wirklich erzählt, und ich muß sagen, daß ich

[1] Russen

begierig auf die Bekanntschaft dieser Russen war. Es war mir unmöglich, zu glauben, daß acht Christen eines solchen geistigen Rückschritts fähig sein könnten.

Endlich erreichten wir Bogdy-ola. Es war nichts als ein großes und sehr weitläufiges Zeltlager. Kein Zelt war ohne Tschü-kor, und der ganze „heilige Berg", von dem der Ort den Namen hatte, war von diesen Gebetsmühlen bedeckt.

Schon von weitem konnte ich die „Padma", die Lotosblume des Heiligen erkennen. Der Berg stieg nach der Ebene zu fast senkrecht empor und trug hoch oben in der Nähe seines Gipfels eine Höhle, deren Öffnung die Form einer Lotosblume zeigte. Von der Höhle hingen zwei Seile herab, die den einzigen Weg bildeten, zum Heiligen zu gelangen. An dem einen kletterte man empor; droben wurde jedem von dem Heiligen die Hand aufs Haupt gelegt, und dann mußte er sich am anderen Seil wieder hinablassen. In die Höhle selber durfte keiner. Unten stand ein Lama, der die Opfergabe in Empfang nahm, die jeder zu entrichten hatte, der empor wollte. Rund um den Eingang der Höhle hatte man mit wahrhaft halsbrecherischer Kühnheit die Formel „Om mani padme hum" angebracht.

Eigentlich war es lustig anzusehen, wenn einen schon hoch Gekletterten die Kräfte verließen, so daß er mit rasender Geschwindigkeit niederfuhr und alle hinter ihm am Seil Hängenden mit zur Erde riß, so daß nun alle unter erneuter Opfergabe von neuem beginnen mußten.

Zwischen dem Zeltlager und dem Berg war die Formel in weiten Zügen auf den Boden gezeichnet, und Hunderte von Pilgern verrichteten ihre Andacht in der Weise, daß sie sich auf dieser Linie fortbewegten und sich bei jedem Schritt zu Boden warfen. Viele von ihnen hatten sich von den Lamas große Lasten von Büchern aufbürden lassen, die sie keuchend mit sich schleppten. Sie nahmen an, daß sie, wenn der Weg zurückgelegt war, alle Gebete hergesagt hatten, die sie auf dem Rücken trugen.

Übrigens war das Leben und Treiben des Ortes kein rein religiöses. Es hatten sich chinesische Krämer und Geldwechsler eingefunden, und ich erblickte auch einige Teezelte, von denen ich eins sofort in Verdacht nahm, daß man da für gutes Geld auch eine Pfeife Opium haben könne.

Ich war nicht im Besitz eines Zeltes, da mein Ausflug nicht lange dauern sollte; ich wohnte vielmehr mit Schangü zusammen. Nachdem wir uns von dem Ritt ein wenig ausgeruht und dann die Andachts-übungen zunächst von weitem beobachtet hatten, traten wir in eins der Teezelte, das so überfüllt von Menschen war, wie man es auf deutschen Jahrmärkten und Vogelschießen zu sehen bekommt. Wir setzten uns auf eine der erhöhten Matten und tranken einen Tscha, der besser, aber auch teurer war als Ziegeltee.

Da drangen Laute an mein Ohr, die mich vor Überraschung zusammenzucken ließen. Es waren russische Worte, gerade hinter meinem Rücken gesprochen, wo sich zwei Männer niedergesetzt hatten, die erst nach uns angekommen waren:

„Sprich polnisch! Es gibt Chinesen und Mongolen, die oben an der Grenze gewesen sind und daher ein wenig Russisch verstehen. Wer aus den Bergwerken entsprungen ist, kann nicht vorsichtig genug sein."

„Das wird bald anders werden. Was wir ausstanden, ist unmenschlich; aber der Gedanke, auf den dieser Mieloslaw geriet, ist wirklich großartig. Die Not wird eine Ende haben, und sind wir erst einmal in Kin-tschou, so sind wir geborgen und kommen dann leicht nach Australien oder Amerika."

„Wo hat er denn das Mongolische her, das er beinahe fließend spricht?"

„Er gab den Kindern des Aufsehers Unterricht und fand da eine Grammatik, die er benutzte. Weißt du, daß gestern der Alte da oben wieder wenigstens acht blanke Barren hinauf bekommen hat? Für uns gerade ein Stück auf den Mann. Beim ersten völlig dunklen Abend wird das Geschäft gemacht. Um Pferde brauchen wir uns nicht zu sorgen; Lebensmittel gibt es auch genug, und so müßte ein Wunder geschehen, wenn wir nicht als reiche Leute die See erreichen sollten."

Schangü wollte aufbrechen, und ich widersetzte mich dem nicht, denn ich hatte genug gehört. Blieb ich länger, so war es möglich, daß sie mir ins Gesicht sahen und errieten, daß ich kein Mongole sei. Daher erhob ich mich und verließ mit dem Lama das Zelt, warf aber vorher noch einen halben Blick auf die beiden Männer, um mir ihre Gesichter einzuprägen.

Draußen fragte ich den ersten uns Begegnenden, wo das Zelt der Oro wäre.

„Dort steht es. Sie kamen arm hierher. Sie hatten kein Zelt, und der Heilige hat es ihnen geschenkt, weil sie seine Schabi geworden sind,"

Ich hatte nach dem Zelt nur gefragt, um es umgehen zu können. damit ich von seinen Bewohnern nicht bemerkt würde, und schritt nun mit Schangü vor das Lager, um mir das Treiben der Gläubigen in der Nähe zu betrachten.

Wir gelangten zu der Formel, auf der sich die Leute Schritt um Schritt zur Erde warfen. Einer von ihnen fiel mir durch die ungemeine Last der Bücher auf, die er mit sich schleppte. Er drehte mir den Rücken zu, hatte aber jetzt eine enge Krümmung zu beschreiben und wandte mir nun sein Gesicht zu. Es war – der Schriftsetzer und Assessor Max Lannerfeld.

Auch er hatte aufgeblickt. Sein Blick streifte mein Gesicht und leuchtete erschrocken auf. Denn auch er erkannte mich und tat vor Schreck unwillkürlich einen Schritt aus der Formel heraus.

Das machte nach der buddhistischen Vorschrift seine bisherige Mühe erfolglos. Er mußte ausscheiden, ging zu einem der aufsichtsführenden Lamas und gab seine Bücher ab. Dann verbarg er sich in der Menge der umherstehenden Menschen.

Wären wir an einem Ort gewesen, an dem sich ein russischer oder wenigstens europäischer Konsul befunden hätte, so hätte ich sofort Anzeige erstattet. Was aber sollte ich hier tun? Die Entsprungenen galten als Gläubige; bei den Lamas eine Anzeige ohne Beweise vorzubringen, hätte mir jedenfalls nur geschadet, und so beschloß ich, zu warten, bis mir diese Beweise in die Hände kommen würden. Aber Schangü durfte ich eine Mitteilung machen: „Ich habe die Oro gesehen", sagte ich ihm.

„Wo?"

„Vorhin zwei in dem Zelt und jetzt einen hier. Es war jener, der die Bücher abgeben mußte. Sie glauben nicht an den Heiligen."

„Woher weißt du das?"

„Ich hörte sie sprechen. Sie wollen in einer dunklen Nacht hinaufklettern und ihm seine Schätze nehmen."

Er erschrak und fragte schnell: „Sagten sie das?"

„Ja. Sie sind Diebe und Mörder, die aus den Bergwerken der Oro entsprungen sind."

„So müssen wir es schnell den Lamas melden."

„Kannst du ihnen die Wahrheit dessen, was ich behaupte, beweisen?"

„Nein." – „So warte, bis du es kannst."

„Ich warte nicht, denn sie würden den Heiligen ermorden. Siehe diesen Kuang-fu! Es ist der Beamte, den der Kaiser gesandt hat, hier die Ordnung zu überwachen und für die Sicherheit zu sorgen. Ich wußte nicht, daß ein solcher Mann da ist. Nun aber können die Lamas ohne ihn nichts tun."

Er ließ sich nicht halten und eilte auf den Mandarin zu. Dieser hörte ihn ruhig an und winkte mich dann zu sich. Zwei Pings, die ihm gefolgt waren, standen in der Nähe.

„Du bist ein Oro?" fragte er mich mit strenger Miene.

„Nein", antwortete ich erstaunt.

„Folgt mir beide!"

Er wandte sich; die beiden Polizeisoldaten nahmen uns in die Mitte und führten uns hinter ihm her nach einem Zelt, an dessen Tür der kaiserliche Drache gemalt war. Dort winkte er, uns zu setzen.

„Du bist ein Oro, der aus den Bergwerken entsprungen ist, und du bist ein verkleideter Lama, der ihm geholfen hat. Soeben wurde mir diese Anzeige gemacht. Ich werde diese Sache untersuchen, sobald ich zurückkehre. Ihr aber bleibt hier sitzen, denn diese beiden Soldaten werden euch töten, wenn ihr versucht, euch zu entfernen."

Er verließ das Zelt, ohne uns Zeit zu einem Einwand zu geben. Ich ahnte, daß dieser Schachzug von Mieloslaw kam, und beschloß, mich in Geduld zu fassen.

Wir warteten wohl zwei Stunden vergeblich, dann erfuhren wir, daß der Kuang-fu von den Oro eingeladen sei und erst spät zurückkehren würde.

Ihr Entschluß war sehr leicht zu erraten. Es war längst Abend geworden, und die Gläubigen hatten sich jedenfalls vom Berg zurückgezogen.

„Wann kommt der Kuang-fu?" fragte ich.

„Wer weiß es!" antworteten die Soldaten.

„So – – –" Ich hielt mit einer beabsichtigten Drohung inne, denn es erscholl ein schriller Schrei wie hoch aus der Luft, den man im ganzen Lager hören konnte. Nach einer Weile folgte ihm ein zweiter, und draußen erhob sich ein Laufen und Schreien, daß die beiden Soldaten nachsahen, was es gäbe. Sie kamen nicht wieder herein.

Nun traten auch wir hinaus und bemerkten, daß sie fort waren.

Vom heiligen Berg her ertönte ein entsetzlicher Lärm. Schangü eilte davon, ich aber lief zunächst nach dem Zelt der Russen.

Im Innern war es dunkel; ein menschlicher Körper lag hier schnarchend am Boden, und ein unverkennbarer, scharfer Geruch sagte mir, daß der Mann im Opiumrausch lag. Es war der Mandarin.

Jetzt ging auch ich hinaus nach dem Berg. Ich konnte nicht bis an die Seile kommen, aber ich hörte, daß der Heilige einen Menschen aus der Höhle gestürzt habe, der ihn berauben wollte. Andere Männer hätten auch an den Seilen gehangen, wären aber auf seinen Schrei entflohen.

Ein anderer wußte bereits, daß der Herabgestürzte einer der Oro sei. Der Sturz aus solcher Höhe hatte seinen Leib vollständig zerschmettert.

Kaum eine Minute später kam eine neue Kunde. Es waren sieben Pferde gestohlen, und es fehlten die sieben anderen Russen. Im Nu zerteilte sich die Menge. Der Mongole kennt kein größeres Vergnügen, als einem Pferdedieb nachzujagen. Alles eilte daher nach den Gäulen, und während einige emporkletternde Lamas sich um ihren Heiligen bekümmerten, nahm ich mir Zeit, den Toten zu betrachten.

Ich erkannte ihn beim Schein der kleinen Argolflamme, die angezündet wurde. Es war der Assessor. Er hatte Gott versucht und sich zum „Om mani padme hum" bekannt. Die Höhle da oben führte den Namen Padma, die Lotosblume – er ging vom Kreuz zur Padma und von der Padma in den Tod. Es gibt eine Gerechtigkeit, die über alles menschliche Wollen und Können erhaben ist.

Am anderen Tag kehrten nach und nach die Reiter zurück. Hier und da brachte einer eins der geraubten Pferde; von den Räubern aber sprach keiner ein Wort; ich wenigstens konnte nicht erfahren, was mit ihnen geschehen war.

1. Eine Menschenjagd

Ich war mit einem Steamer der Pensinsular- and Oriental-Company von Suez nach Ceylon gekommen und in Point de Galle gelandet. Mein Aufenthalt hier sollte nur kurz sein, denn das Ziel meiner Reise war Bombay, von wo aus ich dann Vorderindien kennenlernen wollte. Verschiedene Umstände jedoch bewirkten, daß ich länger blieb, was ich auch sehr wohl tun konnte, da ich vollständig Herr meiner Zeit war.

Wer – ausgedorrt durch die glühende Hitze des Arabischen Meeres – ein Land von der Beschaffenheit der Insel Ceylon betrifft, fühlt sich körperlich und geistig so gefesselt, daß es ihm schwer wird, es in Kürze wieder zu verlassen. Die großartige Natur der Insel fordert den Wissensdurst heraus, und ihre völkerkundlichen Verhältnisse sind so eigenartig, daß man sich unwillkürlich zu längeren Forschungen veranlaßt fühlt.

Jetzt stand ich auf dem Leuchtturm von Point de Galle, versunken in den Genuß der herrlichen Landschaft, die sich unten zu meinen Füßen ausbreitete.

Im Hafen lag eine Menge Fahrzeuge vor Anker, ein- und auslaufende Schiffe belebten' das Bild. Es waren unter ihnen alle Gattungen und Größen vom prachtvollsten europäischen Dampfer bis herunter zur erbärmlichen chinesischen Dschonke und zu dem eigentümlich gebauten singhalesischen Landungsboot vertreten. Schwedische und dänische Transchiffe, vom Walfischfang aus dem südlichen Polarmeer kommend, schwere holländische Dreimaster mit hohem, altmodischem Gallion, englische Marinefahrzeuge und Kauffahrer, leichte französische Schiffe und schlanke Amerikaner, scharf auf den Kiel gebaut und mit einem Tau- und Segelwerk versehen, das große Gewandtheit in ihrer Bedienung erfordert, kamen und gingen oder ritten, sich leicht von Bord zu Bord neigend, auf ihren Ankerketten. Daran schloß sich ein reichbelebtes Ufer, dessen Bild die Aufmerksamkeit voll in Anspruch nahm.

Kleine Felseninseln, von Kokospalmen und Pandanen bestanden, ragten aus den schimmernden, in ewiger Bewegung wallenden Fluten empor. Zwischen ihnen zogen sich zahlreiche Korallengärten hin, von schmalen Wasserarmen getrennt, in deren durchsichtigen Wellen rote und blaue Fische schwammen. Gefräßige Haie zerrten nahe am Ufer am Kadaver eines toten Hundes, aufgebrochene Muscheln glänzten in nassen Sand, und vielgliederige Krabben krochen die Steilung der Felsen hinan.

Die Häuser und Hütten der Stadt hatten sich schalkhaft unter den Kronen der Palmen und Fruchtbäume versteckt, und wo die reinlichen Straßen offen vor dem Blick lagen, da war eine reiche Menge von Lebenserscheinungen zu erkennen; weidende Zebuochsen, am Kanalbau beschäftigte Elefanten, deren Klugheit und Stärke zwanzig menschliche

Arme ersetzt, schwarze Schildwachen, sich ergehende Ladies, durchsichtig weiße Kinder englischer Eltern mit kleinen beweglichen französischen Kindermädchen oder hageren Londoner Erzieherinnen und braunen, eingeborenen Ammen, tabakrauchende singhalesische Mädchen und Knaben, behäbig und stolz einherschreitende Muselmänner, schachernde Juden mit allen denkbaren und offenbar wertlosen Kleinigkeiten behängt, bezopfte Malaien, betelkauende Ratschputen, Buddhapriester in ihrem langen, schwefelgelben Gewand mit nackt abgeschorenem Kopf und Bart, englische Midshipmen in roter Jacke, laut mit dem schweren Säbel rasselnd, malerisch-schöne Hindumädchen: Nase, Stirn, Ohren, Arme und Beine mit Korallen oder Gold und Edelsteinen geschmückt.

Über dem allen lag der bezaubernde Duft des Südens ausgegossen. Die Sonne schickte sich an, in die Wogen des Meeres zu steigen, und warf ihre Strahlen vom tiefsten, gesättigten Purpur bis zum leuchtendsten Flammengold über die wogende See. Es war ein Anblick, in den man sich stundenlang versenken konnte.

Neben mit lehnte Sir John Raffley. Er bemerkte von alledem nicht das geringste. Die herrlichen Tinten, in denen der Himmel flimmerte und glühte, das strahlendurchblitzte Kristall der See, der erquickende Balsam der sich abkühlenden Lüfte und die bunte Bewegung auf der vor uns liegenden schönen Gotteswelt waren ihm im höchsten Grad gleichgültig; sie durften es nicht wagen, seine Sinne auch nur einen Augenblick lang in Anspruch zu nehmen. Und warum? Wunderbare, überflüssige Frage! Was war denn eigentlich dieses Ceylon in seinen Augen? Ein Eiland, eine Insel mit einigen Menschen, einigen Tieren und einigen Pflanzen, rundum von Wasser umgeben, das nicht einmal zum Waschen oder zur Bereitung einer Tasse Tee geeignet ist. Was ist das weiter! Etwas Sehenswertes oder gar Wunderbares gewiß nicht! Was ist Point de Galle gegen Hull, Plymouth, Portsmouth, Southampton oder gar London; was ist der Statthalter zu Kolombo gegen die Königin Viktoria von Altengland, Irland und Schottland; was ist Ceylon gegen Großbritannien und seine Kolonien; was ist überhaupt die ganze Welt gegen Raffley-Castle, wo Sir John geboren wurde!

Der gute ehrenwerte Sir John war ein Engländer reinsten Wassers. Als Besitzer eines unermeßlichen Vermögens hatte er noch nie daran gedacht, sich zu verehelichen, und war einer jener zugeknöpften, schweigsamen Englihsmen, die alle Winkel der Erde durchstöbern, selbst die entferntesten Länder unsicher machen, die gewagtesten Abenteuer mit unendlichem Gleichmut bestehen und endlich müde und übersättigt die Heimat wieder aufsuchen, um als Mitglied irgendeines berühmten Reiseklubs einsilbige Bemerkungen über zurückliegende Erlebnisse machen zu dürfen. Er hatte den Sparren in der Weise, daß seine lange, knochige Gestalt nur in seltenen Augenblicken einen kleinen Anflug von Genießbarkeit zeigte, besaß aber ein gutes Herz, das immer bereit war, die großen und kleinen Seltsamkeiten, in denen er sich zu gefallen pflegte, wieder auszugleichen. Eine innere Erregung schien bei ihm nicht denkbar, und er zeigte nur dann eine lebhaftere Beweglichkeit, wenn er auf eine Gelegenheit stieß, eine Wette einzugehen. Die Wettsucht nämlich war seine einzige Leidenschaft, wenn bei ihm von Leidenschaft überhaupt die Rede sein konnte, und es wäre wirklich ein Wunder gewesen, hätte er eine Gelegenheit zu ihrer Betätigung versäumt.

Nachdem er aller Herren Länder kennengelernt hatte, war er zuletzt nach Indien gekommen, dessen Generalstatthalter ein Verwandter von ihm war, hatte es in den verschiedensten Richtungen durchstreift, war auch schon einigemal auf Ceylon gewesen und im Auftrag seines Verwandten jetzt wieder hergekommen, um sich wichtiger Botschaften an den Statthalter zu entledigen. Ich hatte ihn im Hotel Madras kennengelernt und mich ihm angeschlossen, weil seine Erfahrungen und Verbindungen mir von großem Nutzen sein konnten. Die Vertretung Deutschlands war damals in jenen fernen Ländern mangelhaft, und der Anschluß an einen Engländer, dessen Regierung ihre Angehörigen allerorts nachdrücklich zu schützen wußte, nur vorteilhaft. Wir hatten uns nach und nach auch geistig zusammengefunden, und obgleich er mich niemals zu einer Wette verleiten konnte, war ich ihm doch so lieb geworden, daß er eine beinahe brüderliche Zuneigung für mich an den Tag legte.

Also jetzt lehnte er, unberührt von all den Naturreizen ringsum, in denen ich schwelgte, neben mir und beschielte den goldenen Klemmer, der ihm vorn auf der äußersten Nasenspitze saß, mit einer Beharrlichkeit, als wollte er an dem Sehwerkzeug irgendeine wichtige welterschütternde Entdeckung machen. Neben ihm lehnte sein Regen- und Sonnenschirm, der so kunstvoll zusammengesetzt war, daß er ihn als Stock, Degen, Sessel, Tabakspfeife und Fernrohr benutzen konnte. Diese einzigartige Seltenheit war ihm vom Traveller-Club, London, Near-Street 47, als Andenken verehrt worden. Er trennte sich niemals davon und hätte das Ding um alle Schätze der Welt nicht hergegeben. Diese Chair-and-umbrella-pipe, wie er sie nannte, war ihm beinahe so lieb wie seine prachtvoll eingerichtete und pfeilschnelle kleine Dampfjacht, die unten im Hafen vor Anker lag und die er sich für seinen persönlichen Gebrauch auf den Werften von Greenock am Clyde, den in aller Welt berühmten Schiffsbauwerkstätten, hatte bauen lassen, weil er stets auf eigenen Füßen stehen und vom Befehl eines Kapitäns nicht abhängig sein wollte.

Während mein Auge vom Leuchtturm ringsum schweifte, fiel mir ein Zug eingeborener Soldaten auf, der sich einem weit in die See hinausragenden Felsen näherte. Voran schritt, von zwei Bewaffneten sorgfältig bewacht, ein an den Händen gefesselter Mann, der seiner Kleidung nach ein Singhalese sein mußte. Jedenfalls lag hier eine Hinrichtung vor, und da ich die lebhafte Teilnahme kannte, die mein Gefährte für dergleichen Vorkommnisse hegte, machte ich den Versuch, ihn aus der welterschütternden Betrachtung aufzustören.

„Sir John Raffley!"

Er antwortete nicht.

„Sir John Raffley!" rief ich mit erhöhter Stimme.

„Yes!" antwortete er jetzt, ohne von dem goldenen Gestell seines Klemmers aufzublicken.

„Wollt Ihr nicht einmal dort hinüberschauen, Sir?" – „Warum?"

„Ich glaube, es wird einer ins Wasser geworfen."

„Einer? Was für einer? Ein Hund? Ein Pferd? Ein Mensch?"

„Ein Mensch, Sir John!"

„Well. So laßt ihn ruhig ersaufen, Charley!"

Er studierte mit unverändertem Eifer an seinem Klemmer weiter. Der Zug war auf der Höhe des Felsens angekommen und machte dort halt. Die Soldaten schlossen einen Kreis um den Gefesselten.

„Ich möchte doch wissen, was der arme Teufel verbrochen hat", bemerkte ich, um Sir Johns Aufmerksamkeit zu erregen.

„Hat er Euch etwas getan?" – „Nein."

„Good God, so laßt ihn also ersaufen, Charley!"

„Aber es sind ihm die beiden Arme zusammengeschnürt."

Jetzt hatte ich das Richtige getroffen, um seine Teilnahme zu erregen. Jeder unnötige Eingriff in die persönliche Freiheit eines Menschen war ihm verhaßt.

„Gefesselt ist er? Zounds, das ist grausam, das ist gemein! Das würde man in Altengland nicht tun."

„Ihr habt sehr recht. Der Brite ist in jeder Beziehung vornehm. Wenn er einen henkt, so läßt er ihn wenigstens mit freien Gliedern sterben. Seht nur, welche Menge von Wächtern den armen Kerl begleitet!"

„Wo ist es, Charley?" – „Da drüben auf der Felsenzunge."

Er warf jetzt wirklich einen Blick hinüber nach dem Ort, den ihm meine ausgestreckte Hand bezeichnete. Ich erwartete immer noch eine seiner gleichgültigen Bemerkungen, hatte mich aber diesmal getäuscht, denn seine Rechte fuhr empor, um den Klemmer näher ans Auge zu bringen und dem Gesicht die nötige Schärfe zu geben.

„Heigh-ho, ist's möglich!" – „Was?"

„Daß es Kaladi ist!" – „Kaladi? Wer ist das, Sir John?"

„Das sollt Ihr später erfahren. Ich muß mich überzeugen."

Er ergriff seinen Schirm, spannte dessen weißgraues Dach auf, drehte an einigen Schrauben des hohlen Doppelstocks und suchte durch das so entstandene Fernrohr den Punkt, auf dem die Hinrichtung vor sich gehen sollte.

„Wollen wir wetten, Charley?" fragte er nach einer Pause, während der seine Mienen eine immer wachsende Spannung angenommen hatten.

„Worüber?"

„Daß sich dieser Mann nicht ertränken läßt. Ich, setze hundert Sovereigns!"

„Gegen wen?" – „Gegen Euch natürlich."

„Ihr wißt, Sir, daß ich nicht wette."

„Well, das ist wahr. Ihr seid ein prächtiger Kerl, Charley, aber bis zum vollkommenen Gentleman habt Ihr's noch nicht gebracht, sonst würdet Ihr Euch nicht beständig weigern, einmal einen guten Einsatz anzunehmen. Dennoch werde ich Euch beweisen, daß ich die Wette gewinnen würde."

Er steckte zwei Finger in den Mund und ließ einen scharfen, durchdringenden Pfiff erschallen, der weithin zu vernehmen war. Auch der Verurteilte hörte ihn. Kannte er dieses Zeichen des Engländers? Mit einer raschen Bewegung hob er den gesenkten Kopf und blickte zum Leuchtturm empor. Raffley stieß einen zweiten Pfiff aus und schwenkte den Schirm in der Luft.

Die Wirkung war überraschend. Der zum Tod des Ertrinkens Verurteilte schnellte sich unerwartet durch den Kreis der Soldaten bis an den Rand der Klippe und stürzte sich kopfüber in die Fluten des Meeres hinab.

„Seht Ihr's, Charley", schmunzelte John Raffley, „daß ich gewinnen würde?"

„Ich sehe es noch nicht. Der Mann hat sich ja selbst ertränkt."

„Sich ertränkt? Seid Ihr bei Sinnen?" – „Nun, was anders?"

„Was anders? Well, Ihr werdet es gleich erkennen. Look at that! Da taucht er aus den Wogen auf. Nun, Charley, was sagt Ihr jetzt?"

„Bei Gott, er lebt! Der Kerl schwimmt ja trotz seiner gefesselten Hände wie ein Fisch!"

„Wie ein Fisch? Pshaw, das ist noch zu wenig; wie ein Hummer wollt Ihr sagen! Es ist Kaladi, mein früherer Diener, der beste Taucher im ganzen Bereich dieser langweiligen Insel, was aber der brave Mudellier, der ihn verurteilt hat, nicht zu wissen scheint."

„Der Mann war Euer Diener? Darum kennt er Euern Pfiff?"

„So ist's. Er muß übrigens etwas verteufelt Schlimmes begangen haben, denn diese Bezirksverwalter lassen jeden Eingeborenen durchschlüpfen, wenn es nur irgend möglich ist; sie sind ja selbst ausschließlich Singhalesen. Seht, die gebundenen Arme hindern ihn nicht im geringsten, weil er auf dem Rücken schwimmt. Er kommt gerade auf den Leuchtturm zu."

Der sonst so wortkarge Mann war mit einemmal außerordentlich lebendig geworden. Er verfolgte jede Bewegung des Schwimmenden mit Spannung, focht mit den Händen hin und her, als könnte er ihm dadurch behilflich sein, und machte mir dabei die notwendig scheinenden Erklärungen.

„Wie er stößt; wie schnell er vorwärts kommt! Er wird vom Volk verfolgt, der Teufel hols! Aber ehe die Soldaten den Umweg von der Klippe nach dem Leuchtturm gemacht haben, ist er längst hier. Ich kenne ihn. Wir sind im vorigen Frühjahr miteinander über den Kalina-Ganga, über den Kalu-Ganga und sogar über den reißenden, hoch angeschwollenen Mahavelli geschwommen."

„Was war er denn, bevor er in Eure Dienste trat?"

„Er war der geschickteste Perlfischer auf den Bänken von Negombo und ist nur mir zuliebe mit ins Innere des Landes gegangen. Ich erkannte ihn gleich und werde ihn retten."

„Auf welche Weise? Wenn er wirklich ein schweres Verbrechen begangen hat, wird das unmöglich sein."

„Unmöglich? Ihr kennt dieses verrückte Land und dieses noch viel verrücktere Volk nicht, Charley. Ich bin Sir John Raffley aus Raffley-Castle in Altengland und will den Mudellier sehen, der es wagt, mit mir zu rechten! Da, jetzt hat er das Ufer erreicht. Es ist ein Glück, daß kein Haifisch mehr in der Nähe war, sonst hätte er wegen der gefesselten Arme einen schweren Stand gehabt. Kommt, Charley, wir gehen ihm entgegen! Er hat mich erkannt und kommt herbeigelaufen."

Es war so. Kaladi war an Land gestiegen und kam zu der Plattform, auf der sich die schlanke Säule des eisernen Turms erhob, eiligen Laufs heraufgesprungen. Wir stiegen schnell die Treppe hinab und stießen unten an der Tür mit ihm zusammen.

„Wischnu segne Euch, Sahib", grüßte er atemlos. „Ich war dem Tod nah. Sie wollten mir noch die Beine fesseln und die Augen verbinden. Ihr aber seid ein Radscha, ein Herr, ein Maharadscha, ein großer und gewaltiger Herr, und werdet Kaladi, Euern treuen Diener, retten!"

„Well, das werde ich tun", antwortete Raffley, indem er sein Messer hervorzog und die Baststricke, mit denen der Singhalese gebunden war, durchschnitt. „Was hast du verbrochen?"

„O nichts, Sahib, fast gar nichts. Mein Kris war scharf und spitz und ist einem ein wenig zu tief ins Herz gefahren."

„Murderer! Alle Wetter, Mensch, das ist schon etwas mehr als nichts. Hast du ihn getötet?"

„Ja, ein wenig." – „Was war er?"

„Ein Chinese."

„Ein Chinese nur? Das ist gut! Was hat er dir getan, daß du nach dem Dolch griffst?"

„Er kam und wollte mir Molama, die Blume und das Glück meines Lebens, rauben."

„Fudge! Das Glück deines Lebens! Dummheit! Unter hundert Albernheiten, die ihr Menschen begeht, sind neunundneunzig von den verwünschten Frauenzimmern verschuldet. Die Liebe ist die ärgste Einbildung, die ich kenne, und hat schon Millionen um den Verstand gebracht. Aber ich hoffe, daß dich das Bad abgekühlt hat. Du kennst das Hotel Madras?"

„Wie sollte ich nicht, Sahib! Ihr habt ja zweimal dort gewohnt."

„Ich wohne jetzt wieder da. Hier kommen schon deine Verfolger. Verbirg dich jetzt! In einer Stunde suchst du mich wieder auf!"

„O gütiger Herr, wie soll ich Euch danken? Ich habe mein Leben wieder und darf Molama, den Trost meiner Augen sehen. Wischnu, der Allgütige, möge Euch dafür belohnen!"

„Look out, Schlingel, sonst fangen sie dich noch!"

Kaladi sprang auf der anderen Seite der Plattform hinab und war im nächsten Augenblick hinter dem dort wuchernden Bambusdickicht verschwunden.

Es war die höchste Zeit gewesen; denn die Soldaten befanden sich bereits in der Nähe, und eine Menge Volks, das auf den ungewöhnlichen Vorgang aufmerksam geworden war, kam herbeigestürmt. Ich war einigermaßen besorgt über den Verlauf, den die Sache nehmen würde. Raffley aber trat den Verfolgern, deren Anführer uns erreicht hatte, mit seinem gewöhnlichen Gleichmut entgegen.

„Wo ist Kaladi, der uns entlaufen ist?" fragte der Ceylonese.

„Was willst du von ihm?"

Der Mann stutzte bei dem barschen, befehlshaberischen Ton dieser Gegenfrage, die er, der in seinem Recht zu sein glaubte, jedenfalls nicht erwartet hatte.

„Ich will ihn wiederhaben." – „So such ihn!"

„Ihr wißt, wo er sich befindet." – „Ah, meinst du?"

Der Klemmer ritt wieder vorn auf der Nasenspitze. John Raffley zupfte sich an den beiden Spitzen seines Backenbarts und lachte in einer Weise, aus der sich deutlich ersehen ließ, daß ihm der Vorgang großes Vergnügen bereitete.

„Ja, Ihr wißt es, denn Ihr habt ihm gepfiffen und gewinkt und ihn zur Flucht verleitet."

„Das ist wahr. Hast du etwas dagegen?"

„Ich muß Euch festnehmen."

Der gute John Raffley riß vor Vergnügen den Mund samt den Augen so weit auf, wie es ging.

„Verhaften? Mich, einen Gentleman aus Altengland? Hier auf Ceylon in diesem Eidechsennest? Mensch, du bist vollständig übergeschnappt. Mach, daß du fortkommst! Kaladi gehört mir und ich tue mit ihm, was mir beliebt."

„Er gehört Euch? Wieso?"

„Er ist mein Diener und tut alles, was er tut, auf meinen Befehl. Ohne meinen Willen darf ihm kein Mensch auch nur ein Haar krümmen, selbst der Mudellier nicht."

„Wenn er Euer Diener ist, warum blieb er nicht bei Euch stehen, warum ging er da fort?"

„Ich schickte ihn fort, weil es mir so gefiel. Du aber gehst zum Mudellier und sagst ihm, daß ich mit ihm sprechen werde!"

„Ihr werdet nicht mit ihm sprechen, sondern er mit Euch."

„Ah? Inwiefern?"

„Weil ich Euch verhaften und zu ihm führen werde. Den aber, den Ihr Euern Diener nennt, lasse ich verfolgen und werde ihn sicher fangen. Vorwärts, kommt mit!"

„Begone; mach, daß du fortkommst!"

„Wenn Ihr nicht gutwillig mitgeht, so werde ich Euch zwingen müssen."

„Versuchs einmal, ob du es fertigbringst!"

Der Lord zog belustigt ein Paar riesige Drehpistolen hervor. Ich folgte seinem Beispiel und griff zu meinem Revolver.

„Ihr wollt euch wehren?" fragte der Ceylonese erschrocken.

„Nein, mein lieber Sohn. Wir wollen uns nicht wehren, sondern werden dich nur ein wenig erschießen, wenn es dir einfallen sollte, uns noch länger zu belästigen."

Der Mann befand sich in einer schauderhaften Verlegenheit. Die Pflicht stritt in ihm mit der Furcht, die ihm unsere Waffen einflößten, doch schien die Furcht zu siegen.

„Wie sagtet Ihr, woher Ihr seid, Sahib?" – „Aus England."

„Aus Anglistan, wo die große Königin wohnt? Ist das wirklich wahr?"
„Wirklich!"

„Und Ihr werdet auch gewiß zum Mudellier gehen?"

„Gewiß." – „Und Ihr werdet mich nicht betrügen?"

Raffleys Gesicht leuchtete vor Vergnügen. Er liebkoste seinen Bart in einer Weise, die auf die beste Laune schließen ließ.

„Ich bin ein Maharadscha aus Anglistan, und dieser Sahib hier ist ein noch viel größerer Maharadscha aus Germanistan. Wenn du es nicht glaubst, so werde ich dir's beweisen. Kannst du lesen?"

„Ja!" versicherte der Gefragte, obgleich er sicher keinen Buchstaben kannte. Er gab diese Antwort jedenfalls nur, um sich bei seinen Untergebenen in die gehörige Achtung zu setzen.

Sir John griff in die Tasche und brachte ein zusammengefaltetes Papier hervor. Es war die Speisekarte, die er vorher im Hotel Madras zu sich gesteckt hatte. „Hier lies!"

Der Mann ergriff das Blatt, führte es an die Stirn, betrachtete es dann mit ernster, wichtiger Kennermiene und bewegte dabei die Lippen, als ob er lese. Dann schlug er es sorgfältig wieder zusammen, drückte es an die Brust und gab es zurück.

„Ihr habt die Wahrheit gesagt, Sahib. Ihr seid zwei Maharadscha vom Sonnenuntergang; hier steht es geschrieben. Ich darf Euch freilassen, denn ich weiß nun, daß Ihr zum Mudellier gehen werdet, um mich zu entschuldigen und ihm zu sagen, daß ich den Gefangenen nur deshalb entlaufen ließ, weil er Euer Diener war und also Euch gehörte."

Er legte ehrerbietig grüßend die Hände auf die Brust, wandte sich dann zu seinen Kriegshelden und marschierte mit ihnen die Plattform hinab der Stadt zu. Hinter ihm verlief sich der versammelte Haufen des neugierigen Volks.

Vom Hafen herauf ließ sich ein eigentümlicher, eintöniger Gesang vernehmen. Er erklang auf einem ungewöhnlich großen chinesischen Schiff, dessen Gangspill von fünf Männern gedreht wurde, um den großen Anker aufzuziehen. Sie ließen dabei nach dem Takt ihrer Schritte den gebräuchlichen Gesang „tien omma omma tien woosing" hören.

Raffley schob sich den Klemmer näher an die Augen und betrachtete das Fahrzeug mit aufmerksamem Blick.

„Charley!" sagte er. – „Sir John!"

„Wollen wir wetten?" – „Wetten? Worüber?"

„Daß der Kapitän dieser Dschonke entweder den Verstand verloren hat oder unter einer zweideutigen Flagge segelt."

„Warum glaubt Ihr das?"

„Well, Ihr seid kein Seemann und habt infolgedessen kein Auge für solche Dinge. Habt Ihr jemals eine Dschonke mit drei Masten gesehen?"

„Nein."

„Und von einem so wunderbaren Tau- und Segelwerk?"

„Was ist so Wunderbares dran?"

„Die Vereinigung des chinesischen mit dem amerikanischen Bau und die Verhältnisse der Mastenhöhen. Wie kommt es, daß der Besan höher ist als der Haupt- und der Fockmast? Und was soll das lange Spriet mit einer Doppelpardune?"

„Allerdings auffällig! Aus der Pardune läßt sich schließen, daß das Fahrzeug Pflugsegel trägt, um den Wind scharf zu schneiden, und mir scheint, die Masten haben die erwähnte Höhe erhalten, weil das nach hinten aufsteigende und voller werdende Segelwerk auf eine Vergrößerung der Schnelligkeit berechnet ist, wozu allerdings der tonnenförmige Bau des Rumpfs nicht paßt."

„Charley, ich habe Euch für einen Laien gehalten, aber Ihr habt wirklich einen guten Blick für Dinge, die dem Auge einer Landratte sonst zu entgehen pflegen. Diese Dschonke ist eine ungeschickte Nachahmung amerikanischer Klipperschiffe, und ich möchte mich ihr bei einer Bö um keinen Preis der Erde anvertrauen."

„Diese auffällige Ausrüstung muß einen Zweck haben, den ich nicht verstehe."

„Natürlich! Rechnet nun einmal dazu, daß dieses Fahrzeug jetzt, wo die Flut noch nicht umgesprungen ist, die Anker lichtet, um in See zu stechen! Der Kapitän muß andere als seemännische Gründe haben, das zu tun. Ich setze hundert Sovereigns, daß es entweder in seinem Kopf oder zwischen seinen Planken etwas Unsauberes gibt. Ihr haltet doch die Wette?"

„Ich wette nie."

„So setzt wenigstens zehn Pfund gegen meine hundert!"

„Auch das nicht, Sir."

„Wirklich nicht? For shame, Charley, schämt Euch! Es ist ein Unglück, daß Ihr so ein netter Kerl seid und Euch doch niemals verstehen wollt, einen Einsatz anzunehmen. Ihr werdet es in Eurem ganzen Leben nicht dazu bringen, ein wahrhaftiger Gentleman zu sein, und da mich das bedeutend ärgert, so werde ich Euch schon einmal zu zwingen wissen, eine Wette zu halten. Seht Ihr den spanischen Dampfer? Will auch der in See gehen?"

„Wohl nicht. Er wird den Chinesen ins Schlepptau nehmen sollen, um ihn gegen die Flut aus dem Hafen zu bringen."

„All right! Er legt sich vor, und der Chinese zeigt seinen Stern. Könnt Ihr sehen, welchen Namen er führt?"

„Nein."

„Dann muß ich meine Chair-and-umbrella-pipe zu Hilfe nehmen." Er faßte den Schirm, stellte die Gläser und blickte nach der Dschonke hinüber.

„Haiang-dze. Der Kuckuck hol die albernen Namen, die diese Zopfmänner führen! Kommt, Charley! Da Ihr einmal nicht wetten wollt, so geht uns das Schiff auch nichts mehr an."

Wir schritten der Stadt zu und schlugen die Richtung nach dem Hotel Madras ein. Dort begaben wir uns in das luftige Gemach des Engländers, um Kaladi hier zu erwarten.

Die festgesetzte Frist verstrich, ohne daß er erschien.

„Charley!" – „Was?"

„Wollen wir wetten?" – „Nein."

„So hört doch erst, was ich meine! Ich behaupte nämlich, daß dem armen Teufel etwas Widerliches zugestoßen ist, und setze auf diese Meinung fünfzig Pfund. Ihr seid natürlich anderer Ansicht und werdet also diesmal meine Wette annehmen!"

„Leider kann ich das nicht tun, weil ich dieselbe Ansicht hege, wie Ihr, Sir John. Wäre alles in Ordnung, so müßte er ja längst erschienen sein."

„Well! Ihr seid einmal, was das Wetten betrifft, ein unverbesserlicher Stockfisch. Ein wahrer Gentleman würde auf meinen Vorschlag eingehen, selbst wenn seine Ansicht mit der meinigen übereinstimmte. Ich warte noch fünf Minuten. Kommt er auch während dieser Zeit nicht, so brechen wir auf und – – hush, was geht da draußen vor?"

Auf der Straße, wo jetzt die Dunkelheit des hereinbrechenden Abends mit dem Schein der zahlreich in den offenen Veranden aufgehängten Lampen stritt, ließ sich ein ungewöhnlicher Lärm vernehmen. Laute, durchdringende Rufe ertönten und der Sturmschritt einer schnell dahineilenden Menge erscholl.

Wir traten hinaus vor den Eingang. Die Hauptmasse war bereits vorüber, doch kamen wir immerhin noch zeitig genug, um einen windschnell dahinschießenden Menschen zu erkennen, der in ebensolcher Hast verfolgt wurde.

Raffley hatte in der Eile den Klemmer von der Nase verloren. Er hing ihm an der schwarzseidenen Schnur über die Weste herab.

„Charley!" – „Sir John!"

„Wißt Ihr, wer der Mann war?" – „Nein."

„Kaladi!" – „Ah!"

„Ja, er war es sicher. Man hat ihn erkannt und wieder festnehmen wollen."

„Er kann es nicht gewesen sein."

„Warum nicht?"

„Weil er sicher bei uns Zuflucht gesucht hätte."

„Pshaw! Der gute Kerl hat uns nicht mit seinen Verfolgern belästigen wollen."

„Das hieße die Zartheit zu weit treiben, da Ihr Euch seiner einmal angenommen habt. Er weiß ja, daß sein Leben auf dem Spiel steht."

„Sein Leben? Wo denkt Ihr hin? Laßt Euch doch nichts weismachen, Charley! Kaladi ist nicht nur der beste Schwimmer, sondern auch der ausdauerndste Läufer, den ich kenne. Er wird sich nicht fassen lassen. Dennoch aber bedarf er meiner Hilfe, und ich werde deshalb jetzt zum Mudellier gehen. Ihr begleitet mich doch?"

„Das versteht sich."

Wir kehrten ins Zimmer zurück, um unsere Hüte und Sir Johns Chair-and-umbrella-pipe zu holen, hatten aber diese Gegenstände noch nicht ergriffen, als sich hinter uns die Tür öffnete, um Kaladi einzulassen, der mit fliegendem Atem und rinnendem Schweiß ins Zimmer trat.

„Verzeiht, Sahib", keuchte er, „daß ich nicht eher gekommen bin!"

„Du bist bemerkt worden?"

„Ja, Sahib. Ich mußte, um zu Euch zu gelangen, durch die Straßen der Stadt, durch die man mich vorhin geführt hatte. Man erkannte mich daher und wollte mich fangen."

„Well, mein Junge. Aber man hat dich nicht erwischt."

„Nein. Ich sprang bis ans Wasser und bog dann hinter der Stadt herum, um durch den Garten ins Hotel zu kommen. Sie haben mich aus dem Auge verloren und werden mich hier nicht finden."

„All right! Setz dich nieder, daß du wieder zu Atem kommst! Seht Ihr's, Charley, daß ich recht hatte? Sie haben ihn nicht eingeholt. Er ist ein tüchtiger Kerl, gewandt und mutig, was man von dem feigen, singhalesischen Pack hier nicht sagen kann. Und gerade deshalb gefällt er mir."

„Sahib, Ihr seid ein zu gütiger Maharadscha!" fiel Kaladi ein.

„Pshaw, sei still! Die Haie hätten mich längst verschlungen, wenn du mich nicht gerettet hättest. Ihr müßt nämlich wissen, Charley, daß ich einmal mit meiner Dampfjacht eine Fahrt um diese langweilige Insel unternahm. Ich kam an die Bänke von Negombo, und da ich die Perlfischerei sehen wollte, hielt ich nahe an sie heran, stellte mich auf die Reling und hielt mich an den Wanten fest. Wir aber kannten das Fahrwasser nicht, streiften an ein Riff, und ich wurde von dem Stoß, der dabei erfolgte, über Bord geworfen."

„Man stoppte doch sofort die Maschine, Sir?"

„Hat sich ein Stoppen, Charley! Da ich die Jacht stets selber befehlige und der Steuermann verteufelt beschäftigt war, vom Felsen abzuhalten, war niemand da, der dem Maschinisten den Auftrag hätte erteilen können. Übrigens hatte, wie sich später herausstellte, kein Mensch meinen Unfall bemerkt. Hist, ich sage, kein Mensch, und das ist nicht wahr, denn dieser brave Bursche hier hatte es doch beobachtet. Er war drei Minuten lang unter Wasser gewesen und kam ermattet und mit einer schweren Ladung Muscheln zur Oberfläche empor. In diesem Augenblick sah er mich fallen, ließ die Muscheln wieder zur Tiefe, kam auf mich zu und faßte mich. Es dauerte allerdings eine gute Weile, bis er mich hatte, denn die Strecke von ihm bis zu mir war ganz bedeutend, und obgleich ich kein übler Schwimmer bin, fühlte ich mich vollständig ermattet, so daß er gerade zur rechten Zeit kam, mich über Wasser zu halten. Auf der Yacht hatten sie endlich doch bemerkt, was geschehen war. Man setzte ein Boot aus und holte uns an Bord. – Du bleibst jetzt hier, Kaladi, und wartest auf uns! Ihr aber, Charley, begleitet mich zum Mudellier!"

Wir schlossen den Singhalesen ein und gingen.

Vor der Wohnung des Beamten lungerte eine Menge seiner Untergebenen herum. In diesen Länderstrichen hat jeder wohlhabende Mann für jede besondere Handreichung auch einen besonderen Bedienten. Das ist bedingt durch das Kastenwesen und wird ermöglicht durch die überaus große Billigkeit der Löhne und aller Dinge, die zur Notdurft des Leibes und des Lebens erforderlich sind.

„Wollt ihr zum großen Mudellier?" fragte einer von den Leuten.

„Allerdings."

„Da müßt ihr morgen kommen. Jetzt ist es zu spät."

Raffley nahm den Mann und schob ihn fort.

„Fool, Narr, mach dich beiseite!"

Im Nu waren wir umringt. Einige hatten sogar die Verwegenheit, uns anzufassen. Sir John ließ durch eine ihm eigentümliche Bewegung der Gesichtsmuskeln, die auf gute Laune des Sonderlings deutete, den Klemmer auf die Nasenspitze vorrücken, erhob den Schirm und zog damit dem ihm zunächst Stehenden einen Hieb übers Gesicht, daß er weit zurücktaumelte.

Das setzte uns sofort in die gewünschte Achtung, so daß wir nun ungehindert eintreten konnten.

„Seht Ihr, Charley, was meine Chair-and-umbrella-pipe zu bedeuten hat? Sie ist ein Allerweltsreisegerät, wie es sicher kein zweites gibt", lachte höchst befriedigt der Engländer. „Vielleicht kann ich es gleich zum zweitenmal beweisen."

Wir waren durch die Veranda in ein Vorzimmer gelangt, dessen Wände die Decke nicht erreichten, sondern nur bis etwas über Mannshöhe emporgingen, um der Luft den freien Zustrich zu gestatten. Man findet diese dem Klima angemessene Bauart fast an jedem Haus von Point de Galle. Hier saßen auf Bastmatten zwei Diener, die sich erhoben und die schon vorher an uns gerichtete Frage wiederholten.

„Ihr wollt zum großen Mudellier?" – „Ja."

„Er ist am Abend nicht zu sprechen. Wer hat euch eingelassen?"

„Wir selbst, wenn's euch beliebt."

„Geht, und kommt morgen wieder!"

„Das wird nicht gut machen, meine Jungens."

Raffley schritt ohne Umstände auf den Eingang des nächsten Zimmers zu, doch stellten sich ihm die beiden Männer sofort entgegen.

„Halt! Der Eintritt ist verboten. Geht zurück!"

„Well! Und dann wieder vorwärts. Kommt her, Jungens!"

Er faßte den einen mit dem rechten und den anderen mit dem linken Arm, trug sie zum Eingang zurück und schleuderte sie hinaus unter die anderen, denen ihre bereits erschütterte Fassung jetzt vollends verlorenging. Ein fürchterliches Geschrei war die Folge des ungewöhnlichen Angriffs, Raffley aber blieb von dem Lärm unberührt. Er schob seinen Klemmer zurück und faßte mich am Arm.

„Kommt, Charley, sonst verkriecht sich dieser Mudellier und denkt, daß er auch hinausgeworfen werden soll."

Wir traten in das nächstfolgende Gemach. Es war aus Bambuswänden gefertigt, die eine Bekleidung von Bananenblättern trugen. Von der Mitte des deckenlosen Raums hing an einer Kreuzschnur eine Lampe hernieder, die ihren matten Schein über einen kostbaren persischen Teppich breitete, auf dem der Mann, den wir suchten, mit untergeschlagenen Beinen in der Stellung saß, die der Türke Rahat atturmak, d. i. Ruhe der Glieder, nennt. Der kleine, schmächtige Beamte war in gelbe Seide gehüllt, und seine groß auf uns gerichteten Augen, seine halbgeöffneten Lippen und der erstaunte, ängstliche Ausdruck seines Gesichts bewiesen, daß er den von uns verursachten Lärm vernommen hatte und unseren Eintritt keineswegs als ein gleichgültiges Ereignis betrachtete.

„Good day, Sir!" grüßte John Raffley englisch, obgleich er wußte, hier einen Eingeborenen vor sich zu haben. Dieser erwiderte den Gruß und auch meine stumme Verneigung mit einem leisen Nicken seines Hauptes und fragte dann: „Was wollt ihr?"

„Uns setzen!" bemerkte der Englishman einfach, indem er sich sofort zur rechten Seite des Mudellier niederließ und mir einen Wink gab, dasselbe auch auf der linken zu tun. Ich folgte seinem Beispiel, dann fuhr er fort: „Du bist der weise Mudellier, der Gericht hält über die Sünden der Stadt Point de Galle?"

„Ja." – „Wie ist dein Name?"

„Mein Name ist Oriwana ono Javombo."

„Well, du hast einen stolzen und wohlklingenden Namen. Aber ich sage dir, Oriwana ono Javombo, daß du nicht lange mehr Mudellier sein wirst."

Der Beamte horchte auf.

„Was sagst du? Ich verstehe dich nicht."

„Sag, wem gehört diese Insel?"

„Der großen Königin in Anglistan."

„Und wer hat dir dein Amt gegeben?"

„Der Gouverneur, der ein Diener unserer mächtigen Herrscherin ist."

„Er kann es dir auch wieder nehmen?"

„Ja, wenn es ihm beliebt."

„Nun wohl, es wird ihm belieben." – „Warum?"

„Weil du dich versündigst an dem Eigentum derer, die über dich zu gebieten haben."

„Hüte dich, Franke! Dein Mund redet die Unwahrheit von einem treuen Sohn der großen Königin."

„Kennst du den Namen Kaladi?"

„Ich kenne ihn. Kaladi ist zweimal entsprungen, um dem Tod zu entgehen, doch meine Leute sind hinter ihm und werden ihn wiederbringen."

„Welches Recht hast du, ihn zu verfolgen?"

„Er hat einen Menschen getötet."

„Er hat bloß einen nichtswürdigen Chinesen getötet. Kanntest du den Toten?"

„Es war ein Mann von der Dschonke Haiang-dze. Er hatte die Verlobte Kaladis angerührt, und dieser stach ihn nieder. Der Kapitän der Dschonke kam zu mir und verlangte Gerechtigkeit."

„Hast du sie ihm gegeben?"

„Ich werde sie ihm geben, sobald Kaladi wieder vor mir steht."

„Well, das ist es ja, was ich meine: du versündigst dich an meinem Eigentum. Kaladi gehört nicht dir, denn er ist mein Diener."

„Ah! So bist du der Engländer, der ihm behilflich gewesen war, zu entkommen?"

„Der bin ich."

„So hab ich auf dich gewartet. Ich muß dich bestrafen, wenn du mir nicht beweisen kannst, daß Kaladi wirklich dein Diener gewesen ist in dem Augenblick, als er vom Felsen floh."

Raffley lächelte. Der Klemmer rutschte ihm auf die Nasenspitze. Er griff in die Tasche und zog seine Drehpistolen hervor.

„Ich sage, Kaladi war mein Diener. Glaubst du es?"

„Beweise es!"

„Du glaubst es also nicht! Well, so werde ich als Gentleman mit dir reden! Weißt du, was ein Gentleman ist?"

„Sag mir's!"

„Ein Mann, der sich mit jedem schießt, der ihm keinen Glauben schenkt. Hier, nimm diese Pistole. Ich zähle bis drei, dann schieß ich, und du tust's natürlich auch. Vorwärts! Eins – zwei – – – dr – – – –"

„Halt! Ich weiß ja nicht, wie ich dieses fürchterliche Ding anzufassen habe!" rief der Mudellier, vor Angst kerzengerade emporspringend. „Was hab ich dir getan, daß du mich morden willst?"

„Du hast nicht geglaubt, was ich dir mitteilte, und darum muß einer von uns beiden sterben. Dann bin ich befriedigt und werde ruhig nach Haus gehen."

„Ich glaube ja, was du sagtest! Hier hast du die Waffe zurück."

„Du glaubst, daß Kaladi mein Diener ist?"

„Ich glaube es; ich weiß es gewiß."

„Well, warum verfolgst du ihn dann?"

„Ich werde sofort Boten aussenden, die Verfolger zurückzurufen, damit ihm kein Leid geschieht."

„Das hast du nicht nötig. Er befindet sich bereits bei mir in Sicherheit."

„Wo wohnst du?" – „Im Hotel Madras."

„Und wie ist dein Name?"

„John Raffley."

„John Raffley, der Neffe des Generalstatthalters?" rief der Mudellier höchst überrascht.

„All right, der bin ich."

„Ich habe dich gesucht, doch nicht gefunden." – „Warum?"

„Ich habe einen Brief an dich abzugeben vom Statthalter von Kandy. Er schrieb mir, daß du kommen würdest."

„Ich bin leider im Hotel und nicht im Regierungsgebäude abgestiegen. Das ist der Grund, warum du mich nicht fandest."

Der Lord öffnete das Schreiben und überflog es. Am Schluß ging ein so vergnügtes Lächeln über sein Gesicht, daß der dünne Mund von einem Ohr bis zum anderen gezogen wurde und der Klemmer in die höchste Gefahr kam, von der Nasenspitze herabzuspringen.

„Charley!" – „Sir Raffley!"

„Habt Ihr einmal einen Elefanten gesehen?"

„Einen wievielbeinigen?"

Er lachte vergnügt über meine Zurechtweisung.

„Aber noch keinen gejagt?"

„O doch! Im Norden der Kalahari und auch anderswo, wenn es Euch gefällig ist, Sir John."

„Damn! Ich dachte, Euch eine Freude zu machen, und sie fällt mir nun in den Brunnen. Ihr habt Elefanten mit der Büchse erlegt?"

„Allerdings."

„Dann wird Euch eine Korraljagd kein Vergnügen bereiten?"

„Warum nicht? Ich bin noch nie bei einer solchen zugegen gewesen."

„Well; ich habe hier vom Statthalter die Einladung zu einer Korraljagd. Ihr seid doch dabei?"

„Versteht sich."

„Und auch du wirst mich begleiten?" wandte er sich zum Mudellier. Dieser verbeugte sich beinahe bis zum Boden herab.

„Du gibst mir große Ehre, o Maharadscha. Laß mir die Stunde sagen, und ich werde zu deinem Gefolge gehören."

„Und Kaladi?" – „Ist frei."

„So leb wohl!" – „Leb wohl!"

Der hohe Beamte begleitete uns bis vor die Tür, und auf seinen Wink kamen sechs Läufer herbei, die uns mit Fackeln heimleuchten mußten. Die Dienerschaft, die uns den Eingang verweigert hatte, war sicher sehr erstaunt über den ehrenvollen Abschied, der uns gegeben wurde.

Daheim erwartete uns Kaladi mit leicht zu erklärender Besorgnis.

„Wie ist es, Sahib?" fragte er. „Habt Ihr mit dem Mudellier gesprochen?"

„Ja. Du bist frei."

Der brave Singhalese tat vor Freude einen Satz, der einem Tiger Ehre gemacht hätte.

„Sahib, ich danke Euch, Ihr seid – –"

„Still! Leben um Leben. Du hast mir das meinige gerettet, und ich gebe dir das deinige zurück. Wirst du bei mir bleiben, solange ich auf Ceylon bin?"

„Ich werde nicht von Euch weichen, bis Ihr selbst mich verjagt."

„Well, so mach dich fertig, mit nach Kornegalle zu gehen, wo wir Elefanten fangen werden!"

„Elefanten? Da ist viel Volk vonnöten, Männer, Frauen und Kinder. Darf ich mitnehmen Molama, die Blume meiner Seele?"

„Nimm sie mit!"

„Habt Dank! Ihr seid voll Güte wie der Tau der Wolken und voll Liebe wie die Sterne der Nacht. Wischnu segne Euch, Euch und den Maharadscha aus Germanistan. Ich werde Euch mein Leben schenken, wenn Ihr es begehrt."

2. Eine Elefantenjagd

Ceylon, von den Engländern Silon genannt, hieß bei den alten Indern Silandiv, bei den Griechen Taprobane. Die Eingeborenen nennen die Insel Singhala. Sie ist von dem hindustanischen Festland durch einen sechzig englische Meilen breiten Kanal getrennt und steigt von der Küste bis zum Pedrotalagalla 2500 Meter empor. Daß man Ceylon das Malta des Indischen Ozeans genannt hat, geschah wohl seiner für das Kriegswesen bedeutenden Lage wegen.

Die Insel ist bekanntlich britisches Kronland und steht unter einem eigenen Statthalter. Alle höheren Ämter werden von Engländern bekleidet, doch beträgt die Zahl der Weißen kaum siebentausend. Die Eingeborenen, Singhalesen, bekennen sich zur buddhistischen Religion. Sie sind zum Teil mit später zugewanderten Hindus, Malaien, Javanern, mit maurischen und portugiesischen Volksteilen und mit Mosambique- und Madagaskar-Negern vermischt. Auch ein chinesisches Gesicht findet man hier oder da, doch verschwindet es schnell wieder, nachdem sein Besitzer die nicht lobenswerte Absicht erreicht hat, die ihn zu den „Leuten mit geraden Nasen" herüberführte.

Der Chinese ist nämlich in jenen Strichen nicht sehr beliebt. Den kleinsten Gewinn nicht verschmähend, opfert er einem größeren Vorteil alles, was er zu opfern hat, findet sich zu Land leicht in jede Lage und scheut auch die Wogen der See nicht, wenn es gilt, einen verhältnismäßigen Nutzen zu ziehen. Dann ist er ebenso schlau wie kühn, ebenso tatkräftig wie gewissenlos, und es gehört ein tüchtiger Gegner dazu, ihm durch List oder Gewalt den Weg zu verlegen.

Schon länger hatte eine Verbindung von malaiischen Seeräubern von sich reden gemacht, die auf ihren schnellsegelnden, schlank gebauten Prauen sogar bis herüber zu den Andamanen- und Nikobareninseln gekommen waren und selbst gut bemannten europäischen Schiffen Trotz geboten hatten. Ihr Anführer sollte ein chinesischer Seekapitän sein, der, von seiner Regierung verfolgt, landesflüchtig geworden war und, wie man erzählte, auf einer einsamen Insel des Indischen Meeres eine Freibeuterbande um sich gesammelt hatte, mit der er besonders kleinen Fahrzeugen gefährlich wurde. „Yang-dzeu", d. i. Meerteufel, wurden diese Seeräuber von den Anwohnern der Chinesischen See genannt, und allen Gerüchten nach war dieser Name auch vollständig gerechtfertigt, da sie sich ihren Gefangenen gegenüber vollständig als Teufel betrugen.

Das alles ging mir durch den Kopf, als ich am anderen Morgen erwachte und unwillkürlich an den Chinesen dachte, der unter so seltsamen Umständen den Hafen verlassen hatte. Ein Mann der Dschonke hatte sich an der Verlobten Kaladis vergriffen – das Fahrzeug mußte gewalttätige Leute an Bord haben. Wir standen in der Zeit des nun sechs Monate lang unaufhörlich wehenden Nordost-Monsuns, eine Zeit, in der es einem Segelschiff schwer und bei gewisser Bauart und Takelung sogar unmöglich ist, auf Nordost zuzuhalten. Konnte die Dschonke bei ihrer eigentümlichen Masten- und Segelstellung diesen Kurs einhalten? Es schien mir sehr wahrscheinlich, daß sie die Absicht hatte, den Westen der Insel zwischen sich und den Monsun zu nehmen. Aber was konnte sie dort wollen, in einer Gegend, wohin sicher noch niemals ein chinesisches Schiff gekommen war?

„Tschick, tschick, tschick!" klang es hell und rasch hinter dem Spiegel hervor. Das kleine, kaum drei Zoll lange Tierchen, das mich durch diesen Ruf aus meinem Nachdenken störte, war ein Gecko von der Art, wie sie in jedem Haus Ceylons zu treffen sind. Es war des Nachts über auf der Jagd gewesen, schickte sich jetzt an, sein Versteck hinterm Spiegel wieder aufzusuchen, und hielt es für seine Pflicht, mir das durch seinen zutraulichen Ruf anzuzeigen.

Der Gecko ist für den Neuling eine überraschende und anfangs sogar unheimliche Erscheinung. Diese kleine, niedliche Eidechse kommt in jeder Wohnung zahlreich vor, hält sich während des Tags in den Spalten der Wände, in den Ecken und Lücken der Möbel verborgen und kommt erst zur Zeit des Lichtanzündens hervor, um Jagd auf schlafende Insekten zu machen. Da der Gecko ein nächtliches Tier ist, hat er gleich den Katzen schmale, senkrechte Pupillenöffnungen, die sich in der Dunkelheit erweitern. Durch die an seinen Zehen befindlichen Saugscheiben ist er imstand, behend an den Wänden auf und ab und an der Decke hin und her zu laufen. Er wird zahm und zutraulich und gewöhnt sich sogar, während der Tafel seinen Besuch zu machen, um die abfallenden Brocken zu verspeisen.

Ich erhob mich, um mich anzukleiden. Kaum war ich damit fertig, so ließ Raffley mich rufen. Als ich in sein Zimmer trat, fand ich ihn beim Tee, aber bereits zum Ausgehen bereit.

„Good morning, Charley", sagte er. „Macht Euch fertig, abzureisen! Ich habe dem Mudellier bereits sagen lassen, daß es fortgeht, und auch meinem Steuermann das Zeichen gegeben, das ihn herbeiruft."

Er deutete dabei auf einen Schal, der als Flagge aus dem Fenster hing und von der Dampfjacht aus gesehen werden konnte. Das Zeichen mußte sofort bemerkt worden sein, denn noch hatten wir unser Frühstück nicht beendet, so trat ein Mann ein, den sein Äußeres sofort als Seefahrer kennzeichnete. Er war lang und hager, hatte die Haltung und den schleppenden Gang, der diese Leute auszeichnet, und besaß zwei kluge Äuglein, die hell und selbstbewußt über die scharfgeschnittene Nase hinwegblickten.

„Welcome, Tom!" grüßte ihn Raffley. „Wie steht's auf der Jacht?"

„All right, Sir. An Deck ist alles in Ordnung, wie es sich gehört."

„Kohlen genug?"

„Yes, Sir. Genug, um bis hinauf nach Japan zu dampfen."

„Lebensmittel und Schießbedarf?"

„Kein Mangel. Was die Lebensmittel betrifft, so werden sie verbraucht, Schießbedarf aber, mit dem scheint's gute Wege zu haben. Seit unserem Erlebnis auf der Höhe von Bahia, wo wir es einem Ebenholzfahrer heiß machten, haben wir nicht einen einzigen Schuß getan. Unsere ‚lange Harriet' trifft so vorzüglich und steht dennoch auf dem Deck wie die Frau des Lot, die damals, ich weiß nicht mehr bei welcher Gelegenheit, zur Salzsäure geworden ist. Das halte der Teufel aus! Ich bin ein guter Artillerist, Sir. Schafft mir bald einmal Gelegenheit, meine ‚Harriet' brummen zu hören, sonst fahr ich vor Langeweile aus der Haut!"

Raffley lächelte.

„Nur Geduld, alter Seebär, es wird schon noch der Augenblick kommen, eine scharfe Ladung an den Mann zu bringen."

„Hier auf keinen Fall, Sir. Ich habe gewaltige Lust, so bald wie möglich wieder in See zu gehen. Gehörte diese brave Jacht, mit der es wahrhaftig kein zweites Fahrzeug aufnimmt, mir, so hätte ich schon längst wieder die Anker gezogen und das weiter Meer gesucht."

„Well, Tom; so lichte die Anker!" – „Ist's möglich, Sir?"

„Freilich. Ich reise heute mit dem Wagen nach Kolombo und habe nicht die Absicht, mein Schiff hier zurückzulassen. Macht euch daher so bald wie möglich in See, damit ich euch im Hafen von Kolombo wiederfinde."

„Schön, Sir Raffley. Wie weit ist es zu Land bis dorthin?"

„Siebzig Meilen."

„Dann liege ich bereits vor Anker, wenn Ihr dort ankommt. Das wird heute abend sein?"

„Ich denke es!"

Der Steuermann verabschiedete sich.

Nach seiner Entfernung kam ein Bote des Mudellier. Der Beamte ließ uns bitten, uns seiner Wagen zu bedienen, was angenommen wurde. Dann nahte Kaladi, um uns seinen Morgengruß zu bringen.

„Hast du mit Molama gesprochen?" fragte ihn der Engländer.

„Ja, Sahib." – „Geht sie mit?"

„Ich habe ihr erzählt von den beiden Maharadschas aus dem Abendland, die so mächtig sind und so gütig; sie wird mitgehen, Euch zu dienen."

„Was sagt ihr Vater dazu?"

„Molama hat weder Vater noch Mutter, weder Bruder noch Schwester; sie hat nur mich."

„So eile zu ihr! In einer Stunde reisen wir ab und erwarten euch an der Wohnung des Mudellier."

„Wird der Mudellier mich nicht ergreifen?"

„Das wollte ich ihm nicht raten. Geh jetzt, und komm getrost wieder!"

Bald zeigte uns ein Blick hinaus in den Hafen, daß die Jacht zu heizen begann. Ein Streifen dicken, schwarzen Rauchs entströmte ihrem Schornstein. Die Segel wurden gehißt, der Anker emporgewunden, und in demselben Augenblick, da wir das Hotel verließen, setzte sich auch das kleine, scharf auf den Kiel gebaute Fahrzeug in Bewegung, um die hohe See zu gewinnen und in der Richtung von Bentotte und Kaltura die Hauptstadt Kolombo zu erreichen.

Auch wir hatten, allerdings zu Land, diese Richtung einzuhalten. Es war eine Reise, wie ich sie in dieser Weise und durch eine Gegend von so paradiesischer Schönheit noch nicht gemacht hatte.

Bei dem Mudellier fanden wir die köstlichsten Erfrischungen, die das Land zu bieten vermochte. Dann fuhren zwei in England gekaufte Kutschen vor, jede mit sechs Pferden von der feingebauten indischen Rasse bespannt. Die erste war für Raffley und mich, die andere für den Mudellier bestimmt. Auch Kaladi und Molama bekamen einen Wagen, deren eine ganze Reiĥe auf unseren Aufbruch wartete. Nach echt indischer Sitte stand vor dem Haus ein volles Hundert von Kulis, Läufern, Dienern, Köchen und anderen Begleitern, die Läufer zu Fuß, die anderen zu Pferd oder zu Wagen, so daß jeder uns Begegnende die Überzeugung erhalten mußte, er habe die Ehre, sehr hochgestellten Herrschaften auszuweichen.

Endlich ging es vorwärts. Wir verließen Point de Galle und hatten nun bis Kolombo eine wohlgepflegte Straße, zu deren Seiten sich eine ununterbrochene Reihe von Dörfern hinzog. Wie Schmuckkästchen blickten die Gebäude aus dem reichen südländischen Pflanzenwuchs hervor.

Kein Ort der Welt darf sich in Beziehung auf die Pflanzenwelt mit Point de Galle messen. Der dieser Gegend eigentümliche Baum ist der Papawbaum (Carica papaya), der einen schlanken, hohen und sich sehr regelmäßig verjüngenden Stamm besitzt, an dessen Spitze sich die langen, glänzenden Blätter wie ein Fallschirm ausbreiten und eine Menge hellglänzender Früchte einschließen, die die Gestalt einer Melone haben.

Es war noch am frühen Morgen, und man muß in jenen Breiten gewesen sein, um die wonnige Schönheit der ersten Tagesstunden in der Tropenzone zu kennen. Wie rein und balsamisch umhaucht da die Luft die Wangen! Die vollkommene Bläue des Himmels spiegelt sich in kristallenen Wassern. Die uns umkosenden Winde tragen uns die trunkenmachenden Düfte von Millionen Blumen und Blüten entgegen. Welch ungekanntes Entzücken hebt das Herz, welch ungläubiges Staunen wagt sich an die Betrachtung der fremdartigen Erscheinungen, auf die man bei jedem Schritt stößt! Es liegt etwas so Großartiges in dem Eindruck, den die Tropenwelt auf das empfängliche Gemüt äußert, daß man nach einem Aufenthalt von wenigen Monaten die Empfindung hat, als weile man bereits eine lange Reihe von Jahren dort. Es erscheint hier alles neu und wunderbar. Inmitten dieser Dörfer und Felder, in der Undurchdringlichkeit dieser Wälder verwischen sich fast alle Erinnerungen an unsere abendländischen Formen und Erscheinungen, denn es ist ja hauptsächlich die Pflanzenwelt, die das Gepräge der Landschaft ausmacht; sie ist es, die durch ihre Massenhaftigkeit, den Unterschied ihrer Formen und den Glanz ihrer Farben auf unsere Einbildungskraft die tiefste Wirkung äußert. Je kräftiger und neuer ein Eindruck ist, desto mehr schwächt er frühere Vorstellungen; ihre Kraft gibt ihnen den Anschein der Dauer. Das Licht und das Bestrickende der Luft verherrlichen unter dem zauberhaften Himmel des Südens selbst den schmucklosesten Teil der Erdenwelt. Die Sonne spendet nicht nur Helle, sondern sie färbt zugleich jeden Gegenstand und umgibt ihn mit einem leichten Duft, der, ohne der Durchsichtigkeit der Luft zu schaden, die Töne ausgeglichener macht, die Wirkungen des grellen Strahls mildert und über die ganze Natur eine Ruhe verbreitet, die auch in unsere Seele einzieht.

Kein anderer kann das Landschaftsbild von Ceylon besser würdigen als der Jäger. Die Verfolgung des wilden Elefanten bringt ihn in Lagen, deren unübertreffliche Schönheit nicht leicht einem anderen vors Auge gerückt wird, außer vielleicht einem Soldaten im Kampf gegen aufständische Eingeborene. In einem Dampfer oder auf der Lustjacht um die Insel reisen und während einer solchen Fahrt alle größeren und kleineren Häfen besuchen, würde den Freund des Malerischen in den Stand setzen, viel von der herrlichen Natur Ceylons zu sehen. Alle, die es besuchen, müssen anerkennen, daß es wirklich das gerühmte Zauberland des Orients ist.

Die Straße von Point de Galle nach Kolombo windet sich längs der Meeresküste hin. Zwischen ihr und der See liegt ein dünnes Gehölz von Kokosnußbäumen, in deren Schatten die dicht zusammenhängenden Dörfer liegen. Man darf hier nicht an die niedrigen, breiten Kronen unserer Obstwälder denken; die Kokospalmen, die sich mit Vorliebe dem Meer zuneigen, ragen fünfundzwanzig bis dreißig Meter und mehr empor und tragen erst in dieser Höhe auf schlanken Säulen ihre herrlichen Fächerkronen. Das nimmt den Umrissen des landschaftlichen Bildes die Eintönigkeit, die unvermeidlich wäre, wenn der Wuchs der Kokospalme die gleichen, regelmäßig aufsteigenden Linien zeigte, die die Arekapalme so reizend, schlank und fein in ihrem Bau erscheinen lassen.

Unsere Reise ging schnell und glücklich vonstatten. Schon in geraumer Entfernung von Kolombo zeigten die dichteren Reihen von besser gebauten Wohnungen, vermischt mit einzelnen europäischen Häusern, daß wir uns der Hauptstadt näherten. Die Kokoswälder wechselten in angenehmer Weise mit den Zimtgärten der Regierung ab. Dieses Gesträuch, das im Handel so großen Nutzen abwirft, wächst bis zu einer Höhe von anderthalb Meter und gleicht, was sowohl die Farbe als auch die Gestalt des Blatts betrifft, der Syringe. Die Straße belebte sich bei jedem Schritt mehr mit malerischen Gestalten. Wir waren gewissermaßen bereits in der Vorstadt Kolombos, die aber wegen des Festungswerks durch einen breiten, freien und nicht von Wohnungen bedeckten Raum von der eigentlichen Stadt getrennt ist.

Endlich fuhren wir auch an dem berühmten, von den Singhalesen heiliggehaltenen Banianen-Baum vorüber, dessen Hauptwurzel auf der einen Seite der Straße in die Erde greift und der von der herrlich geästeten Riesenkrone aus eine seiner Luftwurzeln auf der anderen Seite des breiten Fahrwegs zu Boden gesandt hat, so daß sie nun einen zweiten kräftigen Stamm bildete. Diese Baniane ist eine großartige Erscheinung der tropischen Pflanzenwelt, ein wahrhaft königlicher Sproß des mütterlichen Schoßes dieser so reich gesegneten Insel.

Gegen Sonnenuntergang langten wir in Kolombo an. Wir wurden da von einem Abgesandten des Statthalters empfangen, der den Auftrag hatte, uns nach dem Queenshouse zu begleiten. Dort wurde uns alles geboten, was nach einer Tagesfahrt unter diesem Breitengrad erwünscht ist: kühle Zimmer, ein prachtvolles Bad, Ruhe und Speise. Nach dem Essen ging ich mit Raffley vor die Festungsanlage hinaus ans Meeresufer, den Sammelplatz der schönen Welt von Kolombo, die sich teils zu Wagen, teils zu Pferd des kühlen Seewinds erfreute.

Neben dem Weg auf einem weiten Freiplatz machte ein Teil der Besatzung, die aus Eingeborenen von Vorderindien unter englischen Offizieren besteht, seine Übungen; denn die Rücksicht auf das Klima erfordert, daß solche nur in den kühlen Morgen- und Abendstunden vorgenommen werden.

Wir ließen uns auf einer Bank nieder. In dem kurzen Zwielicht der tropischen Breite drang das brandende Rauschen des Meeres wie eine vernehmliche Sprache an mein Ohr. Wie wunderbar drängten und kreuzten sich die Gedanken! Ich ließ den Blick bald auf dem Treiben der kleinen Schaltierchen zu meinen Füßen haften, bald über die blaue See in endlose Ferne schweifen. Zur Rechten die Stadt und ihre Befestigungen, zur Linken ein großes, englisches Riesen-Hotel, dicht von Kokospalmen umgeben, deren Federkronen sich rauschend im Nachtwind bewegten. Es war mir alles wie ein Traum; ich mußte mich besinnen, daß ich mich wirklich hier auf Ceylon befand. Vergangenes, Erlebtes, Kommendes und die Gebilde der reinen Vorstellungswelt fließen mit dem Gegenwärtigen in ein seltsames, halbbewußtes Dasein zusammen. Man erinnert sich nur undeutlich, wohin in solchen Augenblicken die Gedanken eilten, so wird man von der Seltsamkeit der neuen Eindrücke und der fremden Umgebung verwirrt, und dennoch zählen solche Stunden zu den reichsten und liebsten Erinnerungen, die man mit zur Heimat bringt.

Es war mittlerweile Nacht geworden, und die Truppen hatten längst mit klingendem Spiel den Rückweg nach der Stadt angetreten, als wir uns nach dem Queens-house zurückbegaben. An seiner Tür stand Tom, der Steuermann, der hier auf uns gewartet hatte.

„Eingetroffen, Sir!" meldete er nach kurzer Seemannsart.

„Well, mein Junge; doch wo ist die Jacht? Ich habe sie trotz alles Suchens nicht bemerkt."

„Hinter dem Felsen seitwärts vom Hafen, Sir. Der Hafen ist dem Wind ausgesetzt, und eine stramme Bö, die einen Dreimaster umklappt wie einen Gartenstuhl, ist in diesen Gegenden nichts Seltenes."

„Well done! Gibt's etwas Neues an Bord?" ·

„Nein. Aber außer Bord habe ich eine Bemerkung gemacht, die ich Euch melden muß, Sir."

„Welche?"

„Habt Ihr den Chinesen bemerkt, der gestern den Hafen verließ?"

„Yes."

„Sein Bau und seine Takelung nahmen mich wunder, auch konnte ich mir nicht recht denken, wohin der Kerl eigentlich wollte, da der Nordost-Monsun ihm ja die Fahrtrichtung verlegt. Dann fiel mir auf, daß heute morgen in der ‚schwarzen Stadt' von Point de Galle, wo nur Eingeborene wohnen, mehrere Mädchen verschwunden waren. Ich hatte neben dem Chinesen gelegen und einige Singhalesinnen bei ihm an Bord gesehen."

„Ein Kidnapper[1]? Pshaw!"

„O doch, es gibt einen Kidnapper, Sir, einen Mädchenfänger. Es wurde im Wirtshaus viel von ihm erzählt. Er ist ein chinesischer Seeräuber und besucht die Küsten, um Mädchen zu holen, die die Frauen seiner Leute werden müssen. Die Bande soll auf einer verborgenen Insel wohnen."

„Möglich, geht mich aber nichts an."

„Mich auch nicht; aber dieser Pirat fiel mir doch bei der heutigen Nachricht unwillkürlich ein. Ich hatte die Singhalesinnen an Bord des Haiang-dze beobachtet und wußte genau, daß sie nicht wieder

[1] Kindesentführer, Mädchenräuber

227

an Land gebracht worden waren. Dann dachte ich an Euern Kaladi, dessen Herzenskleinod ein Mann der Dschonke angefallen hatte, und heute – " –

„Nun heute?" fragte Raffley, neugierig werdend.

„Es war um Mittag herum. Die See ging ein wenig hoch, und ich fuhr beinahe ohne Rauch. Dazu hatte ich die Leinwand ins Reff gelegt, so daß es nicht leicht war, uns von weitem zu bemerken. Da sah ich den Chinesen vor mir durchs Wasser gehen. Er hatte alle Segel beigesetzt und lief durch die Wogen wie ein gutes Pferd bei der Fuchshetze. Der Jacht aber war er nicht gewachsen; ich holte ihn ein, und er bemerkte mich erst, als ich bereits bis auf eine Viertelmeile höchstens an ihn heran war. Sofort ließ er die Maske vorlegen; aber ich hatte durchs Rohr bereits genug gesehen."

„Was?"

„Er ließ den Raum lüften und hatte außer den Luken auch acht Löcher geöffnet, die mir nur geschnitten zu sein schienen, um Kanonenkugeln durchzulassen. Auf dem Deck saßen, an den Händen gebunden, vier Frauenzimmer, die beim Nahen der Jacht sofort in den unteren Raum geschafft wurden."

„Hast du ihn angesprochen?"

„Natürlich."

„Was antwortete er?"

„Dschonke Haiang-dze, bestimmt nach Tschilah."

„Das war eine Lüge. Was will der Chinese in Tschi-lah? Er bewegte sich gestern so leicht aus dem Hafen, daß er sicher keine Ladung hat, und in Tschilah ist nichts zu finden, was man stauen könnte. Der Kerl wird mir verdächtig, und es macht mir Vergnügen, ihn zu beobachten."

„Durch die Jacht?"

„Natürlich. Wir gehen von hier über Kandy nach Kornegalle bis an die Ufer des Alligatorflusses, den die Singhalesen Kimbu-Oya nennen. Den Rückweg werde ich mittels Kahn auf dem Fluß machen, der uns nach Tschilah führt. Dort soll die Jacht auf uns warten, und bis wir kommen, hast du Zeit, dich danach umzusehen, was der Chinese treibt."

„Wann werdet Ihr in Tschilah sein, Sir?"

„Weiß es nicht genau."

„Well. Habt Ihr sonst noch einen Befehl?"

„Nein, du kannst gehen!" –

Am anderen Morgen setzten wir unsere Fahrt nach Kandy fort, das die ehemalige Hauptstadt der Insel und der Sitz der einheimischen Könige ist. Die Entfernung zwischen Kolombo und Kandy beträgt achtzehn Stunden. Die Straße, die von Point de Galle aus nordwärts geführt hatte, drehte sich hinter Kolombo nach Osten. Die Haine der Kokospalmen verschwanden bald, und junge Reispflanzungen gewährten mit ihrem zarten, glänzenden Grün einen sehr angenehmen Anblick. Dann kamen Pflanzungen des Areka- und Surivabaums mit ihrem reichen Laubwerk, zwischen dem die gelben Blüten verheißungsvoll hindurchschimmerten. Namentlich wurden wir ergötzt durch den Gegensatz, den die gewaltigen, schwarzen Gneismassen, aus denen hier die Berge bestehen, mit den zarten, vielfarbigen, sich an ihnen empor-rankenden Schlingpflanzen gewähren. Einzelne Dschackholz- und Brot-fruchtbäume wechselten mit Kaffee-, Zucker- und Indigopflanzungen. Dann kam die Dschungel, ein undurchdringliches Wirrwarr von üppi-gen Rankengewächsen, Schlingpflanzen und Sträuchern, mit leuchtenden Blütenkelchen durchwebt, bis endlich die Straße immer belebter wurde.

Zahlreiche Ochsenkarren begegneten uns; zahme Elefanten trugen ihre Reiter oder arbeiteten zur Seite der Straße, die sich rund um den Berg Kadagawana zur Höhe wand, um dem Auge stets neue Herrlich-keiten darzubieten. Dann öffnete sich auf der Spitze des Bergs eine Aus-sicht, wie man sie schwerlich in den europäischen Alpengegenden findet. Mächtige Felsen, Bergspitzen, die einen Kranz von Baumblüten trugen, als ob Feen ihre Haine auf den Höhen ringsum aufgeschlagen hätten, parkähnliche Abhänge mit Sturzbächen, Wasserfällen und sanft dahinrieselnden Quellen – die wellenförmige Ebene im Vordergrund. Das alles, gebadet in einem weichen, goldenen Licht, bot ein Rundbild, wie es menschlicher Schöpfergeist niemals in Farben darzustellen ver-möchte und keine Feder entsprechend schildern kann.

Die Gegend von Kandy gleicht einem großen Garten. Die Aufmerk-samkeit des Fremden wird meistens durch den Taliputbaum gefesselt; die Myrte und der Lorbeer sind zahlreich und schön. Prachtvolle, goldig blühende Sonnenblumen und üppige Balsaminen bilden eine Farbenzusammenstellung, die der geschickteste Maler nicht auf die Leinwand zu tragen vermöchte. Und mitten in den Pflanzenwundern bewegt sich eine seltsame Tierwelt. Affen schwingen sich kreischend von einem Ast zum anderen; Papageien und Vögel von zarterem Bau und prachtvolleren Farben erscheinen in zahlreichen Schwärmen oder sitzen in dem dichten Laubwerk, als seien sie selbst glänzende Blüten. Nirgends in der Welt gibt es Schmetterlinge von schönerer Zeichnung und Farbe als auf Ceylon. Man sieht hier den Baumfrosch in die offenen Blüten-kelche schleichen und dort die gestreifte oder gefleckte Eidechse metallisch an einem Baumstamm glänzen. Zuzeiten läßt eine ungeheure Schlange ihre getupfte, schillernde Haut sehen, indem sie sich aus dem schattigen Sumpf hervorwindet, um sich in die wärmenden Strahlen der Sonne zu begeben. Hier kommt ein Elefant getrottet und spielt mit dem langen muskelstarken Rüssel, und dort schnellt ein Leopard durchs Dunkel der Bäume; er hat eine Beute geäugt, die ihm sicher nicht entgehen wird.

Wir kamen des Abends in Kandy an. Eine zahlreiche Gesellschaft erwartete uns bereits: der Statthalter, der Gouvernementsagent, die Spitzen der Verwaltung und das zahlreiche Offizierkorps vom Obersten bis herab zum jüngsten Leutnant. Es wurde gespeist und getrunken, gescherzt und gelacht, gespielt und getanzt, so daß die Stunden des Abends wie Minuten entschwanden.

Am anderen Morgen setzte sich die Gesellschaft in der Richtung nach Kornegalle, das die Singhalesen Kurunai-Galle nennen, in Bewegung. Die Stadt ist eine der alten Hauptstädte der Insel und war von 1319 bis 1347 der Sitz ihrer Könige. Die Wohnung des obersten Bezirksbeamten nimmt jetzt die Stelle des vormaligen Palasts ein, und der Boden ist mit Bruchstücken von Säulen und Trümmern aller Art, den Überresten des königlichen Baues, übersät. Die neue Stadt besteht aus den Bungalows der europäischen Beamten, deren jedes von einem Garten umgeben ist, aus zwei oder drei Straßen, die von den Nachkommen der Holländer und von Arabern bewohnt werden, und endlich aus einem Eingeborenenbasar mit den üblichen Reihen von Reis, Currystoffen und anderen Waren, wie sie hierzuland gebraucht und verwertet werden.

Der Reiz des Ortes beruht auf der ungewöhnlichen Schönheit seiner Lage. Kornegalle liegt unter dem Schatten eines ungeheuren Gneisfelsens, der fast von allem Grün entblößt und von der Zeit so abgerundet und ausgewaschen ist, daß er genau die Gestalt eines liegenden Elefanten darstellt. Daher nennt man diesen Stein Aëtagalla, d. i. den Felsen des Hauers. Hauer oder (englisch) Tusker ist ein mit Fangzähnen versehener männlicher Elefant. Aber Aëtagalla ist nur das letzte Glied in einer ganzen Kette ähnlich gestalteter Felsenhügel, die hier plötzlich enden und wegen der phantastischen Formen, die durch den Einfluß der Witterung ihren riesigen Umrissen gegeben sind, die Namen des „Schildkröten-", des „Schlangen-", des „Tigers-", des „Fisch-" und des „Adlerfelsens" erhalten haben. Der Eindruck dieser staunenerregenden Felsmassen äußert sich so mächtig auf die Singhalesen, daß z. B. in alten Urkunden Ländereien verliehen werden, „solange Sonne und Mond scheinen und solange Aëtagalla und Andagalla dauern werden", was soviel heißt wie auf ewige Zeiten.

Kornegalle ist ein Versammlungsort der Buddhisten. Von den entferntesten Teilen der Insel kommen sie dahin, um einen alten, auf dem Gipfel des Felsens stehenden Tempel zu besuchen, zu dem man vom Tal aus mittels steiler Pfade und in Stein gehauener Stufen gelangt. Hier ist Hauptgegenstand der Verehrung der im Granit ausgehöhlte Abdruck eines Fußes, ähnlich dem heiligen Fußstapfen auf dem Adams-Pik, dessen steiler Gipfel den Pilgern auf Aëtagalla in einer Entfernung von etwa vierzig Meilen deutlich sichtbar ist.

Zu gewissen Zeiten ist die Hitze in Kornegalle sehr groß, infolge der Glut, die diese Granitfelsen fortwährend widerstrahlen. Die Wärme wird deshalb gegen Abend hin fast unerträglich, und die schwüle Nacht ist zu kurz, als daß bis Sonnenaufgang eine hinreichende Abkühlung eintreten könnte.

Aus ähnlichen Gründen kommt es vor, daß Flüsse versiegen und Teiche austrocknen. Dann steigen die Leiden der wilden Tiere in einem solchen Grad, daß zahlreiche Krokodile und Bären in der Stadt erscheinen, um dort aus den Brunnen zu trinken. Die Tiere verlassen dann das wilde Felsengebiet, in dem sie für gewöhnlich hausen. Sie wissen, die Niederung am Meer kennt diese Nöte nicht. Hier ist der Boden des Bezirks überaus fruchtbar: Reis, Baumwolle und trockene Früchte werden in Menge gebaut. Jede Hütte ist von einem Garten umgeben, der mit Kokos- und Arekapalmen, mit Dschackbäumen und Kaffeesträuchern bestanden ist. Die Hügel sind, soweit der Pflug geht, mit üppigem Pflanzenwuchs bedeckt, und nach allen Seiten hin dehnen sich von Strömen durchschnittene Wälder aus, in deren Schatten sich Elefanten und anderes Wild in Überfluß aufhalten.

Es ist hinlänglich bekannt, daß der Elefant zu allerlei Arbeiten verwendet wird, bei denen Körperkraft mit Überlegung gepaart sein muß. Tritt einmal Mangel an gezähmten Tieren ein, so wird eine Jagd veranstaltet, zu der nicht nur die Beteiligten sich einstellen, sondern auch die Bevölkerung aus einer meilenweiten Entfernung herbeiströmt, um an dem aufregenden Vergnügen teilzunehmen, das mit einer solchen Jagd verbunden ist. Eben jetzt war der Bedarf an Elefanten dringend geworden, und der Vorsteher der Zivil-Ingenieur-Abteilung hatte sich vom Statthalter die Erlaubnis zu einer Elefantenhetze erbeten. Dieser hatte seine Genehmigung erteilt und zugleich die Gelegenheit ergriffen, Sir John Raffley seine Aufmerksamkeit durch eine Einladung zu beweisen.

Es war alles zu unserem Empfang bereit, und am Tag nach unserer Ankunft in Kornegalle begaben wir uns nach dem etwa zwanzig Meilen von der Stadt entfernten Ort, wo der Korral aufgerichtet war. Der Boden, über den wir dem Schauplatz des bevorstehenden Fangs zuritten, zeigte Spuren der tiefsten Trockenheit. Die Felder lagen wegen Mangels an Wasser größtenteils unbebaut, und die fast ausgetrockneten Teiche waren mit den Blättern der rosenfarbenen Lotosblume bedeckt.

Unsere Gesellschaft sah so orientalisch aus wie die Gegend, durch die wir vorrückten. Der Statthalter bildete mit seinem Stab und Haushalt einen langen Zug, dem die eingeborene Dienerschaft, die Pferdeknechte und Schnelläufer als Begleitung dienten. Die Damen wurden in Palankins und die jugendlichen Mitglieder der Gesellschaft mittels Stangen auf Stühlen getragen, über die man ein grünes, kühlendes Sommerzelt aus frischen Blättern der Taliputpalme gebreitet hatte.

Nachdem das bebaute Land zu Ende war, führte der Pfad über offene Blößen und trat schließlich in den Wald, in den Schatten uralter Bäume ein, die bis zur Krone mit Kletterpflanzen umwunden und mit natürlichen Gewinden von Convolvulus und Orchideen geschmückt waren. Das hier herrschende Schweigen wurde nur von dem leisen Summen der Insekten und hier oder da von dem gellenden Ruf eines flaumköpfigen Papageis oder dem Flöten des goldenen Pfingstvogels unterbrochen. Wir überschritten die breiten, sandigen Betten zweier ausgetrockneter Flüsse. Mächtige Bäume überragten sie, unter denen der ansehnlichste der Kombuk (Pentaptera paniculata) war, aus dessen kalkiger Rinde die Eingeborenen eine Art Leim für ihren Betel bereiten, und von den Zweigen hingen über die wasserlosen Rinnen hin die riesigen Hülsen der Pusnoaël-Bohne (Entada pursaetha).

Nachdem wir die steilen Ufer des zweiten Stroms erstiegen hatten, befanden wir uns angesichts der Gebäude, die in unmittelbarer Nähe des Korrals für unsere Gesellschaft zeitweilig errichtet waren. Diese kühlen und angenehmen Wohnungen bestanden aus Zweigen mit einem Dach aus Palmblättern und duftenden Zitronenlaub. Außer einem Speisesaal und Reihen von Schlafzimmern, die zeltartige Einrichtung hatten, enthielten sie Küchen, Vorratsräume und Ställe – alles das von den Eingeborenen im Lauf weniger Tage hergestellt.

Was die Wahl des Jagdgrunds betrifft, so nimmt man stets eine Lage an irgendeiner der Straßen, die die Tiere bei ihren jährlichen Wanderungen nach Wasser und Futter einzuhalten pflegen. Unumgänglich ist ferner die Nähe eines Stroms, nicht nur für den Bedarf der Elefanten während der Zeit, die über dem Zusammentreiben nach der Umzäunung vergeht, sondern auch um ihnen die Möglichkeit zu gewähren, sich nach der Gefangennahme während des Verlaufs der Zähmung baden und abkühlen zu können.

Bei dem Bau des Korrals hütet man sich sorgfältig vor Zerstörung der Bäume und des Gebüsches innerhalb des eingeschlossenen Raums, zumal auf der Seite, von der die Elefanten herbeikommen, damit die Umzäunung soviel wie möglich durch das dichte Laub verdeckt wird. Die Bäume, die man zum Bau verwendet, haben bis zwanzig Zentimeter im Durchmesser; sie werden ungefähr einen Meter tief in die Erde eingesenkt und haben dann über der Erde noch eine Länge von vier bis fünf Metern. Die Räume zwischen den Pfählen sind so weit, daß ein Mensch hindurchgleiten kann. Diese senkrechten Pfähle werden durch Querbalken zusammengehalten, die mit Rohr und biegsamen Schlingpflanzen oder „Dschungelseilen" angebunden werden, und das Ganze wird mittels gabelförmiger Stützen befestigt, die die Bindepfähle umfassen und den Zaun bei einem etwaigen Andringen der wilden Elefanten gegen das Zusammenbrechen nach außen hin schützen. An dem einen Ende des Korrals wird ein Eingang offengelassen, der durch Vorschieben von Querbalken geschlossen werden kann, und von jeder Ecke der Seite, wo die Elefanten herkommen sollen, setzt sich eine Linie desselben starken Zauns fort, ebenfalls durch Bäume versteckt, so daß, wenn die Herde nach rechts oder links ausbrechen will, statt durch den Eingang einzutreten, sie sich plötzlich aufgehalten und gezwungen sieht, die Pforte doch zu benützen. Auf einer Gruppe starker und nahe an der Umzäunung stehender Bäume hatte man für die Gesellschaft eine Bühne angebracht, von der aus man den ganzen Vorgang vom Eintritt der Herde an bis zur Abführung der gezähmten Elefanten beobachten konnte. So massig der beschriebene Bau auch ist, so fehlt ihm dennoch die Festigkeit, dem mit voller Kraft unternommenen Angriff eines in Wut gebrachten Elefanten zu widerstehen, und man hat Beispiele von Unglücksfällen, die sich beim Durchbrechen einer ganzen Herde ereignet haben. Indessen verläßt man sich nicht so sehr auf den Widerstand der Umzäunung als auf die Furchtsamkeit der Gefangenen, die ihre eigene Stärke nicht kennen, sowie auf die Kühnheit der Jäger und auf die List, mit der sie die Unterjochung der gewaltigen Tiere ausführen.

Der Verlauf einer solchen Jagd ist gewöhnlich folgender:

Sobald der Korral fertig ist, beginnen die Treiber die Elefanten zusammenzutreiben. Zu diesem Zweck müssen sie oft einen Kreis von vielen Meilen Länge bilden, um eine genügende Anzahl der Tiere zu umringen. Die dabei zu beobachtenden Vorsichtsmaßregeln erfordern viel Geduld; man muß alles vermeiden, die Elefanten unruhig und mißtrauisch zu machen, weil sie sonst entwischen würden. Da die Natur dieser Tiere im ganzen friedfertig ist und sie nur darauf bedacht sind, ungestört zu weiden, ziehen sie sich unwillkürlich vor dem leisesten Andrängen zurück. Man benützt diese Schüchternheit, indem man nur gerade soviel Geräusch verursacht, wie nötig ist, sie in der gewünschten Richtung vorwärtszutreiben.

Durch dieses Verfahren werden mehrere Herden auf einem Raum vereinigt, der noch vollständig von den Wächtern umringt werden kann, und Tag für Tag ist man nun beflissen, sie nach der Umzäunung des Korrals zu drängen. Wenn ihr Verdacht rege wird und sie Unruhe zeigen sollten, so greift man zu stärkeren Maßregeln, um ihre Flucht zu verhindern. Man errichtet in einer Entfernung von zehn zu zehn Schritten auf der ganzen Treiberlinie Feuer, die Tag und Nacht brennen; die Zahl der Treiber wird vermehrt, oft bis zu vier- oder fünftausend Mann, und durch die Dschungel werden sorgfältig Fußwege gehauen, um die notwendige Verbindung zu ermöglichen. Dabei unterhalten die Anführer eine beständige Aufsicht, um sich zu überzeugen, daß sich jeder auf seinem Posten befindet und wachsam ist, da eine Nachlässigkeit auf einer einzigen Stelle das Entweichen der Herde zur Folge haben und dadurch in einem Augenblick die Arbeit von Wochen zunichte machen kann. Durch solche Aufmerksamkeit wird jeder Versuch der Elefanten, durchzubrechen, in der Regel vereitelt, und es kann auf jedem bedrohten Punkt sofort eine genügende Macht versammelt werden, um sie zurückzuwerfen. Endlich werden die Elefanten so nahe zur Einzäunung hingedrängt, daß der Ring der Treiber sich zu beiden Seiten des Korrals an dessen Arme anschließt und nun das Ganze einen Kreis von etwa zwei englischen Meilen bildet, innerhalb dessen die Herde bis zum Zeichen für das Schlußtreiben eingeschlossen gehalten wird.

Über diesen Vorbereitungen vergehen oft Monate, und im entscheidenden Augenblick sind dann Tausende anwesend, das seltene Schauspiel zu genießen.

Als wir an Ort und Stelle anlangten, wurde zunächst jedem sein Schlafraum angewiesen. Sodann versammelte sich die Gesellschaft im Speisezimmer, und nach beendigter Tafel begab man sich zur Bühne. Als das geschehen war, erteilte der Statthalter das Zeichen, den Schlußakt zu beginnen.

Von den Tempeln und Häuptlingen war eine Anzahl zahmer Elefanten gesandt worden, um beim Einfangen der wilden zu helfen. Diese unentbehrlichen Tiere standen dicht unter uns und fächelten sich behaglich mit Blättern. Es waren vier verschiedene Herden, deren Gesamtzahl bis auf siebzig Stück angegeben wurde, eingeschlossen und in diesem Augenblick nicht weit von uns im Dschungel verborgen. Es durfte sich nicht der geringste Laut hören lassen. Jeder durfte sich mit dem Nachbar nur flüsternd unterhalten, und auch von der ungeheuren Menge der Wächter wurde ein solches Schweigen beobachtet, daß man gelegentlich das Knistern der Zweige vernahm, wenn einer der Elefanten ein Blatt abknickte.

Als der durchdringende Pfiff des Statthalters ertönte, änderte sich das Bild wie mit einem Schlag. Ein tausendstimmiges Geschrei erscholl, Schüsse krachten, Trommeln wirbelten und die gellenden Schläge der Tam-Tams ließen sich vernehmen. Man begann mit diesem Lärm auf der entlegensten Seite des Geländes, so daß die Elefanten im eiligen Lauf nach dem Eingang des Korrals zu getrieben wurden. Die Wächter längs der Seitenlinie verhielten sich ruhig, bis die Tiere an ihnen vorüber waren, dann fielen sie in ihrem Rücken auch in das Rufen ein und trieben sie mit verdoppeltem Geschrei vorwärts. Der Lärm wuchs bald auf dieser, bald auf jener Seite, je nachdem die Herde in blinder Verwirrung von einem Punkt zum anderen eilte, um die Linie zu durchbrechen, was indessen nicht gelang.

Da endlich knisterten die Zweige und krachte das Buschwerk in unserer unmittelbaren Nähe. Der vorderste der Elefanten brach aus dem Gehölz hervor und stürzte wild heran, gefolgt von der ganzen Herde. Er bemerkte den Eingang und schien Verdacht zu schöpfen. Er drehte wieder um und flüchtete an der Spitze der Truppe in den Wald zurück. Der Lärm erhob sich von neuem, und wieder brachen die aufgescheuchten Elefanten hervor, doch hüteten sie sich wohl, in den Korral zu dringen; sie suchten ihr Versteck immer von neuem auf.

Das veranlaßte den eingeborenen Beamten, der die Treiberlinie befehligte, heranzukommen, um sich beim Statthalter zu entschuldigen. Der Leitelefant war jedenfalls schon einmal in einer ähnlichen Lage gewesen, hatte sich durch das Ausbrechen gerettet und war nun gewitzigt. Da sich die Herde aufs höchste gereizt zeigte und der Fang bei Tag viel schwerer zu bewerkstelligen ist als bei Nacht, wo Feuer und Fackeln doppelte Wirkung tun, so war es der Wunsch der Jäger, ihre letzte Anstrengung bis auf den Abend zu verschieben, wo die Dunkelheit ihnen zu Hilfe kommen mußte. Der Statthalter billigte diesen Wunsch und gab den Befehl, für die nötigen Fackeln Sorge zu tragen.

„Charley", sagte Raffley, als die Sache diesen Lauf nahm.

„Sir John?"

„Wir haben bis zum Abend eine Menge Zeit."

„Das ist sehr richtig. Wie bringen wir sie hin?"

„Ich meine, wir nehmen unsere Gewehre und gehen ein wenig in den Wald."

„Ganz meine Ansicht."

„Kaladi!" – „Sahib!"

„Du gehst mit. Du bist ein guter Schütze und kannst meine Büchse nehmen. Wo ist Molama?"

„In der Küche."

„Sie soll heraufkommen und unsere Zimmer bewachen! Ich lasse meine Chair-and-umbrella-pipe zurück, auf die sie besonders Obacht geben soll."

Kaladi richtete diese Botschaft aus, dann verabschiedeten wir uns vom Statthalter und schritten dem Urwald zu, gefolgt von dem treuen

Singhalesen, der die Rifle mit einer Miene trug, in der sich deutlich das Verlangen aussprach, einen Meisterschuß tun zu können.

Das meiste Wild war am Wasser zu finden. Daher folgten wir abwärts dem Lauf des ausgetrockneten Flußbetts, bis es in den Kimbu-Oya mündete. Dieser enthielt Wasser genug, und infolgedessen herrschte an seinen Ufern ein reicheres Tierleben als an den von uns bisher berührten Stellen.

Wir hätten von Minute zu Minute schießen können, doch zogen wir vor zu warten, bis uns ein Wild begegnete, das eine gute Kugel lohnte. So waren wir wohl bereits zwei Stunden in das immer tiefer werdende Dunkel des Waldes vorgedrungen, als wir plötzlich seitwärts den hellen Trompetenton einer Elefantenstimme vernahmen.

„Charley, ein Tusker, vielleicht gar ein Einsiedler!" meinte Raffley.

Einsiedler werden die Tiere genannt, die wegen ihrer Bösartigkeit von den andern gemieden werden und darum zu einem einsamen Leben verurteilt sind.

„Nehmen wir ihn?" – „Natürlich! Go on!"

Wir drangen leise zwischen den Bäumen der Gegend zu, aus der die Stimme auch jetzt noch ohne Aufhören erschallte. Das Tier mußte sich in einer großen Aufregung befinden, daß es solch anhaltende Töne vernehmen ließ. Endlich langten wir in seiner Nähe an und erblickten nun auch die Ursache dieser Aufregung. Auf einem waagrecht aus dem Stamm einer Banane hervorstrebenden Ast saß ein Leopard, niedergeduckt und eng an den Ast geschmiegt, und unter ihm stand ein alter, männlicher Elefant, der unter fortwährenden Trompetentönen bemüht war, das Raubtier mit seinem Rüssel zu erreichen.

„Charley, nehmt Ihr die Katze und ich nehme den Elefanten!" meinte Raffley leise. Ihn bewegten jedenfalls die prächtigen Hauer, die der Tusker zeigte, zu seinem Entschluß.

Ich legte an; der Schuß krachte. Der Leopard zuckte zusammen, schlug die Tatzen fester um den Ast, so daß man deutlich hörte, wie sich die Krallen in die Rinde gruben. Dann ließ er los, zuckte einigemal zusammen und stürzte zur Erde.

Zu gleicher Zeit hatte auch der Schuß des Engländers gekracht. Der Elefant wandte sich überrascht gegen uns; die Kugel war ihm unterhalb des Ohrs in den Kopf gedrungen.

„So schießt man keinen Elefanten, Sir John", meinte ich. „Zurück, sonst sind wir verloren!"

Raffley hatte nur eine einläufige Büchse; der zweite Lauf der meinen war mit Schrot geladen, und auf Kaladi konnte ich mich nicht verlassen. Ich sprang also, als ich den Tusker mit hoch erhobenem Rüssel auf uns zukommen sah, ins Gebüsch zurück. Sir John tat das gleiche; dennoch aber wäre wenigstens einer von uns beiden verloren gewesen, wenn der treue Singhalese weniger Mut besessen hätte. Er war ruhig stehengeblieben und drückte ab, als der Elefant beinah zum Erfassen nah war. Die Kugel traf genau die Gegend des Herzens, drang aber nicht tief genug.

Jetzt kannte die Wut des zweimal verwundeten Tiers keine Grenzen. Es stürzte sich auf Kaladi, um ihn zu zertreten und ihn dann mit dem

Rüssel in die Luft zu schleudern. Doch der gewandte Singhalese warf seine Rifle weg, zog das Messer, entschlüpfte dem nach ihm fassenden Rüssel, schnellte sich an den Hinterbeinen des Tieres vorüber und zog dabei seine scharfe Klinge so tief durch das eine, daß er die Flechse durchschnitt.

„Ha–ia!" klang sein jubelnder Ruf.

Ich hatte hinter einem Baum Schutz gesucht und wieder geladen. Als ich den Ruf vernahm, trat ich vor und sah das Tier sich unter schmerzlichem Stöhnen auf drei Beinen bewegen, um den Singhalesen doch zu erfassen. Ich legte an und zielte auf die Stelle, an der der Rüssel aus dem Kopf tritt. Eine leise Berührung des Drückers – das gewaltige Tier blieb, wie vom Schlag gerührt, halten, stand einige Sekunden vollständig bewegungslos, begann dann zu wanken und stürzte mit einem weithin vernehmbaren Ächzen zusammen.

„Splendid! Das war ein Schuß!" rief Raffley. „Man merkt es, daß Ihr dergleichen Wild schon geschossen habt. Well, ich wollte mir das Elfenbein verdienen; nun aber gehört es Euch und die Katze dazu."

„Was tu ich mit den Zähnen? Nehmt sie in Gottes Namen!"

„Fällt mir nicht ein! Die Beute, die ich von der Jagd heimbringe, muß von meiner eigenen Kugel getroffen sein. Zieht der Katze die Haut ab; den Elefanten bedecken wir mit Zweigen und senden morgen unsere Leute her. Vorwärts! Ich muß auch noch einen Schuß haben."

Es geschah, wie er vorgeschlagen hatte, dann nahmen wir, obgleich es nicht mehr zeitig am Tag war, unseren Pirschgang wieder auf.

Wir mochten so ziemlich eine Viertelstunde dem Wasser entlanggeschritten sein, als ich, da ich voranschritt, die Spuren mehrerer Füße bemerkte, die vom Ufer her in den Wald gingen.

„Stopp! Hier sind Leute gegangen."

„Hier?" fragte Raffley.

„Ja. Bleibt stehen, damit Ihr mir die Fährte nicht zerstört."

„Zählt einmal, wie viele es gewesen sind!"

„Zwei – drei – fünf – sechs – –"

„Zounds! Sechs schon? Was tun sechs Leute hier an diesem Ort? Das kommt mir verdächtig vor."

„Sieben", fuhr ich fort; „neun – zehn – zwölf – dreizehn sind es gewesen."

„Dreizehn, also eine ganze Schar! Was meint Ihr dazu, Charley?"

Der Klemmer war ihm vor Erstaunen nach der Nasenspitze gerutscht; der Mund stand erwartungsvoll offen, und die Augen blickten mich durch die Gläser an, als sei von mir die Enthüllung eines wichtigen Staatsgeheimnisses zu erwarten.

„Sagt zuvor Eure Meinung, Sir John!"

„Pshaw! Ich mag Euch zur See ein wenig überlegen sein, Charley, aber zu Land seid Ihr doch der Meister. Wer sich in so vielen Winkeln der Erde herumgetrieben hat wie Ihr, der weiß, wie wichtig eine solche Spur ist, und hat auch gelernt, sie zu lesen und zu beurteilen."

Ich bückte mich nieder, um die Eindrücke zu untersuchen.

„Es sind lauter Männer. Ein Chinese und zwölf Singhalesen oder vielleicht gar Malaien.

„Bless me! Woraus seht Ihr das?"

„Zwölf sind barfuß, und der Umstand, daß die große Zehe weit absteht, läßt mich auf Malaien schließen. Der dreizehnte trägt, wie ich aus dem Abdruck sehe, lederne Ha-prong, eine Fußbekleidung, für die sich nur ein Chinese entschließen kann."

„Wo kommen sie her, und was wollen sie hier?"

„Was sie wollen, könnten wir erfahren, wenn wir ihnen folgten. Woher sie kommen, werden wir wohl sehen."

Ich stieg, den Spuren entgegen, das etwas steile und tiefe Ufer hinab. Die Fährte kam längs des Wassers herauf. Wir verfolgten sie, ich unten am Fluß und die beiden anderen oben auf der Höhe des Ufers. So mochten wir wohl zehn Minuten fortgeschritten sein, als ich auf ein Boot stieß, das aus dem Wasser gezogen und mit Zweigen sorgfältig verdeckt worden war.

„Halt! Hier sind sie gelandet. Jedenfalls kamen sie stromauf. Sie haben das Boot versteckt und – wahrhaftig, hier ist noch ein zweites!"

„Versteckt? Zwei Boote? Und keine Wache dabei? Das ist verdächtig", meinte der Engländer. „Wer auf ehrlichen Wegen geht, braucht seine Fahrzeuge nicht zu verbergen, sondern läßt einen Schutz dabei. Ich komme hinunter, Charley."

„Ja, kommt! Auch mir verursacht die Sache Bedenken, allerdings weniger, weil die Boote versteckt sind, sondern weil die dreizehn Männer nicht gleich das Ufer erstiegen haben, sondern erst eine so bedeutende Strecke am Wasser hinaufgegangen sind. Das geschah jedenfalls in der Absicht, ihre Spuren zu verbergen. Wer weiß, welch einem schlechten Werk diese Boote dienen sollen."

„Untersuchen wir sie."

Die Boote waren leer, bis auf die darin befindlichen Ruder, und nicht das geringste Zeichen war zu entdecken, das uns Gelegenheit zu irgendeinem Schluß gegeben hätte.

„Was tun wir, Charley?"

„Hm! Die Fahrzeuge gehören nicht uns."

„Aber wenn sie einem bösen Zweck dienen?"

„Haben wir darüber Gewißheit?"

„Allerdings nicht, aber ich habe gewaltige Lust, diese Dinger leck zu machen, denn ich sage mir, daß diese dreizehn Halunken irgendeine Niederträchtigkeit vorhaben."

„Was würdet Ihr sagen, wenn die Boote uns gehörten und wir fänden sie bei unserer Rückkunft zerstört?"

„Ich würde mich ärgern und jagte dem Kerl, der es getan hätte, eine Kugel in den Kopf."

„Seht Ihr's? Also!"

„Well, so lassen wir die Kähne, wie sie sind. Aber das Ding hat uns Zeit gekostet, und es dunkelt bereits. Machen wir uns auf den Rückweg, damit der Statthalter nicht auf uns zu warten braucht!"

Wir kehrten um. Der Abend brach herein, und es war nicht leicht, uns zurechtzufinden. Dennoch langten wir nach einigen Stunden wohlbehalten bei dem Korral an, wo man an uns bereits mit Besorgnis gedacht hatte.

Wir zogen uns zunächst in unsere Räume zurück, um unsere äußere Erscheinung ein wenig instandzusetzen. Ich hatte kaum damit begonnen, so hörte ich den Ruf des Engländers, dessen Zimmer neben dem meinigen lag: „Kaladi!"

Der Gerufene trat ein.

„Sahib?" – „Wo ist Molama?"

„Ich weiß es nicht; ich habe sie noch nicht gesehen, seit wir zurückkehrten."

„Und wo ist meine Chair-and-umbrella-pipe?" – „Was?"

„Meine Chair-and-umbrella-pipe. Sie ist weg; ich sehe sie nicht und habe sie ihr doch noch eigens auf die Seele gebunden."

„Ich werde suchen nach Molama und die Pipe bringen, Sahib!"

Nach einigen Minuten trat ich bei Raffley ein.

„Gehen wir?"

„Nein. Meine Umbrella-pipe ist fort. Ich muß wissen, wo sie geblieben ist."

„Aber der Statthalter ließ uns sagen, daß wir schleunigst eintreffen sollten, da er die Treiber nicht länger halten könne."

„Ist mir gleich. Ich will meine Umbrella-pipe haben. Was sind alle Treiber und Elefanten gegen meinen Sonnenschirm! Kaladi, beim Henker, wo steckt doch nur dieser Mensch?"

Der Ruf mußte doch gehört worden sein, denn der Singhalese trat ein, erhitzt und den rinnenden Schweiß im Gesicht.

„Sahib, du riefst schon wieder?"

„Wo hast du sie?" – „Molama?"

„Molama? Was geht mich Molama an? Wer ist Molama, und was habe ich mit dieser leichtfertigen Molama zu schaffen? Ich spreche von meiner Chair-and-umbrella-pipe."

„Die hat Molama." – „So? Wo denn?"

„Das weiß ich nicht, Sahib."

„Du weißt es nicht? Kerl, wenn meine Umbrella-pipe weg ist, so sollst du sehen, was mit dir geschieht! Wo ist das Mädchen hin mit ihr?"

„Ich weiß es nicht, aber ich werde es noch erfahren. Ich fragte und hörte, daß eine Schar von Jungfrauen gekommen ist, um Molama ein wenig mit in den Wald zu nehmen. Sie ist mitgegangen und hat den Schirm mitgenommen, weil er ihr von Euch anvertraut worden war."

Das Gespräch wurde von einem zweiten Boten des Statthalters unterbrochen, der uns bitten ließ, schleunigst nach der Bühne zu kommen. Raffley sagte zu und wandte sich dann wieder zu Kaladi:

„Nicht aus Achtung gegen meinen Befehl hat sie ihn mitgenommen, sondern aus Eitelkeit; sie hat sich mit ihm zeigen wollen. Geh, schaff mir meine Umbrella-pipe, sonst geschieht etwas, was dir und dieser Molama höchst unangenehm ist."

Der Singhalese entfernte sich schleunigst. Er mochte schon genug Sorge um das Schicksal seiner Erkorenen haben, die sich so leichtsinnigerweise mit ihren Genossinnen in den gefährlichen Urwald gewagt hatte. Die Drohung des Engländers mußte seine Angst verdoppeln.

Wir suchten die Gesellschaft auf und erreichten die Zuschauerbühne gerade noch zur rechten Zeit, um den Gang des Fangs von Anfang an zu verfolgen.

Der Verlauf war überaus spannend. Die niedrigen Feuer, von denen man beim Sonnenlicht nur den Qualm gesehen hatte, traten jetzt mit rötlicher Glut aus der Dunkelheit hervor und verbreiteten ihren Schein über die versammelten Gruppen, während der Rauch durch das reiche Laub der Bäume emporwirbelte. Die Menge der Zuschauer beobachtete das tiefste Stillschweigen, und außer etwa dem Summen eines Insekts war nicht der leiseste Laut zu vernehmen.

Da auf einmal wurde die Stille unterbrochen durch fernen Trommelschlag und eine Flintensalve, die ihm folgte. Das war das Zeichen für die Erneuerung des Angriffs. Die Jäger traten mit Schreien und Rufen in den Kreis ein; trockene Blätter und Reisig wurden auf die Wachtfeuer geworfen, bis sie hoch emporflackerten und auf drei Seiten eine flammende Linie bildeten, während der Eingang zum Korral vollständig im Dunkel gehalten wurde. Dahin wandten sich die erschreckten Elefanten, verfolgt von den gellenden Rufen und dem Getöse der Jäger. Das Gebüsch niederstampfend, Zweige und Äste zerknickend, nahten sie sich. Der Leiter der Herde tauchte angesichts des Korrals auf, stutzte einen Augenblick, stierte wild umher und stürzte sich dann durch das offene Tor, die ganze Herde ihm nach.

Plötzlich flammte wie auf einen Zauberschlag der ganze Umfang des Korrals, der bis dahin in tiefster Finsternis gehalten worden war, mit Tausenden von Lichtern auf, indem jeder Jäger in dem Augenblick, da der letzte Elefant eingetreten war, mit einer am nächsten Wachtfeuer angezündeten Fackel nach der Umzäunung eilte. Die gefangenen Tiere rannten zunächst nach dem äußersten Ende des Verhaus. Durch den Zaun aufgehalten, kehrten sie wieder um, fanden jedoch den Eingang verschlossen. Ihr Schrecken war mächtig. In reißender Schnelligkeit durchrannten sie den Korral, fanden ihn aber an allen Seiten von Feuer umgeben. Sie versuchten, den Zaun zu durchbrechen, wurden jedoch durch die Spieße und Fackeln der Wachen wieder zurückgetrieben, und wenn sie diese nicht achteten, so krachten ihnen blinde Musketenschüsse entgegen, denen sie nicht standzuhalten vermochten.

Sie traten jetzt in eine Gruppe zusammen, wie um Rat zu halten, dann brachen sie plötzlich alle nach einer Richtung auf. Es sah aus, als müsse alles unter ihrem Tritt zerbersten; aber die Feuer loderten höher, geschlossene Salven krachten und blitzten ihnen entgegen – sie kehrten enttäuscht und langsam nach ihrem vorigen Platz in der Mitte des Korrals zurück.

Der Eindruck, den dieser Auftritt hervorbrachte, beschränkte sich nicht auf die menschlichen Zuschauer, er erstreckte sich auch auf die zahmen Elefanten, die außen aufgestellt waren. Bei der ersten Annäherung der fliehenden Herde gaben sie die regste Teilnahme kund. Namentlich zwei, die in der Nähe der Front standen, zeigten sich gewaltig aufgeregt, stießen die Köpfe gegeneinander, scharrten den Boden und fuhren auf, als der Lärm näherkam. Schließlich, als die Herde in den Korral stürzte, riß der eine sich wirklich von den Zügeln los, rannte der Herde zu und entwurzelte dabei einen ansehnlichen Baum, der im Weg stand.

So fuhren die gefangenen Tiere über eine Stunde lang fort, den Korral zu durchkreuzen und die Umpfahlung immer wieder von neuem mit ungebeugter Kraft anzugreifen, nach jedem verfehlten Versuch vor Wut trompetend und schreiend. Wieder und wieder suchten sie das Tor zu durchbrechen, als wüßten sie genau, daß es ihnen ebenso einen Ausweg gewähren müsse, wie es ihnen vorher als Eingang gedient hatte; immer aber wurde ihr Angriff zurückgeschlagen. Nach und nach wurden ihre Befreiungsversuche seltener. Nur einzelne noch liefen hierhin und dorthin, kehrten aber immer wieder zurück, und zuletzt versammelte sich die ganze Herde zu einer Gruppe und stand, einen mitleidigen Kreis um die Jungen bildend, bewegungslos im dunklen Schatten der Bäume in der Mitte des Korrals.

Jetzt traf man die Vorbereitung für die Bewachung während der Nacht. Die an der Umzäunung stehenden Mannschaften wurden verstärkt, und man häufte Holz auf die Feuer, um eine hohe Flamme bis zum Sonnenaufgang unterhalten zu können. Da bis zum Morgen nichts weiter vorgenommen werden konnte, kehrten wir nach unseren Zimmern zurück.

Die erste Frage des Engländers beim Eintritt in das Gebäude war nach Kaladi. Niemand hatte den Singhalesen gesehen, und die Laune Raffleys war infolgedessen geradezu unbeschreiblich.

„Charley!"

„Sir!"

„Wollen wir wetten?" – „Worüber?"

„Daß die dreizehn Halunken bei der Geschichte mit meiner Chair-and-umbrella-pipe beteiligt sind."

„Das könnte ich nicht begreifen. Wie sollte das möglich sein?"

„Wollen wir wetten?" – „Ihr wißt ja, daß ich nie wette."

„Allerdings. Ihr seid ein wackerer Genosse, aber als Gentleman könnte ich Euch keinem echten Englishman vorstellen. Ihr werdet es noch bitter bereuen, daß Ihr jede Wette verschmäht. Inwiefern die zwei versteckten Boote mit meiner Umbrella-pipe in Verbindung stehen, kann ich allerdings nicht erklären, aber eine Ahnung sagt mir, daß es so ist, und was ich ahne, das pflegt stets einzutreffen."

„Ihr rechnet hier mit zweifelhaften Größen, Sir, und ich denke, daß ich – ah, da kommt Kaladi!"

Wirklich trat der Genannte ein. Die Haare hingen ihm wirr um den Kopf, die Kleider waren ihm zerfetzt, und der Schweiß rann ihm aus allen Poren.

„Sahib!" rief er, indem er mit dem Ausdruck der größten Angst auf Raffley zutrat und sich vor ihm aufs Knie niederließ.

„Was ist's?"

„Ihr seid ein Maharadscha, dem niemand widerstehen kann; Ihr allein könnt mir helfen."

„Welche Hilfe verlangst du?"

„Molama ist geraubt, Molama, das Licht meiner Augen, der Trost meiner Seele und der Stern meines Lebens."

„Molama geraubt? Tod und Verderben über die Schurken! Und meine Umbrella-pipe, wo ist die?"

„Auch fort."

„Wohin?"

„Ich weiß es nicht!"

„Was? Du weißt es nicht? Wer sagt denn, daß sie geraubt ist?"

„Die Jungfrauen, die entflohen sind."

„Die Jungfrauen – ah, es ist doch wahr: wo irgendeine Teufelei los ist, da sind stets die Frauenzimmer im Spiel!" Der Klemmer war ihm entfallen, er sah aus als hätte er sein ganzes Vermögen samt Raffley-Castle verloren. „Wem sind sie denn entflohen?"

„Den Räubern."

„Nun ja, das versteht sich von selbst. Aber wer waren diese Räuber?"

„Ein Chinese und zwölf Malaien." – „Alle Wetter! Charley!"

„Sir John!" – „Seht Ihr's, daß ich meine Wette gewonnen hätte?"

„Allerdings, wie es scheint."

„Es scheint nicht so, sondern es ist wirklich so, und nun geht mir eine Ahnung auf. Erzähl ausführlich, Kaladi!"

„Ich lief", berichtete der Singhalese, „um den Korral und fragte nach Molama, bis ich hörte, daß sie mit vielen Mädchen in den Wald gegangen sei, um Blumen zu suchen. Weiter konnte ich nichts erfahren, bis ich vorhin an eine Stelle kam, wo viele Männer und Frauen klagend beieinander standen. Sie hielten zwei Jungfrauen umringt, die erzählten, daß sie im Wald überfallen worden seien. Ihnen war es geglückt, zu entfliehen, die anderen sind von den Räubern fortgeschleppt worden. Molama war bei ihnen und hatte auch den Schirm bei sich. Sahib, bringt sie mir wieder, und ich will Euch danken, solang ich lebe!"

„Charley", meinte der Engländer, ohne auf die letzte Bitte des Singhalesen zu antworten.

„Sir John."

„Ihr habt gehört, was mir der Steuermann erzählte?"

„Allerdings." – „Wißt Ihr, wer die Räuber sind?"

„Die Piraten, die für sich Weiber suchen und auf einer einsamen Insel hausen."

„So denke ich. Kann ich ihnen meine Umbrella-pipe lassen?"

„Ganz, wie Ihr wollt."

„Fällt mir nicht ein! Es war von Anfang bestimmt, daß wir den Kiumbu-Oya hinabfahren wollten, und darum ist ein tragbares Boot zur Stelle. Kaladi, du sollst deine Molama wiedersehen."

„Sahib, Ihr seid – –"

„Schon gut! Charley, verabschiedet Euch vom Statthalter; in einer Stunde geht es fort. Mögen sie mit ihren Elefanten machen, was sie wollen, mir ist es gleich; aber meine Chair-and-umbrella-pipe muß ich wiederhaben, und wenn ich den Halunken nachsegeln sollte – dreimal rund um die Erde herum."

Wenn die gefangenen Elefanten die erste Nacht im Korral verbracht haben, ist ihr Widerstand gebrochen; sie sind erschöpft und still und voll Furcht und Staunen über alles, was sich um sie her zuträgt.

Die Feuer sind ausgegangen, und die Umzäunung ist eng umgeben von Knaben und Männern, die mit Spießen und langen, weißgeschälten Ruten bewaffnet sind. Jetzt werden Vorbereitungen getroffen, die zahmen Elefanten in den Korral zu führen, um die gefangenen in Sicherheit zu bringen. Seile und Schlingen befinden sich in Bereitschaft.

Wenn alles so weit ist, werden die Pfosten, die den Eingang verschließen, behutsam hinweggezogen und zwei gezähmte Elefanten geräuschlos hineingelassen, geritten von ihren Mahouts[1], die auf Ceylon Ponnekalla genannt werden. Jeder von ihnen trägt ein breites und starkes Halsband aus Geflecht von Kokosnußfaser, an dem an beiden Seiten Seile von Elentierhaut mit fertigen Schlingen angebracht sind. Hinter diesen Elefanten schleichen sich die Kuruwi[2] in die Umzäunung, begierig, den ersten Elefanten zu fesseln. Ihr Gewerbe ist eine Ehre, die mit einer besonderen Belohnung bedacht wird.

Ist der zahme Elefant ein gutes Locktier, so geht er, mit dem Mahout auf den Schultern und dem Schlingenfänger hinter sich, mit dem Schein von Gleichgültigkeit vorwärts; wie müßig schlendert er in der Richtung nach den Gefangenen hin und macht dann und wann halt, um ein Büschel Gras oder eine Handvoll Blätter abzurupfen. Wenn er sich der Herde nähert, tritt ihr Leiter näher und läßt ihm seinen Rüssel in sanfter Untersuchung über den Kopf gleiten. Merkwürdig ist, daß während des nun folgenden Vorgangs dem Mahout nicht das geringste Leid zugefügt wird. Ist der Leiter zu seinen niedergeschlagenen Genossen zurückgekehrt, so folgt ihm der Lockelefant und stellt sich neben ihn. Der Schlingenfänger hält die Schlinge bereit, und sobald das wilde Tier den Fuß nur ein wenig hebt, befestigt er sie daran. Natürlich springt der Mann sofort zurück. Ein oder zwei zahme Elefanten kommen herbei, teils um den in der Schlinge Steckenden von seinen Kameraden abzusondern, teils um ihn mit sich nach einem Baum zu ziehen, an dem er mit der Schlinge gefesselt wird. Eine zweite Schlinge wird nun um den anderen Hinterfuß gelegt, dann fesselt man ebenso die Vorderfüße, die an einen gegenüberstehenden Baum gebunden werden. Die Gefangennahme ist vollendet.

Auf diese Weise wird jeder einzelne der wilden Dickhäuter überwältigt. Solange die zahmen Genossen neben ihm stehen, bleibt der Gefangene gewöhnlich ruhig, sobald sie aber fortgehen und er sich allein sieht, macht er die erstaunlichsten Anstrengungen, sich zu befreien. Er betastet die Seile mit dem Rüssel und versucht die zahlreichen Knoten aufzuknüpfen; er zieht rückwärts, um die Vorderfüße zu befreien, und lehnt sich dann wieder nach vorn, um die Hinterfüße loszubekommen, bis jeder Zweig des mächtigen Baums, an den er gefesselt ist, von seinen

[1] Wächter   [2] Schlingenfänger

Anstrengungen zittert. Er heult wütend, den Rüssel hoch in die Luft streckend; dann legte er, auf die Seite fallend, den Kopf zur Erde, erst die Wange, darauf die Stirn, und drückt den zusammengerollten Rüssel nieder, als wolle er ihn in den Boden zwängen. Und jetzt erhebt er sich plötzlich und steht auf Stirn und Vorderfüßen, die Hinterbeine frei von sich streckend.

Dieses wechselnde Schauspiel dauert mehrere Stunden mit gelegentlichen Pausen augenscheinlicher Betäubung, nach denen sich der Kampf von Zeit zu Zeit krampfhaft und wie auf einen plötzlichen Antrieb erneuert. Endlich aber legt sich das eitle Bemühen, und das arme Tier bleibt vollkommen regungslos liegen, ein Bild der Erschöpfung und Verzweiflung.

Bei diesen Vorgängen tritt die Verschiedenheit der Veranlagung in augenfälliger Weise zutage. Einige Tiere unterwerfen sich nach verhältnismäßig geringem Widerstand, während andere sich in ihrer Wut mit einer Gewalt zu Boden stürzen, die jedem schwächeren Geschöpf verderblich werden müßte. Sie lassen ihren Ingrimm an jedem Baum und jeder Pflanze in ihrem Bereich aus; kleine Pflanzen reißen sie mit dem Rüssel nieder, streifen Blätter und Zweige ab und werfen sie in wilder Unordnung über ihren Kopf nach allen Seiten hin. Die einen geben während ihrer Kämpfe keinen Ton von sich, während andere wütend brüllen und trompeten, dann kurzes, krampfhaftes Geschrei ausstoßen und zuletzt erschöpft und hoffnungslos ihrem Kummer in einem leisen, kläglichen Geheul Luft machen. Einige liegen nach ein paar heftigen Anläufen regungslos am Boden, ohne ein anderes Schmerzenszeichen als das der Tränen, die ihren Augen unaufhörlich entquellen. Andere zeigen in ihrem Zorn die seltsamsten und wundersamsten Verdrehungen. Eine Tätigkeit kehrt bei fast allen wieder: in den Zwischenräumen zwischen den Kämpfen schlagen sie den Boden mit ihren Vorderfüßen, und indem sie die trockene Erde mit einer Windung des Rüssels packen, schleudern sie Brocken und Staub geschickt über alle Teile des Körpers. Dann stecken sie die Spitze des Rüssels ins Maul und ziehen daraus eine Ladung Wasser, das sie über den Rücken hin ergießen. Das wiederholen sie immer von neuem, bis der Staub vollständig durchnäßt ist. –

Ich hatte mich darauf vorbereitet, alle diese Vorgänge in Augenschein nehmen zu können, und war daher keineswegs gleichgültig bei der plötzlichen Abreise, zu der wir uns durch den geheimnisvollen Raub der Mädchen veranlaßt sahen.

Das tragbare Kanu, das uns zur Verfügung stand, wurde auf die Schultern von sechs Männern geladen. Eine Reihe von Kulis schleppte unser Gepäck, die Lebensmittel und den Schießbedarf. Den Schluß des Zuges bildeten Raffley, ich und Kaladi.

Sir John folgte seiner Ahnung und war vollständig überzeugt, daß die Räuber zur Besatzung des Haiang-dze gehörten; ja, er nahm als sicher an, daß der Kapitän der Dschonke jener Pirat sei, von dem das Gerücht soviel Schlimmes erzählte.

Der Statthalter sah uns nur ungern scheiden und bot uns eine so zahlreiche

Bedeckung an, wie wir nur wünschen konnten. Wir wiesen sie zurück und baten ihn, die Verfolgung der Verbrecher nur uns zu überlassen.

,,Nehmt Fackeln mit, und sucht den Ort auf, an dem der Überfall stattgefunden hat!" meinte er. ,,Dann wird es euch leicht sein, ihren Spuren zu folgen."

,,Ist nicht notwendig, Sir", antwortete Raffley. ,,Wo sie hingehen, das wissen wir bereits, und daß wir sie treffen, ist so sicher, wie ich hier stehe. Oder wollen wir wetten, Sir?"

Der Statthalter lächelte.

,,Ich setze hundert Pfund auf die Behauptung, daß Ihr sie nicht fangt, wenn Ihr meinen Rat nicht befolgt."

,,Und ich wette fünfhundert Pfund dagegen, Sir. Dieser Herr ist Zeuge unseres Übereinkommens, obgleich er selbst niemals zu einer Wette zu bewegen ist. Ich muß sie finden, denn wie könnte ich mich im Traveller-Club, Near-Street 47, London, blicken lassen ohne meine Chair-and-umbrella-pipe, die mir die Halunken mitgenommen haben. Go on, Charley, vorwärts!"

Die Nacht war dunkel, aber mit Hilfe der Fackeln überwanden wir alle Schwierigkeiten und kamen wohlbehalten an dem Ort an, wo wir die zwei Boote entdeckt hatten.

,,Seht Ihrs, daß ich recht hatte?" meinte Raffley. ,,Hätten wir die Kähne leck gemacht, so wär's ein wahrer Spaß, des Mädchens und meiner pipe wieder habhaft zu werden."

,,Laßt's gut sein, Sir! Vielleicht glückt es uns auch so noch, Euern Schirm wieder zu erlangen", beruhigte ich ihn.

Das Kanu wurde wieder ins Wasser gesetzt und nahm alles Gepäck auf. Dann stiegen wir ein, Raffley, ich, Kaladi und zwei Ruderer, die den Lauf des Flusses so genau kannten, daß wir uns ihnen getrost anvertrauen durften. Die übrigen wurden zurückgeschickt. Hierauf befestigten wir Fackeln an das Spriet und den Stern des Boots; dann wurde die nächtliche Fahrt begonnen.

Das Wasser des Flusses war nicht sehr tief, aber reißend. Das kleine Fahrzeug schoß mit der Geschwindigkeit des Dampfs dahin, während wir die Ufer beobachteten. So verfloß die Nacht; der Tag brach an, und die Fackeln erloschen. Der Fluß war durch zahlreiche Bäche breiter geworden; die Fahrzeuge wurden häufiger, und als es Mittag war, befanden wir uns in Tschilah, ohne eine Spur der Räuber gefunden zu haben.

Draußen im Hafen lag unsere Dampfjacht. Ohne anzuhalten, ruderten wir ihr zu und stiegen an Bord. Der Steuermann stand am Fallreep, uns willkommen zu heißen. Ein leises Zischen, das unten im Maschinenraum ertönte, bewies, daß der umsichtige Maat die Maschine zur sofortigen Abfahrt bereitgehalten hatte.

,,Feuer unter dem Kessel?" war Raffleys erste Frage.

,,Yes, Sir!" – ,,Den Haiang-dze gesehen?"

,,Yes."

,,Wo?"

,,Bin seit Kolombo hinter ihm her bis hinauf nach der Kalpetti-

Insel. Dann aber mußte ich zurück, um Euch aufnehmen zu können. Da warf der Chinese auch hier die Anker und schickte zwei Boote stromauf."

„Ah! Sind sie zurück?" – „Schon mit Sonnenaufgang."

„Was hatten sie geladen?"

„Weiß nicht. Hatten Bastdecken über die Borde gelegt."

„Die Dschonke lichtete dann sofort die Anker?"

„So ist's." – „Nach welcher Richtung ging sie?"

„Gerade nach Nord. Ich bin ihr mehr als über eine Stunde nach-gedampft und habe die Überzeugung, daß sie die Palkstraße gewinnen will. Wäre sie nach Süden gegangen, so hätte ich einen Verdacht, der – der – – –"

„Nun, der – –?"

„Der wohl einiges für sich gehabt hätte. Kaum war ich nämlich zu-rückgekehrt, so brachte eine Kohlenbarke die Nachricht, daß auf der Insel Karetiwu vorgestern abend ein unerhörter Perlenraub verübt worden ist. Ein Schiff hat am dunklen Abend in der Nähe der Küste beigedreht und drei Boote ausgesandt, die voll wilder Gestalten ge-wesen sind, die über die Geschäftsstelle herfielen und alle Vorräte und alles auffindbare Geld mit sich nahmen."

„Was waren es für Leute?"

„Malaien, angeführt von einem Chinesen."

„Und das Schiff?"

„War in der Dunkelheit nicht zu erkennen, doch stimmt die ungewisse Beschreibung mit dem Haiang-dze."

„Er ist's!"

„Würde er dann wohl wieder nach Nord gegangen sein?"

„Maske! Er wird wenden und nach Süden einhalten, darauf kannst du dich verlassen, Tom. Der Chinese ist ein kühner Kerl, das hat er gezeigt, indem er da oben bei Karetiwu, wo es Gegenwinde gibt und die Strömung reißend ist, bloß beidrehte, statt die Anker zu werfen. Ein solches Wagnis darf man eigentlich nur einem Yankee zutrauen, dem es nicht darauf ankommt, ob das Fahrzeug vor einer Bö kentert oder durch die Strömung wrack gemacht wird. Nimm die Sachen aus dem Kanu und mach, daß wir aus dem Hafen kommen. Wir gehen gerade nach Westen."

„Nach West! Warum?" fragte Tom erstaunt.

„Darum", antwortete Raffley kurz. Er konnte es nicht leiden, wenn seine Absichten nicht verstanden wurden.

Unser im Kanu befindliches Gepäck wurde an Bord gebracht, und die beiden Ruderer fuhren, nachdem sie ihre Bezahlung in Empfang ge-nommen hatten, der Stadt wieder zu. Dann dauerte es nicht lange, so knarr-te die Ankerwinde, die Schraube bohrte sich in die widerstrebende Flut, und das kleine, schmucke Fahrzeug steuerte zwischen den im Hafen liegenden Schiffen in anmutigen Windungen dem Ausgang zu. Wir stachen in See.

Als wir das offene Meer erreicht hatten, trat Raffley zu mir.

„Wißt Ihr, Charley, warum ich nach West halten lasse?"

„Ich denke es." – „Nun?"

„Ihr wollt die Fahrtrichtung des Chinesen schneiden, der sicher von Nord nach Süd wenden wird."

„So seid Ihr auch meiner Ansicht?"

„Vollständig. Erst wollte ich zweifeln; nach allem aber, was wir bisher gehört und beobachtet haben, halte ich auch den Chinesen für einen Seeräuber. Daß wir ihm folgen, versteht sich von selbst, aber ob wir das allein tun wollen oder uns nach Hilfe umsehen, muß wohl erst noch beantwortet werden."

„Wir nehmen die Dschonke für uns allein. Gehen wir sechzig Knoten nach West, ohne sie gesehen zu haben, so ist sie nach meiner Rechnung bereits vorüber. Dann sind wir gezwungen, nach Süd umzulegen."

„Selbst in diesem Fall hat sie einen Vorsprung von vielleicht fünf Stunden, der nur schwer einzuholen ist, da sie mit dem Wind segelt."

„Glaubt Ihr wirklich, daß ich mich dadurch irre machen lasse? Der Haiang-dze darf nicht am Land segeln, und über seine Richtung herrscht nicht der mindeste Zweifel."

„Er wird die Insel nach Osten umsegeln – –"

„Und zwar im Süden, da er im Norden wegen des Nord-Ostmonsuns nicht gut durch die Palkstraße gelangen kann."

„Und dann Kurs gerade auf Ost nehmen."

„Gerade auf Ost? Das glaube ich nicht. Er wird nach Nordost halten, weil sich in dieser Richtung jedenfalls sein Schlupfwinkel befindet."

„Ihr vergeßt den Passat, Sir, der ihm dann gerade in die Zähne streichen würde. Er wird nach Ost gehen und dann einen rechten Winkel nach Nord herumschlagen."

„Very well, Charley, ich sehe, daß Ihr auch zur See nicht ganz unbeholfen seid."

„Denkt Ihr? So geht mein Rat dahin, nicht weiter nach West zu dampfen, sondern ihm seinen Vorsprung dadurch abzugewinnen, daß wir in gerader Linie auf Point de Galle, das er im weiten Bogen umfahren muß, schneiden, hart an der Küste Kap Thunder-Head, Tangalle und Hambantotte umsegeln und dann auf dem achtzigsten Längengrad kreuzen, um ihn zu erwarten."

„Good lack, seid Ihr ein scharfsinniger Kopf, Charley! Ich beginne zu begreifen, daß Ihr gute Anlagen zu einem Seeoffizier besitzt. Ihr habt vollständig recht, und ich werde Euern Rat befolgen. Kommt!"

Wir schritten zum Achterdeck, wo Tom im Häuschen am Rad stand.

„Leg um nach Ost-Süd-Ost, Tom!"

„Well, Sir; aber das hieße ja, Point de Galle anrennen!"

„Nicht anrennen, sondern nur hart vorüberstreichen wollen wir. Wie steht's mit der ‚langen Harriet', Tom?"

„Wie soll's stehen, Sir?" erwiderte der Gefragte. „Blank geputzt ist sie, das seht Ihr ja selbst", wies er auf den schimmernden Lauf der Drehkanone, die auf dem Mitteldeck der Jacht angebracht war. „Aber was nützt der Staat, der Putz und Plunder, wenn die rechte Arbeit fehlt? Wenn nicht bald eine Gelegenheit kommt, eine Kugel auf den Wogen tanzen zu lassen, so verwende ich für keinen Penny Hammerschlag mehr auf die Harriet; sie mag verrosten!"

„Dir kann geholfen werden, mein Junge. Lade sie einmal, aber blind einstweilen!"

Der Steuermann stellte das Rad fest und eilte zu seiner Kanone. Es war wirklich eine Lust, die Hingebung zu beobachten, mit der er sie bediente.

„Erwartet Ihr einen Kampf?" fragte er dabei.

„Möglich."

„Prächtig, Sir! Ich denke, es soll kein Schuß danebengehen, wenn meine Harriet zu reden beginnt."

„Aber wie steht's dann mit dem Steuern? Steuern und Feuern zugleich ist unmöglich."

„Oh, da gibts Abhilfe. Der Bill ist nicht auf den Kopf gefallen und steuert nach Anweisung prachtvoll. Ihr könnt Euch auf ihn verlassen."

„Auch im Kampf, wo es auf Schnelligkeit und Genauigkeit sehr ankommt?"

„Auch dann." – „So mag es sein!"

Der Nachmittag verging, und der Abend mit den leuchtenden Sternen des Südens brach herein. Wir legten uns zur Ruhe, und als wir am anderen Morgen das Deck betraten, fand es sich, daß wir Tangalle bereits hinter uns hatten. Seitwärts im Lee kam hinter uns ein französischer Steamer herangedampft. Wir ließen der Maschine nur halbe Kraft, und auch er legte, als er uns bemerkte, an zur langsameren Fahrt. Sein Kapitän stand an der Reling des Quarterdecks und fragte, da es hier stille Luft gab, ohne Sprachrohr, nur durch die vorgelegten Hände:

„Holla! Was ist das für ein Dampfer?"

„Dampfjacht Swallow aus London." – „Welcher Kapitän?"

„Eigenes Schiff. Lord John Raffley, wenns Euch beliebt."

„Ah, danke!" – „Und Euer Schiff?"

„Dampfer ‚La bouteuse' aus Brest, Kapitän Jardin, geht über Battikaloa und Trinkolmai nach Kalkutta. Und Ihr?"

„Küstenfahrt. Ist Euch nicht ein Chinese begegnet?"

„O doch. Dschonke Haiang-dze, Kapitän Ri-fong, bestimmt nach den Baniakinseln."

„Habt Ihr ihn untersucht?"

„Nein; wir sind nicht im Orlogdienst. Adieu und gute Fahrt!"

Der Franzose gab wieder vollen Dampf und schoß rauschend an uns vorüber. Wir aber brauchten unsere Maschine nicht anzustrengen, da wir den Chinesen nun hinter uns wußten, vielmehr setzten wir mit mittlerer Geschwindigkeit unseren Weg fort, befanden uns bald auf der Höhe von Hambantotte und begannen dann nach Verlauf von ungefähr zwei Stunden zu kreuzen.

Zahlreiche Segel belebten den Gesichtskreis; sie gehörten Fahrzeugen an, die entweder von Trinkomali und Battikoloa oder aus Indien, China und Japan kamen, um vor dem günstigen Passat nach West zu steuern. Wir kümmerten uns nicht um sie; der Haiang-dze war jedenfalls nicht unter ihnen. Die brave Jacht schnitt, leicht zur See geneigt, mit reißender Schnelligkeit fast vor dem Wind südwärts durch die Fluten und legte erst nach Mittag wieder herum. Raffley ließ jetzt alle Segel setzen, und es war zum Erstaunen, mit welcher Schnelligkeit wir nun trotz des widrigen Passats genau der geographischen Länge folgten.

Jetzt winkte Raffley Kaladi herbei.

„Du willst Molama wiederhaben?"

„Sahib, wenn ich sie verliere, so sterbe ich."

„Well! Hast du gute Augen?"

„Meine Augen sind so scharf wie die des Falken."

„So klettere hinauf zum Mast-Head und halte scharfen Ausguck nach den Fahrzeugen, deren Richtung wir durchschneiden. Der Chinese wird unter ihnen sein, wenn ich mich nicht irre."

Wie eine Katze eilte der gewandte Singhalese am Mast empor und machte sich's droben so bequem wie möglich. Das Verhalten Raffleys schien mir nicht tadellos zu sein; ich mußte ihn warnen.

„Wie wollt Ihr kreuzen, Sir John?"

„Ich verstehe Euch nicht."

„Ich meine, auf welcher Linie Ihr den Chinesen erwarten wollt?"

„Auf dem achtzigsten Längengrad, ganz wie Ihr selbst mir's vorschlugt."

„Aber nur südlich vom sechsten Breitengrad?" – „Natürlich!"

„So wird er Euch entgehen." – „Oho! Warum?"

„Ich glaube nicht, daß er sich bei Tag nach dem, was wir ihm zumuten, so nahe an die Küste wagen wird. Hat er das vor, um vielleicht noch einen Fang zu machen, so wird er die Nacht abwarten. Sodann hat er dem Franzosen zugesagt, daß er nach den Baniakinseln bestimmt sei. Diese Richtung ist aber jedenfalls eine Finte; er wird weiter nordwärts gehen. Habe ich in diesen Vermutungen recht, so wird er uns entwischen."

„Charley, das versteht Ihr nicht, Ihr dürft Euch nun nicht auf einmal für weise halten, weil ich Euch vorhin gelobt habe. Der Haiang-dze kommt genau den Weg des Franzosen und wird uns gerade in die Arme laufen."

Auch er konnte recht haben, wenn auch seine Ausdrucksweise für mich nicht schmeichelhaft war; ich ließ daher meinen Widerspruch fallen.

Jetzt stand der Matrose Bill am Steuer, und Tom war beschäftigt, alles herbeizuschaffen, was zur Bedienung seiner Harriet erforderlich war. Leider aber verging der Nachmittag, ohne daß wir nur einen Segelfetzen von der Dschonke zu sehen bekamen. Auch die Dämmerung brach ein, und nun mußte Raffley doch erkennen, daß ich recht gehabt hatte.

„Charley, ich glaube, der Kerl ist uns entwischt."

„Ich glaube es nicht." – „Ihr denkt, er ist noch hinter uns?"

„Nein, er ist sicher bereits vor uns."

„Wie-wo-waa-as?" fragte er erstaunt, indem der Klemmer einen Sprung von der Wurzel der Nase bis auf die Spitze machte. „Das ist ja eben meine Meinung; er ist längst vor uns, uns also entgangen.

„Er ist längst vor uns, weil wir ihn durchließen, aber er wird an die Küste zurückkehren, sobald es dunkel geworden ist."

„Der Weg nach den Baniakinseln hätte den Chinesen viel weiter im Süden mit dem Franzosen zusammengeführt. Daß sich der Pirat weiter nördlich hielt, ist ein sicherer Beweis, daß er ein anderes Ziel hat. Ist dies wirklich eine Insel im Osten, so will er sie nicht in der Richtung, die ich Euch bereits erklärte, erreichen; sonst wäre er uns begegnet. Folglich hat er die Absicht, längs der Küste des Bengalischen Meeres hinzugehen, wo der Monsun nicht so kraftvoll pfeift wie draußen auf der See. Er ist einfach zwischen uns und der Küste hindurchgeschlüpft und ostwärts gesegelt, wird aber umkehren und dann im Schutz des Landes und der Nacht nach Norden gehen, wenn es ihm nicht etwa einfällt, eine kurze Landung zu bewerkstelligen, um noch einiges mitgehen zu heißen."

„Charley, es ist möglich, daß Ihr das Richtige trefft. Aber was sollen wir tun?"

„Längs der Küste streichen bis hinauf nach Kap Palmyra; auf dem Rückweg werden wir dann den Chinesen treffen."

„So habe ich heute einen Fehler begangen und werde ihn dadurch wieder gutmachen, daß ich Euch folge."

Jetzt dampften wir nach Norden, und da nun kein weiteres Ereignis zu erwarten war, suchten wir die Kajüte auf, um einige Stunden zu ruhen. Mitternacht war bereits vorüber, als wir geweckt wurden. Der Steuermann stand vor uns.

„Wir befinden uns auf der Höhe von Palmyra, Sir", meldete er. „Welche Länge?"

„Einundachtzig; ich hielt etwas mehr Ost bei Nord, weil uns das rückwärts zugute kommt."

„Ist richtig. Wende! Ich erscheine gleich."

Als wir das Deck erreichten, standen die Leute an den Brassen. Das Schiff beschrieb einen Bogen von Nord über Ost und legte dann auf Südwest ein. Jetzt drängte sich der Passat straff in die Leinen, die Maschine arbeitete mit voller Kraft, und wir flogen vor dem Wind dahin, daß der Schaum vorn am Bug empor und aufs Deck hereinspritzte.

Noch immer saß Kaladi auf dem Mast. Die Sehnsucht nach der Verlorenen ließ ihn nicht ermüden, und nur für einen kurzen Augenblick war er unten gewesen, um sich das Nachtrohr des Steuermanns zu holen.

Raffley hatte auf dem Achterdeck zwei Hängematten befestigen lassen. Da saßen wir und blickten in die milde Nacht hinaus. Diese Wettergunst war bei dem jetzt wehenden Monsun, der stets gewaltige Regengüsse mit sich bringt, eine große Seltenheit; daher genossen wir sie mit innigem Behagen und hatten dazu nur den einen Wunsch, daß wir den Chinesen bemerken möchten.

„Charley!" – „Sir John!"

„Wollen wir wetten?" – „Hm! Worüber?"

„Daß meine Chair-and-umbrella-pipe verloren ist. Dieser heillose Schurke ist uns auf und davon gegangen."

„Ich wette nicht, obgleich ich meine, daß ich diese Wette gewinnen würde."

„So habt Ihr also noch immer Hoffnung?"

„Noch immer. Wir erreichen jetzt die Höhe von Battikaloa. Bis jetzt haben wir gar nicht erwarten können, den Piraten zu treffen. Er wird sich hüten, sich in die belebten Gewässer zwischen hier und Trinkomali zu wagen. Wartet nur noch eine halbe Stunde, dann durchschneiden wir stillere Fluten."

„Charley, wenn Ihr recht habt, so will ich Euch für einen ganzen Mann halten, trotzdem Ihr niemals zu einer Wette zu bringen seid. Es liegt mir außerordentlich viel daran, meine Umbrella-pipe wieder zu bekommen. Ich kann mich ohne sie ja gar nicht in Altengland blicken lassen."

„Ich denke, daß Ihr sie in einigen Stunden wieder haben werdet."

„Well! Aber diese Molama soll, wenn ich sie vornehme, an den Schirm denken, solange diese unglückselige Insel unter ihren Füßen ist", zankte er ingrimmig vor sich hin, indem er mit dem Arm eine Bewegung machte, deren Bedeutung leicht zu erraten war.

Und kaum war die erwähnte halbe Stunde verstrichen, so ertönte vom Ausguck der Ruf: „Feuer, gerade im West!"

„Wie weit von hier?" fragte Raffley hinauf.

„Wohl nicht drei Meilen." – „Was für Feuer?"

„Es muß an Land sein."

Während dieser Fragen und Antworten hatte ich in die Wanten gegriffen und schwang mich hinauf zu Kaladi.

„Zeig her das Fernglas!"

Ich blickte hindurch. Das Rohr war ausgezeichnet; ich erkannte eine ganze Reihe brennender Hütten und eine Menge Menschen, die wirr durcheinander wogten. Da – ich zog das Rohr etwas weiter aus – wirklich, dort schleppten einige Männer mehrere Frauenzimmer mit sich fort.

„Hoi – ho!" rief ich hinunter aufs Deck. „Ein Dorf ist überfallen und angezündet worden."

„Vom Chinesen?"

„Vielleicht. Wir sind zu fern, um deutlich sehen zu können."

„Schnell an die Reffs; zieht alle ein!" befahl Raffley. „Maschinist, halbe Kraft; Mann am Steuer, dreh um auf Ost nach West!"

Im Nu waren sämtliche Segel gerafft, und die Jacht ging langsam und geräuschlos der Küste zu. Je näher wir ihr kamen, desto mehr wurde das Feuer auch denen sichtbar, die sich unten auf Deck befanden. Der Himmel rötete sich immer stärker, und endlich waren die Flammen mit bloßen Augen zu erkennen.

Mit dem Rohr konnte ich deutlich beobachten, was an Land vorging; doch kümmerte mich das jetzt nicht. Ich mußte trachten, das Schiff zu finden, dem die angehörten, die den Überfall unternommen hatten. Ich suchte daher sorgfältig den dunklen Vordergrund des Wassers ab, und richtig – da lag ein Fahrzeug, und zwar nicht anders als gerade in der Linie, die wir durch die See zogen.

„Hoi – ho! Schiff in Sicht!" meldete ich.

„Wo?" fragte Raffley. – „Gerade vor unserem Bug."

„Geht es vorüber? Welche Richtung dabei?"

Ich sah schärfer hin.

„Es liegt fest."

„Vor Anker, oder beigedreht?" – „Vor Anker, scheint mir's."

„Well, dann entgeht es uns nicht. Welche Flagge führt es?"

„Kann's nicht erkennen, doch – es scheint wahrhaftig der Haiang-dze zu sein."

„Alle Wetter! Fahr's an, Mann am Steuer, fahr's an und dreh bei an seinem Luv!"

Als wir dem Fahrzeug näher kamen, erkannten wir es als eine chinesische Dschonke und sahen zugleich an der uns wohlbekannten Takelung, daß es der Haiang-dze war.

„Tom, leg Kartätschen ein!" befahl Raffley.

Er hatte also die Absicht, den Chinesen nicht durch den gewöhnlichen blinden Schuß zum Flaggenziehen zu bewegen, sondern sofort zum Angriff überzugehen. Ich glitt so schnell wie möglich auf Deck nieder und trat zu ihm.

„Sir John Raffley!" – „Charley!"

„Wollt Ihr den Chinesen wirklich anfahren?"

„Natürlich! Die Besatzung ist am Land, und ich will meine Chair-and-umbrella-pipe so bald wie möglich haben. Die paar Mann, die sich an Bord befinden, werden überrumpelt."

„Allerdings, aber sie werden Zeit haben, sich vorzubereiten und ein Alarmsignal zu geben."

„Das können wir nicht vermeiden."

„O doch. Noch sind wir von der Dschonke aus nicht bemerkt worden, weil die Jacht keine bedeutende Bordhöhe hat. Wir können beidrehen und den Chinesen unbemerkt besteigen.

„Egad, Ihr habt wieder recht, Charley. Stopp, Maschinist! Mann am Steuer, drehe bei im Augenblick!"

Die Jacht gehorchte dem Steuer und beschrieb, immer langsamer werdend, einen engen Kreis, bis sie auf dem Ausgangspunkt still lag. Raffley wandte sich zu mir. „Ich lasse ein Boot aussetzen."

„Nein, Sir John. Seht durchs Glas! Es befinden sich bloß zwei Mann an Bord, gerade so viel, wie zur Vermeidung der Abtrift nötig sind. Ich werde mit Kaladi sofort hinüberschwimmen und sie schweigsam machen."

„Das ginge. Aber seid Ihr denn solch ein guter Schwimmer, Charley?"

„Bis da hinüber komme ich sicher. Kaladi!"

„Sahib!" rief der Genannte vom Mast herab.

„Komm nieder!"

Er folgte dem Ruf und trat zu uns.

„Du willst deine Molama so bald als möglich wiedersehen?"

„Sahib, laß mich hinüber! Ich gebe allen, die auf dem Deck sind, den Dolch!".

„Wir gehen miteinander."

„Aber was dann?" fragte Raffley.

„Geschehen kann uns nichts; ein solcher Fall braucht nicht vorgesehen zu sein. Sobald wir Herrn des Schiffs sind, geben wir Euch mit einer Signallaterne, deren Licht nur von hier aus bemerkt werden kann, ein Zeichen, und dann legt Ihr eiligst bei uns an."

„Wohl. So macht also los!"

„Bringt auch meine Waffen mit herüber!" bat ich noch. Dann legte ich die Oberkleider ab, steckte das Messer zu mir und ließ mich in die Fluten hinab.

Kaladi folgte mir. Er war ein ausgezeichneter Schwimmer und blieb mir immer an der Seite. Je näher wir dem Feind kamen, desto vorsichtiger wurden wir. Die Wellentäler möglichst benutzend, ließen wir uns auf den Wogenkämmen mehr treiben, als daß wir arbeiteten. So vermieden wir allen verräterischen Schaum und gelangten glücklich an die Seite des Chinesen.

Die beiden Männer, die sich an Deck befanden, standen auf der dem Land zugekehrten Seite und hatten uns also nicht bemerkt. Ein Tau, an dem ein Eimer befestigt war, hing ins Wasser nieder; dieser Umstand kam uns trefflich zustatten. Ich nahm das Messer zwischen die Zähne, ergriff das Tau und schwang mich empor. Als ich über die Reling stieg, befand sich Kaladi bereits hart hinter mir. Wir erreichten das Deck und hielten vorsichtig Umschau.

Wirklich befanden sich nur die beiden Männer an Bord, wenn nicht noch einer unten im Raum war. Wir konnten beginnen.

„Vorwärts, Kaladi!"

Wie ein Schatten glitt der Singhalese dahin, unhörbar für jeden anderen außer mir. In der nächsten Minute tauchte er hinter den beiden Räubern auf, faßte den einen beim Genick und stieß ihm den Kris so tief zwischen die Schultern, daß der spitze Stahl das Herz durchbohrte. Der Getroffene brach mit einem Seufzer zusammen.

Der andere wand sich unter meiner Faust. Ich hatte guten Grund, ihn nicht zu töten.

„Fesseln!" befahl ich Kaladi.

Der Singhalese hielt schnelle Umschau und brachte im Augenblick das Passende herbei, den Gefangenen zu binden. Ich hielt ihm das Messer auf die Brust.

„Verstehst du das hiesige Malaiisch, Kaladi?"

„Ein wenig, Sahib."

„Frag ihn, ob jemand unter Deck ist!"

„Nein", antwortete der Gefangene.

„Wie viele Männer sind am Land?" – „Dreiundzwanzig."

„Gut. Schaff ihn zum Mast und bind ihn dort fest!"

Ich ging zum Flaggenkasten, zog eine gelbe Laterne hervor, umhüllte sie von drei Seiten, brannte die Lampe an und hißte sie dann am Flaggenstock empor.

Das Zeichen wurde bemerkt, und die Jacht kam heran, um sich Seite an Seite mit dem Haiang-dze zu legen.

„All right?" fragte Raffley herüber.

„Alles wohl, Sir. Kommt herauf und laßt die Jacht abstoßen, damit sie nicht vorzeitig bemerkt wird."

Ich vernahm die Befehle Raffleys. Er ließ nur zwei Mann auf der Jacht, die von dem Chinesen abstieß und sich in das nächtliche Dunkel zurückzog. Wir waren allerdings nur sechs Mann, während der Feind dreiundzwanzig zählte, doch schien uns allen der Gedanke, daß wir überwältigt werden könnten, eine Unmöglichkeit.

„Wo ist Molama? Darf ich sie jetzt suchen?" fragte Kaladi.

„Bleib!" gebot ihm der Engländer. „Dort stößt das erste Boot vom

Land; wir brauchen alle Hände an Deck. Schafft Stricke genug herbei, zu fesseln, was nicht stirbt!"

Das Boot, das Raffley meinte, war mit Frauen und Mädchen beladen und wurde von sechs Matrosen gerudert. Es kam näher und rief das Schiff an. Kaladi antwortete kurz, und das Fallreep wurde niedergelassen. Während ein Mann zur Sicherheit im Kahn blieb, stiegen die anderen fünf nach oben. Ihr Erstaunen und die Schnelligkeit unserer Bewegungen ermöglichten es, ihrer Herr zu werden, ohne daß sie Lärm machen konnten. Einen Augenblick, nachdem sie das Deck betreten hatten, lagen fünf Leichen an Bord.

Kaladi stieg, ohne einen Befehl dazu erhalten zu haben, in das Boot hinab, um sich auch des sechsten zu versichern. Es gelang, und nun wurden die Frauen an Deck befördert. Ihr Klagegeschrei war gräßlich, doch wurden sie durch die ernste Stimme Raffleys bald zur Ruhe gebracht, ohne daß sie seine Worte verstanden.

Die Besatzung des zweiten Kahns, der sich jetzt dem Schiff näherte, hatte das gleiche Schicksal, nur mit dem Unterschied, daß wir jetzt die Malaien nicht töteten sondern fesselten. Wir konnten das, da das dritte und letzte Boot noch zu fern war, als daß seine Insassen das Getümmel des Kampfs hätten bemerken können. Die zwei Boote wurden, um unten freien Raum zu bekommen, an die andere Seite des Schiffs gelegt.

Endlich nahte das dritte; es mußte den Anführer enthalten. Er kam als der erste zum Fallreep herauf und war eine herkulische Gestalt, die bis unter die Zähne in Waffen steckte. Es wurde mit ihm ebensowenig Federlesens gemacht wie mit den anderen: Raffley legte ihm die beiden Hände um den Hals und Kaladi wand ihm die Stricke um Arme und Beine. Den anderen ging es ebenso; dann waren wir vollständig Herrn des Schiffs.

„Laternen an!" gebot Raffley, und bald wurde es hell auf Deck.

Die Gefangenen wurden im Vorderraum untergebracht; dann ging es an eine Untersuchung der Dschonke. Sie enthielt eine reichliche und jedenfalls zusammengeraubte Ladung von Zimt, Reis, Tabak, Kaffee, Ebenholz und – Frauen. Unter diesen befanden sich die in Point de Galle Vermißten; auch Molama, die „Blume des Lebens", war dabei. Die Freude des Wiedersehens zwischen ihr und Kaladi läßt sich nicht beschreiben, und ebenso unbeschreiblich klangen die Ausdrücke, in denen sie den großen Maharadschas aus Anglistan und Germanistan ihren Dank ausdrückte.

Die heute nacht überfallenen und nach dem Schiff geführten Weiber merkten bald, woran sie waren, und ihr früheres Verzweiflungsgeheul verwandelte sich in ein helles Jubelgeschrei. Sie erzählten uns das Ereignis. Die Männer waren bei dem Überfall einfach davongelaufen. Die Räuber aber hatten die Frauen, so vieler sie habhaft wurden, zusammengebunden und mitgenommen, nachdem die einfachen Hütten des Orts in Brand gesteckt worden waren.

Raffley machte den ohrenzerreißenden Freudenbezeugungen ein schnelles Ende. Nachdem wir die Fesseln der Frauen zerschnitten hatten, gebot er ihnen, an Land zurückzukehren. Sie gehorchten diesem Befehl schleunigst, denn auf diese Weise kamen die drei Boote des Chinesen in ihren Besitz, und diese Fahrzeuge waren ihnen jedenfalls mehr wert als die sämtlichen Schilf- und Basthütten ihres niedergebrannten Dorfs.

Als der Morgen anbrach, war alle notwendige Arbeit vollbracht, und wir gingen in die Kajüte des gefangenen Kapitäns. Der erste Gegenstand, der uns hier in die Augen fiel, war Raffleys Schirm, nach dem sein Besitzer, überhäuft von Beschäftigung, Molama gar nicht gefragt hatte.

„O wonderful, meine Chair-and-umbrella-pipe!" rief der Engländer, indem er wie ein Stößer auf das Prachtstück zufuhr, um zu prüfen, ob es keinen Schaden genommen hätte. Dann blickte er mir über den Klemmer hinweg in die Augen und erhob die drei Finger der Rechten.

„Charley!" – „Sir John Raffley!"

„Ich schwöre bei allen chinesischen Banditen und Seeräubern, daß ich diese prachtvolle Umbrella-pipe nicht wieder aus den Augen lasse, bis ich zurückgekehrt bin zum Traveller-Club, London, Near-Street 47!"

Ich nahm die ernsthafteste Miene an, die mir möglich war.

„Und ich verspreche, Euch beizustehen Tag und Nacht in der Bewachung dieser kostbaren pipe, die ihresgleichen sucht, soweit die Erde reicht und die Wolken gehen!"

4. Das Gespenst auf der Piratendschonke

Die Kajüte des Piratenkapitäns war mit orientalischer Pracht eingerichtet, doch wandte sich unsere Neugier besonders einem aus blankem Kupferblech gefertigten Kästchen zu, das wir mit dem Dolch aufsprengten. Es enthielt außer einer bedeutenden Summe an Geld eine Menge Perlen, jedenfalls die auf der Insel Karetiwu gestohlenen.

Jetzt wurden die Gefangenen nach dem Schiffsraum gebracht. Die Dschonke zog einiges Segelwerk auf und wurde von der Jacht ins Schlepptau genommen; dann steuerten wir West bei Süd, umschifften Hambontotte, Tangalle und Kap Thunder-Head mit seinen berühmten Tempelruinen zum zweitenmal und langten nachmittags in Point de Galle an, wo unser Erscheinen das größte Aufsehen erregte. Es war ja beispiellos, daß sich ein kleiner Privatdampfer an den berüchtigten Kidnapper gemacht und ihn gekapert hatte, ohne nur einen Schuß zu tun.

Der Mudellier war soeben erst von der Elefantenjagd zurückgekehrt. Er konnte vor Erstaunen über unsere Erlebnisse keine Worte finden und mußte sich die Vorwürfe gefallen lassen, die Raffley ihm nicht zurückhielt darüber, daß sein treuer Kaladi dieses Räubers wegen beinahe ersäuft worden wäre. Der Engländer überantwortete ihm die Gefangenen zur Bestrafung und das Schiff zur Bewahrung, bis der Statthalter selber es besichtigen und seinen Spruch über das Recht des Besitzers fällen würde.

Es verstand sich von selbst, daß die Besatzung des Haiang-dze aufs strengste bestraft werden mußte; aber die Frage war, nach welchem Recht das zu geschehen hatte. Auf Ceylon ist nämlich im allgemeinen das für Europäer und Eingeborene herrschende Recht das altholländische, doch ist für die Tamulen ein eigenes Gesetzbuch vorhanden, das Thesawalamy heißt, und für Kandy gilt außerdem noch ein besonderes, örtliches Recht. Nach englischem Recht wird nur bei Schiffahrts- und Handelsfragen geurteilt. Waren die Kidnapper nun nach englischem oder altholländischem Gesetz zu verurteilen? Diese Frage war für die Beamten, aber nicht für Raffley oder mich wichtig; wir bekümmerten uns nicht darum. Der Mudellier konnte keine Entscheidung treffen; er mußte die Ankunft des Statthalters abwarten und bis dahin Sorge tragen, daß die Gefangenen nicht entfliehen konnten. Er glaubte, es sei am besten, sie auf der Dschonke zu lassen und dort zu bewachen. Raffley hatte eigentlich nichts dabei zu sagen, nahm es aber als selbstverständlich hin, daß der Beamte sich an ihn gewendet hatte. Er drehte sich zu mir herum.

„Charley!" – „Sir!"

„Was meint Ihr dazu?" – „Nichts."

„Hm! Ihr müßt aber doch eine Ansicht haben."

„Dann müßte ich die hiesigen Gefängnisse kennen."

„Die werden nicht viel taugen."

„Dann ist es allerdings geraten, die Kerle auf dem Schiff zu lassen, natürlich unter der aufmerksamsten Bewachung."

„Well, denk's auch. Das ist also entschieden, und dabei mag's bleiben."

Der Mudellier stand auf, machte eine Verbeugung, lud uns für den Abend zu sich ein und ging. Der Engländer zog eins seiner spöttischen Gesichter.

„Was sagt Ihr zu diesem Mann, Charley?"

„Er hält Euch für einen bedeutenderen Kerl, als er selber ist."

„Das will ich ihm auch geraten haben! Oder seid Ihr etwa einer anderen Ansicht?"

„Ich denke über Euch geradeso, wie Ihr von mir denkt."

„Gut gesagt, sehr gut. Hoffentlich redet Ihr ebenso klug, wenn Ihr gehört habt, was ich Euch jetzt vorzuschlagen habe."

„So laßt mich's hören, Sir!"

„Ihr wollt von hier aus nach Suez und nach Haus?"

„Nein, sondern nach Bombay."

„Daraus wird nichts." – „Ah?"

„Ich komme von dort und will nicht so schnell wieder hin. Was habt Ihr denn dort ohne mich zu suchen?"

„Das, was ich überall zu suchen habe."

„Richtig! Es kann Euch also gleich sein, ob Ihr Bombay seht oder nicht."

„Mein Reiseplan weist mich hin."

„Reiseplan! Überhaupt Plan! Welcher gescheite Kerl wird Pläne machen? Nehmt doch die Feste, wie sie fallen! Ihr seid ein eigentümlicher Gefährte, wie mir noch keiner vorgekommen ist. Ihr steckt voller Mucken wie ein Sieb voller Löcher, und doch muß man Euch gut sein, man mag wollen oder nicht. Ich laß Euch noch nicht fort von mir."

„Glaubt Ihr, mich halten zu können?"

„Yes." – „Womit?"

„Hm! Wollen wir wetten?" – „Nein; ich wette nicht."

„Unsinn! Wartet doch erst ab, bis ich Euch gesagt habe, welche Wette ich meine! Ich setze hundert Pfund darauf, daß Ihr bei mir bleibt. Nun sagt einmal, was Ihr dagegensetzen wollt!"

„Nichts."

„Schandbarer Mensch! Diese Wette hätte ich sicher gewonnen! Wollt Ihr mit, Charley?"

„Wohin?"

Er senkte schnell den Kopf, so daß ihm der Klemmer vor auf die Nasenspitze rutschte, sah mir über die Gläser hinweg mit einem verlockenden Blick ins Gesicht und sprach nur das eine Wort, aber mit schwerer Betonung aus: „Jabadiu!"

Dieses Wort verfehlte den beabsichtigten Eindruck nicht auf mich; aber ich ließ ihn das nicht merken und fragte in gleichgültigem Ton:

„Was ist's damit?"

„Was es damit ist? Welche Frage! Wißt Ihr denn nicht, was Jabadiu bedeutet?"

„Es ist der alte Name für Java. Zu Ptolemäus' Zeiten ungefähr wurde die Insel so genannt."

„Richtig! Also Java! Nun, was meint Ihr dazu?"

„Wollt Ihr hin, Sir?"

„Ob ich will? Wüßte nicht, wer es mir verbieten könnte! Gibt es vielleicht einen Menschen, der das Recht hätte, es Euch zu untersagen?"

„Nein."

„Also abgemacht! Wir dampfen nach Java!"

„Sachte, Sir John! Die Fahrt nach Java würde mich für diesmal zu weit von der Heimat entfernen."

„Auf diesen Gedanken braucht Ihr nicht stolz zu sein, Charley. Es führen alle Wege nach Rom, und es kann Euch sehr gleichgültig sein, ob Ihr von Westen oder von Osten über Amerika oder über Afrika in Euer heimatliches Nest zurückkehrt. Ich wundere mich sehr über Euch, daß – – –"

Er wurde unterbrochen. Draußen war jetzt Musik und Gesang zu hören und einer der Oberbediensteten des Hotels trat ein und bat uns, in die Veranda zu treten, weil man uns beide zu sehen wünsche.

„Wer will uns sehen?" fragte der Englishman verwundert.

„Die Volksmenge, die Euch ehren und Euch danken will."

„Wofür?"

„Die Jungfrauen, die Ihr errettet habt, werden festlich durch die Stadt geführt. Dann sollen die Mädchen, die während der Elefantenjagd geraubt worden sind, von dem Boten, den der Mudellier nach Kolombo zum Statthalter sendet, dorthin begleitet werden."

Raffley zog eins seiner sonderbaren Gesichter, ließ den Klemmer auf die Nasenspitze rutschen und fragte:

„Sollen wir etwa auch mit festlich durch die Stadt laufen, he?"

„Ew. Lordschaft, wer sollte daran denken!"

Mit diesen Worten fuhr der erschrockene Mann zur Tür hinaus. Raffley nickte mir lachend zu.

„Well, so wollen wir uns angucken lassen! Vorher aber sage ich Euch, daß ich wegen Java auf Eure Begleitung rechne. Drei Tage brauche ich zur Vorbereitung für diese Reise; so lang geb ich Euch Zeit, darüber nachzusinnen, ob Ihr wollt oder nicht. Aber weh Euch, wenn Ihr dann nicht mitkommen wollt!"

Draußen standen beim Schein vieler Fackeln an der Spitze des Festzugs die mit Blumen reich geschmückten Jungfrauen. Als man uns erblickte, erbrausten Rufe aus hundert und aber hundert Kehlen, und die Musikanten stimmten ein. Das ging ohne Unterbrechung mehrere Minuten fort und hörte nicht eher auf, als bis wir ins Zimmer zurückgetreten waren.

Kurz darauf folgten wir der Einladung des Mudelliers. Dort erfuhren wir, daß ein Leutnant von den Eingeborenen mit zehn Mann auf die Dschonke beordert worden war, die Gefangenen zu bewachen. Ich fragte, ob diese elf Mann genügend seien, beruhigte mich aber auf die Bemerkung des Mudelliers, daß nicht mehr Wächter gebraucht würden, weil die Gefangenen alle gefesselt und außerdem noch angebunden seien.

Da wir die vorige Nacht durchwacht hatten, blieben wir nur so lange bei dem Beamten, wie der Anstand erforderte, und legten uns dann gleich nieder. Dieses Schlafbedürfnis hatte zur Folge, daß wir am nächsten Morgen nicht eher aufwachten, bis wir geweckt wurden. Der Mudellier wollte wieder mit uns sprechen. Das mußte etwas Wichtiges sein. Wenn ich bedachte, wie unnahbar sonst ein solcher Gebieter zu sein pflegt, konnte ich mir Glück zu meiner Bekanntschaft mit Raffley wünschen, denn nur dessen Verwandtschaft mit dem Generalstatthalter war das entgegenkommende Verhalten des Mudelliers zu verdanken.

Er sah ernst und feierlich aus, als er in Raffleys Zimmer trat, in das ich mich schnell begeben hatte, und sonderbar klang die einleitende Frage, die er an den Englishman richtete, sobald er uns begrüßt und sich niedergesetzt hatte.

„Sir, wo leben die Geister?"

Raffley machte vor Erstaunen ein so langes Gesicht, daß der Klemmer in die bekannte Bewegung kam, sah den Frager eine Weile wortlos an und schüttelte den Kopf.

„Die Geister – – –? Hm! Die Geister – – –?"

„Ja, die Geister!" nickte der Mudellier.

„Was für welche? Es gibt verschiedene Geister."

„Verschiedene?"

„Ja, zum Beispiel Lebensgeister, Weingeister, Quälgeister und so weiter."

„Sir, ich scherze nicht. Ich meine die richtigen Geister."

„Die richtigen? Hm! Etwa Gespenster?"

„Das ist wohl gleich, Geist oder Gespenst."

Da nahm Raffleys Gesicht einen spöttischen Ausdruck an. Er schob den Klemmer wieder dahin, wohin er gehörte und lachte:

„Das ist nicht gleich. Der Mensch kann seinen Geist aufgeben; aber sein Gespenst aufgeben, das kann er nicht. Hat es vielleicht in der vergangenen Nacht ein Gespenst gegeben?"

„Ja." – „Wo?"

„Auf der Dschonke."

„Das glaubt Ihr, Sir?"

„Ja, ich glaube es."

„Ich nicht. Gespenster gibt es überhaupt nicht, und wenn einer Eurer Soldaten ein solches Ding gesehen haben will, so wette ich um fünftausend Pfund Sterling, daß dieses Gespenst Fleisch und Blut besitzt und irgendeine Teufelei bezweckt. Es hat sich doch nicht etwa um die Befreiung der Gefangenen gehandelt?"

„Nein."

„Nicht? Es kann aber doch nur einer der Gefangenen gewesen sein, denn außer ihnen und den Soldaten befindet sich kein Mensch an Bord."

„Es war keiner von ihnen; sie sind alle so gefesselt, daß keiner los kann; es war ein anderes Wesen; es war ein Geist."

Er sagte das in so überzeugtem Ton, daß Raffley abermals den Kopf schüttelte und sich zu mir wendete: „Charley!"

„Sir!" – „Gibt es Geister?"

„Ja." – „Gespenster?"

„Nein. Wer ist es, der heute nacht eins gesehen haben will?"

„Der Wächter", antwortete der Mudellier.

„Einer oder einige von ihnen?"

„Alle. Der Leutnant hat mir's vorhin gemeldet; ich habe ihn mitgebracht. Er wartet draußen, und wenn es euch beliebt, mag er's erzählen."

Ich stand auf und holte den Mann herein. Er sah nicht wie ein Hasenfuß aus, doch Leute seiner Abstammung sind von Haus aus dem krassesten Aberglauben ergeben. Er mußte erzählen.

Mitternacht ist bekanntlich in allen Erdteilen und bei allen Völkern die Stunde der Geister; und um Mitternacht war es auch gewesen, als sich auf der Dschonke plötzlich ein großer Wind erhoben hatte und der Geist erschienen war.

„Wo kam er her?" fragte ich. – „Das sah man nicht; er war da."

„Wie lange sah man ihn?" – „Nur wenige Minuten."

„Wo ging er hin?"

„Das konnte man nicht beobachten; er war fort."

„Wie sah er aus?"

„Schrecklich! Unsere Herzen bebten."

„Schrecklich! Wie meinst du das? Beschreib ihn ausführlicher."

„Das kann ich nicht. Wer kann Geister beschreiben?"

„Sah er aus wie ein Tier?" – „Nein."

„Wie ein Mensch?" – „Nein."

„Welchem Wesen sah er ähnlich?" – „Keinem."

Das war die ganze Auskunft, die ich erhielt; mehr konnte ich nicht erfahren. Vorsichtigerweise erkundigte ich mich noch:

„Fehlt heute ein Gefangener?"

„Nein."

„Es ist auch keiner los gewesen und später von euch wieder angebunden worden?"

„Nein, Sir."

Ich sah Raffley an und er mich; dann brachen wir in ein lautes Lachen aus.

„Lacht nicht, Mylords!" warnte der Mudellier ängstlich. „Die Geister rächen jeden Scherz, den man mit ihnen treibt."

„Die Art von Geistern, um die sich's handelt, rächen sich nicht, sondern sind froh, wenn man ihnen nichts tut", antwortete Raffley. „Eigentlich geht uns dieser Spuk nichts an; aber da wir es sind, die das Schiff genommen haben, dürfen wir wohl einmal nachschauen, von welcher Art seine überirdischen Bewohner sind. Charley, geht Ihr mit?"

„Ja", erwiderte ich.

„Habt Ihr eine Ahnung, wer der Geist ist?"

„Jetzt noch nicht."

„Wollen wir wetten?" – „Nein."

„Aber Ihr könnt gewinnen. Ich setze – – –"

„Setzt nichts, Sir!" unterbrach ich ihn; „ich wette doch nicht mit."

„Ja, es ist ein Elend mit Euch. Ihr seid wirklich zu keinem Einsatz zu bewegen, nicht einmal dann, wenn sich's um Geister handelt."

Es wurde erst gefrühstückt, und dann begaben wir uns nach dem Hafen und auf die Dschonke. Die gestrige Wachtmannschaft war noch nicht abgelöst worden. Wir fanden also die Soldaten vor, die den „Geist", gesehen hatten. Leider war von ihnen auch nicht mehr zu erfahren, als was wir schon wußten. Wir merkten nur so viel, daß sie den Spuk mehr gehört als gesehen hatten.

Wir stiegen in den Raum hinab, um die Gefangenen in Augenschein zu nehmen. Ihre Fesseln waren in Ordnung; es konnte keiner loskommen, der nicht von den Wächtern losgebunden wurde, und daß so etwas nicht geschehen war, konnte keinem Zweifel unterliegen. Als wir die Dschonke wieder verließen, waren wir geradeso klug wie vorher. Wer weiß, durch was sich diese abergläubischen Singhalesen die Köpfe hatten verdrehen lassen.

Aber am nächsten Morgen ließ der Mudellier uns wieder zu sich bitten, um uns mitzuteilen, daß der Geist abermals um Mitternacht erschienen sei. Es war ihm wieder von dem Offizier der Wache gemeldet worden, und der Mann stand noch da, um uns Auskunft zu erteilen. Der Vorgang war genauso wie gestern verlaufen. Erst hatte sich ein Wind erhoben, und dann war der Geist erschienen, dessen Gestalt aber nicht zu erkennen gewesen war, also auch nicht beschrieben werden konnte.

„War es denn wirklich ein Wind?" fragte ich.

„Oh, ein sehr plötzlicher", antwortete der Leutnant.

„Habt ihr ihn gefühlt?" – „Sehr."

„Woher kam der Geist?" – „Das weiß ich nicht; er war da."

„Und wohin ging er?"

„Das kann ich nicht sagen; er war fort."

„Saht ihr denn, daß er sich bewegte?"

„Ja."

„So müßt ihr doch auch wissen, an welcher Stelle oder an welchen Stellen des Schiffs er sich befunden hat."

„Er kam bis zum Mittelmast."

„Aus welcher Richtung?"

„Das habe ich nicht beobachtet."

„Ihr habt die Augen nicht offen gehabt, oder die Angst hat sie euch verdunkelt. Wir werden mit dir gehen, um diese Gespenstergeschichte noch einmal zu untersuchen."

Wir taten es, aber die Untersuchung führte zu keinem Ergebnis. Wir fanden alles genauso wie gestern. Am Mittelmast, bis wohin der „Geist" gekommen sein sollte, standen mehrere Körbe mit Melonen und anderen Früchten, die bestimmt gewesen waren, von den Kidnappern gegessen zu werden. Ich betrachtete diese Körbe und fand keinen Grund, sie mit dem Spuk in Beziehung zu bringen. Ich ärgerte mich, nicht etwa über das Gespenst oder über die Dummheit der Singhalesen, sondern über mich selbst. Was für schwierige Fragen hatte ich schon beantwortet, welche Spuren verfolgt! Und hier wollte mir kein Gedanke kommen. O Kara Ben Nemsi, o Old Shatterhand, wo ist dein Scharfsinn geblieben?

Als wir uns von dem Mudellier getrennt hatten und wieder allein beisammen saßen, sah Raffley mich pfiffig lächelnd an:

„Charley, ich bemitleide Euch."

„Warum?"

„Das Gespenst ist vom Schiff fort und geht nun in Euerm Kopf um. Ich denke, Ihr werdet bald den großen, plötzlichen Wind verspüren."

„Spottet immer! Es ist wirklich ärgerlich, einer solchen Albernheit nicht auf die Spur kommen zu können."

„Nicht? Hm! Wirklich nicht?"

„Na, habt Ihr vielleicht einen Gedanken, Sir?"

„Yes, und was für einen!"

„Nun, welchen?"

„Das Gespenst erscheint vom Land her."

„Und ich behaupte, daß es sich im Innern der Dschonke befindet."

„Unsinn! Wollen wir wetten?"

„Nein."

„Ich setze hundert Guineen, daß ich recht habe. Man will die Chinesen befreien, und man spielt zu diesem Zweck Gespenst, um den Wächtern Furcht einzujagen. Meint Ihr nicht auch?"

„Nein."

„So setzt zehn Goldstücke gegen meine hundert!"

„Ich habe keine Goldstücke zum Wetten."

„Ich borge sie Euch!"

„Danke. Das Gespenst ist nicht wert, daß man seinetwegen auch nur einen Schilling wagt. Heute abend wird es gefangen?"

„Wa – was?" fuhr der Englishman auf. „Wer will es fangen?"

„Ich."

„Ihr wollt auf die Dschonke?"

„Ja."

„Doch nicht allein?" – „Wollt Ihr mit, Sir?"

„Mit geküßten Fingerspitzen! Ein Gespenst fangen! Charley, Ihr seid wirklich kein unebener Kerl. Ich wollte, Ihr wäret auf Raffley-Castle geboren!"

„Als Euer ältester Bruder? Wie stände es da mit Euerm Titel und Erbe?"

„Ich brauche beides nicht. Ich lebte von der Gespensterjagd."

„Das läßt sich hören. Es soll zuweilen sehr fette und sehr nahrhafte Gespenster geben. Bin neugierig, wie schwer das heutige wiegen wird."

„Wind – Luft – – kein Gewicht!"

„Wind? Nicht die Spur davon, Sir. Der Wind besteht nur in der Einbildung dieser furchtsamen Singhalesen. Dieses Gespenst ist entweder irgendein Tier oder ein – – –"

„Oder", fiel er mir in die Rede, „oder ein Mensch, der die Wächter ins Bockshorn jagen und dann die Dschonke besteigen will, um die Chinesen zu befreien."

„Das glaube ich nicht. Der, der die Rolle des Gespensts spielt, befindet sich an Bord."

„Beweis!"

„Den Beweis werde ich heute abend liefern. Der Spuk ist am Mittelmast gesehen worden. Wäre er von außen an Bord gestiegen, würde er sich nicht damit begnügen, nur bis an diese Stelle zu gehen."

„Das ist allerdings wahr. Aber, Charley, da kommt mir ein Gedanke. Vielleicht ist die ganze Geschichte nur ein dummer Scherz."

„Wieso?"

„Es hat sich unter den Soldaten ein Witzbold befunden, der die anderen fürchten macht."

„Zwei Abende hintereinander?" – „Ja."

„Es ist keiner zweimal auf Wache gewesen."

„So sind zwei Witzlinge da."

„Schwerlich! Diese Singhalesen haben eine Heidenangst vor ihren Vorgesetzten und sind außerdem von Natur nicht zu solchen Schusterjungenstreichen angelegt. Das Gespenst ist kein Witz, und darum werden auch wir Ernst mit ihm machen."

„Sagen wir dem Mudellier davon?"

„Ja. Ohne seine Erlaubnis dürfen wir nicht auf die Dschonke."

„Pshaw! Wenn es mir gefällt, gehe ich auch ohne sie an Bord. Doch, wie Ihr wollt, Charley. Nehmen wir Waffen mit?"

„Ist nicht der Rede wert."

„Höchstens einen tüchtigen Prügel?"

„Mit den Fäusten hat man's bequemer."

„Well! Der Kerl kann sich beglückwünschen, wenn er zwischen die meinigen kommt. Wenn er's da nicht fertig bringt, sofort zu verschwinden, bearbeite ich ihn so lange, bis er nicht den Geist, sondern als Geist den Körper aufgibt."

Als wir dem Mudellier gelegentlich unsere Absicht meldeten, war er zwar damit einverstanden, hielt es aber doch für seine Pflicht, uns vor dieser Verwegenheit zu warnen. Er war überzeugt, daß es sich um ein überirdisches Wesen handelte.

„Es wurde mir vorhin gemeldet", sagte er, „daß sich die Mannschaf-

ten, die für heute abend auf die Dschonke bestimmt sind, weigern wollten, sie zu betreten. Wenn sie hören, daß ihr auch hinkommt, werden sie
leichter gehorchen. Aber hütet euch, den Geist anzurufen oder ihn anzufassen! Begnügt euch lieber damit zu beobachten, woher er kommt und
wohin er geht!"

„Dann fliegen wir ihm nach!" sagte Raffley spöttisch.

„Spottet nicht, Mylord! Es gibt gute Geister und böse Geister; dieser
scheint ein böser zu sein, weil er sich eines so schlimmen Fahrzeugs bemächtigt hat."

„Dann sind wir beide hier ebenso böse Geister, weil wir die Dschonke
erobert haben. Wollen sehen, wer sie nächste Mitternacht räumen wird,
er oder wir."

Es war abends elf Uhr, als wir an Bord stiegen. Wir hatten keine
Waffen mitnehmen wollen, aber doch die Revolver zu uns gesteckt,
weniger des Gespensts wegen, als weil man dort gewohnt ist, nie unbewaff-
net auszugehen. Die Soldaten saßen auf dem Achterdeck eng beisammen
wie Schafe, die sich vor dem Angriff eines Raubtiers fürchten, der Leutnant in ihrer Mitte; so war er sicher, von dem Geist wenigstens nicht zu
allererst aufgefressen zu werden. Ich fragte ihn, ob er etwas Ungewöhnliches zu melden habe, und bekam eine verneinende Antwort. Schon
zuckten mir die Lippen, den Leuten ihre Angst vorzuwerfen, doch drängte
ich die Worte zurück; was konnten mir diese Feiglinge nützen?

Nun fragte es sich, wo wir uns aufstellen sollten. Raffley war noch
immer der Ansicht, daß der Spuk von außen, also an der Ankerkette
heraufkäme, und setzte sich dort nieder. Ich hingegen wollte meine Aufmerksamkeit auf drei Punkte zugleich richten, nämlich auf die Vor-
und die Hinterluke und auf den Mittelmast, bis zu dem das Gespenst
gestern gekommen war. Meiner Ansicht nach mußte der Geist aus einer
der beiden Luken erscheinen; leider konnte ich nicht wissen, aus welcher.
Darum kauerte ich mich mittschiffs an der Reling nieder, wo ich nach
beiden Luken zugleich blicken konnte, wenn sie auch nicht so deutlich
zu erkennen waren, wie ich gewünscht hätte.

Die Nacht war ziemlich hell. Zwar schien der Mond nicht, und am
Himmel standen Wolken; zwischen diesen aber leuchtete hier und da ein
Stern hindurch, so daß man von einem Ende des Schiffs aus das andere
mit dem Blick erreichen konnte. Die Luft „stand", wie der Seemann
sich auszudrücken pflegt; es war kein Hauch zu spüren; folglich mußte
der Gespensterwind, wenn er plötzlich zu wehen begann, um so besser
und leichter bemerkt werden. Ich freute mich darauf, und wenn ich eine
Sorge hatte, so war es nur die, daß es dem Geist heute in den Sinn kommen könne, nicht zu erscheinen.

Da schlug es, ich weiß nicht ob auf der holländischen oder wesleyani-
schen Kirche, zwölf – die Geisterstunde war da, und ich lauschte ange-
strengter als bisher. Fünf Minuten vergingen, noch fünf! Sollte er nicht
kommen wollen? Geister pflegen alles zu wissen, und so konnte der
unserige nicht darüber im Zweifel sein, was ihn heute erwartete. Wer
läßt sich gern erwischen? Selbst Gespenster nicht!

Jetzt endlich gab es an der Vorderluke ein Geräusch, einen Knall. Ich blickte scharf hin und sah die Gestalt, die sich dort aufrichtete. Mit raschen weiten Sätzen sprang ich hin, warf mich auf den Kerl, riß ihn nieder und hielt ihn fest. Das war so schnell geschehen, daß ich nicht Zeit gefunden hatte, den „Geist" genau zu betrachten.

„Da hab ich dich; du bist zum letztenmal hier erschienen!" zürnte ich ihn an, indem ich ihm die Arme fest zusammenpreßte und das Knie auf den Rücken setzte, mit dem er nach oben lag. „Wo bleibt der Wind, mit dem du stets zu kommen pflegst?"

Da stöhnte das überirdische Wesen unter mir in sehr irdischem Ton: „Heigh-ho! Seid Ihr des Teufels, Charley? Gebt mir Luft, sonst erstick ich!"

Alle Wetter, das war ja mein Englishman! Ich ließ ihn los und sah ihn nun erst an. Ja, er wars wirklich! Er stand auf und holte tief Atem.

„Wo habt Ihr denn Eure Augen, daß Ihr Sir John Raffley für ein Gespenst haltet!"

„Ich hielt Euch wirklich für den Spuk, und da mußte es so schnell gehen, daß ich mich nicht erst lange herstellen konnte, um Euch mit Hilfe eines Hydrooxygengas-Mikroskops zu betrachten. Ich wußte Euch doch am Buganker. Was hattet Ihr denn hier zu suchen?"

„Es kam mir doch ein Zweifel, ob mein Platz dort der richtige sei. Da schlich ich her, um einmal hier hinabzulauschen. Dabei stützte ich mich auf den angelehnten Deckel und warf ihn um. Einige Augenblicke später lag ich geradeso da wie der Deckel, und mein Rückgrat krachte unter Euerm Knie wie ein Holzlast, der zerbrochen werden soll. Liebster Charley, der Teufel mag Euch holen! Ihr habt mir ein halbes Dutzend Wirbel zuschanden gedrückt!"

„Also der umstürzende Deckel, das war der Knall, den ich hörte! Ihr seid selber schuld an der Verwechslung. Wärt Ihr vorn am Bug geblieben! Von dort mittschiffs her konnte ich unmöglich sehen, wer es war."

„Aber nach meinem Geburts- und Taufzeugnis konntet Ihr mich fragen, bevor Ihr Euch auf mich setztet wie ein Chimborasso auf einen Bisammuff! Alle meine Glieder sind mir ausgerenkt, und ich habe – – –"

Er hielt inne und lauschte. Von der anderen Luke her ertönte ein lautes, brummendes Pfeifen, geradeso, wie wenn ein starfer Wind um eine scharfe Ecke streicht; eine Luftbewegung aber war nicht zu bemerken. Bei der Furchtsamkeit der Singhalesen jedoch konnte es nicht groß wundernehmen, wenn sie bei diesem plötzlichen, mitternächtlichen Pfeifen auch den Wind zu spüren meinten. Schon duckte ich mich nieder, um leise hinzuschleichen, da aber schrie Raffley unvorsichtigerweise mit so lauter Stimme, daß es übers ganze Deck schallte:

„Das ist das Gespenst; das ist der Halunke! Schnell, Charley, drauf, schnell drauf!"

Er rannte fort, stürzte aber schon nach wenigen Sprüngen über ein zusammengerolltes Tau, das ihm im Weg lag, ohne daß er es beachtet hatte. Das mußte natürlich auch den zahmsten Geist verscheuchen. Ich war gezwungen, das Schleichen aufzugeben und sprang, obgleich ich in der Eile das Gespenst nicht sah, auf die Hinterluke zu. Wenn ich sie, aus der er jedenfalls gekommen war, besetzte, konnte er uns nicht entgehen. Ich erreichte sie und blieb stehen, um mich nach dem Spuk umzuschauen. Ich erblickte ihn; er rannte soeben am Mittelmast vorüber nach vorn, gerade auf die Stelle zu, wo Raffley gestürzt war und sich soeben wieder aufraffte. Da er am Boden gelegen hatte, war er von dem Geist bis jetzt nicht bemerkt worden. Da ich noch weit von Raffley entfernt stand, rief ich ihm zu:

„Greift schnell zu, Sir; er kommt!"

„Hab ihn schon!" antwortete der Englishman, indem er seine Arme nach dem Flüchtling ausstreckte. „All devils, haut der zu! Da geht er hin!"

Ich sah trotz des unzureichenden Sternenlichts, daß der Lord aus irgendeinem Grund – er hatte wohl einen Schlag erhalten, dachte ich – weit zurückprallte; der Geist eilte auf die Vorderluke zu, riß den zugefallenen Deckel auf und verschwand in der Öffnung, doch nicht ohne vorher in gebrochenem Holländisch auszurufen: „Fang doch schön, gut, tapfer Quimbo, wenn du kannst, fang tapfer Quimbo!"

Schön, gut, tapfer Quimbo! Ich stand starr! Befand ich mich denn auf der Burensiedlung des Mynheer Jan van Helmers in Südafrika oder auf einer chinesischen Dschonke im Hafen von Point de Galle? Das war nicht nur die Ausdrucksweise, sondern auch die Stimme meines braven Basuto-Kaffern gewesen; ich hatte sie erkannt trotz der Reihe von Jahren, die zwischen heute und damals lag, da er mir zum Abschied seine Schnupfdose schenkte, die jetzt daheim bei meinen sonstigen Seltenheiten und Reiseerinnerungen lag[1]. Ja, er war's unbedingt! Aber wie war er auf die Dschonke und in die Gesellschaft der See- und Mädchenräuber gekommen?

Mein Erstaunen war groß, aber es konnte mir doch nur für einen Augenblick die Bewegung rauben. Ich eilte nach vorn, wo der Lord stand, sein Gesicht mit beiden Händen bedeckend.

„Was steht Ihr so?" fragte ich ihn. „Was ist's mit Euerm Kopf, Sir?"

„Er brummt wie eine Pauke", entgegnete er. „Mir scheint, dieses verteufelte Gespenst hat sich vor Wut den Kopf abgerissen und mir gerade ins Gesicht geschleudert."

„Dann hätte es nicht mehr reden können. Ihr habt doch gehört, was es rief?"

„Gehört? Wie konnte ich etwas hören, wenn mir der Kopf kracht daß ich denke, er will zerplatzen?"

„Ihr habt heute Pech, Sir, großes Pech!"

„Das ist schon mehr als Pech, teurer Charley. Erst brecht Ihr mir den Körper und alle meine sonstigen Glieder in Stücke, und dann, da ich froh bin, daß wenigstens der Kopf ganz geblieben ist, wirft mir dieser Geist den seinigen an die Nase. War das ein Krach! Ich glaube, ich werde ihn ewig verspüren."

„Sein Kopf ist's nicht gewesen."

„Das weiß ich auch, ohne daß Ihr mir's zu versichern braucht. Diese vermeintlich abgeschiedene Seele war ein lebender Mensch. Er scheint

[1] Siehe Karl May, Bd. 23: „Auf fremden Pfaden"

sogar ein sehr kräftiger Mensch zu sein; wenigstens fühle ich den Beweis dafür in meinem Haupt, das in allen Tonarten brummt und summt. Was mag es nur sein, was er mir in der Hitze des Gefechts an den Kopf geschleudert hat? Mir scheint, es war entweder die östliche oder die westliche Halbkugel unserer lieben Mutter Erde, vielleicht auch die ganze Kugel auf einmal; die Empfindung, die ich habe, läßt das zweite vermuten."

„Wollen einmal suchen!"

Ich blickte umher und sah nicht weit von ihm einen kugelförmigen Gegenstand liegen; ich hob ihn auf und reichte ihn dem Englishman.

„Hier habt Ihr den Geisterkopf! Sagt selbst, ob es im jenseitigen Leben solche körperliche Köpfe geben kann!"

„Eine Melone, acht Pfund schwer wenigstens! Und so eine Frucht bekommt gerade um Mitternacht ein Lord von Alt-England an den Kopf geworfen! Wollen wir wetten, Charley?"

„Worüber?"

„Daß ich sie nachher dem Geist wieder an seinen Kopf werfe?"

„Ich wette nicht mit."

„Warum? Tut mir doch wenigstens jetzt einmal den Gefallen! Nicht?"

„Nein, denn Ihr würdet die Wette verlieren."

„Verlieren? Fällt mir nicht ein. Er bekommt diese Melone so sicher an den Kopf, wie – – –"

„Wie es noch sicherer ist, daß er sie nicht bekommt", fiel ich ihm in die Rede.

„Meint Ihr denn wirklich, daß ich auf diese süße Rache verzichten werde?"

„Ich bin überzeugt davon." – „Aus welchem Grund?"

„Weil ich weiß, daß Ihr den Kopf eines guten Freunds von mir nicht mit acht Pfund schweren Melonen beschießen werdet."

„Bin ich nicht auch ein guter Freund von Euch?"

„Allerdings."

„Hat er nicht trotzdem den meinigen beschossen?"

„Leider, doch ohne Euch zu kennen."

„Ich kenne ihn auch nicht. Aber sagt einmal, seit wann sind denn Eure guten Freunde in der Gespensterwelt zu suchen?"

„Seit heute. Doch ohne Scherz: dieses Gespenst ist wirklich ein Bekannter von mir."

„Was Ihr sagt!"

„Ein treuer Diener, ein Basuto-Kaffer, der mich monatelang auf einem Ritt durch das Burenland begleitet hat. Er heißt Quimbo und ist ein Kerl, über den Ihr Eure helle Freude haben werdet."

„Charley, Euer Wort in Ehren, aber wenn ich Euch nicht besser kennengelernt hätte, würde ich jetzt darauf schwören, daß Ihr flunkert. Dieser Mann muß doch schon mit den Kidnappern an Bord gewesen sein?"

„Allerdings."

„Und dennoch nennt Ihr ihn einen braven Kerl?"

„Das war er unbedingt."

„Kann es aber unmöglich mehr sein."

„Ist's doch! Mein Quimbo wird nie ein Verbrecher werden."

„Aber bedenkt, Charley, wie soll ein Kaffer aus dem Innern von Südafrika unter ostasiatische Seeräuber geraten?"

„Das werden wir von ihm erfahren. Übrigens gehören die Basuto eigentlich zur Familie der Betschuanen; da diese aber mit den Kaffern verwandt sind, bediene ich mich wie viele andere dieser Bezeichnung. Quimbo hat sich gut versteckt gehalten, wahrscheinlich ganz unten im Ballastraum, an den ich nicht gedacht habe, als wir heute und gestern das ganze Schiff nach dem Gespenst absuchten. Er hätte die Chinesen heimlich losbinden können; dann wären sie sicher ausgebrochen und entkommen. Daß er's nicht getan hat, ist ein Beweis, daß er sich nicht als den ihrigen betrachtet. Wir wollen hinab, um ihn zu suchen."

„Da brauchen wir Licht."

„Das finden wir in der Kapitänskajüte. Kommt!"

„Müssen wir nicht vorher mit diesen singhalesischen Gardegrenadieren sprechen und uns für den Mut bedanken, den sie entwickelt haben?"

„Ja, das wollen wir, damit sie dann wenigstens wissen, woran sie sind."

Diese tapferen Helden waren noch immer ängstlich zusammengedrängt da, wo sie vorher gesessen hatten. Als wir zu ihnen kamen, fragte der Leutnant: „Mylords, ist er fort, der Geist? Oh, das war schrecklich."

„Nein, er ist nicht fort", erklärte ich.

„Er ist aber doch nicht mehr zu sehen."

„Er befindet sich noch im Schiff; er ist hinunter in den Raum gestiegen."

„Nicht in der Luft davongeflogen? Noch immer da? Wie können wir da hier bleiben?"

„Ihr seid feige Memmen! Es war kein Gespenst, sondern ein armer Mensch, den die Kidnapper gezwungen haben, auf ihrem Schiff zu leben. Wir werden jetzt hinuntergehen und ihn heraufholen, um euch ihn zu zeigen. Dem Mudellier aber werde ich sagen, was für mutige Männer er auf diese Dschonke geschickt hat, um die gefangenen Räuber zu bewachen."

Er sank mit einem Seufzer wieder zusammen. Ob es ein Seufzer der Erleichterung oder der Angst vor dem Mudellier war, das konnte ich nicht sagen: jedenfalls aber hatte dieser hohe Beamte kein Recht, seine Untergebenen zu schelten, denn er war ebenso abergläubisch wie sie.

5. Ein unerwartetes Wiedersehn

Wir beide gingen nun zunächst in die Kapitänskajüte, wo wir Licht anbrannten. Dann stiegen wir in den Raum, der den Chinesen als Gefängnis diente. Wir untersuchten ihre Fesseln und hatten nichts daran auszusetzen. Dann forschten wir nach Quimbo, der in keiner Abteilung des eigentlichen Schiffsraums zu finden war. Hierauf ging es durch eine kleine Öffnung noch tiefer, dahin, wo der Ballast lag, der das Gleichgewicht des Schiffs herzustellen hatte. Schon an der auf dem Kielschwein errichteten Gebelung[1] erkannte ich, daß der Ballast aus Sand

[1] Ballastschott

bestand, dessen Übergehen sie verhindern sollte. Ich leuchtete mit dem Licht rundum – Quimbo war nicht zu sehen. Dafür aber sah ich etwas anderes, was auf seine Anwesenheit schließen ließ. Raffley aber schien das nicht zu bemerken, denn er sagte im Ton der Enttäuschung:

„Hier auch nichts! Wenn ich abergläubisch wäre, so würde ich jetzt sagen, daß wir's doch mit einem Gespenst und nicht mit einem Menschen zu tun haben. Euer sogenannter Quimbo ist spurlos verschwunden."

„Spurlos? Wirklich?"

„Yes. Wir haben oben alles durchsucht, ohne ihn zu finden, und hier ist er erst recht nicht."

„Da dürftet Ihr Euch irren."

„So? Wollen wir wetten?"

„Worüber?"

„Daß Euer berühmter Kaffer auch nicht hier in diesem Ballastraum ist."

„Nein! Ihr wißt, daß ich, wenn ich einmal die Spur eines Menschen habe, ihn auch gewiß finde."

„Ja, das weiß ich; aber wo ist diese Spur?"

„Hier im Sand. Er ist oben glatt, dort links aber, was seht Ihr dort?"

„Eine Erhöhung, weiter nichts."

„Weiter nichts? Ich denke, das ist genug!" – „Wieso?"

„Unter dieser Erhöhung steckt der, den wir suchen; er hat sich dort eingewühlt."

„Da müßte er ersticken."

„Nein. Bemerkt Ihr, daß die Erhöhung hinten eine Vertiefung, ein Loch hat?"

„Ja, das sehe ich wohl."

„Nun, dieses Loch führt zum Kopf des Kaffern, damit er Atem holen kann. Und was liegt dort in der linken Ecke am Boden?"

„Hm! Melonenschalen."

„Schön! Quimbo hat essen und trinken müssen. Er ist darum mitternächtlich an Deck gestiegen und hat den Geist gespielt, um sich Melonen zu holen, während die Wachen vor Angst bis ans äußere Ende des Schiffs liefen."

„Hm! Dann wäre dieser Quimbo ein recht pfiffiger Kerl, was man von einem Kaffer nicht erwartet."

„Er ist nicht dumm. Ich werde ihn gleich herbeischaffen. Quimbo, bist du da?"

Es erfolgte keine Antwort.

„Quimbo, ich weiß, daß du dort im Sand steckst. Komm hervor! Es wird dir nichts geschehen."

Wieder keine Antwort. Seit wir uns damals gesehen hatten, waren Jahre vergangen; er kannte meine Stimme wohl nicht mehr; übrigens hatten meine Worte in dem niedrigen feuchten Raum einen dumpfen Klang. Da ging ich näher hin.

„Kennst du mich nicht mehr? Ich bin das gut, lieb Deutschland, mit dem du damals beim Boer van het Roer gewesen bist. Komm heraus!"

Es war nämlich seine Gewohnheit gewesen, statt Engländer England, statt Franzose Frankreich, statt Deutscher Deutschland zu sagen.

Meine letzten Worte hatten Erfolg; der Sand bewegte sich, und eine Stimme fragte daraus hervor: „Gut, lieb Deutschland, was hab bekomm Dose von schön, gut, tapfer Quimbo?"

„Ja."

„Was hab reit mit schön Quimbo bis hinauf nach Groote-Kloof und kämpf mit viel Zulukaffer?"

„Ja."

„Mijn tijd, mijn tijd! Wenn lieb, gut Deutschland da, dann bin Quimbo auch da! Schön, gut, tapfer Quimbo gleich komm aus Sand."

Der Sand wurde auseinandergetrieben, und der „schöne" Quimbo erschien in all der Herrlichkeit, die ihm eigen war. Zunächst kam die hohe Frisur, die genau die Gestalt und Höhe wie früher hatte; hierauf folgte das bartlose Basuto-Gesicht mit der Stumpfnase, dem breiten Mund und den kleinen Äuglein, die sich mit einem forschenden Blick auf mich richteten. Er erkannte mich, öffnete, um einen Jubellaut herauszulassen, den Mund von einem Ohr bis zum andern und fuhr so schnell aus dem Sand, daß er mit dem Kopf an die niedrige Decke stieß. Die zärtlich geliebte Frisur wurde dadurch zusammengedrückt; er achtete aber vor Entzücken, mich zu sehen, nicht darauf, sprang über die Gebelung herüber und ergriff meine beiden Hände.

„O Deutschland, o lieb, gut Deutschland! Wie freu sich schön, tapfer Quimbo, daß seh wieder sein Deutschland! Quimbo muß geb Kuß auf alle Hände von Mynheer Deutschland!"

Er küßte mir „alle" Hände mit großer Innigkeit. Dann ließ er sie plötzlich los, warf mir seine Arme um den Hals, drückte mich an sich, spitzte die Lippen und machte mit ihnen eine so unvorhergesehene Bewegung nach meinem Mund, daß ich kaum genügend Zeit fand, mit dem Gesicht eine rasche Wendung auszuführen, so daß die Zärtlichkeit des Stürmischen auf meine Wange anstatt auf der von ihm aufs Korn genommenen Stelle platzte. Er schien auf diesen Fehlschuß einen besser gezielten tun zu wollen, aber ich drängte ihn von mir ab.

„Laß das, Quimbo! Ich weiß, daß du dich über dieses Wiedersehn ebenso freust wie ich; das mag für jetzt genügen. Ich bin sehr erstaunt, dich hier zu sehen, so fern von deiner Heimat und auf einem Räuberschiff."

„Oh, Mynheer Deutschland, schön, gut, tapfer Quimbo bin nicht Dieb und bin auch nicht Räuber, sondern bin nur Diener auf Schiff von Kidnapper."

„Du hast dich also an den Missetaten dieser Menschen nicht beteiligt, Quimbo?"

Er zog seine schrecklichste Grimasse, was der Ausdruck der heiligsten Beteuerung sein sollte und schlug sich mit beiden Fäusten an die Brust.

„Quimbo nicht mach mit, was sie hab mach. Quimbo bin fangen von Räuber und muß mach rein das Schiff und bedien Kapitän."

„So! Du wirst mir alles erzählen, doch nicht hier, sondern oben, wo wir's bequemer haben. Komm mit hinauf!"

„Hinauf? Wo bin viel Soldat?"

„Ja."

„Was mach Soldat, wenn seh schön, tapfer Quimbo? Werd Soldat nehm fangen arm, unschuldig Quimbo?"

„Nein, du stehst unter meinem Schutz."

„Gut Quimbo bin frei?" – „Ja."

„Quimbo darf geh nach Basutoland?" – „Ja."

„Oder darf geh und fahr nach Tjelatjap?"

„Tjelatjap? Was ist das?"

„Schön Stadt, wo wohn Mynheer Bontwerker."

„Wer und was ist dieser Mynheer?"

„Das bin Mynheer Bontwerker in Tjelatjap."

„Tjelatjap! Wo liegt diese Stadt?"

„Auf weit, groß, schön Insel."

„Wie heißt diese Insel?" – „Heiß Seraju."

„Seraju? Tjelatjap? Sir John, ist Euch einer von diesen zwei Namen bekannt?"

„Nein", antwortete der Englishman kopfschüttelnd.

„Mir auch nicht – – oder doch! Mich macht der Name der Insel irre. Seraju ist ein Fluß."

„Ja, Seraju bin Fluß, hab viel Wasser", stimmte Quimbo bei.

„Du sagtest aber doch, es sei eine Insel! Du scheinst dich da zu irren?"

„Ja, schön, gut, tapfer Quimbo bin irre."

„Seraju ist ein Fluß auf der Insel Java."

Da spreizte der Kaffer vor Vergnügen seine zehn Finger weit auseinander und schrie:

„Java! Java! Mynheer Deutschland hab treff richtig Namen von groß Insel; Mynheer bin viel, groß, klug, gescheit Mynheer!"

„Und nun kann ich mich auch auf Tjelatjap besinnen. Das ist ein Hafenort an der Südküste von Java, in dessen Nähe der Seraju ins Meer mündet."

„Ja, Seraju lauf in Wasser von Meer."

„Kennst du denn diese Stadt und diesen Fluß?" fragte ich erstaunt.

„Schön, klug Quimbo kenn Stadt und kenn Fluß; Quimbo bin fahr auf Fluß und hab wohn in Stadt."

„Merkwürdig, wirklich höchst merkwürdig. Sir John! Denkt Euch nur: dieser Basutomann ist bis nach Java gekommen! Wer sollte das für möglich halten? Er muß es uns oben erzählen. Kommt jetzt hinauf!"

„Oben an Deck?" fragte der Lord. „Ist es nicht besser, gleich das Hotel aufzusuchen? Dort haben wir's viel bequemer."

„Ich bleibe lieber hier an Bord. Es ist wahrscheinlich, daß wir durch das, was wir von Quimbo erfahren, Veranlassung bekommen, die Gefangenen ins Gebet zu nehmen."

„Well. In der Kapitänskajüte ist es auch nicht übel. Gehen wir also hinauf!"

Als wir das Zwischendeck erreichten, wo die Räuber angebunden waren, stieß der Kapitän einen leichten Fluch aus, jedenfalls vor Grimm darüber, daß wir Quimbo gefunden hatten, von dem wahrscheinlich vieles zu erfahren war, was verschwiegen bleiben sollte. In der Kajüte sagte der Kaffer:

„Schön, gut, tapfer Quimbo werd erzähl, werd aber vorher eß, hab groß, viel Hunger, weil nicht hab bekomm Melon für eß!"

Zu essen gab es genug. Er speiste mit einem wahren Heißhunger. Als er sich gesättigt hatte, forderte ich ihn auf, seine Erlebnisse von der Zeit unseres Abschieds im Kapland zu erzählen. Er setzte sich mit sehr wichtiger Miene zurecht und begann nun seinen Bericht — — — aber was für einen! Das ging schnell, ohne Betonung und Unterbrechung in einem fort, wie bei einer Windmühle, deren Flügel in den Wind gestellt worden sind. Wer konnte alle diese unmöglichen Ausdrücke verstehen und sich in diesen Orts- und Namensverwechslungen zurechtfinden? Die Grimassen, die wir dabei zu sehen bekamen, waren wahrhaft großartig; er sprach mit einem Eifer, als hinge sein Leben davon ab, ja nicht die geringste Pause zu machen. Er brachte in einer halben Minute mehr Ausdrücke aus seiner Muttersprache, aus der holländischen, englischen und malaiischen, als man an einem ganzen Tag auseinanderklauben kann. Raffley schüttelte den Kopf; hierauf ließ er seinen Klemmer auf die Nasenspitze springen, um den Erzähler über die Gläser hinweg anzustarren, und endlich, als er's nicht länger aushalten konnte, sprang er auf, streckte beide Hände abwehrend gegen Quimbo aus und schrie ihn an: „Stop! Mensch, willst du uns um unseren Verstand bringen? Sprich langsamer; man kann je kein einziges Wort verstehen!"

Quimbo klappte den Mund zu, ließ seine rollenden Augen zwischen Raffley und mir hin und her wandern und fragte erstaunt:

„Schön, gut, tapfer Quimbo sprech nicht richtig? Er sprech doch mit Mund! Mit was anders soll denn Quimbo sprech?"

„Natürlich nicht mit den Ohren!" antwortete Raffley. „Langsamer sollst du reden, langsamer, damit man dich verstehen kann."

„Warum kann Mynheer nicht versteh Quimbo? Quimbo sich versteh doch auch."

Da stieß Sir John ein schallendes Gelächter aus und rief mir zu:

„Ihr habt recht gehabt, Charley: dieser schön, gut, tapfer Quimbo ist ein Prachtkerl! Good god! Mir ahnt schon jetzt, was wir alles mit ihm und an ihm erleben werden. Er mag weiter erzählen; aber seid so gut und legt vorher seiner Zunge einen tüchtigen Hemmschuh an!"

Ich kam dieser Aufforderung zwar nach, konnte mich aber nicht des geringsten Erfolgs rühmen, denn als Quimbo von neuem begonnen hatte, ging die Mühle womöglich noch schneller als vorher. Ich schnitt ihm drum die Rede ab.

„Hör auf! Wir verstehen wirklich nicht, was du erzählst. Ich werde lieber fragen, und du antwortest mir; das wird besser sein."

„Ja!" nickte er. „Quimbo bin dann auch besser, denn Quimbo dann weiß, was red; wenn aber arm Quimbo allein red, er nicht weiß, was soll red."

„So sag mir also zunächst, wohin du damals gegangen bist, nachdem wir uns getrennt hatten!"

„Arm, unglücklich Quimbo bin geh nach Cape-town."

„Nach der Kapstadt? Warum nicht zu den Basuto, in deine Heimat?"

„Quimbo nicht will hin; Quimbo will fort, weit fort, damit Quimbo nicht mehr seh Gegend, wo bin gewesen, und nicht mehr seh Menschen, die hab kenn Mietje."

„Ah, Mietje! Du warst traurig darüber, daß sich dieses Mädchen verheiratete?"

„Ja, schön Quimbo bin sehr traurig. Quimbo will sein Gemahl von Mietje; warum Mietje nicht will hab Quimbo Gemahl? Quimbo bin doch schön, gut, tapfer Gemahl! Quimbo bin darum geh weit fort bis Cape-town, wo sind Mynheer Bontwerker, der hab gern Quimbo, und Quimbo werd Diener von Mynheer Bontwerker."

„Er dang dich als Diener? So mußt du doch auch wissen, was dieser Mynheer war?"

Ehe Quimbo antworten konnte, fiel Raffley ein:

„Ich habe in Cape-town einen Mr. Bontwerker kennengelernt. Er war ein reicher, unverheirateter Diamantenhändler, der mir beim Statthalter vorgestellt wurde. Er hatte, wie er mir erzählte, einen unverheirateten, älteren Bruder auf einer der Sunda-Inseln und – – –"

Er hielt mitten in seiner Rede inne.

„Weiter! Warum unterbrecht Ihr Euch?"

„Weil – – – ah, sollte Quimbo denselben Gentleman meinen?"

„Werden es gleich erfahren. Quimbo, womit beschäftigte sich dieser Mynheer Bontwerker?"

„Kauf Edelstein und Diamant", antwortete der Kaffer.

„Hatte er eine Frau?"

„Hab nicht Frau. Quimbo hab auch nicht Mietje. Darum er und Quimbo allein beisammen."

„Aber er hatte einen Bruder?"

„Hab Bruder in Tjelatjap, der plötzlich sterben. Mein Herr fahr hin mit Schiff, um erben, und Quimbo fahr mit."

„Also doch! So, so ist es gewesen! Dein Mynheer beerbte seinen Bruder und ging darum mit Schiff nach Java. Weiter! Blieb er dort wohnen?"

„Nein. Fahr wieder heim nach Cape-town."

„Wann?"

„Bin bleib vier Monat in Tjelatjap, steck dann ein groß, viel Geld von tot Bruder und geh mit Quimbo auf Schiff, um fahr heim."

„Weiter! Es kommt mir eine Ahnung, aber keine gute. Die Fahrt war nicht glücklich?"

„Nein. Quimbo und Mynheer komm nicht heim."

„Warum nicht?"

„Weil plötzlich bin da auf Wasser sehr viel Praue[1] mit Räuber, die steig auf Schiff und mach tot Kapitän und all Matros."

„Dachte mir's! Die Schiffsbesatzung wurde ermordet. Was geschah mit den Reisenden? Waren es viele?"

„Nur schön, gut Quimbo mit Mynheer. Räuber schaff all ganz Sach

[1] Malayische Kähne

von Schiff auf Praue und verbrenn dann Schiff. Schaff Quimbo und Mynheer auch mit auf Praue."

„Wo geschah das? In welcher Gegend?"

„Quimbo nicht weiß. Quimbo und Mynheer bald komm auf Land, wo bin fangen bei Räuber."

„Wie lange?"

„Viel, viel Tag, viel Woch; Quimbo hab nicht zähl; aber es bin sehr viel lang Zeit."

„Weißt du auch nicht, an welchem Ort ihr gefangen gehalten wurdet?"

„Heiß Hu-Niao."

„Hu-Niao? Das wird wohl wieder eine Verwechslung sein. Hast du dir diesen Namen richtig gemerkt?"

„Schön, gut, tapfer Quimbo bin richtig."

„Hm! Hu-Niao ist ein chinesischer Name und heißt Tiger-Vogel; es kommt mir sehr unwahrscheinlich vor, daß dieses Wort der Name eines Orts sein soll. War es eine Insel?"

„Bin nicht Insel." – „Also Festland?"

„Bin nicht Festland."

„Weder Insel noch Festland? Was meinst du da? Wahrscheinlich Halbinsel. Es war eine Insel, die mit dem Land zusammenhing?"

„Hu-Niao bin Insel mit Weg nach Land."

„Also richtig, eine Halbinsel. Weißt du, zu welcher größeren Insel sie gehört, oder zu welchem Land?"

„Quimbo nicht wissen."

„Hast du denn nicht mit deinem Mynheer darüber gesprochen? Der hat es wahrscheinlich gewußt."

„Quimbo nicht darf red mit Mynheer."

„So warst du von ihm getrennt?"

„Nicht ihn hab mehr seh."

„So weißt du also auch nicht, ob er noch lebt?"

„Mynheer bin nicht tot; Mynheer leb in Hu-Niao; Räuber ihm gab eß und trink."

„Ist das kein Irrtum? Du bist ja getrennt von ihm gewesen und weißt also nichts Sicheres."

„Quimbo weiß sicher, denn Mynheer es sag, noch ehe trenn von ihm. Mynheer muß schreib Brief, weil Räuber will hab noch mehr Geld."

„Ah! Wohin ist der Brief gegangen?" – „Tjelatjap."

„Weißt du das genau? Besinn dich! Dieser Punkt ist wichtig."

„Mynheer hat es sag schön Quimbo."

„Dann muß es wahr sein. Er hat dir's also schon gesagt, bevor ihr an Land geschafft wurdet, denn dann trennte man euch. Was hast du während deiner Gefangenschaft getan?"

„Quimbo bin faullenz, bis muß mit auf Schiff."

„Hast du von dem Mynheer erfahren, an wen in Tjelatjap der Brief gerichtet war?"

„Mynheer nicht sag."

„Hast du die Halbinsel Hu-Niao kennengelernt?"

„Quimbo nicht lern kenn. Arm Quimbo bin eingesperrt, sehr eingesperrt."

Ich hatte noch mehr Fragen auf der Zunge; aber Raffley, der zuletzt
mit sichtbarer Aufregung zugehört hatte, fiel jetzt ein:

„Laßt Euern Quimbo jetzt in Ruhe, Charley; er kann Euch doch
keine Auskunft erteilen; er ist eben – – – ein richtiger Quimbo."

„Aber, Sir, es handelt sich hier um höchst wichtige Dinge. Ich muß
unbedingt wissen, wo – – –"

„Wo Mr. Bontwerker steckt?" unterbrach er mich abermals.

„Ja."

„Das werdet Ihr von Quimbo niemals erfahren."

„Von wem sonst? Wißt Ihr jemand, an den man sich da wenden
könnte?"

„Ja. An die Kidnapper." – „Pshaw! Die verraten nichts."

„Das kommt drauf an, wie man mit ihnen spricht. Wollen einmal
hinunter zu ihnen steigen und sie ins Verhör nehmen. Nur möchte ich
Euch bitten, dieses Verhör mir zu überlassen."

„Mit größtem Vergnügen, Sir. Ich verzichte gern auf etwas, was ich
für vergeblich halte."

„Ihr meint also, daß ich von diesen Kerlen nichts erfahren werde?"

„Ja, das meine ich."

„Bedenkt, daß sie jedenfalls dem Tod geweiht sind."

„Eben weil ich das bedenke, bin ich überzeugt, daß Ihr ihnen nichts
entlocken werdet."

„Vielleicht erleichtern sie ihr Gewissen."

„Das könntet Ihr nur von Leuten erwarten, die Christen sind. Hier aber
habt Ihrs mit Menschen zu tun, die weder Religion noch Gefühl, weder
Furcht noch Hoffnung haben. Ihnen ist alles gleichgültig, selbst der Tod."

„Aber ich muß unbedingt von diesem Bontwerker erfahren. Ich bin
überzeugt, daß er derselbe ist, den ich kennengelernt habe."

„Natürlich ist er's."

„Ausgeraubt von diesen Schuften, sitzt er nun in irgendeinem verborgenen Winkel gefangen. Wißt Ihr, was ich mir vorgenommen habe?"

„Ihr wollt ihn befreien."

„Richtig! Da muß ich aber vor allen Dingen erfahren, wo er steckt.
Nicht?"

„Allerdings." – „Das sollen mir jetzt die Gefangenen sagen."

„Sie sollen, aber sie werden es nicht; das sag' ich Euch im voraus.
Doch versucht immerhin Euer Heil!"

Wir stiegen wieder ins Zwischendeck hinab, nahmen aber Quimbo
nicht mit. Der Lord wendete sich zunächst an den Kapitän, erhielt aber
keine Antwort. Mochte er mahnend oder zornig drohend reden, der
Chinese öffnete den Mund nicht ein einziges Mal. Hierauf versuchte es
Raffley mit den übrigen. Er hatte denselben Mißerfolg: es wurde ihm
keine Frage beantwortet. Darüber ergrimmt, warf er mir die Frage zu:

„Soll ich diese Hunde peitschen lassen?"

„Habt Ihr das Recht dazu, Sir?"

„Pshaw! Ob ich's habe oder nicht, das ist mir gleichgültig; ich tue, was ich will."

„Nutzlos!"

„Wollen doch sehen!"

„Meinetwegen! Eine tüchtige Tracht Prügel ist jedem hier zu gönnen. Aber Ihr würdet ihnen dadurch nur ein Vergnügen machen."

„Ein Vergnügen? Sonderbarer Geschmack! Wem kann eine Tracht Prügel Vergnügen bereiten?"

„Diesen verstockten Schuften hier. Sie wissen genau, daß der sichere Tod ihrer wartet, daß es keine Gnade für sie gibt, und da werden sie sich hüten, Euch ihre Geheimnisse zu verraten. Je dringlicher Ihr Euch zeigt, desto größer wird ihre Schadenfreude sein. Leuten, denen Gott und Teufel, Himmel und Hölle, Seligkeit und Verdammnis gleichgültige Dinge sind, ist selbst in der Todesstunde nichts zu entlocken."

„Aber ich muß erfahren, wo dieser Mr. Bontwerker zu suchen ist."

„Von diesen Schurken hier erfahrt Ihr's sicher nicht. Es gibt da andere Wege."

„Welche?"

„Ihr wolltet ja überhaupt nach Java. Dampft hin, nach Tjelatjap, wohin er seinen Brief hat richten müssen!"

„Aber an wen hat er geschrieben? Das weiß man nicht."

„Man kann es dort erfahren."

„Schwerlich. So ein Brief wird geheim gehalten."

„Und ich mache mich dennoch anheischig, es innerhalb des ersten Tags zu erfahren."

„Das soll ein Wort sein! Wollt Ihr mit?"

„Ja. Ich war schon vorher dazu entschlossen; nun gehe ich bestimmt mit. Wir müssen erfahren, wohin die Antwort auf Bontwerkers Brief verlangt worden ist."

„Und wenn wir das nicht ermitteln können? Sollte sein Aufenthalt nicht noch auf andere Weise zu entdecken sein?"

„Will einmal versuchen. Beobachtet die Augen des Kapitäns genau, wenn ich jetzt mit ihm spreche. Ich denke, er wird erst höhnisch lächeln, dann aber erschrecken."

„Was wollt Ihr ihm sagen?"

„Werdet's gleich hören. Ich bin überzeugt, daß sich Quimbo den chinesischen Namen nicht richtig gemerkt hat."

Es versteht sich von selbst, daß wir jetzt Englisch gesprochen hatten und von den Chinesen nicht oder nur schlecht verstanden worden waren. Jetzt hielt ich das Licht so, daß das Gesicht des Kapitäns hell beleuchtet war, und sagte zu ihm in seiner Muttersprache:

„Willst du mir wohl deinen Namen nennen?"

Er antwortete nicht; kein Zug seines Gesichts verriet, daß er meine Worte gehört hatte.

„Auch möchte ich gern wissen, wo Mynheer Bontwerker, euer Gefangener, steckt", fuhr ich fort.

Ganz dieselbe Starrheit und Schweigsamkeit.

„Dein Schweigen nützt nichts", sprach ich weiter. „Wir finden ihn doch, denn wir werden nach dem Hu-Niao fahren."

Ich betonte diesen chinesischen Namen, von dem Quimbo behauptet hatte, er sei der richtige. Der Kapitän horchte einen Augenblick überrascht auf; dann ging ein Zug höhnischer Befriedigung über sein Gesicht. Ich tat, als ob ich das nicht bemerkte, und fügte schnell hinzu:

„Da hab ich mich versprochen; ich meinte die Hu-Kiao, nach der wir fahren werden."

Ich nahm ihn bei diesem Wort, das sich nur durch das K anstelle des N von dem vorherigen unterschied, scharf ins Auge und beobachtete, daß er erschrak, sich aber Mühe gab, das nicht merken zu lassen. Ich war zufriedengestellt, wendete mich ab und verließ, von Raffley gefolgt, das Zwischendeck. Oben fragte er mich:

„Was hatten diese Fragen für einen Zweck? Ihr sagtet, Ihr hättet Euch versprochen; ich habe aber nichts davon bemerkt."

„Nicht? Aber sein Gesicht habt Ihr beobachtet?"

„Yes. – „Saht Ihr etwas?"

„Yes. Erst lachte er heimlich und schadenfroh; dann aber schien er zu erschrecken."

„Ganz richtig. Ihr wißt, daß ich schon vorher nicht glaubte, daß Hu-Niao, Tigervogel, der Name eines Ortes sein könne. Quimbo mußte sich entweder verhört oder das Wort schlecht gemerkt haben. Ich suchte nach ähnlichen Wörtern und fand Kiao anstatt Niao. Hu-Kiao heißt Tigerbrücke, und so kann ein Ort recht wohl heißen. Es handelt sich um eine Halbinsel oder, wie Quimbo sich in seiner Weise auszudrücken beliebt, um eine Insel, von der aus ein Weg ans Land führt. Unter diesem Weg, diesem schmalen Landstreifen, der die Insel mit dem Festland verbindet, ist wahrscheinlich die ,Tigerbrücke' zu verstehen."

„Möglich. Aber wo mag diese Halbinsel liegen?"

„Kaum anderswo als an der Küste von Sumatra. Wir werden nach ihr suchen."

„Nach ihr suchen? In welcher Weise? Etwa so, daß wir ganz Sumatra umfahren und bei jeder Halbinsel fragen, wie sie heißt?"

„Nein; ich meine, daß wir auf den Karten nach ihr forschen werden, Sir John."

„Well; das laß ich mir eher gefallen; aber dazu ist wohl morgen auch noch Zeit."

„Gewiß. Wir haben hier unseren Zweck und noch viel mehr erreicht und wollen die Angelegenheit zunächst einmal beschlafen."

Wir verließen das Schiff, nachdem wir den Soldaten die größte Wachsamkeit anbefohlen hatten. Natürlich nahmen wir Quimbo mit, der im Hotel einen besseren und bequemeren Platz fand, als sein Versteck unten im Ballastraum der Dschonke gewesen war.

6. Das Dunkel lichtet sich

Am darauffolgenden Morgen saßen wir noch beim ersten Frühstück, als der Mudellier schon zu uns kam, um sich nach dem Ergebnis unserer Gespensterjagd zu erkundigen. Raffley erzählte es ihm und knüpfte hieran einige scharfe Bemerkungen in Beziehung auf den Aberglauben, den nicht nur die Wächter, sondern auch deren oberster Vorgesetzter gezeigt hatten. Das brachte den Mudellier in eine Verlegenheit, aus der er sich dadurch zu helfen suchte, daß er eine wichtige Amtsmiene annahm und von uns verlangte, ihm Quimbo auszuliefern, weil er sich in doppelter Weise straffällig gemacht habe. Ich lachte einfach darüber; Sir John aber sah den Beamten erstaunt an.

„Doppelt straffällig? Wieso?"

„Er hat die Soldaten in Schreck gejagt; schon das muß streng bestraft werden, und sodann – – –"

„Und sodann? Was noch?" fiel ihm der Englishman in die Rede.

„Und sodann die Hauptsache: dieser Mensch ist auf der Dschonke betroffen worden und daher ebensogut ein Seeräuber wie die Kidnapper. Er muß geradeso streng bestraft werden wie sie, und es ist meine Pflicht, ihn einsperren zu lassen."

Da rutschte der Klemmer schnell vor auf die Nasenspitze, und der Besitzer dieser beiden Gegenstände fuhr den Mudellier an:

„Was fällt Euch ein, Sir! Habt Ihr vergessen, wer ich bin?"

„Nein."

„Nun, was? Ich meine nämlich mein Verhältnis zu seiner Herrlichkeit dem General-Statthalter."

„Ihr seid ein Verwandter dieses hohen Herrn."

„Schön! Und wer ist der Gentleman, den Ihr hier neben mir sitzen seht?"

„Euer Freund."

„Ebenso schön! Und was ist dieser Quimbo, den Ihr einen Seeräuber zu nennen beliebt?"

„Er ist ein – ein – – ein – – –"

Er stockte. Da fuhr Raffley an seiner Stelle fort:

„Quimbo ist der Diener dieses Gentleman. Was folgt daraus? Könnt Ihr mir das sagen?"

„Nein", gestand der Mudellier, dem es bei dem herrischen Ton des Engländers bang wurde.

„Das ist aber doch kinderleicht zu sagen. Hier ein Verwandter des General-Statthalters, dann ein Freund dieses Verwandten und dann ein Diener dieses Freundes; daraus folgt doch augenfällig, daß Quimbo ein Diener des General-Statthalters ist. Seht Ihr das nicht ein, Sir?"

Der Mudellier antwortete nicht, sondern schüttelte langsam und zweifelnd den Kopf.

„Wie? Ihr seht es nicht ein? Wißt Ihr, was das heißt? Wenn ich etwas behaupte und Ihr schüttelt den Kopf dazu, so ist das eine Beleidigung, die unter Gentlemen nur durch Blut abgewaschen werden kann. Ich hoffe doch, daß Ihr Euch für einen Gentleman haltet. Charley, bitte, holt einmal meine Pistolen her!"

Da rief der Mudellier schnell und ängstlich: „Halt! Wartet doch! Es ist mir nicht eingefallen, Euch zu beleidigen, also ist kein Blutvergießen nötig. Ich schenke Euch vollständig Glauben, Sir."

„Ihr gebt also zu, daß unser guter Quimbo ein Ehrenmann ist?" „Ja."

„Der somit unangetastet bleiben muß?" – „Ja."

„Well", nickte Sir John befriedigt, indem er den Klemmer wieder an die Augen schob. „Wir sind also einig. Übrigens würde ich Euch auch ohnedies raten, ganz so zu tun, als ob kein Mensch vorhanden wäre, der Kaffer ist und Quimbo heißt."

„Warum?"

„Weil Ihr ihn für ein Gespenst gehalten habt. Ich müßte das sonst dem Statthalter erzählen, wenn er kommt. Sagt selbst, ob Euch das lieb sein könnte!"

„Wir werden ihm nichts sagen, kein Wort. Es hat gar kein Gespenst auf der Dschonke gegeben. Ist Eure Lordschaft damit einverstanden?"

„Yes, will einverstanden sein."

„Ihr müßt nämlich wissen, daß der Statthalter heute kommt. Er hat mich durch einen Eilboten davon benachrichtigt. Er kommt, um Gericht zu halten."

Tatsächlich suchte uns der Statthalter am Nachmittag in unserem Hotel auf. Er sprach seine Anerkennung über die Tatkraft aus, die die kleine Jacht bei dem Abenteuer gezeigt hatte. Dann griff er in die Tasche und zog eine wohlgefüllte Börse hervor.

„Und hier sind die hundert Pfund, die Ihr gewonnen habt, Sir."

Raffley griff zu, schob die Banknoten gleichmütig in seine Tasche und fragte mich: „Seht Ihr nun, Charley, wie gut es ist, wenn man zuweilen eine kleine Wette eingeht?"

„Ich sehe es, werde aber trotzdem nie wetten."

„Ja, das ist es eben! Ihr seid ein ganz prächtiger Kerl, Charley, aber wenn Ihr es nie – – –"

„Stopp! Sagtet Ihr mir gestern nicht, daß Ihr mich für einen ganzen Mann halten wolltet, wenn meine Meinung richtig sei? Nun wohl, ich hatte recht, und Ihr habt Eure Umbrella-pipe wieder. Also?"

„Yes! Ein ganzer Mann seid Ihr, das ist wahr; aber immer noch kein richtiger Gentleman, denn Ihr fürchtet Euch vor dem Wetten. Ich habe Euch lieb und muß Euch daher von ganzem Herzen bedauern. Gebt Euch doch Mühe; es kann ja nicht schwer sein, so zu werden wie sich's eigentlich für Euch schickt, nämlich noble und gentlemanlike. Ihr habt das Zeug dazu, wenn Ihr nur wollt."

Was die Dschonke und ihre gefangene Bemannung betrifft, so begab sich der Statthalter selbst an Bord, um alles in Augenschein zu nehmen Wir erzählten diesem Herrn von Bontwerker und der Tigerbrücke, wo er gefangengehalten wurde. Der Statthalter nahm die Kidnapper selbst ins Verhör, um die genaue Lage dieses Orts zu erfahren, erhielt aber nicht die geringste Auskunft von ihnen. Selbst als er sie der Reihe nach durchpeitschen ließ, behaupteten sie, keinen Ort zu kennen, dessen Name Hu-Kiao sei. Ich war überzeugt, daß sie logen und die Tiger-brücke vielmehr von großer Bedeutung für sie sein müsse, weil sie sich selbst durch solche Schmerzen nicht zwingen ließen, sie zu verraten. Sie schwiegen sogar dann, als sie ihr Urteil hörten; sie seien als Seeräuber heute noch aufzuknüpfen, doch solle der begnadigt werden, der sage, wo die Hu-Kiao läge. Es meldete sich keiner, und am Abend hingen sie alle nebeneinander an der Rahe.

Wir waren also auf uns selbst, auf unseren Scharfsinn, angewiesen, und nahmen die Karten vor, um die Halbinsel zu entdecken. Die Mühe war vergeblich; wir konnten den Namen Hu-Kiao nicht finden. Wir übersetzten das Wort in alle am Indischen und Südchinesischen Meer ge-bräuchlichen Sprachen und Mundarten, doch auch das war ohne Erfolg.

Nun nahm ich Quimbo noch einmal vor und fragte ihn nach allen Richtungen hinaus, konnte aber nicht mehr erfahren, als was ich jetzt schon wußte. Da kam ich endlich auf den sehr naheliegenden Gedanken, den ich eigentlich gleich anfangs hätte haben sollen, noch einmal an Bord der Dschonke zu gehen; ich hatte dort in der Kapitänskajüte Karten liegen sehen. Raffley ging mit. Er wunderte sich ebensosehr wie ich darüber, daß uns diese Karten nicht eher eingefallen waren.

Wir gingen die betreffenden Blätter sorgfältig durch, konnten aber nichts entdecken, was uns hätte als Wegweiser dienen können. Schon wollten wir uns unmutig in diesen Mißerfolg ergeben, da fiel mir eine nicht gedruckte, sondern mit der Hand gezeichnete Lotsenkarte der Nikobaren-Inseln auf. Die Zeichnung war sorgfältig ausgeführt, und ich sagte mir, daß diese Genauigkeit einen Grund haben müsse. Hatte diese Inselgruppe für die Kidnapper eine besondere Wichtigkeit ge-habt? Vielleicht hätte ich die Antwort auf diese Frage einem von ihnen entlocken können; aber sie lebten nicht mehr. Ich mußte mich an Quimbo wenden, obgleich sein Gedächtnis einem leeren Blatt geglichen hatte, auf dem kein Buchstabe mehr zu lesen war.

Es war ihm auch heute unmöglich, mir den Weg zu beschreiben, den die Dschonke, seit er sich darauf befunden hatte, gesegelt war. Ich fragte ihn nach den Nikobaren-Inseln; er antwortete kopfschüttelnd:

„Nikobar? Quimbo nicht weiß Nikobar."

Da fiel mir ein, daß die Bewohner der Nikobaren Malaien sind, und so fragte ich ihn, indem ich den malaiischen Namen der Insel anwendete:

„Hast du denn auch nicht die Inseln gesehen, die Pulo-Sembilang genannt werden?"

Jetzt ging ein Grinsen der Erinnerung über sein Gesicht, und er nickte eifrig.

„– – – bilang – – – bilang hab schön Quimbo sehn; – – – bilang bin viel Insel in groß Wasser."

„Irrst du dich nicht? Weißt du den Namen genau?"

„Gut, tapfer Quimbo bin nicht irre; Schiff bin bleib stehn bei Inseln – – – bilang."

„Bei welcher von diesen Inseln?"

„Quimbo nicht das wissen."

„Hast du nicht die Namen der einzelnen Inseln gehört?"

„Quimbo nicht kann sprech wie Räuber; Quimbo nicht versteh alles, was werd reden."

„So paß einmal auf, ob du eins von den Worten gehört hast, die ich jetzt sagen werde!"

Ich zählte die Namen der Inseln langsam auf und ließ nach jedem eine Pause eintreten, damit er Zeit zum Nachdenken fand. Es war seinem gespannten Gesicht deutlich anzusehen, daß er sein Gedächtnis anstrengte. Als ich den Namen Tillangdschong nannte, schlug er die Hände zusammen, daß es knallte, und tat einen Freudensprung.

„Till – – till – – langdschong – – – langdschong – – – – oh, oh, das bin Insel, was hab sehn Quimbo."

„Wirklich?"

„Ja. Till – – dschong bin Insel, wo Schiff halt an und bleib in groß Wasser stehn."

„Erinnere dich recht! Es kommt viel darauf an, daß du dich nicht irrst, Quimbo."

Da erhob er die rechte Hand wie zum Schwur, machte ein entschiedenes Gesicht und versicherte: „Schön, gut, tapfer Quimbo weiß genau. Schiff bleib stehn, und Räuber immer sag: – – langdschong – – langdschong – langdschong. Quimbo hab hören gut."

„Ahnst du, was das Schiff bei dieser Insel gewollt hat, warum es dort hielt?"

„Ta-ki wohn da." – „Ta-ki? Wer ist das?"

„Ta-ki bin Räuber, groß, stark, breit Riese, so groß, daß stoß überall an mit Kopf."

Er unterstützte diese Worte mit Hand- und Armbewegungen, die erkennen ließen, daß dieser Ta-ki ein wahrer Goliath an Gestalt sein müsse.

„Dieser Ta-ki war mit auf der Dschonke?" forschte ich weiter.

„Ja", nickte er, froh, mir Auskunft erteilen zu können.

„Gleich von dem Tag an, an dem man dich auf das Seeräuberschiff brachte?"

„Ta-ki bin schon da, als Quimbo komm auf Schiff."

„Er hat die ganze Fahrt bis nach den Inseln Pulo-Sembilang mitgemacht?"

„Ta-ki bin fahr immer mit."

„Woraus vermutest du denn, daß er auf der Insel Tillangdschong wohnt?"

„Weil Ta-ki da aussteig bin."

„Ah, so! Er stieg nicht wieder ein?"

„Nein. Ta-ki bleib auf Insel."

„Er allein?" – „Ja."

„Weißt du, warum? Was er da treibt?"

„Quimbo nicht weiß."

„Befand er sich allein auf der Insel, als er ausgestiegen war, oder gab es noch andere Menschen dort?"

„Als Ta-ki aussteig, steh Männer am Ufer." – „Wie viele?"

„Zwei – fünf und noch zwei – fünf; Quimbo nicht zählen."

„Nahm dieser Ta-ki Gepäck vom Schiff mit an Land?"

„Nehm mit ein Faß – zwei Faß – – viel Faß."

„Weißt du, was sich in diesen Fässern befand?"

„Steck Pulver in Faß."

„Ah! Sollten die Seeräuber etwa ein heimliches Lager auf dieser Insel angelegt haben?"

„Tapfer Quimbo das nicht weiß."

„Wurden Sachen vom Land aufs Schiff gebracht?"

„Viel Melon und Kokos und Frucht, was alles soll werd essen auf Schiff."

„Schön! Jetzt aber paß einmal besonders auf, was ich dich fragen werde, denn das ist das Wichtigste, worauf alles ankommt! Dieser Ta-ki befand sich auf dem Schiff, als du von der Tigerbrücke an Bord genommen wurdest. Er muß also wissen, wo die Halbinsel liegt, die diesen Namen trägt?"

„Ta-ki bin steh da; er es wissen."

„Gut! Was für eine Rolle spielte er auf dem Schiff? Gehörte er zu den gewöhnlichen, niedrigen Leuten, oder galt er mehr? Hatte er einen Titel?"

„Wenn Kapitän ihn ruf, so sag er Tsu."

„Tsu? Dann war er Offizier. Er weiß also sicher wenigstens das, was wir erfahren wollen. Kannst du mir sagen, ob er auch mit auf der Tigerbrücke gewesen ist?"

„Er steig von Schiff und geh auf Tigerbrücke."

„Hat er deinen Herrn, Mynheer Bontwerker, gesehn?"

„Hab sogar sprech mit Mynheer Bontwerker." – „Was?"

„Quimbo hab nicht hör, steh weit davon."

„Das ist schade. Es käme viel darauf an, zu wissen, was er mit ihm gesprochen hat. Doch, es gibt eine noch wichtigere Frage: war der Kapitän zugleich der Befehlshaber auf der Halbinsel?"

„Kapitän nein, sondern ein andrer Mann."

„Wie hieß dieser?" – „Heiß Ling-tao."

„Das mag stimmen; denn dieser Name bedeutet so viel wie ‚befehlendes Schwert', während Ta-ki ‚großer Mut' heißt. Der Offizier, der auf der Nikobaren-Insel Tillangdschong ausgestiegen ist, dürfte also seinem Namen nach nicht nur als körperlicher Riese, sondern auch in Beziehung auf seine Tapferkeit zu fürchten sein. Wir werden ihn mit Vorsicht zu behandeln haben."

Diese Worte richtete ich an den Lord, der unseren Fragen und Antworten schweigend, aber mit größter Spannung zugehört hatte. Er machte eine geringschätzige Armbewegung.

„Körperliche Hünen haben oft keinen Mut, während ein Knirps zehn solche Riesen vor sich hertreibt. Ich fürchte mich nicht vor ihm. Ihr vielleicht, Charley?"

„Überflüssige Frage."

Ich versuchte, von Quimbo noch mehr zu erfahren, doch war es jetzt mit seinen Kenntnissen zu Ende. Er hatte mir überhaupt mehr gesagt, als von ihm zu erwarten gewesen war, und so wendete ich mich wieder an den Englishman.

„Ich glaube, daß wir jetzt die notwendige Grundlage zum Handeln gefunden haben. Wahrscheinlich ist Lingtao der oberste Hauptmann der sauberen Gesellschaft und wohnt auf der Tigerbrücke. Es ist möglich, daß er mehrere Raubschiffe besitzt. Ta-ki ist Lagermeister auf Tillangdschong, wohin wir vor allen Dingen müssen, um ihm das Geständnis zu erpressen, wo die berüchtigte Halbinsel liegt."

„Ich wette hundert Pfund, daß wir von ihm nichts erfahren."

„Wettet mit Quimbo, Sir; ich tue nicht mit."

„Hört, Ihr seid wirklich ein schauderhafter Kerl, mir zuzumuten, mit einem Kaffern zu wetten! Seid Ihr wenigstens entschlossen, mit mir zu fahren, um diesen Mr. Bontwerker zu befreien?"

„Ja." – „Well, so sagt, ob Ihr ein gutes Gelingen erwartet!"

„Ich hoffe, daß wir ihn herausholen."

„Schön! Wann dampfen wir ab?"

„Mit der Ebbe morgen früh."

„Die Jacht ist schon heute bereit."

„Das wäre zu früh. Auf ein solches Unternehmen darf man nicht eingehen, ohne vorher alles reiflich zu überlegen. Es eilt ja nicht so sehr. Von hier bis nach den Nikobaren brauchen wir vier Tage und es ist nicht zu befürchten, daß uns der liebe Ta-ki während dieser Zeit davongeht. Es gibt wohl wenig Tage im Jahr, an denen ein Schiff die Insel Tillangdschong anlaufen wird."

„Stimme bei. Euer Quimbo geht mit?"

Ich brauchte diese Frage nicht zu beantworten, denn der Kaffer tat es an meiner Stelle: „Oh, schön, gut, tapfer Quimbo mitfahren. Will bleiben bei lieb, gut Deutschland, um mach frei Mynheer Bontwerker und schlag tot all Chines, Malai und Räubervolk!"

7. Die Flüchtlinge von den Andamanen

Die Eilandsgruppe der Nikobaren liegt ungefähr auf dem 112. Längengrad östlich von Ferro, südlich von den Andaman-Inseln und nordwestlich von Sumatra. Ihr Klima ist tropisch, wird aber durch die Seewinde und durch häufigen Regen abgekühlt. Dennoch ist der Aufenthalt dort höchst ungesund, weil die während der Ebbe bloßgelegten Strandmoräste und Mangrovendickichte ein Fieber ausbrüten, von dem selbst die Eingeborenen nicht verschont bleiben. Ja, das Nikobarenfieber ergreift sogar die Tierwelt, und es ist nichts Seltenes, daß man Schweine und Hühner unter starken Fieberanfällen hin und her taumeln sieht.

Aus diesem Grund hat man mit den wiederholten Versuchen, diese Inselgruppe zu besiedeln, keine Erfolge gehabt, und zuletzt nahmen die Engländer im Jahre 1869 von den Inseln nur zu dem Zweck Besitz, hier eine Verbrechersiedlung anzulegen, die unter der Verwaltung des Statthalters der Andamangruppe steht.

Die hierher verbannten Verbrecher sind meist indische Sepoys[1] und gehören allen Völkerschaften an, die in Hindostan und dem Dekan wohnen.

[1] Soldaten

Wenn ich früher von der Pflanzenpracht Ceylons mit Bewunderung gesprochen habe, so muß dies doch zurückstehen hinter der der Nikobaren. Während auf Ceylon die Kokospalme vorherrscht, streitet sie auf den Nikobaren mit der Arekapalme und dem prächtigen Pandanus um den Vorrang, wozu sich eine Menge anderer tropischer Baumarten gesellt, bei deren Anblick man sich in eine Märchenwelt versetzt fühlen möchte. Auf Ceylon läßt sich trotz der ausgedehnten Tropenwälder der Einfluß der Menschenhand nicht verkennen. Die Nikobaren aber bieten den jungfräulichen Urwald des Südens, dessen großartige Herrlichkeit jeder Beschreibung spottet. Da gibt es Dschungeln, die noch nie der Fuß eines Europäers betreten hat; da entsprossen dem Boden Millionen fruchtbarer Keime, die sich zu den seltsamsten Pflanzenformen entwickeln, und über diesem Gewimmel anstaunenswerter Bäume und Gewächse ragen, einen Wald über dem Wald bildend, die unvergleichlichen Kronen der Palmen hoch empor.

Von den unzähligen Pflanzen ist der Pandanus wohl die sonderbarste zu nennen; er gehört nächst den Palmen zu den mächtigsten Formen der einkeimblättrigen Gewächse. Fast möchte man annehmen, daß er aus einer früheren Schöpfungszeit stamme. Auf einem Gerüst von Stütz- oder Luftwurzeln, das einem kegelförmig zusammengestellten Bau von dicken Pfählen gleicht, erheben sich ein oder mehrere schlanke Schäfte, die hoch oben ein seltsames Zweigwerk mit eigentümlichen, messerförmigen Blättern und großen, tannenzapfenartigen Früchten tragen. Die Stützwurzeln sind oft über sechs Meter hoch, und der Baum gewährt einen so fremdartigen Anblick, daß man ihn einen wunderlichen, närrischen Einfall der Natur nennen möchte.

Dieser Tropenwald ist an der Küste von einem Gürtel von Mangroven umgeben, die nur da gedeihen, wo das Meer während der Flut ihre Wurzeln bespült und sie bei der Ebbe wieder bloßlegt. Zwischen diesen Wurzeln brütet, wenn sich das Wasser von ihnen zurückgezogen hat, die glühende Sonne die Fieber aus, die den Eingeborenen und den Fremden gleich gefährlich werden.

Und draußen, im Wasser, zieht sich um diese Inseln noch ein weiterer Kranz von pflanzenähnlichen Gebilden, nämlich Korallen, die in allen Formen und Farben aus der Tiefe schimmern und das Auge des Europäers stundenlang beschäftigen.

Da in die dichten Dschungeln nur sehr schwer einzudringen ist und sich jede gelichtete Stelle im Innern der Inseln schnell wieder mit einem üppigen Pflanzenwuchs bedecken würde, befinden sich die Wohnungen der Eingeborenen, gleichviel, ob sie einzeln stehen oder zusammenhängende Dörfer bilden, meist in der unmittelbaren Nähe der Küste. Sie sind auf Pfählen errichtet, was nicht nur Schutz gegen die Überschwemmungen des Meeres und etwaige feindliche Angriffe bietet, sondern auch der Luft freien Zutritt zum Haus gewährt, also die Schädlichkeit der Fieberdünste mildert.

Die Verbrechersiedlung der Nikobaren besteht aus einigen hundert Menschen; sie ist auf der Insel Kamorta untergebracht. Die meisten von ihnen sind für lebenslänglich, die übrigen für lange Jahre verbannt; denn es werden nur schwere Verbrecher hierhergeschickt. Aber die einen haben vor den andern nicht viel voraus, denn die mörderischen Fieber machen jede längere Haft zu einer lebenslänglichen; sie raffen nach verhältnismäßig kurzer Zeit den stärksten Mann dahin. Es ist darum kein Wunder, daß das Sinnen und Trachten dieser Gefangenen fortwährend auf die Flucht gerichtet ist.

Bei der Entfernung der Inselgruppe vom Festland und bei dem Umstand, daß nur selten ein Schiff hier anlegt, sollte man ein Entkommen fast für unmöglich halten, aber es hat doch Fälle gegeben, in denen die Flucht geglückt ist.

Wie schon erwähnt, hatte Mynheer Bontwerker den ihm abgezwungenen Brief nach Tjelatjap auf der Insel Java richten müssen. Ich hielt es nicht für schwer, den Empfänger dort zu ermitteln und von ihm zu erfahren, wohin die Antwort verlangt worden sei. Von dem betreffenden Ort aus mußte dann der Weg nach der „Tigerbrücke" zu finden sein. Seit uns aber Quimbo von Ta-ki erzählt und gesagt hatte, Ta-ki hätte das Raubschiff an der Insel Tillangdschong verlassen, hielten wir es für besser, nach diesem Eiland zu dampfen anstatt nach Tjelatjap. Ta-ki kannte die Tigerbrücke, wir konnten also von ihm erfahren, wo sie lag. Wie aber war es anzufangen, ihn zu diesem Geständnis zu bewegen? Selbstverständlich hatte List viel mehr Aussicht auf Erfolg als Gewalt; aber welche List war anzuwenden? Wir sannen und sannen und kamen zu keinem Plan. Schon näherten wir uns dem Zehn-Grad-Kanal, der die Nikobaren von den Andamanen trennt, und noch waren wir auf keinen Gedanken gekommen, dessen Ausführung ein Gelingen verhieß.

„Hab's gewußt", meinte der Lord. „Wollte ja gleich mit Euch wetten, daß wir von diesem Kerl auf Tillangdschong nichts erfahren werden. Keiner von uns ist imstand, einen pfiffigen Gedanken zu finden. Und mit Prügeln holen wir auch nichts aus ihm heraus.'

„Allerdings nicht, nämlich wenn er ebenso verschwiegen ist wie seine Genossen, die sich aufknüpfen ließen, ohne ein Wort zu sagen", antwortete ich.

„Was also tun? Es ist jetzt fast Mittag, und gegen Abend liegen wir vor Tillangdschong."

„Es bleibt nichts übrig als es dem Geschick zu überlassen. Mir fällt nichts ein."

„Mir auch nicht. Mein Kopf ist so gedankenleer wie ein ausgetrunkener Flaschenkürbis. Und wenn ich bedenke, welche Schwierigkeiten uns die Sprache verursachen kann, so will die Hoffnung immer – – –"

„Die Sprache? Wieso?" fiel ich ihm in die Rede. „Ta-ki ist Chinese."

„Ihr wollt sagen, daß Ihr in seiner Muttersprache mit ihm reden könnt? Das weiß ich wohl! Aber denkt Ihr etwa, daß Ihr ihn nur aufzusuchen und vor ihn hinzutreten braucht, um ihn aushorchen zu können? Das bildet Euch ja nicht ein!"

„Diese Einbildung habe ich nicht. Er kann sich doch nicht allein auf der Insel befinden. Die Leute, die dort wohnen, sind – – –"

„Wahrscheinlich Nikobaresen", unterbrach er mich. „Versteht Ihr deren Sprache?"

„Hm! Sie sind ein Mischvolk von Malaien und Birmanen, und es ist möglich, daß ich da mit meinem bißchen Malaiisch und Hindostain auskommen werde."

„Das wäre gut, denn ich verstehe davon ebensoviel wie Ihr; aber vielleicht können wir uns da auf unseren Kaladi verlassen. Werde ihn einmal fragen."

Kaladi war von dem Engländer, der im Wiederbesitz seiner Umbrellapipe überglücklich war, reich beschenkt worden, so daß er nun die Mittel besaß, Molama zu heiraten. Doch hatte er es sich nicht nehmen lassen, seinen geliebten Maharadscha auf der jetzigen Fahrt zu begleiten. Er war lange Jahre Matrose gewesen, hatte das Indische und Chinesische Meer nach allen Richtungen befahren, kannte sämtliche indischen Inseln und hatte sich einen Sprachschatz angeeignet, der uns zustatten kommen konnte. Von Raffley befragt, erklärte der Singhalese, die Insel Tillangdschong genau zu kennen; mit etwas Malaiisch und ebensoviel Hindostain käme man bei den wenigen Leuten, die dort wohnten, recht gut aus.

Noch sprachen wir mit ihm, da richtete er sein Auge über Backbord hinüber auf einen Punkt der See und stieß einen Ruf des Erstaunens aus.

„Sahib, dort schwimmt etwas. Wenn ich mich nicht irre, so ist es ein Boot."

„Was für eins?" fragte der Lord. – „Ein Andamanenboot."

„Wird sich an einer Insel losgerissen haben."

„Nein. Der Bug steht südwärts auf uns; das wäre bei einem leeren Fahrzeug und dem jetzigen Wind nicht möglich. Es wird gerudert."

„Hm! Wollen einmal sehen!"

Raffley holte sein Fernrohr, blickte nur kurze Zeit hindurch und erklärte dann: „Es sind zwei schmale Boote, längsseits aneinandergebunden; drin sitzen Männer, die rudern."

„Zwei Boote? Aneinandergebunden, Sahib?" fragte Kaladi in einem uns auffallenden Ton.

„Ja. Jetzt wenden sie. Sie scheinen von uns abkommen zu wollen."

„Laß sie abkommen, laß sie abkommen, Sahib! Sie gehen uns nichts an."

„Warum nicht? Zwei zusammengebundene Boote auf hoher See, das ist auffällig. Habe große Lust, sie anzudampfen und anzureden."

„Laß sie, Sahib, laß sie!"

„Hm! Du scheinst ungeheure Teilnahme für sie zu hegen. Welchen Grund hat das?"

„Es sind arme Teufel, die um ihre Freiheit rudern."

„Verstehe dich nicht."

Ich wußte, was Kaladi meinte, und erklärte dem Englishman:

„Wahrscheinlich sind es flüchtige Verbannte."

„Ah! Fliehende Verbrecher? Die kommen doch von den Andamanen."

„Allerdings."

„Und scheinen nach den Nikobaren zu wollen?"

„Denke es auch."

„Dann sind es keine Flüchtlinge." – „Wieso?"

„Weil sie da aus dem Regen in die Traufe kämen. Auf den Nikobaren würde man sie ergreifen. Wer von den Andamanen entweicht, der flieht nordwärts, dem Festland zu; das müßt Ihr doch auch sagen, Charley?"

„Nein. Nordwärts durch den so belebten Preparis-Kanal, das wäre für flüchtige Verbrecher ein gefährlicher Weg. Günstiger ist es für solche Leute, über die Nikobaren hin die Nordspitze von Sumatra zu erreichen."

„Da werden sie auf den Nikobaren ergriffen."

„Nein, wenn sie klug und vorsichtig sind. Beamte gibt es doch nur auf Kamorta. Wenn die Flüchtlinge diese Insel vermeiden, ist ihr Entkommen fast gewiß."

„Denkt Ihr? Ja, Ihr könnt recht haben. Flüchtige Verbrecher! Ich bin Englishman, und es ist meine Pflicht, auf diese Kerls zu fahnden. Meint Ihr nicht?"

„Ich habe keine persönliche Stellung dazu, denke aber auch, daß die Strafen für begangene Verbrechen nicht verhängt werden, um unausgeführt zu bleiben."

„Well; nehmen wir die Kerls also an Bord, wenn sie wirklich das sind, wofür wir sie halten!"

Auf seinen Befehl ließ der Steuermann die Jacht nach Backbord abfallen und hielt gerade auf die Boote zu, deren Insassen die Ruder einzogen, als sie bemerkten, daß sie unmöglich entkommen konnten. In ihrer Nähe wurde gestoppt. Die Jacht ging noch zwei Schiffslängen bis ganz an die Boote heran und wurde dann nur noch vom Wellengang bewegt. Wir blickten von oben in die Boote. Die zwei Ruderer saßen in dem einen und hatten, nur damit es nicht kentern könne, ein zweites daran gebunden. Ihre ganze Bekleidung bestand aus einer Art von Hemd, das bis auf die Knöchel herabreichte und an den Ärmeln einige mir unbekannte Zeichen hatte.

„Ah, Verbrecherhemden!" sagte der Lord. „Sogar Abteilung Viperinsel, wohin nur gefährliche Kerle kommen. Werde mich ihrer freundlich annehmen."

Er bog sich über die Reling hinab und fragte die beiden, die in ängstlicher Erwartung zu uns emporblickten, in englischer Sprache:

„Woher, Kinder, heh?"

„Von Klein-Andaman", antwortete der eine in derselben Sprache.

„Und wohin?" – „Nach Kamorta."

„Welcher Zweck?" – „Besuch."

„Bei wem?" – „Bei Verwandten, zu einem Begräbnis."

„Schön, meine Kinder! Habt tüchtig arbeiten müssen bei diesem Seegang; sollt mit uns fahren. Wir gehen nämlich nach Kamorta. Steigt an Bord!"

„Das können wir nicht, Sahib."

„Warum nicht?"

„Wir sind geringe Leute, die nicht so zu großen und vornehmen Maharadschas passen."

„Tut nichts; das wird passend gemacht. Kommt nur getrost herauf!"

Er sagte das in väterlich-freundlicher Weise, und sein Gesicht strahlte dabei so vor Vergnügen, als ob es ihn glücklich mache, zwei arme Menschen bei sich aufzunehmen. Trotzdem lautete die Antwort von unten ausweichend.

„Verzeiht, Sahib! Wir rudern gern und befürchten, Euch durch unsere einfache Gegenwart zu beleidigen."

„Das befürchtet nicht, Kinder! Ihr würdet mich beleidigen, wenn ihr nicht kämt. Ich bin ein Englishman, der für jede abgeschlagene Einladung eine Kugel gibt."

Das klang schon etwas ernster. Sie sahen einander fragend an, dann erklärte der bisherige Sprecher:

„Wir dürfen nicht, Sahib. Schont unsere Kaste!"

Da ließ der Lord seinen Klemmer auf die Nasenspitze vorrutschen und donnerte hinab: „Eure Kaste schonen? Soll ich euch etwa für Brahminen halten, denen mein Schiff nicht gut genug ist? Wenn ihr nicht augenblicklich an Bord kommt, gebe ich wieder Dampf und fahre euch und eure Nußschalen mitten auseinander. Also herauf mit euch!"

Sie wechselten einige leise Worte miteinander, dann hörten wir die Ausrede: „Wir wollen ja gar nicht nach Kamorta; ich habe mich vorhin versprochen."

„Wohin denn?" – „Nach Tillangdschong."

Als ich diesen Namen hörte, rief ich an des Lords Stelle hinab:

„Zu wem? Wenn wir euch glauben sollen, so sagt die Wahrheit! Wir sind dort bekannt."

Erst nach einigem Zögern und Überlegen erhielt ich die Auskunft:

„Zu Ta-ki, dem Chinesen, dem vornehmsten Mann auf der ganzen Insel."

„Und der soll euer Verwandter sein? Ist er es etwa, der begraben werden soll?"

„Nein. Wir werden bei ihm wohnen, um uns nicht bei unseren toten Verwandten zu verunreinigen."

„Gut, so bringen wir euch nach Tillangdschong. Ihr seid nun einmal eingeladen; da ist nichts zu ändern. Also herauf mit euch, wenn ihr nicht überfahren sein wollt!"

Da die Jacht kein Kriegsschiff war, hatten sie wahrscheinlich geglaubt, die Sträflingskleidung sei uns unbekannt und wir würden sie fortlassen. Jetzt aber sahen sie ein, daß sie sich fügen mußten, zumal unsere Leute ihre Gewehre geholt hatten und damit drohten. Sie verließen also ihre Boote, in denen wir einen Vorrat an Kokosnüssen erblickten, die auf der Flucht ihre einzigen Lebensmittel gebildet hatten. Da bemerkten wir, daß dem einen eine eiserne Kette an den beiden Fußknöcheln hing; er war also jedenfalls ein widerspenstiger Bösewicht. Angesichts dieses Schmuckstücks konnten sie nicht leugnen, wer und was sie waren. Waffen hatten sie nicht. Sie ergaben sich ohne Widerstand in ihr Schicksal, ihre Boote wurden in Schlepp genommen, und dann dampften wir weiter.

„Sonderbar, daß sie nach Tillangdschong wollen", meinte Raffley zu mir.

„Und zwar zu dem Chinesen", stimmte ich bei. „Es läßt sich daran ein Gedankengang knüpfen, den ich nicht von mir weisen möchte."

„Welcher, Charley?"

„Sie kennen ihn; er ist ein Verbrecher und sie sind nichts anderes. Sie suchen bei ihm Unterstützung und Fortkommen; wahrscheinlich gehen sie unter die Seeräuber. Sollte es sein Geschäft sein, flüchtige Verbrecher für seine Dschonken anzuwerben?"

„Leicht möglich, denn diesen Kerlen ist es gleichgültig, was sie dann werden, wenn sie nur die verlorene Freiheit wiedererhalten."

„Wenn das so ist, dann muß der Chinese in der Verbrechersiedlung als der bekannt sein, an dem man sich im Fall einer Flucht zu wenden hat."

„Wahrscheinlich. Werde gleich einmal danach fragen."

„Halt!" wehrte ich, als er sich schnell entfernen wollte.

„Das würde ein Fehler sein, denn sie würden Euch doch keine Aufklärung geben."

„Oho! Ich lasse sie hauen, bis sie sprechen."

„Warum eine solche Grausamkeit, wenn wir auf eine leichtere und menschlichere Weise unseren Zweck erreichen können?"

„Welche menschlichere Weise meint Ihr denn, Charley?"

„Ich belausche sie."

„Pshaw! Belauschen, das tut Ihr gar zu gern. Bedenkt, daß Ihr Euch hier weder im Urwald noch auf der Prärie befindet!"

„Seht die beiden Kerls dort beim Schornstein! Sie möchten herzlich gern über das, was ihnen bevorsteht, miteinander sprechen. Meint Ihr nicht, Sir?"

„Natürlich! Man sieht es deutlich, daß es ihnen das Herz abdrückt."

„Sie können aber nicht heimlich sprechen, weil Kaladi als Wache bei ihnen steht. Er hat zwar vorhin, als er die Boote sah, Mitleid verraten; nun, da sie aber unsere Gefangenen sind, gibt er sicher genau acht auf sie. Laßt sie also hinunter in den Raum schaffen und anbinden; dort werden sie, wenn sie allein sind, sofort miteinander reden."

„Das steht allerdings zu erwarten. Und da, wenn sie sprechen, wollt Ihr sie belauschen?"

„Ja. Laßt sie hinter den Tanks unterbringen! Ich steige, ohne daß sie es bemerken, vorher hinab und verstecke mich zwischen den Behältern. Es versteht sich von selbst, daß kein Licht bei ihnen gelassen wird."

„Würde es nicht besser sein, Kaladi zu diesem Zweck hinunter zu schicken?"

„Ihr meint, er versteht sie besser als ich?"

„Das denke ich."

„Es handelt sich nicht nur darum, sie richtig zu verstehen, sondern man muß auch aus dem, was man hört, die richtigen Schlüsse ziehen können."

„Hm! Yes! Und dazu wird Kaladi wohl nicht das nötige Geschick besitzen. Es ist also besser, Ihr steigt selbst hinunter. Macht Euch auf den Weg! Wir werden gleich nachkommen. Bin wirklich neugierig, ob es Euch gelingt, etwas zu erfahren."

Die beiden Gefangenen standen in der Nähe des Schornsteins und beobachteten uns. Der Lord ging zu ihnen und unterzog sie einem Scheinverhör, wodurch er ihre Aufmerksamkeit auf sich lenkte. Dabei stellte er sich so, daß sie ihre Stellung ändern und mir den Rücken zukehren mußten. So bekam ich Gelegenheit, in der nächsten Luke zu verschwinden, ohne daß es von ihnen bemerkt wurde.

Ich stieg zu den Tanks hinab, wie die großen Trinkwasserbehälter genannt werden, legte mich da nieder und schob mich zwischen zwei so hinein, daß mich die Flüchtlinge, wenn sie gebracht wurden, nicht sehen konnten. Nach wenigen Minuten kamen sie, von einigen Matrosen geführt; der Lord war dabei. Bei den Tanks ließ er sie streng fesseln und kehrte dann mit den Matrosen nach oben zurück. Es war vollständig dunkel um mich her. Noch während die Treppenstufen unter den schweren Schritten der Matrosen knarrten, und ich darum nicht gehört werden konnte, schob ich mich weiter und weiter vor, bis mein Kopf den Gefangenen so nahe lag, daß ich sie selbst für den Fall, daß sie leise sprachen, verstehen konnte. Die Hauptfrage war freilich, welcher Sprache sie sich bedienen würden.

In dieser Beziehung war mir das Glück günstig; denn sie unterhielten sich in jenem Laskarenmischmasch, den dort jeder Seemann kennt und der mit der Lingua franca der Mittelmeerhäfen zu vergleichen ist. Ich verstand fast jedes Wort.

„Ob wir wohl allein hier sind?" fragte der eine leise.

„Es ist niemand da", antwortete der andere lauter.

„Weißt du das gewiß?"

„Ja. Ich habe in alle Ecken geschaut, während das Licht hier brannte."

„Ich auch, und niemand war zu sehen außer denen, die uns herunter brachten und wieder hinaufgegangen sind."

„Wir können also reden; es hört uns kein Mensch."

„Was nützt uns das? Vom Reden werden wir nicht frei."

„Nein; aber wir können jetzt darüber sprechen, ob es nicht einen Weg zur Freiheit gibt."

„Es gibt keinen; wir sind verloren." – „Ich habe noch Hoffnung."

„Wirklich?" erklang die schnelle Frage.

„Ja. Diese englischen Hunde schaffen uns sicher nach Kamorta, um uns dort abzuliefern. Wahrscheinlich kommen wir dort an, wenn es schon dunkel geworden ist; da springen wir über Bord und retten uns durch Schwimmen."

„Schwimmen? In diesen Fesseln?"

„Fesseln!" sagte der vorige mit einem verächtlich zischenden Lachen. „Ja, wenn sie von Eisen wären! Aber es sind Riemen, und du kennst meine Zähne. Ich zernage die deinigen, und dann knüpfst du mich los."

„Ja, das geht. Wir springen über Bord! Aber – – –" fügte er in viel weniger zuversichtlichem Ton hinzu, „– – – wir haben die Kette an meinen Füßen vergessen; sie hindert mich am Schwimmen."

„Ich helfe dir. Wir kommen in der Dunkelheit gewiß ans Ufer, wo wir Kähne finden, soviel wir wollen; dann rudern wir in der Nacht nach Tillangdschong. Erreichen wir diese Insel, so sind wir geborgen, denn Ta-ki wird uns so gut verstecken, daß uns kein Verfolger finden kann."

„Hat er wirklich so gute Winkel?"

„Ja. Es ist noch nie ein Flüchtling auf Tillangdschong entdeckt worden."

„Und dann? Was geschieht dann mit uns?"

„Das habe ich dir bereits gesagt. Wir gehen unter die Seeräuber."

„Aber ich verstehe vom Seewesen nichts."

„Das schadet nichts; das lernt sich alles. Ta-ki rettet einen Flüchtling nur unter der Bedingung, daß er unter die Räuber geht. Oder graut dir's etwa davor?"

„Unsinn! Meine Freiheit will ich haben; für sie tue ich alles, was von mir verlangt wird. Aber weißt du auch gewiß, wo man Ta-ki auf der Insel trifft?"

„Ja, bei den drei verschiedenen Masten. Die Bewohner der Nikobaren pflegen nämlich jede Stelle, wo gelandet werden kann, mit hohen Bambusstämmen zu bezeichnen, an deren Spitzen Büschel von getrockneten Kokospalmenwedeln angebracht sind. Diese Masten sind wohl an Zahl selten aber in Beziehung auf die Höhe verschieden. Davon hat Ta-ki eine Ausnahme gemacht, damit seine Landestelle leichter erkannt werden kann. Sie liegt auf der Ostseite von Tillangdschong; rudert man an ihr hin und sieht drei Masten von verschiedener Höhe zwischen den Korallen stehen, so ist das der Ort, an dem man landen muß. Jetzt aber wollen wir nicht mehr sprechen, sondern handeln. Die Riemen sind fest, und ehe man sie durchbeißt, müssen Stunden vergehen."

Aus diesen Worten schloß ich, daß nun nichts mehr zu erfahren war, und zog mich langsam zwischen den Tanks zurück. Dann schlich ich mich zur Treppe und kroch vorsichtig hinauf. Als Raffley mich sah, kam er mir neugierig entgegen.

„Nun, wie ist's gegangen? Habt Ihr Glück gehabt und etwas gehört?"

„Ja." – „Was?"

„Sagt vorerst einmal, Sir John, habt Ihr eiserne Fesseln?"

„Yes. Man ist unterwegs zuweilen gezwungen, mit der Mannschaft zu wechseln, und die Kerle, die man hier in diesen Gegenden bekommt, taugen meist nichts. Jeder Kapitän, der sich mit Laskaren abgeben muß, hat eisernes Schließzeug bei sich."

„So fesselt die beiden Gefangenen mit Eisen! Sie wollen ihre Riemen zerbeißen."

„Ah! Diese Sorte hat allerdings die richtigen Dolchzähne. Werde ihnen aber etwas umbinden, was sie wohl nicht zerbeißen können."

Als die eisernen Hand- und Fußringe gebracht wurden, nahm Quimbo sie schnell an sich und sagte mit einem Lachen, das vom rechten Ohr bis zum linken ging:

„Geb Eisen an gut, schön, tapfer Quimbo! Quimbo will mach so fest Eisen, daß Räuber beiß aus all Zähn und doch nicht werd frei."

Als wir unten ankamen, um die ledernen Riemen mit den metallenen Fesseln zu vertauschen, blitzten uns die beiden Kerls aus glühenden Augen wütend an. Ich hielt ihnen den schon halb durchnagten Riemen hin und sagte zu dem, der sich seiner Zähne gerühmt hatte:

„Ich kenne deine Zähne, und ich kenne auch eure Gedanken und Absichten. Ihr wolltet heute abend in die See springen."

„Das kann uns nicht einfallen!" rief der eine mir zornig zu.

„Oh, es ist euch sogar noch mehr eingefallen. Ihr wolltet in Kamorta an Land schwimmen und ein Boot stehlen, um nach Tillangdschong zu fahren."

„Zu wem?" hohnlachte er. – „Zu Ta-ki."

„Zu Ta-ki? Woher weißt du das?"

„Weil ich weiß, daß er euch helfen soll, unter die Seeräuber zu gehen. Wir werden euch in Kamorta abliefern; vorher aber werdet ihr die Güte haben, mir eure Hemden zu borgen."

Sie schwiegen; dafür fragte mich der Lord erstaunt:

„Diese Hemden borgen? Redet Ihr im Ernst?"

„Ja." – „Für wen denn?"

„Für mich und Kaladi."

„Wollt Ihr sie etwa anziehen?" – „Ja."

„Ihr redet irre, Charley! Welcher Gentleman zieht solche Hemden – – – brrrrr!"

„Der Gentleman, der die Absicht hegt, einen gewissen Ta-ki zu fangen."

Da ließ er den Klemmer vor auf die Nasenspitze rutschen, starrte mir über die Gläser hinweg ins Gesicht und wiederholte langsam:

„Einen – – gewissen – – Ta-ki – – zu – fangen – – –! Es ist wirklich Euer Ernst?" – „Yes!"

„So sagt mir um des Himmels willen, was diese vor Schmutz und Ungeziefer starrenden Hemden dabei zu tun haben? Es ist ja geradezu ein Selbstmord – – –"

„Abwarten!" fiel ich ihm in die Rede. „Hier ist nicht der Ort, davon zu sprechen. Gehen wir an Deck oder in Eure Kajüte, Sir!"

„Well! Soll mich verlangen zu erfahren, was Ihr wieder einmal für eine bunte Raupe im Kopf habt!"

8. Auf den Nikobaren

Wir stiegen nach der Kajüte empor. Natürlich durfte ich die Hemden nicht mit hineinnehmen; ich überließ sie vielmehr Quimbo, indem ich ihm erklärte, wie er sie zu reinigen hatte. Der Lord warf sich auf einen Stuhl und legte die Beine übereinander.

„Charley! Sagt mir doch einmal um aller Welt willen, was habt Ihr denn eigentlich mit diesen Hemden vor?"

„Anziehen wollen wir sie."

„Da hört aber doch alles auf! Und diese Tollheit soll auf Ta-ki Bezug haben? Inwiefern denn?"

„Sagt mir vorher, Sir, ob Ihr alte Korkstöpsel habt?" Er machte eins seiner dümmsten Gesichter.

„Habe ich recht gehört? Korkstöpsel und alte Sträflingshemden? Ich werde ganz irre an Euch!"

„Es handelt sich um eine Art von Maskenscherz. Die Korkstöpsel sollen angeräuchert werden, damit ich mir die Haut einreiben kann."

„Die Haut einreiben? Es wird wirklich immer toller! Seid Ihr denn so unzufrieden mit Eurer jetzigen Haut?"

„Das nicht; aber wenn ich nichts trage als das Züchtlingshemd, so

290

kommen zuweilen die Arme, die Unterschenkel, auch die Brust zum Vorschein, und da versteht es sich von selbst, daß ich diese Körperteile dunkel färben muß, damit Ta-ki nicht sieht, daß ich ein Europäer bin. Meine weiße Haut würde mich verraten."

„Hm! Die Finsternis beginnt sich zu lichten. Ihr wollt zu Ta-ki?" „Ja."

„Nach Tillangdschong?" – „Ja."

„An Stelle der beiden Gefangenen?" – „Ja."

„Euch für einen entflohenen Verbrecher ausgeben?"

„Ja."

„Um Ta-ki auszuhorchen?"

„Ja."

Da stampfte er wütend mit dem Fuß und schrie mich an:

„Ja, ja, ja, und immer wieder nur ja! Sprecht Euch doch ausführlicher aus! Wie kommt Ihr denn auf den höchst gefährlichen Gedanken, diesen Ta-ki in der Gestalt eines flüchtigen Verbrechers aufzusuchen?"

Ich erzählte ihm, was ich unten erlauscht hatte.

„Hm!" brummte er. „Daraus folgt noch nicht, daß Ihr Euch in eine so augenscheinliche Lebensgefahr begeben müßt."

„Es ist keine Gefahr dabei."

„Das versteht Ihr nicht."

„Ah! Wirklich?"

„Oder Ihr achtet es nicht", lenkte er ein. „Ihr seid eben so ein Hallodri, dem es gar nicht gefällt, wenn es nicht ein bißchen um die Gesundheit und ums Leben geht. Ich begreife nicht, warum gerade dieses Wagnis notwendig sein soll."

„Desto besser begreife ich es."

„Das ist Einbildung. Ich will Euch sagen, wie es gemacht wird: Wir dampfen nach Tillangdschong, ankern da, wo drei verschiedene Bambusmasten zu sehen sind, gehen an Land, suchen diesen Ta-ki auf und zwingen ihn, uns zu sagen, wo die Tigerbrücke zu suchen ist."

„Wie wollt Ihr ihn zwingen?"

„Erst versuche ich's in Güte, und wenn das nicht hilft, so bekommt er Prügel."

„Hm, hm!"

„Was sind das für zwei Hms? Soll das heißen, daß ihr nicht einverstanden seid?"

„Ja. Habt Ihr nicht schon wiederholt gesagt, daß aus diesem Chinesen nichts herauszubringen sein wird?"

„Hm, das ist richtig. Wenn Ihr aber Euern Plan ausführt, so – –"

„So bin ich überzeugt, daß er sich aufs glanzvollste übertölpeln läßt."

„Ich bleibe dennoch bei meiner Warnung: wenn er Euch durchschaut, so seid Ihr verloren."

„Oho!"

„Ihr habt ja gehört, was für ein Riese er ist!"

„Und Ihr habt selbst darauf gesagt, daß körperliche Hünen oft gar keinen Mut haben."

„Da kommt Ihr mir schon wieder in die Quere! Wenn Ihr Euch etwas eingebildet habt, so bringen zehn Pferde nicht Euch nicht von der Stelle. Ich werde Euch sehr wahrscheinlich noch einmal als Leiche kennenlernen. Dann nehmt mir's aber nicht übel, wenn ich meine Hände in Unschuld wasche. Jetzt gehe ich. Ich will mir die Sache noch überlegen."

Er entfernte sich ärgerlich, und ich konnte ihm nicht bös darüber sein. Es war ja doch nur die Zuneigung zu mir, die aus ihm sprach.

Als ich an Deck kam, sah ich ihn mit langen Schritten hin und her gehen. Das tat er wohl eine Stunde lang, ohne mich zu beachten; dann stand er plötzlich vor mir und legte mir die Hand auf die Schulter.

„Charley!"

„Sir John!"

„Glaubt Ihr wirklich, daß Ihr's übersteht?"

„Was?"

„Den Mummenschanz mit dem Gefängnishemd?"

„Ja."

„Quimbo hat die Gewänder erst übers Feuer gehalten und dann in kochendes Wasser gesteckt; anziehen also könntet Ihr sie; aber der Chinese – der Chinese!"

„Der macht mir nicht bang."

„Und Kaladi soll mit?"

„Ja."

„Das macht mir das Herz leichter, denn er ist ein zuverlässiger Kerl. So folgt also Euerm Kopf; ich will nichts dagegen haben! Aber wehe dem Chinesen, wenn er Euch nur ein Haar krümmt! Ich reiße ihn in Stücke! Welche Gelegenheit wollt Ihr denn benutzen?"

„Die beiden Boote der Flüchtlinge. Ich rudere mit Kaladi früh nach Tillangdschong hinüber, und Ihr kommt nach einigen Stunden nach."

„Wohin?"

„Nach der Ostküste, wo Ihr drei verschieden hohe Bambusmasten stehen seht."

„Sollen wir Anker werfen?", – Ja."

„Und an Land kommen?"

„Nein."

„Aber wollen wir den Chinesen nicht fangen?"

„Allerdings."

„Wie sollen wir das fertigbringen, wenn wir an Bord bleiben?"

„Nichts leichter als das. Ich bringe ihn an Bord."

„Das wäre ein Meisterstück!"

„Wenn jedes Meisterstück so wenig erforderte wie das, so wäre es leicht, Meister zu werden. Kurz und gut, ich bringe ihn an Bord, und wir dampfen mit ihm ab, um ihn in Kamorta der strafenden Hand zu übergeben."

„Wenn alles so glatt geht, wie Ihrs jetzt denkt, so will ich's loben. Also alte Flaschenkorke gibt es. Wann soll die Malerei beginnen?"

„Das hat Zeit bis gegen Abend; die Kette lege ich erst morgen früh an."

„Welche Kette?"

„Die der eine Gefangene an den Füßen trägt."

„Alle Teufel! Die wollt Ihr Euch doch nicht etwa an die Beine hängen?"

„Warum nicht?"

„Ihr seid doch kein Einbrecher!"

„Man soll mich aber für einen halten. Ihr könnt Euch darauf verlassen, daß der Chinese mir leichter Vertrauen schenkt, wenn ich mit dieser Kette vor ihn hintrete."

„Will's glauben. Macht was Ihr wollt; ich habe nichts dagegen, wenn man Euch für einen Hauptspitzbuben hält."

Damit war die Sache für ihn abgemacht. Nun nahm ich Kaladi vor und freute mich über die Bereitwilligkeit, mit der er auf meinen Wunsch, mich zu begleiten, einging. Ich unterrichtete ihn, soweit das möglich war, da ich ja selbst noch nicht wußte, wie alles kommen würde, und war überzeugt, in ihm einen Kameraden zu haben, auf den ich mich verlassen konnte.

Es war noch nicht Abend, als wir Kamorta vor uns liegen sahen, eine hüglige Insel, die mit dem üppigsten Pflanzenwuchs bedeckt und von Korallenriffen umgeben war, durch die die Annäherung sehr erschwert wurde. Als wir in den Hafen dampften, umgab uns tiefe Stille, ganz im Gegensatz zu dem regen, südlichen Leben, das in den anderen Häfen des Indischen Ozeans herrschte. Am Land sahen wir die runden, kugelförmig bedachten Pfahlhütten der Nikobaresen liegen, und dann erblickten wir einige Häuser der Strafsiedlung. Gruppen von Neugierigen standen fern am Ufer, dem wir uns nicht nähern konnten, denn es war die Zeit der Ebbe, und die See hatte ihre Wasser so weit zurückgezogen, daß uns ein breiter Schlick- und Schlammgürtel von der Küste trennte.

Wir warfen Anker und bemerkten Leute, die durch den tiefen Schlick gestiegen kamen, indem sie ein leichtes Boot und einen Mann trugen. Als sie das Wasser erreichten, ließen sie das Boot nieder, setzten den Mann hinein, stiegen ihm nach und ruderten auf uns zu. Dieser Mann kam an Bord; er war der Kommandant der hiesigen Strafsiedlung, der sich nach unserem Gesundheitszustand erkundigen und erfahren wollte, wie lange wir hier zu bleiben beabsichtigten. Seine Ruderer waren Sträflinge. Als er hörte, daß sich kein Kranker unter uns befand, erteilte er uns die Erlaubnis, an Land zu gehen, und war enttäuscht, als wir darauf verzichteten. Er hätte uns gern gastlich bei sich aufgenommen. Wir aber wußten, daß uns eine einzige Nacht an Land das Nikobarenfieber bringen konnte, und so zogen wir vor, an Bord zu bleiben.

Natürlich erfuhr er, welcher Zweck uns hergeführt hatte. Er war augenblicklich bereit, die beiden Gefangenen von Bord holen zu lassen. Als wir uns erkundigten, ob er einen Chinesen namens Ta-ki kenne, nickte er:

„Gewiß kenne ich ihn. Er wohnt auf Tillangdschong und ist der einzige Händler, der sich auf den Nikobaren niedergelassen hat. Da er uns mit Gegenständen versorgt, die wir hier sonst nicht bekommen würden, haben wir ihm manche Erleichterung zu verdanken."

„Ist er ein ehrlicher Mann?" fragte ich.

„Unbedingt, soweit man nämlich bei einem chinesischen Händler von Ehrlichkeit sprechen kann."

„An welcher Stelle der Insel wohnt er?"

„An der Nordwestspitze. Wenn man sich ihr nähert, sieht man seine Hütten schon von fern."

„An der Ostküste hat er keine Hütte?"

„Nein. Da gibt es nur einen einzigen, kleinen Pfahlbau, der einem alten Eingeborenen gehört."

„Stehen drei Masten von verschiedener Größe da?"

„Ja. Ich höre, daß Ihr diese Hütten kennt?"

„Allerdings."

„So seid Ihr früher schon einmal hier gewesen?"

„Nein. Ich kenne die Örtlichkeit durch die Beschreibung, die mir die beiden Gefangenen ohne ihre Absicht geliefert haben. Euer Chinese ist nämlich kein ehrlicher Mann, wie Ihr meint, Sir, sondern ein Schuft, der Euch an der Nase führt."

Erst jetzt teilte ich ihm mit, welches Gewerbe Ta-ki eigentlich trieb. Der Beamte hörte mir erstaunt zu, schenkte mir aber Glauben und wollte in übermäßigem Eifer sofort mit einigen Booten voll Sepoys nach Tillangdschong rudern, um den Chinesen festzunehmen. Wir rieten ab, indem wir erklärten, daß wir diese Arbeit für ihn unternehmen und ihm Ta-ki ausliefern würden. Er war damit einverstanden, denn das Ergreifen eines kühnen Seeräubers ist immerhin eine gefährliche Sache, die man gern anderen überläßt.

Er befahl, wieder an Land zurückzurudern und schickte dann ein größeres Boot, das uns köstliche Früchte brachte und dafür die Gefangenen von uns ausgeliefert bekam. Von diesen Früchten waren uns die Kokosnüsse wegen ihrer Milch am liebsten, doch gehört eine gewisse Geschicklichkeit dazu, sie zu öffnen, ohne die Milch zu verschütten. Man bedient sich hier eines schweren, aus Birma stammenden Eisenmessers dazu, Tahu genannt. Der Ungeübte zerschlägt die Nuß und verspritzt den köstlichen Saft dabei; der Geschickte aber entfernt mit kecken Schlägen die Spitze ohne die Hülle der Innenhöhle. Ist diese Höhle, das ölhaltige Mark der Nüsse, freigelegt, dann macht er ein Loch hinein und ist nun imstand, die Nuß auszutrinken.

Als es Abend geworden war, ging ich daran, mich an Armen, Beinen und Brust mit angeräuchertem Kork färben zu lassen. Ich hatte mich für diesen Farbstoff entschieden, weil jeder andere nicht so leicht wieder entfernt werden konnte. Dieses Geschäft besorgte mein „tapfrer" Quimbo. Es war wirklich eine Wonne zuzuschauen, wie er im Schweiß seines Angesichts rieb und arbeitete, und welche Gesichter er dabei schnitt. Seine Züge wurden verklärter und immer verklärter. Schließlich sprang er auf, trat einige Schritte zurück, um mich wie ein Maler sein Meisterwerk zu betrachten und rief dann wonnevoll jubelnd:

„Oh, wie schön bin gut, brav Deutschland worden, wie schön, wie schön! Bin worden beinah so schön wie Quimbo und Basutokaffer!"

„Wirklich so schön?" fragte ich, über diese großartige Schmeichelei entzückt.

„Ja, so schön! Gut, tapfer Quimbo bin nur ein ganz klein wenig mehr schön, weil Farbe fest auf Haut, bei Mynheer Deutschland aber nicht so fest, Quimbo kann nicht wisch wieder fort. Oh, wenn gut Deutschland jetzt wär in Land, wo wohn Basutokaffer!"

„Warum?"

„Mynheer Deutschland bin so schön, daß bekomm gleich ein, zwei, fünf, zehn Basutofrau! Und wer hab Deutschland mach so schön?"

„Du, nur du allein hast das gekonnt, lieber Quimbo."

„Ja", rief er stolz, „schön, gut, tapfer Quimbo bin es wesen, der mach aus Mynheer Deutschland ein so wunderbar Basutokaffer. Oh, Quimbo bin klug! Quimbo hab Geschick und Talent! Quimbo sein eben Quimbo."

Die Wonne, die er empfand, erlitt nur eine Einbuße durch den Gedanken, daß er mich nicht begleiten sollte. Er wäre gern mit mir nach Tillangdschong gefahren, aber einesteils war Kaladi überhaupt geeigneter dazu, und andernteils durfte ich nicht daran denken, den Kaffer mitzunehmen, weil der Chinese ihn kannte, da sie sich beide auf der Seeräuberdschonke befunden hatten.

Der nächste Morgen begann zu grauen, als die Jacht die Anker lichtete, um den Hafen von Kamorta zu verlassen und die hohe See zu gewinnen. Mit den beiden zusammengebundenen Andamanbooten von dem Hafen aus den Weg nach der Ostküste von Tillangdschong zu machen, wäre für mich und Kaladi zu beschwerlich gewesen. Wozu diese unnötige Anstrengung, wenn wir es leichter haben konnten? Wir dampften also nach Nordwesten, und erst als wir in die Strömung von Batti Malve kamen, sprangen wir in die Boote hinab, deren Tau gelöst wurde.

„Good luck!" rief der Lord uns zu; dann ruderten wir mit der Strömung südöstlich davon.

Da wir von dem Beamten gehört hatten, daß die eigentliche Besitzung des Chinesen auf der Nordwestspitze von Tillangdschong lag, war unser ursprünglicher Plan geändert worden. Die Jacht sollte uns nämlich nicht gerade nach der Ostküste folgen und dort bei den drei Masten Anker werfen. Das hätte Ta-ki auffallen müssen. Vielmehr sollte sie an der erwähnten Spitze anlegen, scheinbar, um mit dem Chinesen ein Geschäft zu machen, vorher jedoch einmal rund um die Insel dampfen und nach mir und Kaladi ausschauen. Nur in dem Fall, daß wir durch die Fernrohre bei den drei Masten erblickt würden, sollte der Lord dort beidreher

Die Strömung führte uns so schnell in der beabsichtigten Richtung fort, daß wir fast nicht zu rudern brauchten. Ich verwendete einen Riemen als Steuer. Kaladi betrachtete mich dabei lächelnd.

„Sahib, Ihr seid ein echter Singhalese geworden; dazu die Kette an den Füßen! Der Chinese wird keinen Augenblick daran zweifeln, daß wir flüchtige Verbrecher sind."

„Kein Singhalese, sondern ein arabischer Seemann bin ich, wie wir besprochen haben; das vergiß ja nicht!"

Nach kaum einer Stunde kam uns die Nordwestspitze von Tillangdschong zu Gesicht; wir sahen die Hütten liegen und trieben vorüber. Am Ufer standen einige Menschen, die uns bemerkten; sie beobachteten uns kurze Zeit, und dann rannte einer fort; er schien von ungewöhnlicher Größe und Stärke zu sein.

„Ob das vielleicht der Chinese ist?" fragte Kaladi.

„Sehr wahrscheinlich", antwortete ich. „Er hat bemerkt, daß wir nach der Ostküste wollen, und muß annehmen, daß wir Flüchtlinge sind. Nun eilt er fort, um uns bei den drei Masten zu empfangen."

„Man sieht, daß er ein Riese ist. Werden wir mit ihm kämpfen müssen?"

„Wahrscheinlich nicht, wenigstens du nicht. Sei ohne Sorge!"

Für den Fall eines Kampfes besaß ich keine Waffe als nur mein Bowiemesser, das in dem Baststrick steckte, der mir als Gürtel diente; eine andere Wehr hatte ich nicht mitnehmen dürfen.

Bald kamen wir aus der günstigen Strömung heraus und mußten rudern; das verlangsamte die Fahrt bedeutend, so daß Ta-ki uns zu Land vorauskommen konnte. Wir hatten das Ostufer jetzt zu unserer Rechten und paßten scharf auf. Endlich erblickten wir drei Masten von verschiedener Höhe, die in der Nähe der Küste aus dem Wasser ragten. Am Land lag eine Pfahlbauhütte, bei der zwei Männer standen, die uns entgegenblickten; der eine hatte gewöhnliche Größe, der andere war hoch und breit gebaut.

„Der Chinese und der alte Nikobarese, dem die Hütte angeblich gehören soll", sagte ich; „halten wir auf sie zu!"

Das hatte keine Schwierigkeiten, denn es war die Zeit der Flut, die uns der Küste entgegentrieb. Die beiden Männer wateten uns im Wasser entgegen, um unsere Boote festzuhalten, als sie auf den Grund stießen. Kaladi sprang schnell heraus; bei mir ging es wegen der Kette langsamer.

Der Chinese war wirklich ein Goliath mit roh zugehackten Gesichtszügen und einem Schnurrbart, der hüben und drüben fadendünn bis auf die Brust herunterhing. Wir grüßten ihn wie in banger Ungewißheit. Er musterte uns einige Augenblicke, nahm uns bei den Händen und zog uns ans trockene Land.

„Ich bin Ta-ki. Ihr wollt zu mir."

„Ja. Schütz uns!" bat ich.

„Gern, denn ich sehe, ihr seid von der Viperinsel entflohen, woher unsere besten Leute kommen. Wann seid ihr dort fort?"

„Gestern früh."

„Habt ihr Verfolger hinter euch?"

„Nein."

„Seid ihr gesehen worden?"

„Auch nicht."

„Das ist gut; so brauch ich euch nicht gleich zu verstecken. Kommt mit!"

Der alte Eingeborene ging in seine Hütte; Ta-ki aber führte uns daran vorüber zum hohen Ufer hinauf und dann eine Strecke in die Dschungel hinein. Vor einem Passiflorendickicht, das den Boden wie ein Teppich bedeckte, blieb er stehen, hob den Rand in die Höhe und gebot uns, ihm zu folgen. Wir bemerkten Stufen, die wir hinunterstiegen. Wir befanden uns in einer viereckigen, tiefen Grube, die durch Bambuswände in mehrere Abteilungen geteilt wurde. An den Stellen, wo es über uns keine Decke gab, drang durch die Passifloren ein Dämmerschein herab, der uns erkennen ließ, daß die Wände aus Muschelschalen aufgemauert waren; infolgedessen besaßen die Räume eine viel größere Trockenheit, als es bei dem hiesigen Klima sonst der Fall gewesen wäre.

Ta-ki verschwand in einem rückwärtigen Raum und brachte uns Kleidungsstücke, die wir an Stelle der Hemden anlegen mußten. Dann holte er einen eisernen Schraubenschlüssel, mit dessen Hilfe er mich von der Kette befreite; er schien auf alles vorbereitet zu sein. Nun erst fragte er nach unseren Namen und unserer Vergangenheit.

Kaladi gab sich für einen Sepoy aus, der wegen Totschlags verbannt worden sei. Ich war der Besitzer einer arabischen Dhau[1], hatte Sklavenhandel getrieben und war dabei erwischt und nach den Andamanen geschafft worden. Der Chinese glaubte aufs Wort, gab uns zu essen und brachte sogar eine Flasche Rum, bei dessen Genuß er uns die Freuden des Seeräuberlebens beschrieb. Er fragte uns nicht nach unseren Absichten und unserem Willen, sondern er schien es als unumstößlich anzunehmen, daß wir uns mit seiner Hilfe diesem schönen Beruf widmen würden.

„Besonders du kannst es weit dabei bringen", sagte er zu mir. „Du hast eine Dhau befehligt, bist also Seemann und verstehst ein Schiff selbständig zu führen. Es wird nicht lang dauern, so wird Ling-tao dir eine Dschonke übergeben."

„Ling-tao? Wer ist das?" fragte ich.

„Unser Admiral und oberster Gebieter."

„Führt er selber auch Schiffe?"

„Jetzt nicht mehr. Er wohnt an der Hu-Kiao."

Ah! Da hatte ich ja den Namen: Hu-Kiao, die Tigerbrücke! Jetzt schnell eine weitere Frage; ich mußte mir Mühe geben, Gleichgültigkeit zu heucheln, als ich sie aussprach:

„Hu-Kiao? Was ist das für ein Ort? Wo liegt diese Tigerbrücke?"

Ich senkte den Blick erwartungsvoll. Würde ich die für uns so wichtige Antwort bekommen?

„Sie liegt gegenüber der Insel Mansillar in der Tapanuli-Bai."

Gott sei Dank; es war geglückt! Trotz meiner Freude erkundigte ich mich ruhig weiter: „Die Tapanuli-Bai? Liegt die nicht an der Südwestküste von Sumatra?"

„Ja. Ich sehe, daß du ein guter Seemann bist. Dich hat dein Glück zu uns geführt. Wenn der Haiang-dze auf seiner Rückfahrt hier anlegt, wird er euch mit nach der Tigerbrücke nehmen, wo ihr von dem großen Ling-tao eure Anstellung bekommen werdet."

„Der Haiang-dze?" fragte ich, indem ich mich sehr überrascht stellte.

„Ja."

„Die chinesische Dschonke, die man den Kidnapper nannte? Meinst du die?"

„Ja."

„Die wird nicht zurückkommen."

„Nicht? Warum?"

[1] Segelschiff

„Die ist von den Engländern genommen worden, und die ganze Mannschaft samt dem Kapitän ist an den Rahen aufgeknüpft worden."

„Wo?" fragte Ta-ki, mich vor Schreck anstarrend.

„In Point de Galle auf Ceylon."

„Dahin wollte er, ja, dahin! Ist es wahr, was du sagst, ist es wahr?"

Er war aufgesprungen und schien mich mit seinen funkelnden Augen verschlingen zu wollen.

„Es ist wahr; ich hab's mit meinen eigenen Augen beobachtet", entgegnete ich.

„Du? Ich denke, du bist auf den Andamanen, auf der Viperinsel gewesen."

„Nur zwei Tage; dann entflohen wir, gestern. Ich wurde von Point de Galle aus nach den Andamanen geschafft; dort hab ich alles gesehen und gehört!"

„Es waren große Kriegsschiffe, die den Haiang-dze kaperten?"

„Nein, sondern es war eine kleine Dampfjacht, die einem englischen Lord gehört."

Ich erzählte den Hergang, wie er sich ereignet hatte. Die Wut des Chinesen wuchs von Minute zu Minute; er fluchte wie ein Verrückter. Sein Grimm war besonders deshalb so groß, weil es ein so kleines Privatschiff gewesen war, das den großen Kidnapper bewältigt hatte.

„Und sie sind alle getötet worden, alle?" fragte er, vor Aufregung zitternd.

„Alle, einen Kaffer ausgenommen, der Quimbo heißt; dem schenkte man das Leben."

„Quimbo, der verrückte Schwarze! Das stimmt; nun gibt es keinen Zweifel mehr, daß es wirklich unser Haing-dze gewesen ist. Hätte ich diesen englischen Lord hier! Wollte diese Jacht doch einmal hier ankern!"

„Was würdest du tun?"

„Uns rächen, uns fürchterlich rächen!"

„Du bist allein. Was könntest du gegen die Bemannung eines Schiffs unternehmen?"

„Allein?" hohnlachte er. „Sei nur noch einen Tag hier, dann wirst du bemerken, daß ich nicht so allein bin. Ich brauche nur – – –"

Er wurde unterbrochen. Der alte Nikobarese, dessen Hütte am Strand stand, war gekommen, hob die Passiflorendecke empor und rief herab: „Ta-ki, komm herauf! Es ist ein kleiner Dampfer zu sehen, der um die Insel fährt."

Der Chinese eilte hinauf und hatte nichts dagegen, daß wir ihm folgten. Wir liefen durch die Dschungel nach der Küste zurück. Am Rand des Dickichts blieb ich stehen, stieß einen Ruf der Überraschung aus und zeigte nach der Jacht.

„Sieh das Schiff, Ta-ki! Ich kenne es. Es ist der Engländer, der den Haiang-dze genommen hat."

Er stutzte und funkelte mich mit den Augen an.

„Ist das wahr? Irrst du dich nicht?"

„Ich weiß es genau. Diese Jacht werde ich nie vergessen."

Er richtete den Blick auf den Dampfer und beobachtete schweigend eine ganze Weile seinen Lauf; dann kam es knirschend zwischen seinen Zähnen hervor: „Hätte ich einen Mann, der dieses Schiff lenken kann! Oh, dann, dann, dann!"

„Was würdest du da tun?" fragte ich.

„Ich erwürgte alle Menschen, die sich darauf befinden, und brächte den Dampfer zum Ling-tao nach der Tigerbrücke. Wie könnten wir ein solches Fahrzeug gebrauchen."

„So nimm den Dampfer weg, wenn du kannst! Ich verstehe es, mit solchen Maschinen umzugehen."

„Du, du, wirklich?" fragte er fast jauchzend.

„Ja."

„Könntest du diesen Dampfer nach der Tigerbrücke bringen?"

„Mit Leichtigkeit."

„So kommt! Er geht um die Insel, und ich denke, er wird da oben an meiner Spitze halten. Ich werde ihn durch List so weit bringen, während der Nacht vor Anker zu bleiben. Wenn es dunkel geworden ist, hole ich alle meine Leute, und wir steigen an Bord."

Er eilte der Nordwestspitze zu, und wir folgten ihm. Die Hütten, die dort standen, enthielten große Vorräte an Früchten und allerlei Handels- und Tauschartikel. Nach einiger Zeit kam die Jacht an der Westküste herauf und ließ an der Spitze den Anker fallen.

„Das Schiff bleibt!" jubelte der Chinese. „Ich werde hinausrudern und ihm Früchte anbieten."

„So nimm mich mit!" forderte ich ihn auf.

„Dich? Was willst du dabei?"

„Ich muß das Schiff betrachten; ich muß auch die Maschine sehen, um zu erfahren, ob es eine ist, die ich handhaben kann."

„So komm mit! Dieser Hund von Engländer wird uns wohl erlauben, an Bord zu gehen."

Es wurden zwei Körbe mit Früchten in ein Boot geschafft; dann stiegen wir ein und ruderten gegen die Flut der Jacht entgegen. Als wir ihr zum Anrufen nahe gekommen waren, bog sich der Lord über die Reling herüber.

„Boot ahoi! Was bringt ihr?"

„Früchte", antwortete Ta-ki, „Früchte, frische Früchte gegen das Fieber."

„Kommt damit an Bord!"

Das Gesicht Raffleys strahlte vor Vergnügen. Der Chinese bemerkte das nicht. Er freute sich über die Aufforderung und fing die zugeworfene Leine auf, um das Boot daran festzubinden. Die Körbe wurden an Tauen emporgezogen, und wir gingen nach.

Der Lord war bedachtsamerweise von der Schiffswand nach der Mitte des Decks zurückgetreten. Der Chinese folgte ihm, um ihn höflich zu begrüßen und ihm seine Früchte anzubieten. Wie staunte er aber, als Raffley den Gruß gar nicht erwiderte, sondern ihn in strengem Ton fragte: „Du heißt Ta-ki?"

„Ja", antwortete der Chinese befremdet.

„Und wirst Tsu genannt?"

„Tsu?" wiederholte der Chinese, dessen Befremdung sich in Betroffenheit verwandelte.

„Ja, Tsu. So wurdest du doch auf dem Haiang-dze genannt. Oder nicht?"

„Ich weiß nicht, was du mit Haiang-dze meinst."

„Nicht? Hm! So weißt du wohl auch nicht, wer euer Ling-tao ist?"

„Nein."

„Und wo sich die Tigerbrücke befindet?"

„Auch nicht. Ich verstehe Euch nicht. Was wollt Ihr von mir? Warum bringt Ihr Worte und Namen, die ich nicht kenne? Oh – – oh – – Quimbo!!!"

Der „gut, schön, tapfer" Basutokaffer war unten im Raum gewesen und kam jetzt durch die Luke gestiegen. Er hörte seinen Namen rufen und sah den Chinesen. Im nächsten Augenblick hatte er eine Handspeiche ergriffen, die gerade im Weg lag, und schrie ihn an:

„Da bin ja Ta-ki, der groß mächtig Räuber von China! Und hier bin tapfer Quimbo. Kenn du noch Quimbo, he, he?"

Der Chinese sah sich verraten; seine Geistesgegenwart verließ ihn. Er starrte den Kaffer mit offenem Mund an. Quimbo aber lachte:

„Warum du sperr Maul auf und doch nicht reden? Quimbo dir geb Klapps auf Kopf, daß Maul fall wieder zu."

Ein gewaltiger Hieb mit der Speiche auf den Kopf des Chinesen, und der Mann brach wie ein Klotz zusammen. Er, der die Bemannung der Jacht hatte ermorden wollen, war von der Hand des verachteten Basuto niedergestreckt worden.

Der riesige Chinese lag besinnungslos zu unseren Füßen. Ich war auf einen Faustkampf mit ihm gefaßt gewesen, und wenn ich mich auch nicht vor ihm gefürchtet hatte, so kam es doch wie eine Art von Erleichterung über mich, als ich ihn auf diese Weise unschädlich gemacht sah.

„Thunder-storm, war das ein Hieb!" rief der Lord. „Wer hätte das dem kleinen Quimbo zugetraut!"

Der Kaffer hörte das und fragte stolz:

„Warum das nicht trau zu Quimbo? Quimbo bin schön, groß, tapfer Held; Quimbo sich nicht fürcht, wenn auch nicht so groß und lang und breit wie Chines. Quimbo hab lieb gut brav Deutschland und schlag tot für ihn all Chines und ander Feind. Hab Quimbo mach gut sein Sach?"

„Ja, du hast sie gut gemacht, doch will ich hoffen, daß du den Kerl nicht ganz erschlagen hast."

Ich bückte mich nieder, untersuchte Ta-ki und konnte die Versicherung geben:

„Er ist nicht tot und wird bald wieder erwachen, aber eine tüchtige Geschwulst wird er einige Wochen lang am Kopf herumtragen."

„Das schadet ihm nichts. Wer eine solche Handspeiche an den Schädel bekommt, der darf sich nicht wundern, daß ihm der Kopf einige Zeit lang brummt. Wollen ihn binden, damit er keine Dummheiten machen kann, wenn er erwacht!"

Der Chinese wurde an den Mast geschafft und dort so gefesselt, daß er sich später nicht bewegen konnte; dann gebot der Lord dem Steuermann:

„Und nun auf den Anker, damit wir wieder nach Kamorta kommen!"

„Ich möchte vorschlagen, lieber noch einige Zeit vor Anker liegen zu bleiben", widersprach ich ihm.

„Warum?"

„Es gibt für uns noch hier zu tun."

„Was?"

„Der Chinese hat Verbündete hier, mit denen er die Jacht überfallen und die Bemannung töten wollte."

„Was geht das uns jetzt an? Wenn nur unser Zweck erreicht ist, so mag ich weiter nichts wissen. Und erreicht ist er doch? Oder etwa nicht?"

Ich sah ihn lächelnd an, ohne zu antworten: da näherte er sein Gesicht dem meinigen, ließ den Klemmer auf die Nasenspitze vorrutschen und fragte: „Was schaut Ihr mich so an, Charley? Sollte ich mich etwa getäuscht haben?"

„Ihr meint, daß ich erfolgreich gewesen bin?"

„Yes. Wenigstens glaube ich das annehmen zu können."

„Well! Ihr seht also nun wohl ein, daß Ihr Eure Wette verloren hättet?"

„Laßt mich mit der Wette in Ruhe, und sagt mir lieber, wie es steht!"

„Schön! Ich weiß, wo die Tigerbrücke zu suchen ist, Sir."

„Ach! Wo?"

„An der Südwestküste von Sumatra, bei der Mansillar-Insel in der Tapanuli-Bai."

„Das ist ja wohl gegenüber der großen Insel Pulo Niha oder auch Nias genannt?"

„Nordöstlich davon, zwischen ihr und dem Festland."

„Ihr seid ein tüchtiger Kerl und habt Eure Sache gut gemacht. Hätte wirklich nicht geglaubt, daß es Euch gelingen würde, diesem Chinesen sein Geheimnis zu entlocken. Nun Ihr das aber fertig gebracht habt, wollen wir unsere kostbare Zeit nicht hier auf Tillangdschong versäumen. Wir schaffen den Chinesen nach Kamorta und liefern ihn aus. Was dann hier geschehen soll, das ist Sache der Kolonieverwaltung. Wir dampfen nach Sumatra."

„Hm! Wird das möglich sein?"

„Warum nicht?"

„Habt Ihr genug Kohlen?"

„Nein, habe aber schon daran gedacht. Werde auf Kamorta einen tüchtigen Vorrat Holz einnehmen; es sind ja genug Gefangene dort, die diese Arbeit verrichten können."

Jetzt kam der Anker in die Höhe, und die Jacht wendete sich um die Nordwestecke der Insel nach Süd, wobei wir bemerkten, daß Ta-ki wieder zu sich kam. Sein Kopf schmerzte ihn, und er wollte mit den Händen danach greifen, was er aber nicht konnte, weil er gefesselt war. Das brachte ihn ganz zur Besinnung. Er stieß einen Ruf des Grimms aus und ließ seine Augen zwischen mir und dem Lord hin und her rollen.

„Schuft! Verräter!" knirschte er mich an. „Ich nahm dich in Schutz, und du hast mich dafür elend verraten."

„Du irrst dich", lächelte ich. „Ich kam zu dir, um nicht um Schutz bei dir zu suchen, denn ich war kein entflohener Verbrecher."

„Was dann?"

„Ich gehöre zu dieser Jacht und war dabei, als wir den Haiang-dze erwischten. Der Kapitän ist bestraft mit allen seinen Leuten. Du wirst deinen Lohn ebenso finden, und so ist nur noch Ling-tao auf der Tigerbrücke zu suchen. Wo sie liegt, das wußten wir nicht, und so kamen wir zu dir, um dir dieses Geheimnis zu entlocken."

Er stieß einen Fluch aus und schloß die Augen.

Kaladi war, als ich mit Ta-ki nach der Jacht ruderte, am Ufer zurückgeblieben, aber sogleich auf einem zweiten Boot nachgekommen, als er sah, daß der Chinese niedergeschlagen wurde. Diese beiden Boote wurden auf meinen Vorschlag an Bord gehißt, denn es kam mir der Gedanke, daß wir sie später wohl gebrauchen könnten.

Als wir dann wieder vor Kamorta Anker warfen, gab der Lord das Zeichen, daß wir den Befehlshaber zu sprechen wünschten. Er kam und zeigte sich über unseren Erfolg erfreut. Nachdem er meine Unterredung mit Ta-ki schriftlich aufgenommen hatte, versprach er, uns so viel Holz wie wir nur fassen konnten, zu senden und ruderte mit dem Gefangenen an Land zurück. Bald darauf wurde uns der versprochene Brennstoff gebracht, und zwar so viel, daß es bis zur halben Nacht dauerte, bevor er an Bord geschafft worden war. Es war mehr als zureichend, den Kessel bis Sumatra zu heizen. Als der Tag zu grauen begann, dampften wir aus dem Hafen von Kamorta hinaus und der rätselhaften Tigerbrücke entgegen.

9. In der Tapanuli-Bai

Also in der Tapanuli-Bai sollte die Hu-Kiao zu suchen sein. Wäre ich nicht überzeugt gewesen, daß der Chinese mir die Wahrheit gesagt hatte, so hätte ich irre werden müssen; denn diese Bai bietet die geräumigsten und sichersten Ankerplätze der ganzen Insel, und darum herrscht hier ein so reger Verkehr, daß das Vorhandensein eines Schlupfwinkels für Seeräuber unglaublich erscheinen mußte. Trotzdem hielt ich an meiner Überzeugung fest; dagegen waren die Zweifel des Lords erwacht. Sie wuchsen immer mehr, je näher wir dem Ziel kamen, und als wir endlich Pulo si Malu zur Linken hatten und bald über Back nach der Tapanuli-Bai wenden konnten, musterte er die Fahrzeuge verschiedener Größe, die das Wasser belebten, und fragte mich in bedenklichem Ton:

„Charley, wollen wir wetten?"

„Worüber?"

„Daß wir unverrichtetersache von hier fortdampfen werden. Ich bin nämlich überzeugt davon."

„Und ich sage, daß wir unseren Zweck gewiß erreichen werden."

„Well! Wollen wir also wetten?"

„Ja."

Das war das erstemal, daß ich ja sagte. Er tat beinahe einen Luftsprung, starrte mich höchst erstaunt an, ließ den Klemmer auf die Nasenspitze vorrutschen und rief: „Wirklich? Ihr wollt wirklich wetten?"

„Ja."

„Das ist ein ungeheuer großes Wunder! Aber ich freue mich darüber, denn nun kann ich Hoffnung haben, daß mit der Zeit doch noch ein wirklicher Gentleman aus Euch wird. Also ich behaupte, daß wir umsonst hierhergekommen sind. Und Ihr?"

„Ich behaupte, daß wir unsere Absicht erreichen und ausführen werden."

„Wieviel wollen wir setzen?"

„Wieviel denkt ihr wohl?"

„Hundert Pfund."

„Das ist zu wenig."

„Was? Wie? Zu wenig? Wieviel denkt Ihr denn?"

„Tausend Pfund."

„Tau — — — tau — — — tau — — — —"

Er brachte nur diese eine Silbe über die Lippen und riß die Augen fast noch weiter auf als den Mund. So etwas Unbegreifliches war ihm in seinem Leben noch nicht vorgekommen.

„Ja, tausend Pfund", nickte ich mit einer Miene, als ob es sich um ein Drei- oder Fünfmarkstück handele.

„Aber, seid Ihr denn des Teufels, Charley?!"

„Nein; ich weiß ganz genau, was ich sage."

„Tausend Pfund! Das ist doch für Euch kein Pappenstiel."

„Allerdings nicht."

„Dieser sonst so sparsame und vorsichtige Mensch will tausend Pfund setzen. Geradezu unbegreiflich! Habt Ihr denn soviel bei Euch?"

„Nein."

„Nicht? Good god! Und wollt doch diese Summe setzen?"

„Versteht sich."

„Wie ist das möglich?"

„Ihr borgt mir die tausend Pfund."

„Ich borge — — borge — — borge Euch — —"

Er blieb wieder mitten in der Rede stecken und betrachtete mich wie ein Geheimnis, das nicht zu ergründen ist. Ich aber erklärte ihm in leichtem Ton:

„Ihr habt mich so oft vergeblich zum Wetten aufgefordert und mir dabei so oft gesagt, daß Ihr mir den Betrag leihen wollt. Könnt Ihr Euch da wundern, daß ich endlich einmal von diesem Anerbieten Gebrauch mache?"

Da lachte er lustig auf.

„Ah so! Ich soll gefangen werden; aber das wird Euch nicht gelingen, denn ich weiß, daß ich diese Wette gewinnen muß. Also gut, ich leihe Euch die tausend Pfund, und zwar gern, von Herzen gern, und damit Ihr seht, daß ich meiner Sache sicher bin, setze ich das Doppelte, also zweitausend Pfund, dagegen. Einverstanden?"

„Nein. Ich will kein Geld gewinnen."

„Was denn?"

„Einen Gegenstand, den ich gern haben möchte. Wollt Ihr ihn gegen meine tausend Pfund setzen?"

„Welcher Gegenstand soll das sein?"

„Eure Chair-and-umbrella-pipe, Sir."

Ich sagte das in einem so gleichgültigen Ton, als ob es sich um etwas ganz Geringfügiges, Wertloses handele; Raffley aber machte jetzt wirklich einen Luftsprung, spreizte alle zehn Finger abwehrend gegen mich aus und schrie:

„Meine Chair-and-umbrella-pipe! Zounds! Seid Ihr verrückt, Charley? Was fällt Euch denn ein! Die soll ich wagen, die?"

„Warum denn nicht? Ihr tatet ja, als ob Ihr vollständig überzeugt wärt, die Wette zu gewinnen."

„Das war ich, und das bin ich auch noch jetzt. Aber diese großartige Seltenheit ist mir vom Traveller-Club, London, Near-Street 47, verehrt worden. Was würde man dort sagen, wenn man erführe, daß ich die Rücksichtslosigkeit gehabt habe, die pipe aufs Spiel zu setzen? Nein, darauf gehe ich nicht ein. Ich setze zweitausend Pfund."

„Und ich setze nur gegen Eure pipe."

„Dann kann aus der Wette nichts werden."

„Wirklich nicht? Ist das Euer Ernst?"

„Ja, mein vollster Ernst."

„O weh! Das tut mir leid, sehr leid um Euch!"

„Leid? Warum denn?" horchte er auf.

„Weil ich Euch bisher für einen echten, wahren Gentleman gehalten habe."

„Bisher? Nur bisher, Charley?"

„Ja. Ihr habt mir wiederholt gesagt, daß der Mann, der eine angebotene Wette zurückweist, kein wahrer Gentleman ist."

„Aber ich weise diese Wette ja gar nicht zurück; nur will ich meine Chair-and-umbrella-pipe nicht setzen; das kann und darf ich nicht."

„Das ist Wortklauberei. Ihr wollt sie nicht setzen, folglich wetten wir nicht, und daran seid Ihr schuld. So ist die Sache. Oder ist sie etwa anders?"

Er zog ein überaus verlegenes Gesicht, rieb sich ratlos die Hände und murmelte:

„Verteufelte Angelegenheit! Weiß mir wirklich keinen Rat!"

Damit drehte er sich scharf um und ging. Er lief eine Zeitlang an der Steuerbordreling hin und her, nickte vor sich hin, schüttelte den Kopf und machte allerhand sonderbare Bewegungen; dann kehrte er wieder zu mir zurück und legte mir die beiden Hände auf die Schultern.

„Charley, Ihr wollt mit mir wetten?"

„Ja."

„Tausend Pfund gegen meine zweitausend?"

„Nein."

„Aber Eure tausend Pfund gegen meine kostbare Chair-and-umbrella-pipe?"

„Ja."

„So sei mir der Himmel gnädig! Ihr habt recht: als Gentleman muß ich die Wette annehmen; aber wenn ich sie verliere, so muß ich aus dem

Klub treten und darf mich nie wieder bei meinen Freunden blicken lassen. Ihr seid ein schauderhafter Kerl."

„Aber doch endlich ein vollständiger Gentleman, der weiß, was eine Wette zu bedeuten hat."

„Hm ja! Aber ich will Euch aufrichtig sagen, daß Ihr mir vorher als halber Gentleman lieber wart; darauf könnt Ihr Euch verlassen."

Er ging betrübt nach dem Achterdeck. Natürlich war es nicht meine Absicht, ihn um seine geliebte pipe zu bringen; die Verlegenheit, in der er sich befand, sollte ihm eine Lehre sein und die Veranlassung werden, nicht wieder so absprechend über jemand zu urteilen, dessen Grundsatz es ist, nicht auf jede Wette einzugehen.

Inzwischen hatten wir die Insel Pulo si Malu hinter uns gelegt und einen südöstlichen Weg genommen. Links, weit vor uns, erschienen die Banaik-Inseln, und zu unserer Rechten tauchten in der Ferne die kleinen Eilande auf, die der Nordküste von Pulo Niha vorliegen. Wir dampften der Tapanuli-Bai entgegen.

Für einen Fremden ist es nicht leicht, zwischen den Banaik-Inseln und Pulo Niha hindurchzukommen, denn von der einen zur anderen ziehen sich eine Menge kleiner Inselchen, die das Fahrwasser unsicher machen. Man tut daher gut, sich einen einheimischen Schiffsführer zu nehmen, obgleich es hier keinen Lotsenzwang gibt. Wir kamen da freilich nicht in Verlegenheit, denn wir hatten noch nicht Pulo Tupah erreicht, so schossen mehrere Boote auf uns zu, die die Lotsenflagge führten. Dem, das uns zuerst erreichte, wurde ein Tau zugeworfen, und der Insasse kletterte an Bord.

Es war ein Vollblutmalaie, doch zeigte es sich, daß er sowohl Niederländisch als auch Englisch verstand. Er wurde mit dem Lord schnell über das Lotsengeld einig und übernahm dann den Befehl über die Jacht. Das heißt, er stieg mit Raffley hinauf zum Steuermann und zeigte ihm, wie das Rad zu handhaben sei.

Ich ging vor an den Bug, weil sich mir von dort aus die beste Aussicht bot. Sie war einzig in ihrer Art. Je mehr wir uns der Bai näherten, desto deutlicher stieg die hohe Küste von Sumatra vor uns auf. Die Pflanzenwelt bietet hier die großartigste Schönheit und Mannigfaltigkeit. Wir kamen von hoher See und dampften zwischen malerischen Inseln einem Land entgegen, das wie eine grünschillernde, duftende Fee in den saphirglänzenden Fluten lag. Da fühlte sich das entzückte Auge so beschäftigt und gefangen, daß es wirklich kein Wunder war, wenn ich nur Sinn für diesen Anblick hatte und für das, was hinter mir auf dem Deck geschah, keine Aufmerksamkeit besaß.

Es kam mir alles in den Sinn, was ich über Sumatra gelesen hatte, und besonders dachte ich an die jagdbaren Tiere, die es auf dieser Insel in Menge gibt: den Orang-Utan, den Elefanten, die zwei Nashornarten, den Tapir, den Nebelpanther und besonders an den Königstiger, der hier ebenso stark, gefährlich und gefürchtet ist wie sein indischer Anverwandter. Ob ich wohl hier Gelegenheit zu einem Jagdausflug finden würde?

Jetzt fuhren wir durch die Bai, in der zufälligerweise kein einziges europäisches Fahrzeug ankerte; desto mehr aber wurde sie von malaiischen Prauen und Booten belebt. Die Jacht beschrieb einen Bogen und ging an der der Bai vorliegenden Mansillar-Insel vor Anker, worüber ich mich nicht wunderte, weil ich die hiesigen Verhältnisse nicht kannte.

Es wurde Abend; die Sonne wollte gerade verschwinden, als sich der Lotse in sein Boot hinabließ und davonruderte. Der Lord kam vom Steuerdeck herabgestiegen und zu mir. Seit er die Wette mit mir hatte eingehen müssen, war er fast niedergeschlagen gewesen, jetzt aber hatte sich sein Gesicht erheitert, als er mit wichtiger Miene zu mir sagte:

„Wollen wir wetten, Charley?" – „Worüber?"

„Daß Ihr Eure Wette und die tausend Pfund verliert."

„Fällt mir nicht ein. Es ist genug, daß ich Euch die pipe abnehme; mehr will ich nicht haben."

„Unsinn! Ihr bekommt sie nicht." – „Sie wird mein."

„Nein; ich weiß es genau." – „Ach? — Woher?"

„Es gibt hier gar keine Hu-Kiao, also keine Tigerbrücke. Es gibt hier auch keinen Chinesen, der Ling-tao heißt."

„Wie könnt Ihr das wissen, Sir?" – „Ich habe mich erkundigt."

„Bei wem?" fragte ich schnell und fast bestürzt.

„Bei dem Lotsen."

Ich prallte um zwei Schritt zurück, und es entfuhr mir in einem Ton, als hätte ich einen Schulknaben zur Rede zu stellen:

„Den habt Ihr gefragt, den?"

„Ja, natürlich den! Er kennt ja die ganze Gegend und alle hiesigen Verhältnisse. Habt Ihr vielleicht etwas dagegen?"

„Sir, da habt Ihr einen Pudel geschossen, der gar nicht größer sein kann." „Einen Pudel?"

„Meinetwegen auch einen Affenpinscher, wenn Euch das geläufiger ist."

„Hört, werdet nicht grob, Charley! Ihr wißt, ich bin ein seelensguter Kerl, aber wenn — — — —"

„Aber wenn Euch ein Pudel in den Weg kommt, so müßt Ihr ihn schießen. Wenn mein Ton herzhafter als gewöhnlich ist, so müßt Ihr schon verzeihen, denn es ist leicht möglich, daß Ihr, noch ehe wir hier Anker warfen, schon alles verdorben habt. Wir suchen hier einen Verbrecher, der kein gewöhnlicher Mensch ist und nach allem, was wir über ihn wissen, weite Verbindungen und großen Einfluß besitzt. Sein ganzes Tun und Treiben ist heimlich, und wer ihn fassen will, darf auch nur heimlich handeln. Wir haben allen unseren Scharfsinn zusammenzunehmen. Niemand darf ahnen, was wir hier wollen, und noch hat unser Anker nicht den Grund erreicht, da plaudert Ihr schon diesem Lotsen unser Geheimnis aus."

„Ich habe nicht geplaudert, sondern nur nach den beiden Namen gefragt."

„Das ist aber vollständig genug." – „Wieso?"

„Wenn Ling-tao wirklich hier wohnt und die Fahrten seiner Dschonken von hier aus leitet, so muß er hier eine Menge Verbündete besitzen;

vor allen Dingen sind es selbstverständlich die Lotsen, die mit ihm unter einer Decke stecken. Seht Ihr das nicht ein, Sir John?"

„Hrrrmmm!" räusperte er sich, indem er die Hand an den Mund legte und hustete.

„Antwortet deutlicher, Sir! Gebt Ihr mir recht, oder meint Ihr, daß ich mich irre?"

Er kratzte sich hinter dem rechten Ohr und meinte, indem ihm der Klemmer ganz von der Nase fiel: – „Verteufelte Geschichte!"

„Nicht wahr?"

„Daran zweifle ich nicht; nur wäre mir's lieb, wenn Ihr in dieser wichtigen Angelegenheit nichts tätet, ohne mich vorher zu fragen."

„Ihr habt recht, Charley; es ist ein Pudel, den ich geschossen habe."

„Nehmen wir an, daß der Lotse ein Vertrauter des Chinesen ist, so geht er jetzt zu ihm, um ihm zu sagen, daß eine Dampfjacht angekommen ist, deren Besitzer die beiden Namen Hu-Kiao und Ling-tao kennt und nach ihnen gefragt hat; dieser Besitzer aber ist ein Engländer. Was wird der Chinese tun?" – „Nun, was?"

„Er wird uns einen großen Strich durch unsere Rechnung machen."

„Vielleicht uns gar nach dem Leben trachten?"

„Das ist sehr wahrscheinlich. Darum wollen wir für heute abend und die Nacht an Bord bleiben. Morgen früh machen wir eine Rundfahrt um die Bai."

„Wozu?"

„Um die Tigerbrücke zu entdecken. Quimbo ist ja dort gewesen; er muß sie kennen."

„Mag sein. Aber auch das ist ein gefährliches Ding, weil wir die Bai nicht kennen und nun auch wieder einen Lotsen brauchen, der ebensogut ein Vertrauter des Chinesen sein kann."

„Wir nehmen irgendeinen anderen Menschen, der das Fahrwasser kennt. Dafür laßt mich sorgen!"

Es wurde schnell Abend, doch stand der Mond am Himmel und die Sterne spiegelten sich im Wasser. Wir konnten weit sehen und bemerkten nichts Auffälliges. Obgleich der Tag vorüber war, kamen Handelsboote an die Jacht. Es wurden uns Früchte und allerlei Gebrauchsgegenstände angeboten. Wir erstanden einige Eßwaren, ließen aber niemanden an Bord, sondern zogen das Gekaufte in Körben herauf, in die wir vorher die Bezahlung legten.

Während der Nacht wurde eine Wache ausgestellt, die jede Annäherung zu melden hatte. Es wurde aber Tag, ohne daß eine solche Meldung eingegangen war. Bevor wir die Rundfahrt antraten, wollte der Lord an Land gehen, um in Beziehung auf unseren Ausweis den nötigen Förmlichkeiten zu genügen; eigentümlicherweise aber kam schon kurz nach Tagesanbruch der niederländische Hafenbeamte an Bord, um sich unsere Papiere vorlegen zu lassen. Seine Ruderer blieben im Boot unten, und er brachte nur einen Mann mit sich, dessen Gesichtszüge chinesische waren, was nicht auffallen konnte, weil es auf den Sunda-Inseln Chinesen in Menge gibt. Dieser Sohn der Mitte war der Schreiber des Beamten.

Gewohnt, stets vorsichtig zu sein, beobachtete ich jeden Blick der beiden Männer; ich konnte nichts Auffälliges bemerken. Nur einmal schien es mir, als ginge über das Gesicht des Chinesen ein plötzliches Zucken; das war in dem Augenblick, als er Quimbo sah, der aus der Vorderluke kam; dieses Zucken war aber leicht durch das auffällige Aussehen des Kaffern zu erklären, und so machte ich mir keine Gedanken darüber.

Die Beamten fanden alles in Ordnung und verließen das Schiff. Hierauf wurde auf meinen Wunsch eines der Andamanenboote niedergelassen, in das ich stieg, um einen Führer zu suchen. Von allen, die mir in ihren kleinen Fahrzeugen begegneten, hatte ich das meiste Zutrauen zu einem alten Fischer, den ich nach seinem Tagwerk fragte. Er versicherte, die ganze Küste von Kap Riah bis nach Padang zu kennen, und sein Gesicht strahlte vor Freude, als ich ihm nach unseren Verhältnissen eine Kleinigkeit bot, wenn er für den Vormittag unser Lotse sein wolle. Er ging mit an Bord, und die Rundfahrt, auf die ich so große Hoffnung setzte, begann.

Ich saß mit dem Lord im Vorderteil des Schiffes, und Quimbo stand bei uns; er sollte die Küste scharf beobachten, um die Tigerbrücke zu entdecken. Leider erwies sich der „schön, gut, tapfer Quimbo" als ein höchst unzuverlässiger Kunde. Wohl hundertmal rief er, auf einen Punkt, dem wir uns näherten, deutend: „Das bin Tigerbrücke, ja das bin sie; Quimbo weiß genau!" Aber sobald wir näher kamen, widerrief er seine Worte. Wir beschränkten uns nicht auf die Bai, sondern dampften bis hiuauf nach Tapus und bis hinab nach Batu Mundan, doch vergeblich; Quimbo konnte die gesuchte Örtlichkeit nicht entdecken, und auch wir bemerkten keine Stelle, die auch nur annähernd ein Recht besessen hätte, den Namen Tigerbrücke zu tragen.

„Glaubt Ihr nun bald daran, daß ich die Wette gewinnen werde?" fragte mich der Lord. „Ta-ki hat Euch belogen."

„Das glaube ich nicht; eher nehme ich an, daß Quimbos Gedächtnis nicht stark genug ist, einen bekannten Punkt wiederzuerkennen."

„Mag sein. Aber auch, wenn das der Fall wäre, liegt es auf der Hand, daß wir vergeblich nach dieser schönen Insel gekommen sind. Wir haben die ganze Küste abgesucht, ohne etwas zu entdecken. Wo soll die Tigerbrücke stecken?"

„Ihr irrt Euch. Alles haben wir noch nicht abgesucht."

„Was denn noch nicht?" – „Die Flußufer."

„Hm!" brummte er wegwerfend.

„Bis jetzt sind wir nur der Meeresküste gefolgt. Habt Ihr nicht gesehen, wie breit der Fluß in die Bai mündet?"

„Ziemlich breit; aber was soll das nützen?"

„Quimbo macht vielleicht keinen Unterschied zwischen Fluß- und Meeresufer; sein Ortsgedächtnis scheint überhaupt sehr schwach zu sein. Wie leicht kann die Halbinsel, die wir suchen, im Fluß liegen."

„Ihr meint also, daß wir diesen aufwärts dampfen?"

„Nein, das meine ich nicht, denn das wäre eine große Unvorsichtigkeit. Unsere Jacht im Fluß, wie müßte das auffallen! Nein, ich mache diese Fahrt in einem Boot und nehme nur Quimbo mit, der sich allerdings möglichst wenig sehen lassen darf, weil er dem Chinesen und seinen Leuten bekannt ist." – „Ich soll nicht mit?"

„Nein. Ihr seid auf der Jacht nötig. Bedenkt, daß sie jedenfalls scharf beobachtet wird! Ja, es ist sogar möglich, daß man einen Angriff auf sie richtet." – „Well! Macht, was Ihr wollt!"

Er sagte das in verdrießlichem Ton; er war unternehmend und ohne Furcht, ja sogar kühn; er besaß zu viel Stolz, Selbstlosigkeit und Edelmut, um neidisch zu sein; aber bei allem, was wir bisher getan und erlebt hatten, war mir das Glück günstiger gewesen als ihm, und so verstand ich es gar wohl, daß es ihn drängte, auch einmal „in der Vorhand zu sein", wie man sich auszudrücken pflegt. Hier jedoch handelte es sich um ein Unternehmen, von dem alles abhing, und da traute ich mir nun einmal mehr als ihm. Ich konnte auf seinen Mißmut keine Rücksicht nehmen.

Wir hatten die Bai noch nicht wieder erreicht, so dampften wir an einer Praue vorüber, die nach Landessitte einen wandernden Kram- und Kleiderladen bildete. Ich ließ sofort beidrehen und die Praue bei uns anlegen, um mir einen Sarong[1] zu kaufen und einen malaiischen, trichterförmigen Hut aus Strohgeflecht. Ich tat das, um, wenigstens von weitem, für einen Eingeborenen gehalten zu werden. Die Praue fuhr dann weiter; wir aber blieben beigedreht, denn ich wollte lieber hier die Jacht mit Quimbo verlassen als später in der Bai, wo das beobachtet werden konnte.

Der alte Fischer, unser Lotse, ließ sich bereitfinden, mir sein Boot abzutreten, und als ich den Sarong angezogen und den Hut aufgesetzt hatte, stiegen wir ein und stießen von dem Dampfer ab, der nun die Fahrt fortsetzte, um seinen Ankerplatz wieder aufzusuchen. Die im Boot befindlichen Netze wurden so gelegt und geordnet, daß sich Quimbo dahinter verbergen konnte. Ich ruderte.

Diese Veränderung hatte keinen fremden Zeugen gehabt, und so hoffte ich, unerkannt und ungestört zu bleiben.

10. An der Tigerbrücke

Als wir die Bai erreichten, war sie überaus belebt; doch glitten wir zwischen all den Kähnen und Booten dahin, ohne beobachtet zu werden. Sobald wir in die Mündung des Flusses einbogen, deutete Quimbo erregt nach dem linken Ufer.

„Oh, lieb, gut Mynheer, hier bin bald bei Tigerbrücke. Hier hab liegen Dschonke vor Anker, wo muß Quimbo mit fahr nach Ceyloninsel."

Wie freute ich mich! Ich mußte mich zwingen, ruhig zu fragen:

„Wie weit von hier liegt die Brücke aufwärts?"

„Schön, tapfer Quimbo das nicht wissen; lieb Deutschland ruder weiter; Quimbo werd sagen."

[1] Langes, hemdartiges Gewand

Ich folgte seiner Aufforderung. Die Ufer waren rechts und links mit Bauwerken und Hütten von den sonderbarsten Formen besetzt. Es verging eine halbe Stunde; die Hütten verschwanden; die Ufer waren nun unbewacht und mit Gebüsch und Bambus besetzt. Noch eine Viertelstunde. Schon wollte mir die Zeit zu lang werden, da sah ich eine Insel mitten im Fluß liegen. Der Strom zwischen ihr und dem rechten Ufer war frei, nicht aber auf der anderen Seite; denn dort war sie durch eine Brücke mit dem linken Ufer verbunden.

Ob es eine steinerne oder hölzerne Brücke war, das konnte ich nicht sehen, denn sie war ganz mit grünem, üppigem Pflanzenwuchs bedeckt. Die Ranken waren auf chinesische Weise beschnitten und bildeten zwei mächtige Tigergestalten, die mit den Köpfen einander gegenüberlagen. Quimbo streckte erregt beide Hände aus.

„Hier, hier bin Tigerbrücke! Hier bin Wohnung von Räuber, wo fangen bin Quimbo und wo — — —"

„Leise, still!" unterbrach ich ihn. „Kein Mensch darf hören, was wir miteinander sprechen. Bist du auf der Insel gewesen?"

„Ja, Quimbo bin wesen." – „Steht ein Haus, eine Hütte dort?"

„Nein, bin bloß Baum und Strauch und Bambus."

„Wo liegt die Wohnung des Chinesen?"

„Wohnung bin am Ufer."

„Man sieht ja nichts davon. Es gibt dort nur dichten Wald und noch dichteres Bambusgestrüpp."

„Von Insel geh Weg über Brück nach Haus."

„In das Dickicht hinein?" – „Ja."

„Woraus ist das Haus gebaut?" – „Bin baut aus Bambus."

„Führt kein anderer Weg dorthin als nur der über die Brücke von der Insel aus?"

„Quimbo nicht weiß ander Weg."

„Jetzt still! Lege dich unter die Netze!"

Wir waren nämlich jetzt der Insel nahe gekommen. Ich mußte das Haus sehen, mußte also an ihr vorüber. Ich fuhr nicht unter der Brücke hindurch, sondern wählte die andere Seite, wo der Fluß offen war. Als ich dort an der Insel vorüberruderte, sah ich eine lichte Stelle im Ufergestrüpp mit einigen ins Wasser führenden Stufen; dort war ein Boot angebunden. Das war der Landeplatz für die Bewohner dieses Ortes; sie landeten an der Insel und gingen von da über die Brücke nach ihrem Haus; warum, das konnte ich nicht wissen.

Ich ruderte uns noch eine Strecke aufwärts, bis der Fluß eine Krümmung machte und wir von der Insel und der Brücke aus nicht gesehen werden konnten; dann legte ich am linken Ufer an. Wir zogen das leichte Boot hinauf und versteckten es unter den Schlingpflanzen, worauf ich Quimbo aufforderte, hier auf mich zu warten.

„Nein, schön, gut Quimbo nicht hier warten, denn hier werd fressen von Tiger." – „Gibt's hier Tiger?"

„Oh, hier bin viel, viel Tiger. Quimbo hab hör brüllen ganz Nacht bis früh."

„So komme mit; aber sprich kein Wort!"

Tiger hier, das war gefährlich; denn ich hatte nur die Revolver und das Messer bei mir; aber es mußte gewagt werden. Wir mußten den Weg, den wir von der Insel an flußaufwärts gerudert waren, am Ufer wieder abwärts machen. Ich ging voran und drängte mich, so gut es ging, durchs Dickicht; das war nicht leicht, weil meine Kleidung nur aus dem Sarong bestand; Quimbo hatte es hinter mir besser, weil ich ihm Bahn brach.

Doch schon nach kurzer Zeit stieß ich auf einen von Menschen ausgetretenen Weg, der genau in unserer Richtung lag. Zuweilen zweigte ein ähnlicher Pfad nach der Seite ab. Das Dickicht war also nicht so ungangbar, wie ich gedacht hatte.

Wir gingen nur langsam und höchst vorsichtig weiter. Plötzlich blieb ich stehen, denn vor mir lag ein großer Platz, auf dem sich die gesuchte Wohnung des Chinesen befand. Ich sah die Tigerbrücke, die rechts, vom Fluß her, auf den Platz mündete. Jenseits stand ein großes, nur aus Bambus errichtetes Haus, neben dem es drei kleinere Gebäude gab. Links erblickte ich eine palisadenartige, runde Umzäunung, bestehend aus starken, wohl drei Meter hohen Bambuspfählen, die eng nebeneinander in die Erde gerammt waren. Im Mittelpunkt gab es eine zweite, höhere Umzäunung. Welchen Zweck mochte das haben?

Ich war hinter das Dickicht zurückgetreten. Quimbo stand neben mir, deutete auf eins der kleineren Gebäude und flüsterte mir zu:

„Dort bin wesen fang schön, tapfer Quimbo. Hab steh und lieg anbinden so fest, daß nicht kann fliehen."

In diesem Augenblick hörten wir das Schmerzgeheul eines Menschen. Es erscholl aus dem großen Haus.

„Das bin Wärter, der paß auf und gab Essen arm Quimbo", erklärte der Kaffer.

„Warum schreit er?" fragte ich.

„Weil er bekomm Prügel von Ling-tao."

Ich wollte weiter fragen, tat es aber nicht, denn aus der gegenüberliegenden Tür kamen drei Männer. Der eine von ihnen war — — unser Lotse von gestern und der zweite auch ein Malaie; sie blieben stehen. Der dritte war ein Chinese. Er ging auf die erwähnte Umzäunung zu und öffnete ein darin befindliches schmales Tor. Sofort erscholl das Gebrüll eines Raubtiers. Der Chinese trat in die äußere Umzäunung und machte die Tür hinter sich zu. Aber bevor er das vollständig tun konnte, gewahrte ich das Tier, das gebrüllt hatte, einen Nebelpanther von ungewöhnlicher Größe. Die Raubkatze war offenbar wenigstens so weit gezähmt, daß sie dem Chinesen nichts tat.

Zehn Minuten später kam der Mann wieder aus der Umzäunung heraus und ging zu den beiden Malaien.

„Das bin Ling-tao", flüsterte Quimbo fast zitternd.

„Weißt du, warum der Panther dort steckt?"

„Quimbo nicht weiß, aber ihn hör brüllen ganz Nacht bis früh."

Es kam mir ein Gedanke, dem ich aber nicht folgen konnte, denn von der Insel her erklangen die Töne eines Gong, worauf der Chinese mit den beiden Malaien über die Brücke eilte. Als sie nach einiger Zeit zurückkehrten, war ein vierter bei ihnen, nämlich der Schreiber des Hafenbeamten. Sie brachten einen gefesselten und wahrscheinlich auch geknebelten Menschen getragen, der malaiisch gekleidet war. Er wurde nach der Umzäunung geschafft, deren Tür Ling-tao wieder öffnete. Wieder beobachtete ich den Panther, der brüllend herbeigesprungen kam, aber auf einen Befehl seines Herrn zurückwich. Dieser nahm mit Hilfe des Lotsen den Gefesselten wieder auf und trug ihn hinein. Die Tür wurde nur zu drei Vierteilen zugemacht; der Schreiber und der Malaie standen bei ihr, um den anderen nachzuschauen, so kam es, daß auch wir durch die Lücke blicken konnten. Der Panther lag fauchend zur Seite; der Chinese erreichte mit dem Lotsen die innere Umzäunung; sie öffneten, schafften den Gefangenen hinein und zogen die Tür hinter sich zu. Sie blieben wohl eine Viertelstunde darin; dann kehrten sie zurück. Nachdem sie die innere und dann die äußere Umpfahlung wieder verschlossen hatten, traten sie in das große Haus.

Wer war der Gefangene? Warum hatte man ihn in die Umzäunung geschleppt? Wurde diese überhaupt als Gefängnis gebraucht? War der Panther da, um die Gefangenen zu bewachen? Steckte Bontwerker, den wir suchten, etwa auch da drin?

Diese Fragen legte ich mir vor; ich konnte sie nicht beantworten, aber der heutige Abend mußte Aufklärung bringen; denn mein Entschluß stand fest, nach Eintritt der Dunkelheit hierher zurückzukehren und das Nest zu beschleichen. Jetzt mußte ich fort, denn es gab hier jedenfalls mehr Menschen, als sich sehen ließen, und ich hatte erreicht, was ich wollte — — die Entdeckung der Tigerbrücke.

Dennoch blieb ich noch eine Weile liegen. Ich dachte, daß es mir für heute abend nützlich sein würde, die Insel und die Brücke zu kennen; darum schickte ich Quimbo eine Strecke zurück und schlich mich unter dem Schutz der Pflanzen über die Brücke hinüber. Kaum war ich auf der Insel angekommen, so hörte ich Stimmen hinter mir. Ich fand gerade noch Zeit, hinter ein Zweiggewirr zu kriechen, so kam Ling-tao mit dem Lotsen. Sie schritten nach dem erwähnten Landeplatz und blieben dort stehen. Ich hörte Ling-tao deutlich fragen: „Wirst du es fertigbringen?"

„Ich hoffe es", antwortete der andere.

„Du hast ja Zeit, dir etwas Gutes auszusinnen. Die Jacht muß unser werden. Wie gut können wir sie brauchen! Wir könnten es hier machen, wenn wir mehr Leute wären. Ich habe aber nur euch drei und den Wärter, den ich wieder einmal durchprügeln mußte, weil er dem Holländer zuviel Essen gibt. Die anderen sind auf hoher See und kommen erst nach Wochen wieder. Wenn es dir gelingt, die Jacht nach Padang zu schaffen, so wird sie unser. Du brauchst dich dort nur an meinen Bruder Hi-ßen zu wenden."

„Ich hoffe, daß es mir gelingen wird; es muß mir unterwegs ein Grund einfallen." – „So benachrichtige mich, ehe die Fahrt beginnt!"

Er ging über die Brücke ins Haus zurück. Der Lotse stieg in ein Boot und ruderte davon.

Nun wußte ich, wer da war, nämlich Ling-tao, der Schreiber, der Malaie und der gezüchtigte Wärter. Vor diesen vieren fürchtete ich mich nicht. Sollte ich die Gefangenen gleich jetzt befreien? Die Gelegenheit war günstig! Aber der Panther! Was war ein Revolver gegen so ein Tier! Und die Hauptsache: man hatte einen Streich gegen unsere Jacht verabredet; der Lotse sollte ihn ausführen, und ich mußte mich sehr beeilen, das zu verhindern. Ich schlich mich also wieder über die Brücke zurück, suchte Quimbo auf und eilte mit ihm nach unserem Boot. Wir schafften es wieder ins Wasser und stiegen ein. Quimbo versteckte sich unter die Netze, und ich ruderte aus Leibeskräften stromabwärts. Es ging schnell; trotzdem bekamen wir den Lotsen nicht eher zu sehen, als bis wir uns in der Flußmündung befanden. Er ruderte an der Küste hin, jedenfalls um sein Lotsenboot zu holen, und wir hielten auf unsere Jacht zu. Kaum war ich an Bord gesprungen, so rief mir der Steuermann zu:

„Ihr kommt allein, Sir! Bringt Ihr nicht seine Lordschaft mit?"

„Ist Sir John denn nicht hier?" fragte ich dagegen.

„Nein; er ist längst fort, mit dem chinesischen Schreiber."

„Ah! Wohin?" – „Euch nach." – „Welch eine — — — —!"

Fast hätte ich „Dummheit" gesagt! Ich erfuhr nun folgendes: es war dem Lord doch nicht gleichgültig gewesen, daß ich mich ohne ihn auf die Suche begeben hatte. Darum hatte er es nicht ungern gesehen, daß der Hafenschreiber wegen eines Irrtums im Ankergeld wiedergekommen war. Er hatte ihn gefragt, ob er Zeit habe und die Flußufer genau kenne; es handele sich nämlich darum, einen Ort ausfindig zu machen, der die Tigerbrücke heiße. Er hatte diesen Namen trotz meiner Warnung ausgesprochen, weil er den Schreiber für einen Beamten und darum für vertrauenswürdig hielt. Der Mann aber, der im Gegenteil ein Vertrauter des Chinesen war, ging sofort auf den Vorschlag ein, um den Lord in die Hände Ling-taos zu führen.

Jetzt wußte ich, wer der Gefesselte gewesen war, denn der Schreiber hatte dem Lord einen Sarong und einen Hut besorgen müssen. Die ganze Schiffsbemannung stand dabei, als ich mit dem Steuermann sprach. Ich sagte ihnen, was ich gesehen und gehört hatte; da wollten sie augenblicklich fort, um ihren Lord zu holen. Ich mußte ihrem Eifer Einhalt tun.

„Nicht so schnell! Wir können die Jacht doch nicht ohne Wache lassen, und es sind überhaupt nicht so viele Leute nötig. Übrigens schaut, dort kommt der Lotse angesegelt! Wollen doch hören, was er vorbringen wird!"

Als der Kerl sein Segel fallen ließ, warfen wir ihm ein Tau zu, und er stieg an Bord. Er grüßte und kam auf mich zu.

„Sahib, ich habe dir eine wichtige Botschaft zu überbringen. Der Herr dieses Schiffes ist fort, um die Tigerbrücke zu suchen?"

„Ja."

„Sie befindet sich nicht hier, sondern in Padang. Er ist mit dem Schreiber dorthin unterwegs und läßt Euch durch mich sagen, daß Ihr schnell nachkommen und ihn an Bord nehmen sollt."

„Schön! Zunächst aber haben wir dich an Bord und werden dich nach

Padang bringen, nachdem wir den Lord von der Tigerbrücke geholt haben. Bindet ihn!"

Er wurde von zehn kräftigen Fäusten niedergerissen, gebunden und hinunter in den Raum geschafft. Dann befahl ich unsere Gig ins Wasser, bemannte sie außer mir mit vier wohlbewaffneten Ruderern und nahm, als ich einstieg, den Bärentöter für den Panther mit. Wie mit Dampf ging es über die Bai hinüber und in die Flußmündung hinein.

Ich hatte mit Quimbo über drei Viertelstunden gebraucht, um die Tigerbrücke zu erreichen; jetzt war kaum halb soviel Zeit dazu nötig. Die Jungens legten sich wie die Teufel in die Riemen, um ihren Lord möglichst schnell herauszuholen. Wir fuhren nicht weiter als bis zur Insel und legten am Landeplatz an. Die Matrosen versteckten sich, und ich suchte nach dem Gong. Er hing an einen Baumstamm. Ich schlug dreimal laut an. Ling-tao kam schnell aus dem Haus und nach der Insel. Er war betroffen, als er mich erblickte.

„Wer bist du und was willst du hier?" fragte er mich in strengem Ton.

„Ich will mit Mynheer Bontwerker und dem englischen Lord sprechen, die du hier eingesperrt hast." Er schluckte und schluckte vor Schreck.

„Ich verstehe dich nicht."

„Wie ist dein Name?" – „Ich heiße Hi-ßen."

„Schön! Hier aber wirst du Ling-tao genannt. Ich gehöre zur Jacht, deren Besitzer du eingesperrt hast. Wir haben deinen Haiang-dze erobert und die Bemannung aufgehängt, dann haben wir Ta-ki auf Tillangdschong gefangen, und jetzt sind wir gekommen, um mit dir und deinem Bruder Hi-ßen in Padang abzurechnen."

„Ich verstehe dich noch immer nicht", stammelte er.

„So will ich dir's deutlicher sagen. Hier!"

Ich gab ihm meinen Jagdhieb gegen die Schläfe, daß er niederstürzte. Die Matrosen verließen ihre Verstecke, um ihn zu binden. Da sah ich den Schreiber, den Malaien und einen kleinen, krummbeinigen Chinesen, der der Wärter sein mußte, aus dem Haus kommen. Sie wollten wissen, wer geläutet hatte. Eine Minute später waren auch sie gefesselt. Die Halunken wurden über die Brücke nach dem freien Platz geschleift und dort niedergeworfen. Dann begaben wir uns nach der Tür der äußeren Umpfahlung.

Ich nahm den Bärentöter zur Hand, und einer der Matrosen öffnete leise. Aber das Raubtier hatte uns doch gehört. Ich sah durch die schmale Lücke der Tür, daß es, die Lichter auf uns gerichtet, sprungfertig an der Erde lag. Ich legte an, zielte kurz und schoß; es wurde durch den Schuß ins Auge fast kerzengerade emporgerissen und fiel dann auf dieselbe Stelle nieder, wo es vorher gelegen hatte. Die Matrosen wollten hinein; ich hielt sie aber zurück, denn es konnten auch zwei Panther dagewesen sein, obgleich ich vorhin nur einen gesehen hatte. Ich lud also den abgeschossenen Lauf wieder und trat in die Umzäunung. Es war aber kein zweiter da. Nun wollten meine Begleiter jubelnd nach dem Innenzaun rennen, der einen kleinen, runden Raum abschloß; ich winkte sie aber zurück und schlich mich vor ihnen leise hin. Ich sah die Tür und horchte an ihr. Zwei Männer sprachen darin.

„Dieser Schuß war von ihm", hörte ich den Lord sagen. „So kann nur seine fürchterliche Büchse knallen."

„Ihr glaubt wirklich, Mylord, daß dieser Deutsche kommen wird?"

„Der kommt; der läßt mich nicht stecken."

„Wenn er aber selbst auch gefangen ist?"

„Der! Oh, der ist nicht so dumm wie ich. Den fängt so ein Chinese nicht; er ist — — —"

Er hielt inne und horchte, denn ich hatte geklopft.

„Ist jemand draußen?" fragte er laut. – „Ja", antwortete ich.

„Wer?" – „Einer, der mit Euch wetten möchte."

„Charley, Charley, Ihr seid's, Ihr wirklich! Macht auf, macht schnell auf!"

Ich öffnete. Er konnte nicht heraus, denn er lag gefesselt an der Erde, neben ihm, auch gefesselt, ein anderer, dem man es ansah, daß er sich schon lange Zeit an diesem traurigen Ort befand.

„Macht mich los, Charley, nur schnell los, damit ich Euch umarmen und die Hände drücken kann!"

„Ist das Mynheer Bontwerker?" fragte ich.

„Yes, yes! Doch redet nicht ewig, sondern schneidet uns die Stricke entzwei, damit wir loskommen!"

Das geschah. Der Lord sprang auf, riß mich an sein Herz und drückte mich, daß ich hätte schreien mögen. Dabei nannte er sich wohl zehnmal den dümmsten Menschen, den es nur geben könne, und forderte mich auf, zu erzählen, wie es mir geglückt war, sein Gefängnis zu finden.

Was ihn selbst betraf, so war er einfach von dem Schreiber nach der Insel gerudert und nach dem Aussteigen dort hinterrücks niedergeschlagen, gebunden und dem Chinesen überliefert worden.

Dem Niederländer brauchte ich nichts zu erklären, denn er hatte schon von Lord Raffley, seinem früheren Bekannten von Kapstadt her, erfahren, wie und wo wir von ihm gehört hatten und daß wir dann auf den Gedanken gekommen waren, ihn aus seiner mißlichen Lage zu befreien. Um alles zu wissen, bedurfte er nur noch des Berichts über meine heutigen Erlebnisse, den ich ihm in kurzen Worten lieferte.

Mit welcher Freude begrüßten die Matrosen ihren lieben Lord! Sie verlangten stürmisch die Erlaubnis, Ling-tao die neunschwänzige Katze geben zu dürfen, was ihnen allerdings verweigert wurde. Wir nahmen unsere Gefangenen ins Verhör, konnten ihnen aber kein Wort entlocken.

Als wir die Gebäude untersuchten, fanden wir die Räume von einer solchen Einfachheit, daß wir uns darüber wunderten. Der Seeraub mußte doch Unsummen eingebracht haben. Wo steckten sie? Bontwerker hatte einen Brief um Geld nach Tjelatjap schreiben müssen, war aber so klug gewesen, eine falsche Anschrift anzugeben. War doch schon die Summe, die ihm beim Überfall abgenommen worden war, groß genug. Wo war dieses Geld? Auch darüber erhielten wir keine Auskunft. War es verteilt worden? In diesem wie in allen anderen Fällen hatte Ling-tao als Anführer jedenfalls den Löwenanteil erhalten. Wir durchsuchten alle Räume und die ganze Umgebung der Gebäude, fanden aber nichts als einige kleine Beträge.

Da erhielten wir über diese Frage unerwartet Aufschluß. Es erschien nämlich der alte Fischer, unser heutiger Lotse, mit Quimbo am Platz. Bei meiner Rückkehr nach der Jacht hatte ich nicht Zeit gefunden, an den Alten zu denken, und war wieder fortgerudert, ohne mit ihm zu reden. Da sprach er mit Quimbo, der wußte, daß ich fort war, um außer dem Lord auch seinen früheren Herrn, Mynheer Bontwerker, zu befreien. Wie gern wäre er dabeigewesen! Indem sie das einander erzählten, kamen sie zu dem Entschluß, nach der Tigerbrücke zu fahren. Nun waren sie da.

Als der alte Fischer hörte, daß wir vergeblich nach Geld und Wertsachen suchten, sagte er zu mir:

„Sahib, hier wirst du auch nichts finden, denn der Reichtum dieses Hi-ßen liegt in Padang. Hier ist seine eigentliche Wohnung gar nicht. Er kommt nur zu gewissen Zeiten hierher, weshalb, das habe ich nicht gewußt, weiß es aber jetzt. Er wohnt in der Hauptstadt Padang."

„Was treibt er dort?"

„Er hat mit seinem Bruder ein großes Geldgeschäft."

„Ah, Bankier also. Da kann sich Mynheer Bontwerker freuen, denn wenn es so steht, wird ihm sein Verlust vergütet werden."

Als der Chinese das hörte, sprach er sein erstes Wort; es war ein Fluch, den er mir entgegenknirschte. Aber das war nicht sein letztes; er sprach noch einmal, nämlich als der Kaffer vor ihn hintrat, ihm einen Fußtritt versetzte und ihn anfuhr:

„Hab du Augen? Seh du hier schön, gut, tapfer Quimbo? Du hab nehm fangen Quimbo, und arm Quimbo muß hab viel schlecht Hunger bei dir. Nun du selbst bin fangen und werd hab Hunger. Du bin schlecht Mensch, schlecht Kerl und elend Halunk!"

„Pack dich fort, Kröte!" schrie der Chinese. „Ich sehe, daß du an allem schuld bist. Hätte ich das geahnt, so ständest du jetzt nicht lebendig hier."

Ich ging hinter die Umpfahlung, um dem Panther das Fell zu nehmen; es sollte eine Erinnerung an das heutige Abenteuer sein. Quimbo erklärte sich bereit, es für mich auf kafferische Art zu gerben und zuzurichten.

Nun galt es zu besprechen, was mit den Gefangenen geschehen sollte. Der hiesigen Behörde war nicht zu trauen. Wahrscheinlich stand wenigstens ein großer Teil der Einwohner mit Ling-tao im Bund. Darum schlug ich vor, ihn und seine Spießgesellen nach der Hauptstadt zu schaffen und dort dem Statthalter zu übergeben, der gewiß eine strenge Untersuchung verfügen würde. Die anderen erklärten sich einverstanden.

Was mit den Gebäuden an der Tigerbrücke und ihrem Inhalt geschah, das konnte uns gleichgültig sein. Wir vergriffen uns nicht daran und ruderten bald mit unseren Gefangenen von dieser Stätte des Verbrechens fort. Von uns allen der froheste war Mynheer Bontwerker, der seinen treuen Quimbo kaum aus den Augen ließ, denn ihm hatte er es ja doch zu verdanken, daß sein Schicksal heute einen so glücklichen Umschwung genommen hatte.

Als wir auf dem Schiff ankamen, wurde sofort Feuer unter dem Kessel gemacht. Aber noch ehe wir den Anker lichten konnten, waren wir von einer Unzahl von Booten umgeben, deren Insassen an Bord wollten, um Näheres von uns zu erfahren. Am lautesten waren die Vertreter der hiesigen Behörde, die, zuletzt unter Drohungen, die Auslieferung der Gefangenen verlangten. Wir hörten nicht darauf, und als sie mit Gewalt das Schiff ersteigen wollten, hatten wir gerade Dampf genug, uns in Bewegung zu setzen; da mußten sie von uns ablassen.

Ich merkte wohl, daß der Lord all diese Zeit um mich herumging wie die Katze um den heißen Brei. Der Klemmer rutschte ihm öfter denn je auf die Nasenspitze. Kein Wunder auch! Denn sie hing betrübt herab wie die Ohren eines Neufundländerhundes. Ich ließ ihn ruhig gewähren, und richtig, er kam zu mir und legte mir die Hand auf die Schulter.

„Charley!" – „Sir John!"

„Ihr habt sie gewonnen." – „Die Wette? Yes!"

„No! Die Umbrella-pipe!" – „Und!"

Er schluckte und drückte.

„Ich kann mich im Traveller-Club, London, Near Street 47, nicht mehr sehen lassen. Ich werde . . ."

„Sir John!" unterbrach ich ihn. Es war eine heikle Lage. Ich durfte ihn nicht verletzen. „Sir John, würdet Ihr einem Freund eine Bitte gestatten"?

„Welchem Freund?"

„Mir! Ich bitte Euch, ein Geschenk von mir anzunehmen. Ich möchte Euch für treue Waffenkameradschaft im Kampf gegen die Kidnapper die pipe verehren. Nehmt Ihr das an?"

Da strahlte sein Gesicht wie die Sonne am lichten Morgen.

„Charley! – Ihr seid, Ihr seid –!" – „Nehmt Ihr an?"

„Yes! Von Euch nehme ich es an! Und Ihr seid wahrhaftig der vollkommenste Gentleman von London bis Kapstadt, von Birma bis San Franzisko, obwohl Ihr –"

„– obwohl ich die erste Wette meines Lebens mit Lord Raffley gewonnen habe." –

Padang, die Hauptstadt der Westküste, ist ein wohlgebauter, hübscher Ort mit reger Schiffahrt und bedeutendem Handel, da die Ausfuhr der reichen Erzeugnisse der westlichen Hälfte von Sumatra hauptsächlich über diese Stadt erfolgt. Padang hatte damals schon über zwanzigtausend Einwohner und dabei so geordnete Rechtsverhältnisse, daß wir über die Bestrafung des Chinesen und seiner Rotte nicht im Zweifel sein konnten.

Man hatte von dort aus schon lange Zeit auf die Seeräuber gefahndet, doch war alle Mühe vergeblich gewesen. Es läßt sich also denken, wie willkommen wir waren, als wir unsere sauberen Unterdecksgäste ablieferten. Die gerichtliche Untersuchung wurde schon am nächsten Morgen eröffnet, wobei wir als Zeugen vernommen wurden. Man behandelte uns überaus entgegenkommend, und als Mynheer Bontwerker die Summe angab, die ihm geraubt worden war, zeigte man sich sofort bereit, das der Behörde verfallene Vermögen der beiden Brüder zum Ersatz heranzuziehen; denn auch Hi-ßen, der Bruder des Chinesen, war natürlich verhaftet worden.

Glücklicherweise war die Summe, die dem Mynheer bei dem Überfall abgenommen worden war, nur ein kleiner Teil dessen gewesen, was er von seinem Bruder in Tjelatjap geerbt hatte; der größere Teil war einen sicheren Weg gegangen.

Wir blieben zwei Wochen in Padang und brachten den Mynheer dann nach Kolombo, von wo aus er mit einer anderen Gelegenheit nach Kapstadt gehen wollte. Da er sich entschlossen hatte, seinen treuen Quimbo für immer bei sich zu behalten, so sah sich der Basuto gezwungen, von uns Abschied zu nehmen. Er tat es in seiner belustigenden Weise, die aber diesmal nicht von uns belächelt wurde. Mir reichte er zuletzt seine Hand.

„Weiß lieb, gut Deutschland noch, wie find schön, tapfer Quimbo unten in Sand von Schiff?" fragte er mich.

„Ich weiß es gar wohl", antwortete ich, „du warst für ein Gespenst gehalten worden."

„Oh, Quimbo bin nicht Gespenst, sondern Quimbo bin schön, tapfer Quimbo. Aber wenn gut Deutschland nicht find Quimbo in Dschonke, so werd Quimbo auch aufhangen als Seeräuber, obgleich bin unschuldig. Darum Quimbo niemals vergess sein Mynheer Deutschland und sprech aus jetzt eine Frag." – „Nun, was willst du fragen?"

„Wenn Quimbo einmal komm fahr auf Reis nach Deutschland, er darf besuch sein gut Mynheer dort?"

„Natürlich! Ich würde mich sehr freuen, wenn du einmal kämst."

„So komm schön, tapfer Quimbo ganz gewiß; aber er erst mach ein viel mehr schön Frisur in Haar. Bin in Deutschland auch jung, schön Fräulein, was Mietje heißt?"

„Ja, es gibt dort viel junge Mädchen, die diesen Namen tragen."

„Oh, dann mach Quimbo sein Frisur so wundervoll, daß zusammenlauf um ihn viel hundert Mietje auf einmal."

Sein Mund öffnete sich vor Entzücken von einem Ohr bis zum anderen, und er schüttelte mir die Hände noch einmal unter der sehr ernstgemeinten Versicherung: „Wenn Mynheer Deutschland ihm heb dort viel Mietje auf, so komm schön, tapfer Quimbo ganz gewiß, ja ganz gewiß!"

Leider aber ist der wackere Kaffer bis heute noch nicht erschienen, und so hat also der „Zusammenlauf" der vielen „jung, schön Fräulein Mietje" noch nicht stattfinden können.

Wohl ein ganzes Jahr später schickte der Lord mir zwei Zeitungen von alter Ausgabe, nämlich eine Nummer des in Soerabaya erscheinenden „Bing-tang-timor" und eine des in Padang gedruckten „Sumatra-Courant". Beide Blätter erzählten die Gefangennahme des Chinesen Lingtao an der Tigerbrücke und fügten dann das Weitere hinzu. Man hatte herausbekommen, daß es außer dem Haiang-dze noch zwei Dschonken gab, die auf Rechnung dieses schlauen Mannes und seiner Genossen Seeraub trieben, und ihnen eifrig nachgestellt. Beide waren nach der Bai von Tapanuli gefahren und dort so empfangen worden, daß kein einziger Mann entkam. Hierauf sind so viele Piraten an den Rahen emporgezogen worden, daß man dort selten mehr über die Unsicherheit der Schiffahrt zu klagen hat.

S. von Salmork Holly

Karl May wurde am 25. Februar 1842 in Hohenstein-Ernstthal
geboren und ist in ärmlichsten Verhältnissen aufgewachsen. Nach
trauriger Kindheit und Jugend wandte er sich ursprünglich dem
Lehrerberuf zu. Als Redakteur verschiedener Zeitschriften begann
er ungefähr ab 1875 die Schriftstellerlaufbahn, und zwar zunächst
mit kleineren Humoresken und Kurzgeschichten. Bald jedoch kam
sein einzigartiges Talent zur vollen Entfaltung, als er mit den
„Reiseerzählungen" seinen späteren Weltruhm begründete und
sich eine nach Millionen zählende Lesergemeinde schuf. Seit Ende
des vorigen Jahrhunderts gilt er als der wohl bedeutendste deutsche
Volksschriftsteller. Die spannungsreiche Form seiner Erzählkunst,
ein hohes Maß an fachlichem Wissen und eine überzeugend vertre-
tene Weltanschauung verbanden sich überaus glücklich in seinen
Schriften. Auch heute begeistern die blühende Phantasie und der
liebenswürdige Humor des Schriftstellers in unverändertem Maß
seine jungen und alten Leser. Karl May starb am 30. März 1912
in Radebeul bei Dresden. Seine Werke wurden in mehr als fünfundzwanzig Kultursprachen übersetzt. Allein von der deutschen
Originalausgabe sind bis 1983, also 70 Jahre nach Gründung des
Karl-May-Verlags, über 65 Millionen Bände gedruckt worden.

KARL MAYS GESAMMELTE WERKE

Jeder Band in grünem Ganzleinen mit Goldprägung und farbigem Deckelbild

KARL - MAY - VERLAG · BAMBERG